Einführung
in die
deutsche Literatur

CONTRIBUTORS TO THIS VOLUME

Reinhard Paul Becker
COLUMBIA UNIVERSITY

Mary C. Crichton
UNIVERSITY OF MICHIGAN

John Gearey
COLUMBIA UNIVERSITY

Karl S. Guthke
UNIVERSITY OF CALIFORNIA,
BERKELEY

Inge D. Halpert
COLUMBIA UNIVERSITY

Harlan P. Hanson
WILLIAMS COLLEGE

Ronald Hauser
UNIVERSITY OF MASSACHUSETTS

Frank D. Hirschbach
UNIVERSITY OF MINNESOTA

Ernst Fedor Hoffmann
YALE UNIVERSITY

Ursula Jarvis
COLUMBIA UNIVERSITY

Lee B. Jennings
UNIVERSITY OF TEXAS

Wolfgang Leppmann
UNIVERSITY OF OREGON

Ellen D. Lewis
COLUMBIA UNIVERSITY

Kenneth Negus
RUTGERS UNIVERSITY

Hugo Schmidt
BRYN MAWR COLLEGE

Willy Schumann
SMITH COLLEGE

Egon Schwarz
WASHINGTON UNIVERSITY

Christoph E. Schweitzer
BRYN MAWR COLLEGE

Meno Spann
NORTHWESTERN UNIVERSITY

Horst Günther Weise
SMITH COLLEGE

Einführung in die deutsche Literatur

Essays on the major
German authors
from Lessing to Brecht

JOHN GEAREY
Columbia University

WILLY SCHUMANN
Smith College

HOLT, RINEHART AND WINSTON
NEW YORK

PREFACE

This book is for students. It was conceived and written with their special needs and interests in mind. More scholarly surveys of the field tend to provide the undergraduate with more detailed background than he requires in his beginning studies in German literature, and more general surveys, written for a wider public, with less than he needs and wants. *Einführung in die deutsche Literatur* pursues a middle course. It covers, in individual essays, only the authors with whom the student will be directly concerned at this stage in his studies and concentrates further on those writings of the authors which he can be expected to have read. Each essay places its author in his times, gives biographical data where deemed necessary, and analyzes in some detail a few particular works. The authors and works are the ones that have become standard in undergraduate German literature courses over the years.

The approach to the subject through individual essays has produced the variety in style of interpretation which we anticipated and which we welcome as an asset to the volume as a whole. This variety introduces the student to the fact that there are more ways than one to understand, criticize, and appreciate literature. It was also in consideration of the needs of the undergraduate that the decision was made to do the book in German. As he learns to interpret German literature, he will at the same time learn to think about it (and perhaps in the classroom speak about it) in German and so become used to vocabulary and terms he will need when he embarks upon more detailed or difficult critical studies. No attempt has been made to "write down" to the student, however. But concepts and terms that might be unfamiliar to him have been explained, and the more sophisticated word or construction has been avoided where the simpler one would do.

At the end of each essay is a short list of biographical and critical studies. The lists are not intended as bibliographies of the works consulted by the contributors in preparing their essays but simply as guides to secondary sources which the student might turn to first if he has a paper to write or wishes to pursue a particular interest. He will have further guidance from his instructors. In this regard, as in all others, the book is what its title indicates: an introduction to a subject which will be gone into more fully in the classroom.

We owe the greatest thanks to the contributors to the volume for the enthusiasm they have shown for the project from the beginning, for the understanding with which they met the special demands it made upon them, and for their readiness in accepting suggestions to change or rearrange material in order to bring more coherence or continuity into the book as a whole. All this not only made our own task more enjoyable, it made it possible to carry out. We are also most grateful to our colleagues at Columbia University and Smith College, many of them themselves contributors to the volume, who offered valuable help and suggestions in many regards.

J. G.
W. S.

ACKNOWLEDGMENTS

We are indebted to Vandenboeck & Ruprecht, Verlagsbuchhandlung, Göttingen, for the kind permission they granted Prof. Karl S. Guthke to reprint portions of his book *Gerhart Hauptmann: Weltbild im Werk* in his essay for this volume; and to the publishers of *Neophilologus* for permission granted to Prof. Egon Schwarz to reprint parts of his article "Zur Stilistik von Stifters *Bergkristall*" which appeared in that journal in 1954.

TABLE OF CONTENTS

Einführung

in die

deutsche Literatur

Gotthold Ephraim Lessing

1729-1781

Der Dreißigjährige Krieg (1618-1648) hatte Deutschland physisch erschöpft, und die Ergebnislosigkeit der religiösen Kontroverse hatte zur geistigen Ernüchterung geführt. Die Philosophie begann ihren eigenen Weg der Vernunft, der Ratio, zu gehen, eine Entwicklung, die man in ganz Europa beobachten 5 kann. Dieses Zeitalter der Aufklärung, in dem die Vernunft das Denken beherrschte, wird in Deutschland zeitlich durch zwei Philosophen begrenzt. An der Schwelle der Aufklärung steht Gottfried Wilhelm Leibniz (1646-1716), für den der Begriff der Klarheit schon eine wichtige Rolle in der Stufenleiter zur 10 Vollkommenheit spielt. Immanuel Kant (1724-1804) weist die Vernunft wieder in ihre Schranken zurück und stellt so das Ende der Aufklärung dar. Kant hat die Aufforderung „Habe

Mut, dich deines Verstandes zu bedienen!" als den Wahlspruch
der Aufklärung bezeichnet. Lessing hat diesen Wahlspruch in
bewundernswerter Weise erfüllt und ist Deutschlands größter
Dichter der Aufklärung.

5 Gottfried Ephraim Lessing wurde 1729 in Kamenz, einem
Städtchen in der Nähe von Dresden, als Sohn eines protestantischen Pfarrers geboren. Der begabte und ausgezeichnet
vorbereitete Schüler sollte an der Universität Leipzig Theologie
studieren, wandte sich aber mehr dem Theater als dem Stu-
10 dium zu. Die Früchte dieses Interesses sind eine Reihe von
Lustspielen, unter denen *Der junge Gelehrte* Lessings Fähigkeit
zeigt, seine eigenen Schwächen — in diesem Falle die falsche
Buchgelehrsamkeit — zur Zielscheibe seines Witzes zu machen.
Der Einakter *Die Juden* liefert ein außerordentlich frühes und
15 faszinierendes Beispiel für den Kampf des jungen Autors gegen
das Vorurteil. Er hat es als erster deutscher Schriftsteller gewagt,
einen edlen Juden auf die Bühne zu bringen und hat es verstanden, sich in die psychologische Situation eines Mitgliedes
des damals fast überall verachteten und unterdrückten Volkes
20 zu versetzen. Für die deutsche Literatur gewann die Tragödie
Miss Sara Sampson (1755) besondere Bedeutung. Der Titel
deutet schon auf den Einfluß der englischen Literatur hin, der
sich bei einem Vergleich zwischen George Lillos *The London
Merchant* und Lessings Stück auch bestätigt. *Miss Sara Sampson*
25 handelt von der tragisch endenden Liebe eines bürgerlichen,
frommen Mädchens zu einem wankelmütigen Mann, der sich
aus den Ketten einer früheren Affäre nicht befreien kann. Das
Stück führte das bürgerliche Trauerspiel in Deutschland ein,
das in Schillers *Kabale und Liebe* und Hebbels *Maria Magdalene*
30 weitere Beispiele fand. Auch in den kritischen Schriften richtete
Lessing seinen Blick auf die englische Literatur und stellte im

Gegensatz zur vorherrschenden Meinung Shakespeare über den
französischen Klassiker Corneille. In diesem Sinne liest man im
17. der *Briefe, die neueste Literatur betreffend* (1759-1765):

> Auch nach den Mustern der Alten die Sache zu ent-
> scheiden, ist Shakespeare ein weit größerer tragischer [5]
> Dichter als Corneille, obgleich dieser die Alten sehr wohl,
> und jener fast gar nicht gekannt hat. Corneille kommt
> ihnen in der mechanischen Einrichtung, und Shakespeare
> in dem Wesentlichen näher.

Johann Gottfried Herder sieht dann später ähnlich in dem [10]
künstlichen Einhalten der Regeln die Hauptschwäche des klassischen französischen Dramas, während er Shakespeare als
Naturgenie begeistert feiert.

Ein längerer Aufenthalt in Berlin führte Lessing mit den
dortigen Vertretern der Aufklärung zusammen: unter anderen [15]
mit Voltaire, dem damaligen Günstling Friedrichs des Großen,
mit dem Philosophen Moses Mendelssohn, dem Großvater von
Felix Mendelssohn-Bartholdy, und mit Friedrich Nicolai, der
sich später durch seine moralisch-pedantische Kritik Spott zuzog.
Hieraus erwuchsen manche Freundschaftsverhältnisse, die [20]
Lessing sein Leben lang mit einem Kreis intelligenter Menschen
verbanden, die alle an gegenseitige geistige Förderung durch
Austausch von Ideen glaubten.

Die Jahre als Kriegssekretär während des Siebenjährigen
Krieges (1756-1763) bedeuten einen wichtigen Abschnitt in [25]
Lessings Leben. Menschlich bedeuten sie das Reifen zum Manne.
Auf literarischem Gebiet wurden diese Jahre durch zwei Mei-
sterwerke gekrönt: durch die kunsttheoretische Abhandlung
Laokoon oder Über die Grenzen der Malerei und Poesie (1766)
und die Komödie *Minna von Barnhelm* (1767). Eine kritische [30]

Betrachtung des Laokoon, der berühmten Statue aus helle-
nistischer Zeit, bildet die Grundlage für wichtige Erkenntnisse
über wesentliche Unterschiede zwischen der Malerei, zu der
Lessing auch die Skulptur rechnet, und der Literatur. Er zeigt,
5 wie der Maler oder Bildhauer *einen* Augenblick in der Zeitfolge
der Ereignisse aussuchen muß, und er prägt im Zusammenhang
hiermit den Begriff des „fruchtbaren Moments", der die Phantasie zur Ausmalung weiteren Geschehens anregt, da er dem
Höhepunkt unmittelbar vorangeht. Dagegen hält Lessing die
10 Handlung, die Folge des Stoffes in der Zeit, für das Wesen der
Literatur. Deshalb lehnt er Dichtung, die bloß beschreibt, ab
und führt Homer als Musterbeispiel seiner Erkenntnis an.
Homer vermeidet in der *Ilias* eine beschreibende Darstellung
von Achilles' Schild, indem er dem Zuhörer die Entstehung des
15 Schildes in allen Einzelheiten vorträgt und so in seiner Vorstellung das Gesamtbild des Schildes entstehen läßt. Homer hat
also etwas Statisches — den Schild des Achilles — in Handlung
verwandelt und damit ein literarisches Prinzip vorbildlich eingehalten. Auf diese Weise stellt Lessing für Deutschland zum
20 ersten Male fest, daß die Gesetze der ästhetischen Einschätzung
von der Gattung, zu der das Kunstwerk gehört, abhängig sind.
Für ihn besaßen die ästhetischen Gesetze noch zeitlose, absolute
Gültigkeit, und erst seine Nachfolger, und unter diesen an
erster Stelle Herder, sollten die zeitliche Bedingtheit des Kunst-
25 werkes erkennen. Wir können heute noch andere Einwände
gegenüber Lessings kunsttheoretischen Schlußfolgerungen vor-
bringen, aber in seiner klaren Darlegung schwieriger Gedan-
kengänge, die Meinung und Gegenmeinung gerecht wird, hat
Laokoon wenige Rivalen im deutschen Essay. Wie kaum ein
30 anderer Autor besitzt Lessing die Gabe, uns in seinen Schriften
vorzudenken.

Nach dem Ende des Siebenjährigen Krieges stand Lessing nach seinen eigenen Worten „am Markte und war müßig", als sich die Gelegenheit für ihn bot, als Dramaturg und Kritiker am neugegründeten Hamburger Nationaltheater zu wirken. Die Stellung war von Anfang an mißlich, denn welcher Schauspieler 5 und welche Regie würden die ständige Kritik eines Lessing begrüßen, der noch dazu von der Theaterleitung hierfür bezahlt wurde? Und für nichtssagende Lobhudeleien hat sich seine Feder nie hergegeben. Das gesamte Unternehmen scheiterte bald. Jedoch zeigt der Plan eines Nationaltheaters, der dann in 10 Goethes *Wilhelm Meisters Lehrjahre* und in Schillers Essays wieder eine Rolle spielt, wie weit sich die ungewöhnliche Bedeutung des Theaters im deutschen Geistesleben zurückverfolgen läßt. Lessings Enttäuschung spiegelt sich in dem spöttischen Ausruf: . . . „Über den gutherzigen Einfall, den 15 Deutschen ein Nationaltheater zu verschaffen, da wir Deutschen noch keine Nation sind!" Der junge Schiller kehrte dann diesen Satz um, indem er kühn behauptete: „Wenn wir es erlebten, eine Nationalbühne zu haben, so würden wir auch eine Nation." Für beide Autoren sollte das Theater einen geistigen 20 Mittelpunkt der Gesellschaft bilden. Lessing hat der Nachwelt seine Tätigkeit als Theaterkritiker in der *Hamburgischen Dramaturgie* (1767-1769) zum dauernden Gewinn vermacht. Es gibt kein zweites Werk in der deutschen Literatur, das auf so geistreiche und kenntnisreiche Weise an Hand von bestimmten 25 Dramen allgemeine theoretische Prinzipien diskutiert. Unter anderem kommt Lessing zu dem Ergebnis, daß eine rein christliche Tragödie unmöglich ist und daß der Dramatiker der Geschichte gegenüber frei sein darf. Eine Bewertung des europäischen Dramas, bei der ihm Aristoteles als unfehlbare 30 Richtschnur gilt, führt Lessing zur Kritik an Corneille und

5

Voltaire wegen ihrer unnatürlichen Befolgung der Regeln,
während die Griechen und Shakespeare den Geist der Tragödie
erfaßt hätten. Die Fülle der Erfahrungen, die Lessing am Hamburger Theater sammelte, kam seiner Tragödie *Emilia Galotti*
5 zugute.

Das letzte Jahrzehnt seines Lebens verbrachte Lessing als
Bibliothekar in Wolfenbüttel, einem kleinen Ort südlich von
Braunschweig, wo er 1781 starb. An dieser Bibliothek, die dank
der Bibliophilie der Herzöge von Braunschweig noch heute
10 viele kostbare Handschriften und Wiegendrucke (Inkunabeln)
besitzt, war vor Lessing schon Leibniz tätig gewesen. In die
Wolfenbütteler Zeit fallen die fünfzehn Monate einer glücklichen Ehe, die durch den Tod der Frau und des Kindes jäh
beendet wurde. Lessing führte eine längere Polemik mit dem
15 Hamburger Hauptpastor Goeze, dem es um die Einheit von
Buchstabe und Geist, um die Verteidigung der Bibel ging,
während Lessing ein Christentum vertrat, wie es Christus selbst
jetzt lehren würde. Diese Polemik — Lessing faßte seine Schriften
unter dem Titel *Anti-Goeze* zusammen—führte schließlich zum
20 Verbot weiterer theologischer Streitschriften und zu Lessings
Rückkehr zum Theater. In dem Schauspiel *Nathan der Weise*
(1779) fand er eine Lösung für die konfessionellen Streitig-
keiten, die über alle Polemik erhaben war. Lessings philo-
sophisches Testament ist *Die Erziehung des Menschenge-*
25 *schlechts* (1780). Diese Abhandlung spricht von dem ewigen
Fortschreiten göttlicher Offenbarung und der korrespondieren-
den ewigen Vervollkommnung menschlicher Vernunft in der
Geschichte. Wie so viele Denker sieht Lessing drei Stufen in
der Entwicklung der Menschheit, und zwar denkt er hierbei
30 vor allem an das jüdische, das auserwählte Volk. Das Elemen-
tarbuch der Erziehung ist das Alte Testament, dessen Offen-

6

barungsinhalt erst langsam als Vernunftwahrheit erfaßt werden konnte. Christus überwindet das Straf- und Belohnungsprinzip durch die Lehre der Unsterblichkeit der Seele im Neuen Testament. Auf einer dritten, höchsten Stufe wird der Mensch das Gute tun, „weil es das Gute ist". Am Ende der Schrift kommt 5 Lessing zu dem Ergebnis, daß der Mensch das Ziel der Vollendung mit Hilfe der Offenbarung *und* der Vernunft zwar erreichen kann, daß jedoch *ein* Menschenleben hierzu niemals genügen könnte. So ergibt sich als Lösung die Annahme der Palingenese, des Glaubens an die mehrmalige Wiedergeburt des 10 Menschen. Mit einer solchen Annahme überschreitet Lessing die Grenzen des Rationalismus, andererseits zeugt diese Lösung wiederum von seiner grundsätzlich positiven, optimistischen Haltung zu dem Rätsel der menschlichen Existenz. Denn bei der Annahme eines letzten Ziels ist die Einrichtung der Welt 15 fundamental ungerecht, solange wir bessere Aussichten besitzen, diesem Ziel menschlicher Vollendung näher zu kommen als unsere Vorfahren, da wir auf ihren geistigen Errungenschaften aufbauen können und so einen unverdienten Vorsprung auf dem Wege zum Ziel haben. Unsere Nachkommen wiederum 20 haben dann noch bessere Aussichten als wir. Die einzige optimistische Lösung für diese scheinbar grundlegende Ungerechtigkeit der menschlichen Situation ist der Glaube an die Wiedergeburt, die einem jeden nach Lessing so viele Gelegenheiten zur Vervollkommnung bietet, wie er fähig ist, „neue Kenntnisse, 25 neue Fertigkeiten zu erlangen".

Unsere Liste der Werke Lessings ist keineswegs vollständig. Man könnte unter anderem noch auf Epigramme und Fabeln, auf weitere kritische Schriften und gelehrte Abhandlungen hinweisen. Aber wir dürfen schon verallgemeinern: Lessings 30 wertvollste Beiträge zur deutschen Literatur und Geistesge-

schichte liegen auf dem Gebiet des Dramas und der Kritik.
Für die Lyrik besaß er nur wenig Verständnis und mit dem
Roman hat er sich überhaupt nicht beschäftigt. Seine Dramen
und kritischen Schriften zeichnen sich durch die Schärfe und
5 Klarheit ihrer Sprache aus, die uns die Gedankenführung in
allen ihren Phasen bloßlegt. In diesem Sinne bezeichnen wir
Lessings Werk als den Höhepunkt der deutschen Aufklärung.
Seine innere Überzeugung — der Glaube an die zentrale Rolle
der Wahrheit und des Strebens nach ihr — und seine künstle-
10 rischen Fähigkeiten brachten zusammen das, was die deutsche
Literatur damals nötig brauchte: die kritische Sichtung des
Existierenden und die Schöpfung einer Reihe vorbildlicher
Dramen.

Das Lustspiel *Minna von Barnhelm oder Das Soldatenglück*
15 (1767) handelt von dem Major von Tellheim, der sich im
Siebenjährigen Krieg durch seine großzügige Haltung die Liebe
der Titelheldin erworben hat, der sich aber nach Kriegsende
wegen eben dieser Großzügigkeit in einen langwierigen Prozeß
verwickelt sieht. Bei diesem Prozeß geht es schließlich darum,
20 ob man seinem Worte Glauben schenken will oder nicht. Tellheims Ehrgefühl ist durch diese Affäre aufs tiefste verletzt.
Der Zuschauer lernt schon im ersten Akt seine Ehrlichkeit und
Aufopferungsbereitschaft bewundern und allmählich die Bitterkeit eines Mannes verstehen, der auf die unschuldigste Weise
25 in den Verdacht der Bestechlichkeit geraten ist. In dieser Lage
beginnt Tellheim an sich selbst zu zweifeln und weist jedes
Angebot der Hilfe ab, das ihm sein Freund aus der Kriegszeit,
Paul Werner, macht. Tellheim kommt zu der Überzeugung,
daß er seiner geliebten Minna keineswegs mehr würdig ist,

daß er sie nicht durch seine Gegenwart der Verachtung der Welt aussetzen darf. In seiner Geldnot versetzt er sogar den Verlobungsring und ermahnt bei seinem Umzug in ein billigeres Quartier seinen Bedienten, ja die Pistolen nicht zu vergessen. Selbstmord wäre also keine ganz ausgeschlossene Lösung für ihn. 5 In diesem Moment des seelischen Tiefstands trifft Minna ihn und glaubt in ihrer fröhlich unbekümmerten Art, daß ihrem beiderseitigen Glück nun nichts mehr im Wege stehe. Tellheim muß alle Kräfte seines Verstandes aufrufen, um Minnas Ansturm standzuhalten und seine eigene unveränderliche Liebe zu ihr 10 zu unterdrücken. Alle Gründe für seinen Widerstand fallen jedoch in dem Augenblick beiseite, wo es gilt, Minna zu helfen. Dieser strategische Streich Minnas — sie ist in Wirklichkeit gar nicht hilfsbedürftig — bringt den wahren, edlen Charakter des Geliebten zum Ausdruck. Der Ehrbegriff, der aus ihm einen 15 mürrischen, kurzsichtigen, befangenen Menschen gemacht hatte, hat jetzt keine Bedeutung mehr für ihn, denn in der Sorge um Minna hat er wieder frei sehen gelernt, hat er seinen eigenen Wert wiederentdeckt. So bringt die Nachricht, daß der König, das heißt Friedrich der Große, den Prozeß völlig zu Tellheims 20 Gunsten entschieden hat, nur noch die äußerliche Bestätigung seiner inneren Befreiung und die Ankunft von Minnas Oheim nur noch die Einwilligung ihres Verwandten zur Verbindung der beiden Geliebten.

Es ist interessant zu beobachten, wie Lessing den Lustspiel- 25 charakter des Stückes trotz des ernsten Themas hervorzuheben verstanden hat. Fast alle Nebenpersonen tragen zur Komik bei, sei es durch ihre Sprache, das heißt durch beabsichtigte oder unbeabsichtigte Wortwitze, sei es durch die Situationen, in die sie geraten. Bemerkungen einer Person werden von einer an- 30 deren wiederholt, die ganz anderer Meinung gewesen zu sein

schien. Die glückliche Wiedervereinigung der beiden Hauptpersonen spiegelt sich in humorvoller Abwandlung auf einer
niedrigeren sozialen Stufe in der wachsenden Liebe zwischen
Minnas aufgewecktem Kammermädchen und Paul Werner,
5 dem ehemaligen Wachtmeister Tellheims. Ebenso verwirrend
wie lustig sind die Abenteuer des Verlobungsringes, den Tellheim versetzt. Von der rührenden Szene, in der Minna ihren
soeben wiedergefundenen Geliebten vergeblich zurückzuhalten
versucht und deren Ausführung auf der Bühne von den
10 Tränen des Zuschauers begleitet worden wäre, hören wir nur
durch den Wirt, dessen groteske Darstellung der Ereignisse
einen Höhepunkt der Komödie bildet. Bevor Minna den Geliebten durch ihre kleine Lüge, selbst hilfsbedürftig zu sein,
wieder zu sich selbst bringt, hat sie und auch der Zuschauer in
15 der lächerlichen Mischsprache eines Riccaut de la Marlinière
schon von Tellheims Ehrenrettung gehört. Da wir also wissen,
daß Minnas Geliebtem Genugtuung geschehen wird, fassen
wir ihren Streich, der sonst grausam gewesen wäre, als
organischen Teil der gesamten Komödie auf. Zu unserer
20 Überraschung erfahren wir gegen Ende des Stückes, daß Tellheim noch vor Beginn der Handlung von dem glücklichen
Ausgang des Prozesses hätte hören sollen, daß wir also die
Offenbarung seiner wahren Größe und Minnas reizender Mut-
willigkeit nur der verspäteten Ankunft des königlichen Hand-
25 schreibens verdanken.

In *Minna von Barnhelm* macht uns der Autor einerseits mit
der ernsten Situation des verabschiedeten Offiziers Tellheim
bekannt, für den der Verlust seiner Ehre den Zusammensturz
seiner Welt bedeutet. Andererseits stellen die geschickt verteil-
30 ten Nachrichten, die die glückliche Beendung seines Prozesses
anzeigen, und die unermüdliche Erfindungskraft Minnas die

schließlich triumphierende Gegenbewegung dar. Zu dieser meisterhaften Struktur, diesem souveränen Spiel mit Stoff und Menschen, kommt das interessante Thema. Die Lösung menschlicher Verwirrung, das heißt die Aufklärung des Helden über seinen wahren Wert, der von aller äußerlichen Ehre unab- 5 hängig ist, krönt die Beendung des politischen Konflikts. Beherrschte Form und inhaltliches Interesse verbinden sich in dieser ersten wichtigen deutschen Komödie und erklären ihren andauernden Erfolg.

Von Minna ging die Initiative aus, die die Handlung des 10 Lustspiels vorwärtstrieb. In der Tragödie *Emilia Galotti* (1772) läuft die Handlung auf die Titelheldin zu, bis sie vor dem Ansturm des Lasters im Tod den einzigen Ausweg findet. Zu Beginn des Stückes erfährt der Prinz eines kleinen italienischen Fürstentums, daß sich die von ihm begehrte Emilia Galotti an 15 diesem Tage noch verheiraten wird. Aus dieser Zeitbegrenzung ergibt sich die Geschwindigkeit, mit der Entschlüsse und Ereignisse in der Tragödie aufeinander folgen. In seiner Ratlosigkeit gibt der Prinz seinem Vertrauten Marinelli freie Hand, die Heirat zu verhindern. Marinelli benutzt die Vollmacht, Emilias 20 Bräutigam, seinen persönlichen Feind, aus dem Weg zu räumen oder vielmehr durch Meuchelmord aus dem Weg räumen zu lassen. Ein weiterer Versuch seitens Marinellis, die Braut der strengen Aufsicht der Eltern zu entziehen, scheitert an der Entschlossenheit Emilias, die ihren Vater an den Römer Vir- 25 ginius erinnert, der seine Tochter tötete, um sie vor der Schande zu retten. Dieses Vorbild, das auch die Quelle für Lessings Stück ist, steigert den Vater zur eigenen schrecklichen, aber letzten Endes heroischen Tat, zum Mord der Tochter.

Lessings Exposition ist immer wieder als musterhaft gerühmt worden. Zum Verständnis der Handlung braucht der Zuschauer nur wenig von der Vorgeschichte zu wissen, und das wenige erfährt er aus dem Dialog auf die ungezwungenste Weise.
5 Ohne der Sprache der Personen Gewalt anzutun, macht Lessing uns mit den Charakteren und Absichten der einzelnen Figuren bekannt. Wir lernen die verschiedenen Machtbereiche und die Beziehungen zwischen den Beteiligten kennen und so die Gesamtsituation, aus der sich die Katastrophe mit unabänderlicher
10 Folgerichtigkeit ergibt. Der erste Akt ist den Kräften des Lasters gewidmet, besonders dem verspielten Prinzen, der von seinen Gelüsten und seinem Vertrauten Marinelli beherrscht wird. Meisterhaft ist die Darstellung des Prinzen, der seine Begierde, Emilia zu erobern, durch Wort und Tat fortwährend kundgibt.
15 Lessings theoretische Erkenntnis in *Laokoon*, daß Schönheit am eindringlichsten durch ihre Wirkung zum Ausdruck gebracht werden kann, findet gerade in den ersten Szenen der Tragödie ihre eindeutige Bestätigung. Keine noch so lange und langweilige Beschreibung könnte uns von der Schönheit Emilias in
20 demselben Maße überzeugen wie die Darstellung ihrer Wirkung auf den Prinzen und den Maler Conti, der im ersten Akt auftritt und der sich doch als Maler auf dem Gebiet der Schönheit besonders gut auskennen sollte. Am Ende der Tragödie wissen wir so gut wie nichts über Emilias physische Gestalt, wir wissen
25 aber bestimmt, daß sie außerordentlich schön gewesen sein muß. Lessings Kunst, die Wirkung Emilias auf den Prinzen zu zeigen, wird besonders deutlich, wenn wir uns einen kurzen Dialog aus der vierten Szene des ersten Aktes betrachten:

30 CONTI. [Er hat soeben dem Prinzen gesagt, daß Emilias Vater das Original von dem Bild seiner Tochter bekommen soll.] Aber diese Kopie —

DER PRINZ (*der sich schnell gegen ihn kehret*). Nun,
Conti? ist doch nicht schon versagt?

CONTI. Ist für Sie, Prinz; wenn Sie Geschmack daran
finden.

DER PRINZ. Geschmack! — (*lächelnd.*) Dieses Ihr Stu- 5
dium der weiblichen Schönheit, Conti, wie könnt' ich besser
tun, als es auch zu dem meinigen zu machen? — Dort, jenes
Porträt, nehmen Sie nur wieder mit, — einen Rahmen
darum zu bestellen.

Man beachte, daß der Prinz in seiner Hast Conti nicht ausreden 10
läßt, daß Conti wiederum jenen ganz sachte mit dem Ausdruck
„Geschmack" neckt, denn er weiß von der Leidenschaft des
Prinzen für Emilia. Der Prinz antwortet mit einem Ausruf
echter Entrüstung über die völlig unzureichende und damit
lächerliche Bezeichnung seines Verhältnisses zum Gemälde, das 15
heißt zu Emilia selbst. Er faßt sich aber („lächelnd") und findet
gewandt in einem früheren Ausspruch des Malers einen Weg,
seine wahren Gefühle zu verbergen. Conti glaubt nicht etwa
dem Prinzen, aber er ist Maler zur Zeit des Absolutismus und
weiß zu schweigen. So sagt er nur „wohl", als der Prinz in der 20
Rahmenbestellung einen ‚guten' Grund findet, das Porträt der
Gräfin Orsina wieder loszuwerden.

Der zweite Akt führt die Betroffenen ein, das heißt die
Familie Galotti mit der eitlen Mutter, dem rauhen, voreiligen
Vater und der frommen Tochter. Der Zusammenprall von Emi- 25
lias Bräutigam mit Marinelli bringt die beiden Parteien zum
ersten Male zusammen. Der Schauplatz der letzten drei Akte
ist das Lustschloß des Prinzen und deutet schon auf die Überlegenheit der Partei des Lasters hin. Die Einführung der Gräfin
Orsina im vierten Akt treibt die Handlung vorwärts, indem sie 30
dem Vater die Absicht des Prinzen, Emilia zu verführen, ent-

deckt. Gleichzeitig bildet Orsina einen wirkungsvollen Kontrast zur Titelheldin. Denn während die leidenschaftliche Gräfin als verstoßene Geliebte des Prinzen in ihrer rasenden Verzweiflung nichts als Rache an diesem plant, wird Emilia nur ganz leicht
5 von der lasterhaften Hofgesellschaft, von dem Prinzen, berührt, um dann ihre Reinheit im Tode zu bewahren.

Die Tragödie zeigt, vom historisch-politischen Standpunkt aus gesehen, die Hilflosigkeit des Bürgertums gegenüber dem Hof und spiegelt so Lessings eigene Zeit wider. Emilia und
10 ihre Familie sind den Kabalen des Prinzen und seines Gehilfen ausgeliefert. Nur in moralischer Hinsicht kann das Gleichgewicht durch unsere Verurteilung der Ruchlosigkeit wiederhergestellt werden. *Emilia Galotti* ist aber nicht zeitgebunden. Wir werden die Sprache des Stückes immer bewundern. Lessing ge-
15 lingt es, uns den Charme des Prinzen durch den Stil seiner Rede nahezubringen und uns gleichzeitig seine geheimen Wünsche zu entdecken, die der Prinz zum Beispiel dadurch verrät, daß er sich mehrere Male verspricht. Im Gegensatz hierzu offenbart sich die Wut der Gräfin Orsina in ihrer leidenschaftlichen, un-
20 gezügelten Sprache. Der Dialog wechselt vom plauderhaften Gespräch, bei dem man das eigentlich Wichtige zwischen den Zeilen suchen muß, zum schärfsten Austausch, bei dem die Partner auf jede Nuance eingehen und aus ihr den eigenen Vorteil zu ziehen suchen. Weiterhin findet die Psychologie des Lasters
25 im Prinzen überzeugende Darstellung. Die Verantwortung für die Schuld an der Katastrophe ist auf mehrere Personen so verteilt, daß die Art und der Grad der Schuld des einzelnen schwer oder überhaupt nicht feststellbar ist. Neben den gedungenen Mördern von Emilias Bräutigam steht der ränkeschmiedende
30 Marinelli, und diesen wiederum deckt die Macht des Prinzen,

der jedoch von den Einzelheiten der ruchlosen Pläne seines Be-
vollmächtigten nichts weiß, da er von ihnen nichts wissen will.
Selbst die Familie Galotti ist nicht ganz ohne Schuld. Die Mutter hält Emilia davon ab, dem Bräutigam von ihrer Begegnung
mit dem Prinzen an demselben Morgen zu berichten, und Emilia 5
folgt ihrer Mutter. Der Vater gibt sich und der Partei der Tugend durch sein überstürztes Reden und Handeln manche Blöße.
Emilia Galotti stellt die Einengung des tugendhaften Menschen
dar, die mit dessen Tod enden muß. Ein ähnliches Thema finden
wir in Goethes Roman *Die Leiden des jungen Werthers,* der 10
auch von der tragischen Ausweglosigkeit des Helden handelt.
So ist es kein Zufall, daß Werther noch kurz vor seinem Selbstmord *Emilia Galotti* gelesen hat.

Die Zensur hielt Lessing von der Fortführung seiner theologischen Polemik mit dem Pastor Goeze ab, und jener wandte sich 15
dann wieder dem Theater zu, um mit einem Stück „den Theologen einen ärgern Possen" zu spielen, wie er in einem Brief
schreibt. Das Resultat war *Nathan der Weise, ein dramatisches
Gedicht* (1779), das schönste Monument der Toleranz, das die
deutsche, ja vielleicht die abendländische Literatur überhaupt 20
besitzt. Zugleich muß man sagen, daß die Handlung in diesem
Stück auf einer Fülle von Zufällen aufgebaut ist, daß Lessings
These auf Kosten der Einheit der Struktur und der Wahrscheinlichkeit der Ereignisse ausgeführt worden ist. Der Zuschauer hat
sich durch diese Schwächen und die äußerst verwirrende Vor- 25
geschichte nicht abhalten lassen, die interessanten und oft auch
lustigen Menschentypen und ihre Ideen zu bewundern.
Die grundsätzliche These dieses Stückes und Lessings allge-

Gotthold Ephraim Lessing

meine Auffassung der Religion kann man bis zu seiner Jugend zurückverfolgen. So liest man zum Beispiel in einem Brief des Zwanzigjährigen an seinen Vater:

> Die Zeit soll lehren, ob der ein besserer Christ ist, der
> 5   die Grundsätze der christlichen Lehre im Gedächtnisse
> und oft, ohne sie zu verstehen, im Munde hat, in die
> Kirche geht und alle Gebräuche mitmacht, weil sie ge-
> wöhnlich sind; oder der, der einmal klüglich gezweifelt
> hat und durch den Weg der Untersuchung zur Über-
> 10 zeugung gelangt ist oder sich wenigstens noch dazu zu
> gelangen bestrebt. Die christliche Religion ist kein Werk,
> das man von seinen Eltern auf Treue und Glauben anneh-
> men soll. Die meisten erben sie zwar von ihnen, ebenso
> wie ihr Vermögen, aber sie zeigen durch ihre Aufführung
> 15 auch, was für rechtschaffene Christen sie sind. So lange ich
> nicht sehe, daß man eins der vornehmsten Gebote des
> Christentums, *seinen Feind zu lieben*, nicht besser beob-
> achtet, so lange zweifle ich, ob diejenigen Christen sind,
> die sich dafür ausgeben.

20 *Nathan* vertritt dreißig Jahre später dieselbe Auffassung.

In Jerusalem zur Zeit der Kreuzzüge kommen mehrere Familienmitglieder zusammen, die von ihrer gegenseitigen Verwandtschaft bis zu diesem Zeitpunkt nichts geahnt hatten. Der Sultan Saladin entdeckt in dem von ihm begnadigten Tempel-
25 herrn seinen Neffen und in der Pflegetochter des Juden Nathan seine Nichte. Der Jubel der drei und der Schwester Saladins bildet die Schlußszene des Stückes, die symbolisch das harmonische Zusammenleben aller Menschen, welcher Religion sie auch angehören mögen, als Ideal preist. Es ist diesen drei so
30 verschiedenen Personen möglich geworden, sich als Mitglieder *einer* Familie zu fühlen, da sie alle von Nathan zu dieser aufge-

16

klärten Haltung geführt worden sind. Nathan hatte den frei-
gebigen Saladin durch die berühmte Ringparabel in seiner
Toleranz bestärkt und sich zum Freund gewonnen. Diese Parabel, deren Vorbild Lessing bei Boccaccio (*Decameron* I, 3)
fand und die immer wieder als schönster Ausdruck der Humani- 5
tät gepriesen wird, dient Nathan als Antwort auf Saladins Frage
nach dem besten Glauben. Nathan weicht einer direkten Antwort geschickt aus, indem er stattdessen von drei Söhnen erzählt,
die alle drei einen Ring mit einem Opal zu besitzen vermeinen,
der den „vor Gott und Menschen angenehm" macht, der ihn „in 10
dieser Zuversicht" trägt. Bis zur Generation des Vaters war der
Ring immer dem liebsten Sohn vererbt worden, aber dieser Vater
hatte alle drei Söhne gleich liebgewonnen und schließlich zwei
zusätzliche, völlig identische Ringe anfertigen lassen. So kann
jeder der drei Söhne behaupten, den echten Ring zu besitzen, 15
und seine Brüder vor Gericht verklagen. Da aber niemand die
Echtheit des einen Ringes beweisen kann, entscheidet der Richter, daß seine Echtheit durch die aktive Liebe des Trägers zu
seinen Mitmenschen an den Tag gelegt werden muß. Die Beziehung zwischen der Parabel und Saladins Frage nach dem 20
wahren Glauben liegt auf der Hand. Der Wert eines Bekennt-
nisses wird erst durch die liebreiche Tätigkeit des einzelnen
Gläubigen erwiesen.

Neben Nathan, der das Humanitätsideal am besten verkörpert, kommt dieser Haltung seine Pflegetochter Recha am näch- 25
sten. Im Verlaufe des Stückes ist jedoch Nathans Einfluß auf
das dritte Familienmitglied am deutlichsten zu beobachten. Der
ungestüme, unhöfliche Tempelherr, der gegen die Mohammedaner gekämpft hat und die Juden verachtet, wird durch seine
Erlebnisse im Nahen Osten, besonders aber durch die geduldige 30
Führung Nathans zu einem völlig veränderten Menschen. Na-

than verhilft in ihm dem guten Kern zum Sieg, zeigt ihm den
Weg zur Menschlichkeit, zeigt ihm, erst Mensch zu sein und
dann Christ, Jude oder Mohammedaner. Ein Mensch zu sein,
das ist das Motto des *Nathan*, dessen Echo wir dann zum Bei-
5 spiel in Mozarts *Zauberflöte* hören können. Aber selbst Nathan
hat zu Beginn des Stückes noch nicht den ihm erreichbaren
Höhepunkt menschlicher Vollkommenheit erlangt. Er sieht ein,
daß er seiner angenommenen Tochter Recha nicht länger ver-
heimlichen kann, daß er nicht ihr leiblicher Vater ist, obwohl er
10 durch dieses Bekenntnis ihre Liebe zu verlieren fürchtet und
obwohl das Leben ohne ihre Liebe keinen Sinn mehr für ihn
haben würde. Durch seinen Entschluß, Recha die Wahrheit zu
sagen, erreicht Nathan neue Gewißheit, daß derjenige, der sich
um die Wahrheit bemüht und sich zu ihr bekennt, noch in
15 diesem Leben belohnt wird. Recha und der Tempelherr erkennen in ihm ihren geistigen Vater, dem sie ihr Leben lang für
seine aufopfernde, liebreiche Führung dankbar sein werden,
und in dieser Gewißheit kann sich auch Nathan an dem allgemeinen Jubel der Schlußszene beteiligen.
20 Im Zusammenhang mit dem Ethos des *Nathan* kann man auf
das schöne Bekenntnis Lessings aus dem Jahre 1778 hinweisen:

Nicht die Wahrheit, in deren Besitz irgendein Mensch
ist oder zu sein vermeint, sondern die aufrichtige Mühe,
die er angewandt hat, hinter die Wahrheit zu kommen,
25 macht den Wert des Menschen. Denn nicht durch den
Besitz, sondern durch die Nachforschung der Wahrheit
erweitern sich seine Kräfte, worin allein seine immer
wachsende Vollkommenheit besteht. Der Besitz macht
ruhig, träge, stolz —
30 Wenn Gott in seiner Rechten alle Wahrheit und in seiner
Linken den einzigen immer regen Trieb nach Wahrheit,

obschon mit dem Zusatze, mich immer und ewig zu irren,
verschlossen hielte und spräche zu mir: „Wähle!" ich
fiele ihm mit Demut in seine Linke und sagte: „Vater, gib!
die reine Wahrheit ist ja doch nur für dich allein!"

In *Nathan* triumphieren die Menschen, denen Menschlichkeit 5
und Wahrheitssuche die höchsten Werte darstellen.

Der Vers des *Nathan* — die fünfhebigen Jamben des
Shakespearschen Dramas — wurde dann auch von Goethe und
Schiller für ihre klassischen Stücke benutzt. Zu diesen gehört
Goethes *Iphigenie*, deren erste Fassung aus dem gleichen Jahr 10
wie *Nathan* stammt. Neben dem Versmaß kann man aber noch
eine wesentlichere Ähnlichkeit zwischen den zwei Stücken entdecken. In beiden ringen sich die Helden zu dem schwierigen
Bekenntnis der Wahrheit durch, und in beiden wird ihr Entschluß vom Erfolg gekrönt. *Nathan* weist also voraus auf das 15
Drama der Klassik, und so hat sich Lessing durch seine gesamte
schriftstellerische Leistung als wichtigster Vorläufer Goethes
und Schillers einen besonderen Ehrenplatz in der Geschichte der
deutschen Literatur errungen. Seine kritischen Schriften verhelfen uns nach wie vor zu wertvollen Einblicken in die Litera- 20
tur. Das Lustspiel *Minna von Barnhelm*, die Tragödie *Emilia
Galotti* und das Tendenzstück *Nathan der Weise* bilden drei
Modelle, die für spätere Autoren vorbildlich geworden sind
und die heute noch zum Repertoire des deutschen Theaters gehören. 25

Christoph E. Schweitzer

Garland, Henry Burnand. *Lessing. The Founder of Modern German Literature*. Cambridge, 1937.
Mann, Otto. *Lessing. Sein und Leistung*. Hamburg, 1961.

Mann, Thomas. „Rede über Lessing," in *Adel des Geistes.* Stockholm, 1945.

Schneider, Heinrich. *Das Buch Lessing. Ein Lebensbild in Briefen, Schriften, Berichten.* Bern und München, 1961.

Stahl, Ernest L. „Lessing. *Emilia Galotti,*" in *Das deutsche Drama vom Barock bis zur Gegenwart. Interpretationen,* hrsg. v. Benno von Wiese, Düsseldorf, 1958.

Johann Wolfgang Goethe

1749-1832

Was uns an Goethes Leben und Werk zutiefst beeindruckt, ist vor allem die Weite seiner geistigen Welt und die Vielfältigkeit seiner Persönlichkeit. Nach eingehender Betrachtung kristallisiert sich die Vielfalt zur harmonischen Einheit, aus der Goethes Leben selbst als großes Kunstwerk hervorgeht. So hat man Goethe mit dem *uomo universale* der Renaissance verglichen, und so stellte der mit seinem Lob nicht freigebige Dichter Heinrich Heine fest, daß „die Übereinstimmung der Persönlichkeit mit dem Genius, wie man sie bei außerordentlichen Menschen verlangt", bei Goethe ganz zu finden war. „Seine äußere Erscheinung war ebenso bedeutsam wie das Wort, das in seinen Schriften lebte; auch seine Gestalt war harmonisch, klar, freudig, edel gemessen, und man konnte griechische Kunst an ihm studieren wie an einer Antike."

Was für ein Mensch war das und worin liegt sein Genie? Als Sohn einer gut situierten Bürgerfamilie wuchs Goethe in der
5 freien Reichsstadt Frankfurt auf, die sich mit ihren 30 000 Einwohnern vor anderen deutschen Städten im 18. Jahrhundert darin auszeichnete, daß sich in ihr mittelalterliche Atmosphäre mit fortschrittlichem Handelswesen vereinigten. Während der Besatzung von 1759-64 gründeten die Franzosen ein Theater, in
10 dem Goethe schon früh mit den dramatischen Werken des 17. und 18. Jahrhunderts vertraut wurde. Seine Eltern waren zwei grundverschiedene Menschen. Mit einem inzwischen wohlbekannten Vierzeiler bekannte er sich zu diesem Erbe:

> Vom Vater hab' ich die Statur,
15 > Des Lebens ernstes Führen,
> Vom Mütterchen die Frohnatur
> Und Lust zu fabulieren.

Das Interesse des Vaters für Kunst und Wissenschaft und vor allem sein pädagogischer Hang beeinflußten Goethe sehr. Steht
20 doch Goethes eigenes Leben unter der Idee der Entwicklung, der Erziehung. An sich bauen und an der Menschheit bauen waren die entscheidenden Forderungen in seinem Leben. Er sah seine eigene Existenz als eine Reihe von Metamorphosen, als ein fortdauerndes Abstreifen von Häuten, als ein ständiges „Stirb
25 und Werde". Selbstverwirklichung wurde zu seiner Lebensregel, Streben das Zauberwort seines Persönlichkeitskults. Mit leidenschaftlicher Hingabe versuchte er das ganz zu entwickeln, was schon in ihm vorhanden war und das sich anzueignen, was die Natur ihm vorenthalten hatte. So konnte der Achtzigjährige zu
30 seinem Sekretär Eckermann sagen: „Ich habe es mir ein Jahr-

hundert lang sauer genug werden lassen. Ich habe in den Dingen, die die Natur mir zum Tagewerk bestimmt, mir Tag und
Nacht keine Ruhe gelassen und keine Erholung gegönnt, sondern immer gestrebt und geforscht und getan, so gut und so
viel ich konnte." 5

Diese, auf Steigerung und Vollendung des Ich bedachte Tätigkeit basiert auf Goethes Auffassung des Daseinsgesetzes als
Polaritätsgesetz. Seine Formel hieß: „Polarität und Steigerung
die zwei großen Triebräder aller Natur." Wo immer Goethe
sich auch hinwandte, stieß er auf Dynamik, Bewegung, Ver- 10
wandlung. Überall sah er polare Wirkungen am Werk: Tren-
nen und Verbinden, Einatmen und Ausatmen, Geburt und
Grab. Ein gesundes Menschenleben sollte demnach auch eine
organische Entwicklung im Sich-Ablösen von Spannung und Ausgleich sein. Hinter all dieser Unruhe und Polarität glaubte und 15
fühlte Goethe eine gottgeschaffene, gütige und weise Weltordnung, eine Einheit, die alle Mannigfaltigkeit, eine Harmonie,
die alle Disharmonie in sich einbezog. Im menschlichen Bereich
mußte das Bewußtsein dieser auf Dualität beruhenden Einheit
zur Tragik führen. Denn der Mensch will, wenn auch nur ein 20
einziges Mal, der Totalität teilhaftig sein, er will im All, im
Unendlichen Aufnahme finden, wird aber immer wieder in die
Grenzen seiner Endlichkeit zurückgeworfen. Alle Helden
Goethes, besonders die der frühen Schaffenszeit, gehen an dieser
Bedingtheit zugrunde. Erst im Alter gelingt es Goethe, mit die- 25
sem Urschicksal des Menschen fertig zu werden. Das All ist nur
Idee, der Mensch maßlos, der sie zu verwirklichen sucht. Der
Mensch muß lernen, innerhalb der ihm gesetzten Schranken
tätig und im Einklang mit seiner Umwelt zu leben. Entsagung
ist die Lebensregel des reifen Goethe. 30

Es ist gebräuchlich, den jungen Goethe vom alten zu unter-

scheiden und das Schaffen der frühen Jahre als zugänglicher und entsprechend erfolgreicher zu bezeichnen. Das hat seinen Grund in dem Zauber, den Goethes Jugenddichtung in ihrer Frische und Unmittelbarkeit auf weite Leserkreise ausübt. In der
5 Jugendleistung sind wir Zeugen davon, wie sich die erste schöpferische Unruhe geltend macht, wie Goethe Einkehr in sich selbst hält, wie er die ganze menschliche Welt und die Umwelt in sich fühlt.

In der frühen Entwicklung des Dichters sind drei wichtige
10 Stadien hervorzuheben: das Leipziger Studium, der religiöse Einfluß in Frankfurt und die Begegnung mit Herder in Straßburg. Als Student in Leipzig, von 1765 bis 1768, gewann Goethe Einblick in das Leben und Treiben einer deutschen Hauptstadt, studierte bildende Kunst und wurde mit zeitgenössischer deut-
15 scher Literatur bekannt. Im Alter von zwanzig Jahren, körperlich krank, kehrte er heilungs- und trostbedürftig zu seiner Familie nach Frankfurt zurück, wo er neunzehn Monate verblieb. Die Erfahrungen in Leipzig führten ihn zu sich selbst zurück und machten ihn, unter der Leitung einer Freundin der Mutter
20 und Anhängerin der Herrenhuter Pietistengemeinde, religiöser Einkehr zugänglich. Er studierte naturphilosophische, alchimistische und kabbalistische Bücher. Nach seiner Gesundung wurde ihm das Leben zu Hause zu eng, und er beschloß, sein Studium der Jurisprudenz in Straßburg zu beenden. Die nächsten fünf-
25 zehn Monate in dieser Stadt sollten entscheidend für ihn werden.

Goethe machte in Straßburg die Bekanntschaft des fünf Jahre älteren Johann Gottfried Herder, der sich schon durch zahlreiche kritische Schriften über Literatur, Philosophie und Theologie einen Namen erworben hatte. Er führte Goethe in eine
30 völlig neue Welt ein, wo dieser, der Sohn eines Rationalisten und der Erbe klassischer Tradition, nicht kalte Logik sondern

24

Gefühl und Intuition fand. Nicht der Verstand, sondern die Sinne und Leidenschaften wurden als Urkräfte bezeichnet. Er wurde auf seine Beobachtungsgabe, auf sein intuitives Erkenntnisvermögen verwiesen. Ein Aphorismus, daß „die Poesie die Muttersprache des Menschengeschlechts ist", beeindruckte ihn. 5 Herder begeisterte ihn für Volkspoesie und half ihm, die menschliche Geschichte als organische Entwicklung, als ständige Bewegung zu verstehen. Unter Herders Führung vertiefte er sich in die Bibel, in griechische Literatur, in Ossian (den angeblichen schottischen Dichter der Vorzeit, dessen Lieder und Helden- 10 gedichte im Jahre 1762 in englischer Übersetzung von Macpherson herausgegeben wurden) und in Shakespeare.

Herder war der Vorkämpfer und Organisator einer neuen, der Aufklärung den Krieg erklärenden literarischen Bewegung, die sich nach dem Drama eines jungen, zeitgenössischen Dich- 15 ters „Sturm und Drang" nannte. Die Jugend suchte sich innerlich zu befreien und folgte begeistert dieser revolutionären Denk- und Fühlweise. Das eigene Herz wurde als die Quelle des Göttlichen betrachtet, der göttliche Charakter der Natur und des Genies betont. Es war die Rehabilitierung des Unvernünfti- 20 gen, des Irrationalen, Triebhaften, Unbewußten. Regeln wurden verworfen, Nachbildung verpönt, Originalität gepriesen. Die verlorene Einfalt und Wahrheit sollte wiedergewonnen werden. Man forderte ein neues Menschentum, das nicht mehr auf Kosten des Verstandes und der Kultur die Kräfte der Seele und des 25 Gefühls einbüßen würde. Rousseaus Lehre vom paradiesischen Naturzustand, von menschlicher Ganzheit, entsprach der Gesinnung der jungen Generation.

Auf dem Gebiet der Literatur wurde die französische Dichtung, Generationen hindurch in Deutschland als Vorbild be- 30 trachtet, von den jungen Genies kategorisch abgelehnt. Sie

wandten sich Shakespeare zu, in dem für sie alles verkörpert
war, was den wahren Dichter ausmacht. Leidenschaftlich erklärte man den englischen Dichter als höchsten Repräsentanten
dichterischer Genialität, sein Werk als den vollendeten Aus-
5 druck künstlerischen Schöpfertums und dichterischer Gestaltung. Goethes Rede *Zum Shakespeare Tag* (zur Feier von
Shakespeares Namenstag in Frankfurt am 14. Oktober 1771)
wurde zum Manifest der Stürmer und Dränger. In explosiver,
burschikoser Sprache verwarf Goethe das zeitgenössische fran-
10 zösische Drama und verkündete an dessen Stelle Shakespeares
Dichtung. Er verglich Shakespeares Theater mit einem „schönen
Raritätenkasten, in dem die Geschichte der Welt vor unsern
Augen an dem unsichtbaren Faden der Zeit vorbeiwallt". Fülle
und Buntheit des Gehalts empfand er in Shakespeares Werk.
15 Shakespeare *ist* Natur, er ist der „edle Wilde", dessen scheinbare äußere Formlosigkeit man als nachahmungswürdige Stärke
bezeichnete. Nur *die* Dichtung sollte von nun ab als Kunstwerk
gelten, in der dieses organische Wachstum und diese schöpferische Ursprünglichkeit vorherrschen. Goethe rief in seiner Be-
20 geisterung aus: „Natur! Natur! Nichts so Natur als Shakespeares Menschen." Seine Charaktere seien groß, kraftvoll,
gewaltig wie die Natur, und ihre Triebe und Leidenschaften
würden das Opfer von großen, unbegreiflichen Schicksals-
mächten.
25   Als Jünger Shakespeares drängte es Goethe, ein Werk im
Sinne des Meisters zu schaffen. Er trug sich mit Plänen für ein
Cäsar- und ein Sokratesdrama, aber das unmittelbarste Zeugnis
von Goethes Shakespeareverehrung war im Jahre 1771 die *Geschichte Gottfriedens von Berlichingen mit der eisernen Hand,*
30 *dramatisiert.* Mit diesem Denkmal zu Ehren Shakespeares wurde
Goethe der Führer der Stürmer und Dränger. Herders Reaktion

26

auf dieses Stück war nach Goethes Worten „unfreundlich und hart". Er hielt Goethe vor, von Shakespeare ganz verdorben worden zu sein, eine Kritik, die Goethe veranlaßte, sein Werk neu zu bearbeiten. Die zweite Fassung, *Götz von Berlichingen*, erschien 1773 anonym und wurde mit wilder Begeisterung auf- 5 genommen. Eine Briefstelle aus dieser Zeit mag die Wirkung dieses Werkes auf die junge Generation veranschaulichen:

> Der Ritter mit der eisernen Hand, welch ein Stück! Ich weiß mich vor Enthusiasmus kaum zu lassen. Womit soll ich dem Verfasser mein Entzücken entdecken? Den 10 kann man doch noch den deutschen Shakespeare nennen, wenn man einen so nennen will. Welch ein durchaus deutscher Stoff! Welch kühne Verarbeitung! Edel und frei wie sein Held, tritt der Verfasser den elenden Regeln-Codex unter die Füße. Glück zu dem edeln freien Mann, 15 der der Natur gehorsamer als der tyrannischen Kunst war! — Wissen Sie nicht, wer es ist? Sagen Sie, sagen Sie mir's daß ihm meine Ehrfurcht einen Altar baue.

Schon lange hatte sich Goethe für die deutsche Geschichte des fünfzehnten und sechzehnten Jahrhunderts interessiert. In der 20 Lebensbeschreibung des Raubritters Götz von Berlichingen fand er, was er bei Shakespeare bewundert hatte: einen außerordentlichen Menschen, der unmittelbar aus der Natur hervorgegangen zu sein schien. Größe und Kraft in einem biederen, ehrlichen Deutschen. Die ehrfurchtsvollen Worte des lutherischen 25 Geistlichen, Bruder Martin, der den Götz so bewundert, sind das Echo von Goethes eigener Begeisterung: „Es ist eine Wollust, einen großen Mann zu sehen." Auch Goethes pädagogische Neigung wurde befriedigt, indem er einen eigenwilligen, freiheitsliebenden Menschen im Gegensatz zu einer listigen, von der 30 Kultur verdorbenen Welt zeigen und damit seinem eigenen Jahr-

Johann Wolfgang Goethe

hundert einen Spiegel vorhalten konnte, in dem es seine eigene
Entartung erkennen müßte. Es ist leicht zu verstehen, daß Goethe
in seinem Jugendeifer den Raubritter idealisierte und ihn zu
einem Nationalhelden machte, zum Verteidiger der Unter-
5 drückten und Streiter für die Freiheit, zu einem Mann, „den die
Fürsten hassen und zu dem die Bedrängten sich wenden".

Das Thema des *Götz* ist der Zusammenstoß der starken Persönlichkeit, die nichts will als ihre unbeschränkte Entfaltung,
mit der intriganten Hofwelt, die das verständnislose Schicksal
10 vertritt. In Shakespeare hatte Goethe schon diesen Konflikt
beobachtet: „Seine Stücke drehen sich alle um den geheimen
Punkt, den noch kein Philosoph gesehen und bestimmt hat,
in dem das Eigentümliche unsres Ich, die prätendierte Freiheit unsres Wollens, mit dem notwendigen Gang des Ganzen
15 zusammenstößt." Götz ist der selbstbewußte Held mit der Kin-
derseele, der edle Verbrecher, tapfer, unabhängig und gut. Die
ihm nahestehenden Gestalten, Elisabeth, Georg, Lerse reflek-
tieren diese Eigenschaften. Götzens Gegenspieler hingegen, der
Bischof von Bamberg, Olearius, der Kaiser und Weislingen
20 handeln selbstsüchtig und vorurteilsvoll. Sie vertreten die neue
Gesellschaftsordnung, die nur Unnatur, Unrecht und Unfreiheit
kennt. Götzens letzte Worte sollen künftigen Generationen als
Warnung dienen: „Schließt eure Herzen sorgfältiger als eure
Tore! Es kommen die Zeiten des Betrugs, es ist ihm Freiheit
25 gegeben. Die Nichtswürdigen werden regieren mit List, und der
Edle wird in ihre Netze fallen."

Das Stück endet mit dem Ausruf Lerses: „Wehe der Nachkommenschaft, die dich verkennt." Goethe wollte seinen Helden
nicht verkannt wissen, denn das Tragische an ihm ist, daß er,
30 der „Selbsthelfer in wilder Zeit", seiner Natur nach sittlich,
aber den Umständen der Epoche nach zum Rebell und Ver-

28

brecher werden muß. Er ist der schuldlose Schuldige, der für die wahren menschlichen Werte zugrunde geht. Ihm gegenüber steht Weislingen, der schuldige Fürstendiener. Um des Genusses willen verrät er die einfache, freiheitliche Ritterwelt und tauscht sie für die gekünstelte und intrigante Hofwelt ein. Ge- ⁵ wissensbisse plagen ihn, denn er weiß, daß er unrecht tut, aber seine schwache, leicht beeinflußbare Natur verbietet ihm, anders zu handeln. In die Beziehung zwischen Weislingen und Marie hat Goethe autobiographische Elemente hineingewoben. Er setzt hier der Pfarrerstochter aus Sesenheim, Friederike Brion, ein ¹⁰ Denkmal, der er als Straßburger Student in heißer Liebe zugetan war, die er aber aus Furcht, durch eine eheliche Verbindung in seinen Zukunftsplänen gehemmt zu werden, verließ. Goethe schrieb in einem Brief in Bezug auf Weislingens Benehmen: „Die arme Friederike wird einigermaßen sich getröstet finden, ¹⁵ wenn der Ungetreue vergiftet wird."

Während die anderen Charaktere der Geschichte entnommen sind, ist die Gestalt Adelheids das Ergebnis von Goethes schöpferischer Phantasie. Shakespeares Lady Macbeth mag Goethe als Vorbild gedient haben, denn Adelheid vertritt das dämonische ²⁰ Machtweib. Auch in ihr spielt die Natur eine entscheidende Rolle, aber nicht wie im Falle Götzens als das Gute und Echte, sondern als das Böse und Schadende. Adelheid ist Abenteurerin, „männlich in ihren Ambitionen aber höchst weiblich in ihren Mitteln". Jeder, der ihr begegnet, verfällt ihr. Sogar der Dichter ²⁵ selbst bekannte viele Jahre später in seiner Selbstbiographie *Dichtung und Wahrheit*, daß er sich so in Adelheids Reize verliebt habe, daß sie allmählich zu sehr in den Mittelpunkt des Geschehens getreten sei.

Wenn Herder an diesem Drama den Fehler rügte, daß alles ³⁰ darin nur gedacht sei, so stimmt der heutige Leser mit ihm

nicht ganz überein. *Götz* hat wohl alle Vor- und Nachteile
eines Jugendwerkes. Es besitzt die Frische, die Kraft, das Ungestüm der Jugend aber auch viel Oberflächliches. Goethe sah
vieles noch von außen her. Er schrieb eine dialogisierte Historie,
5 in der die poetische Intensität fehlt. Worauf es Goethe anscheinend ankam, war, seinen eigenen „Raritätenkasten" vorzu-
führen. Dies gelang ihm auch, indem er die wunderbare, mannigfaltige Fülle des Lebens vor unseren Augen ausbreitet. Es ist
vor allem die planlose Weite, das Farbige, Sprunghafte, das uns
10 in diesem Werk so beeindruckt. Von den Regeln des klassischen
dramatischen Aufbaus, den drei Einheiten der Zeit, des Ortes
und der Handlung, ist nichts vorhanden. In einer Reihe von
schnell aufeinanderfolgenden kurzen Szenen führt uns Goethe
durch einen Zeitraum von vielen Jahren. So hat zum Beispiel
15 der dritte Akt nicht weniger als 22 Auftritte an 22 verschiedenen
Orten. Statt einer einzigen, in sich abgeschlossenen Handlung
ergibt sich eine bunt wechselnde Vielheit dramatisierter Begebenheiten. Mit Ausnahme der Adelheid-Szenen, die Shakespearesche
Spannung und Aufregung erzeugen, der Wortspiele Liebtrauts,
20 dem offensichtlich der englische Clowntypus als Muster gedient hat, ist man in *Götz* weit von Shakespeare entfernt. Von
dessen Sprachkunst hat Goethe noch nichts gelernt. Die Sprache
des *Götz* wurzelt in der Bibel und in Götzens Lebensbeschreibung. Goethe gebraucht nicht die Schriftsprache, sondern die
25 Sprache des Alltags, volkstümlich, derb, sogar manchmal
unanständig. Sprichwort, Volkslied und Volkssage unterstrei-
chen das Volkstümliche des Stoffes. Als regelrechte Kriegs-
erklärung an alles Bisherige in der Literatur fand *Götz* zahlreiche Nachahmungen und wurde auch von Sir Walter Scott ins
30 Englische übersetzt.

Wurde Goethes erstes Werk in seiner Heimat begeistert auf-
genommen, so verhalf ihm sein nächstes zu einem Ruhm, der
weit über Deutschlands Grenzen reichte. *Die Leiden des jungen
Werthers* löste im Jahre 1774 in ganz Europa eine explosive
Wirkung aus. Eine Reihe von persönlichen Erlebnissen gab 5
Anlaß zu diesem Werk. Im Frühling 1772 war Goethe auf
Wunsch seines Vaters nach Wetzlar gereist, um sich dort am
Reichskammergericht auf eine höhere juristische Laufbahn vor-
zubereiten. Er verliebte sich dort in Charlotte Buff, die siebzehn-
jährige Verlobte eines Freundes, des Juristen Kestner. Um dieser 10
hoffnungslosen Liebe ein Ende zu machen, kehrte Goethe im
Herbst nach Frankfurt zurück. Kurz danach erfuhr er vom
Schicksal eines ihm bekannten jungen Legationssekretärs in
Wetzlar, namens Jerusalem, der einer unerwiderten Liebe wegen
Selbstmord begangen hatte. Goethe war zutiefst erschüttert, 15
sah er doch in Jerusalem gewissermaßen einen Doppelgänger.
Zwei Jahre später sollte es Goethe noch einmal erleben, daß
seine Neigung zu einer verheirateten Frau abgewiesen wurde.
Dieses Mal war es der zweiundzwanzig Jahre ältere, eifersüch-
tige Gatte der siebzehnjährigen reizenden Maximiliane Bren- 20
tano, der Goethe sein Haus verbot.

Mit *Werther* wurde Goethe zum Sprecher seiner Generation.
Indem er sich selbst darstellte, gab er ein geistiges Bild der damaligen europäischen Jugend, ja, ein Bild der gefährdesten Ent-
wicklungsperiode des Menschen überhaupt. Das Einmalige, Be- 25
sondere wurde verallgemeinert und somit zum Symbol erhoben.
So erklärte Goethe viele Jahre später: „Gehindertes Glück, ge-
hemmte Tätigkeit, unbefriedigte Wünsche sind nicht Gebrechen
einer besonderen Zeit, sondern jedes einzelnen Menschen und es
müßte schlimm sein, wenn nicht jeder einmal in seinem Leben 30

31

eine Epoche haben sollte, wo ihm der Werther käme, als wäre
er bloß für ihn geschrieben."

Goethe unternahm hier, das Übel aufzudecken, das er in den
jungen Menschen verborgen glaubte. Die Diagnose der Krank-
5 heit hieß Empfindsamkeit, ein gesteigerter Subjektivismus, ein
Überwuchern der Innerlichkeit. In der Religion hatte der Pietis-
mus die gottergebene Passivität und die übertriebene Seelenhaftigkeit gefördert. Goethe wollte seiner Epoche zum Bewußtsein ihres Zustandes verhelfen und erhoffte sich davon die Hei-
10 lung der schleichenden Krankheit.

Werthers Leiden sind die Symptome dieser Krankheit. Einem
talentierten, tief empfindenden jungen Mann fehlt es an der
Fähigkeit, aus seinem inneren Reichtum etwas herauszugreifen
und es zu meistern. Seine Eigenschaften versprechen den großen
15 Künstler, erzeugen aber nur Träume, zerreibende Selbstanalyse
und Spekulationen. Untätig, gequält, steht er über seine Seele
gebeugt und verliert sich im Labyrinth seines einsamen Ich. Dort
ahnt er die Fülle des Alls, dort spürt er den Drang, sich ins Unendliche zu erweitern. In Werthers ersten Briefen besteht noch
20 ein wunderbarer Einklang zwischen seiner Seele und der äußeren
Welt. Mit der unglücklichen Liebe zu Lotte verändert sich
jedoch seine Weltseligkeit zu einem Weltschmerz, der unaufhaltsam sein Ich zerstört. Es ist natürlich nicht allein diese Liebe,
die Werther ins Unglück treibt, aber sie unterstreicht seine un-
25 glückliche Liebe zur Welt und seinen tiefgehenden Konflikt mit
sich selbst. Er verliert jeden Zusammenhang mit der Welt, er
sieht sich als ausgestoßenen Zuschauer und die ihn umgebende
Wirklichkeit als drohend und unbezwingbar. Seine Lieblings-
vorstellungen handeln vom Leben als Traum, vom Menschen als
30 Wanderer auf Erden, vom Glück der Kinder und Schwach-
sinnigen, die in einem freundlichen Wahn dahinleben.

Glückliche Stunden scheint Werther nur zu genießen, wenn er mit der Natur allein ist. Da fühlt er sich als „Spiegel des unendlichen Gottes", da erfährt er das All in sich. Lotte gehört in diese Sphäre als Naturgeschöpf, als Frau, die mit der Natur in Einklang steht. Sehnsuchtsvoll beobachtet Werther das harmoni- 5 sche, schlichte, unbewußte Leben des Volkes, denn er weiß, daß er, der bewußte, kranke Subjektivist hier nicht hingehört. Mit der Zeit erweist sich auch sein Glück in der Natur als Täuschung. Als seine unendlichen Erwartungen immer wieder an der endlichen und wirklichen Welt scheitern und er Zuflucht 10 bei der Natur sucht, findet er auch sie leer und unfühlend, wie „ein ewig verschlingendes, ewig wiederkäuendes Ungeheuer". So ist Werther auf sich selbst zurückgeworfen, so taumelt er zwischen Glück und Verzweiflung, zwischen Hoffnung und Angst. Die Umwelt verliert ihr Eigenleben und spiegelt nur ihn. 15 Sogar der Wechsel der Jahreszeiten steht in Bezug zu seinem Ich. Seine Leidenschaft beginnt im Sommer, unterstützt von der reifenden Natur, seine Abwesenheit von Lotte fällt in den Winter, seine Rückkehr und wieder aufkeimende Liebe in den Sommer und sein Lebensende spiegelt sich in einem trüben, 20 nebligen Novembertag.

Goethe läßt nicht nur die Natur und die Umgebung Werthers Ich widerspiegeln, sogar die Dichtung wird als Bestätigung seines Zustandes herangezogen. Seine Abkehr von Homer und Hinwendung zu Ossians rhapsodischen, melancholischen Natur- 25 gesängen ist ein Zeichen seines inneren Verfalls. Er fühlt sich fremd in Homers götternaher, heiterer, lichter Welt und daheim in der trostlosen, schauerlich-einsamen und nebligen Nachtwelt Ossians.

Werthers Leiden, seine leidenschaftliche Sehnsucht, angst- 30 volle Unruhe, reizbare Hypochondrie arten zu einer Krankheit

zum Tode aus. Er will nicht mehr gehetzt sein, er will Ruhe haben, die er allein im Tod zu finden glaubt. Es ist ironisch, daß seine einzige große Tat darin besteht, daß er sich das Leben nimmt. Goethe gibt niemandem die Schuld, spricht weder von
5 Urteil noch von Moral.

So einen Roman hatte es bisher weder in Deutschland noch in der übrigen Welt gegeben. Es war ein Bekenntnisbuch, in dem die Seele, die Leidenschaft selbst zur Sprache kamen. Um das persönlichste Innenleben zum Ausdruck zu bringen, be-
10 diente sich Goethe der Briefform, die zu jener Zeit zur Mode geworden war. Der Dichter selbst tritt als Herausgeber auf, der, nachdem der Briefschreiber tot ist, sachlich und anscheinend unbeteiligt, über dessen Ende Bericht erstatten kann. Ein weiterer Vorteil des Briefromans ist, daß der Dichter nicht fort-
15 laufend erzählen muß, daß er Werther nur dann schreiben läßt, wenn ihm das Herz zu voll ist, ja, daß er nur Gedankenstriche aufs Papier zu setzen braucht, wenn ihm vor lauter Qual die Stimme versagt. Der Empfänger dieser Briefe ist ein mitfühlender Freund, kann aber auch jeder Leser sein.

20   Goethe erzählt in seiner Selbstbiographie, wie er *Werther* planlos in vier Wochen hingeschrieben hat. Trotz der Spontaneität haben wir hier eine kunstvoll vollendete Komposition. Es ist schon bemerkt worden, wie alles in diesem Werk sich auf Werthers Inneres bezieht. Werthers Seele ist der Schauplatz der
25 Handlung. Auch wenn wir von Anfang an von der Notwendigkeit des tragischen Ausgangs überzeugt sind, gelingt es Goethe dennoch, Werthers Schicksal langsam und spannungsvoll zu enthüllen. Die Sprache ist den Stimmungen Werthers angepaßt: idyllisch, erhaben, episch, hastig nervös, lapidar. So
30 ist die Sprache des ersten Teils des Romans gänzlich anders als die des zweiten, und doch hat jeder Teil seine einheitliche Stim-

mung. Mit *Werther* beginnt der moderne Roman des gequälten
Ich. Worte wie die folgenden finden ihr Echo in der neuzeitlichen Literatur: „Manchmal ergreift michs, es ist nicht Angst,
nicht Begier! es ist ein inneres unbekanntes Toben, das meine
Brust zu zerreißen droht, das mir die Gurgel zupreßt." „Ist es 5
da nicht die Stimme der ganz in sich gedrängten, sich selbst er-
mangelnden, und unaufhaltsam hinabstürzenden Kreatur, in
den inneren Tiefen ihrer vergebens aufarbeitenden Kräfte zu
knirschen: ‚Mein Gott! Mein Gott! Warum hast du mich ver-
lassen?'"   10
Die Wirkung, die *Werther* auf die damalige Jugend hatte,
ist heute kaum vorstellbar. Es entwickelte sich ein Wertherkult,
ein Wertherfieber verbreitete sich über Europa. Es heißt, daß
dieses Buch mehr Selbstmorde verursacht habe, als je die
schönsten Frauen. Besonders in Frankreich fand der Roman 15
begeisterte Aufnahme. Napoleon soll ihn sieben Mal gelesen
und ihn auf seine Feldzüge bis zu den Pyramiden mitgenommen
haben. Goethe beobachtete die Wirkung des Buches mit Sorge.
Er warnte vor der Verbreitung des Wertherfiebers und jeglicher
Gefühlsexzesse. Für ihn selbst hatte dieses Werk mehr als 20
seinen Zweck erfüllt. „Ich fühlte mich wie nach einer General-
beichte wieder froh und frei zu einem neuen Leben berechtigt."
Dieser Satz ist Beweis für Goethes proteische Persönlichkeit
und für die Tatsache, daß neben der gequälten Überempfindlich-
keit in ihm auch noch ein Ich existierte, das ihm ermöglichte, 25
seine eigene Wertherkrise zu überstehen.

Die Anfänge des *Faust*, der als Goethes größtes Werk betrachtet wird und ihm einen Platz neben den Großen der Weltliteratur eingeräumt hat, reichen auch in des Dichters Sturm

und Drangzeit zurück. In Götz, dem Titanen der Kraft, hatte Goethe dem trotzigen Sturm und Dranggefühl Ausdruck verliehen, in Werther, dem Titanen des Gefühls offenbarte sich das Schwärmerische, weltschmerzlerisch Weiche dieser Bewe-
5 gung. Einen Titanen des Wissens, der Erkenntnis, des Strebens schuf er mit der halblegendären Figur Fausts. Die stofflichen Sturm und Drangbedingungen sollten auch hier erfüllt werden: der volkstümliche, historisch nationale Charakter und menschliche Größe. Außerdem bot sich hier Goethe wieder ein ge-
10 eignetes Medium zur Selbstdarstellung. Den Deutschen war die Geschichte des Doktor Faustus aus Volksbüchern und Puppenspielen bekannt, in denen das Leben dieses Nekromanten und Gelehrten aus dem 16. Jahrhundert meistens eine moralisch didaktische Auslegung fand. Auch Christopher Mar-
15 lowes Doctor Faustus mußte für seine Sünden büßen. Erst Lessings *Faust*, der leider Fragment blieb, sollte für seinen Wissensdrang nicht bestraft werden, denn „die Gottheit hat dem Menschen nicht den edelsten der Triebe gegeben, um ihn ewig unglücklich zu machen".
20 Vielleicht schon vor 1768 in Leipzig, aber bestimmt in Straßburg, befaßte sich Goethe mit dem Faustthema. Als er im Jahre 1775 nach Weimar ging, brachte er ein Faustfragment mit, das er der Hofgesellschaft vorlas. Eine Weimarer Hofdame machte eine Abschrift von Goethes Werk, welche erst im Jahre
25 1887 entdeckt wurde und uns heute als *Urfaust* bekannt ist. *Urfaust* ist die kürzere und einfachere Fassung des ersten Teils der späteren Faustdichtung, enthält jedoch schon wesentliche Teile der Handlung, so den Kern der Faustproblematik und die Gretchentragödie.
30 Faust ist der Unbefriedigte, der sich nach Einsicht in die Totalität des Universums sehnt. Am Anfang hält er mit seiner

Vergangenheit Abrechnung. Das tote Buchwissen genügt ihm nicht mehr, lange genug hat er es sein ursprüngliches, naturnahes Leben unterdrücken lassen. Die Magie soll ihm helfen, die Wirkungskraft und den Samen allen Lebens zu erfassen. Er will sein Menschentum ins Unendliche steigern, Erde und Himmel besitzen, am Ganzen der Natur teilnehmen. Eine nicht zu hemmende Ruhelosigkeit erfaßt ihn, die er durch seine Verbindung mit Mephistopheles zu stillen hofft. Mephistopheles ist der kalte, gewandte Zyniker mit dem grundsätzlichen Nein auf den Lippen. Er ist Fausts Gegenspieler, der Materialist, dessen Hauptfunktion darin besteht, Faust als Katalysator, als herausfordernder Gegenpol zu dienen. Diese Gegenüberstellung ist charakteristisch für Goethes polares Weltbild. Hier ist nicht mehr die Rede vom guten Helden gegenüber dem bösen Intriganten, sondern ein Spieler trifft seinen notwendigen Gegenspieler. Götz und Weislingen, Werther und Albert, Faust und Mephistopheles stellen die Spannung zwischen den polaren Kräften des Lebens dar. Daraus ergibt sich auch der Mangel an moralischer Wertung. Das Negative des Mephistopheles ist nicht das Böse, das aus der Welt geschafft werden muß. Im Gegenteil, es ist der komplementäre Gegensatz zum Guten in Faust. Somit vertritt Goethe hier keine moralische Ethik sondern eine dynamische. Schon in seiner Shakespeare-Rede hatte er betont: „Das was wir bös nennen, ist nur die andre Seite vom Guten, die so notwendig zu seiner Existenz, und in das Ganze gehört."

Den größten Teil des *Urfaust* nimmt die Gretchentragödie ein. Schon in *Werther* hat Goethe den Mädchentypus beschrieben, dem er, wie erwähnt, in seinem eigenen Leben in Friederike Brion begegnete und den er in Gretchen unsterblich machte. Goethe spricht hier von einem guten, jungen Geschöpf, herange-

wachsen in dem engen Kreis häuslicher Beschäftigung, glücklich
in ihrem kleinbürgerlichen Leben, bis sie eines Tages einen
Mann trifft, „zu dem ein unbekanntes Gefühl sie unwiderstehlich hinreißt, auf den sie nun alle ihre Hoffnungen wirft,
5 die Welt rings um sich vergißt, nichts hört, nichts sieht, nichts
fühlt, als ihn, den einzigen, sich nur sehnt nach ihm, dem
einzigen." So ein Mädchen wird das Opfer Fausts, der sie in
den Abgrund reißt. In seinem dämonischen Lebensdrang muß
er weiterstreben. Wie in *Götz* beschreibt hier Goethe das Dä-
10 monische an der Liebe sowohl als auch den Mann als den
schuldlosen Schuldigen, Getriebenen. In *Urfaust* wird Gretchen für ihr Vergehen gerichtet, aber in der letzten Fassung
läßt Goethe ein Erlösungswort von oben ertönen: „Ist gerettet!"
Auch Faust wird am Ende des zweiten Teils dieser Dichtung
15 trotz aller seiner Fehltritte gerettet.

Goethe berührt hier eine religiöse Anschauungsweise, deren
Formulierung für den Sturm und Drang programmatisch wurde.
In der Szene, in der Gretchen nach Fausts Religion fragt, versucht dieser, sein neues Glaubensbekenntnis in eine für sie
20 verständliche Antwort zu fassen. Er spricht von seinem pantheistischen Naturglauben, einem Glauben an die Allgegenwart
einer Macht, die man verschieden benennen kann, von deren
Existenz jedoch die Ordnung und Harmonie der Welt überall
Zeuge ist. Letztlich bleibt Gott das große Geheimnis, unerklär-
25 bar und unaussprechbar, nur dem Gefühl zugänglich. Mit In-
brunst schließt Faust: „Gefühl ist alles, Name Schall und
Rauch, umnebelnd Himmelsglut."

Wenn auch die beiden Themen des *Urfaust*, die Liebestra-
gödie und die Strebensdynamik, noch nicht einheitlich verknüpft
30 sind, so ist seine Form doch schon ein Beweis von Goethes
Genialität. Typisch für den Sturm und Drang ist das Aufheben

der Einheiten von Ort und Zeit, wie auch die Bevorzugung der dramatischen Prosa. Goethe verwendet die Sprache genial, indem er den Gefühlsgehalt jeder einzelnen Szene den Stil bestimmen läßt. Der Anfangsmonolog ist in Knittelversen geschrieben, eine volkstümliche, unregelmäßige Versform, 5 die im 16. Jahrhundert sehr beliebt war. Die Sprache in „Auerbachs Keller" ist realistisch derb, lebendig und kraftvoll, die Verse in „Am Brunnen" schlicht und naturhaft. In manchen Szenen verwendet Goethe Dialekt, in anderen, freirhythmische Verse. Außer Dialog und Monolog gibt es auch liedhafte Ein- 10 lagen, die aber nicht kunstlied- sondern volksliedhaft sind, und komische Szenen, die entspannende Pausen bringen. Am größten ist Goethes dramatische Kunst in den Gretchenszenen wie „Zwinger" und „Dom", wo es ihm gelingt, sich mit höchstem Einfühlungsvermögen in Gretchens Seelenzustand zu 15 versetzen und in frei rhapsodischen Versen ihrem tiefen Leid Ausdruck zu verleihen.

Im Gegensatz zu *Götz* und *Werther*, die aus einem Guß und in kurzer Zeitspanne entstanden waren, arbeitete Goethe an seinem nächsten großen Werk, *Egmont*, sporadisch zwölf Jahre 20 lang. In seiner Autobiographie *Dichtung und Wahrheit* erzählt Goethe, wie er, nachdem er in *Götz* das Symbol einer bedeutenden Weltepoche nach seiner Art gespiegelt hatte, sich sorgfältig nach einem ähnlichen Wendepunkt der Staatengeschichte umsah. Der Aufstand der Niederlande gewann seine Aufmerk- 25 samkeit. „Im ‚Götz' war es ein tüchtiger Mann, der untergeht in dem Wahn: zu Zeiten der Anarchie sei der wohlwollend Kräftige von einiger Bedeutung. Im ‚Egmont' waren es festgegründete Zustände, die sich vor strenger, gut berechneter

Despotie nicht halten können." Ein lateinisches Buch aus dem 17. Jahrhundert lieferte Goethe den Rohstoff, der erst, wie immer in Goethes Schöpfungsprozeß, mit persönlich Erlebtem verschmolz, um zu einem Kunstwerk zu werden.

5 Im Jahre 1775 verlobte sich Goethe mit der siebzehnjährigen Frankfurter Bankierstochter Lili Schönemann. Da Goethe sich wie schon einmal vorher gegen eine Bindung sträubte, die ihn zu einer bürgerlichen Existenz verurteilt hätte, löste er das Verhältnis im Herbst dieses Jahres. Herzog Karl August hatte ihn 10 nach Weimar eingeladen, und während Goethe darauf wartete, abgeholt zu werden, füllte er die peinliche Spannung, in der er sich befand, mit der Arbeit an *Egmont* aus: „Ich fing also wirklich ‚Egmont' zu schreiben an ... ich griff nach der ersten Einleitung gleich die Hauptszenen an, ohne mich um die allen-15 fallsigen Verbindungen zu bekümmern."

In Weimar angekommen, fühlte sich Goethe im Kreise von jungen, geistreichen Menschen glücklich. Was ursprünglich als Besuch angelegt war, wurde zu einem Aufenthalt fürs Leben. Zuerst Lehrer des jungen Herzogs, wurde Goethe später 20 auch sein Minister, mit Sitz und Stimme im Regierungsrat. Die vielen gesellschaftlichen und offiziellen Verpflichtungen ließen ihm keine Zeit, an *Egmont* weiterzuarbeiten. Erst 1778 widmete er sich wieder dem Werk, arbeitete bis 1782 drei Akte aus, nahm das Drama mit nach Italien, wo er es im August 1787 25 vollendete. Im November dieses Jahres schrieb er, daß er kein Stück mit mehr Freiheit des Gemütes und mit mehr Gewissenhaftigkeit vollbracht habe: „Ich weiß, was ich hineingearbeitet habe und daß sich das auf einmal nicht herauslesen läßt. Es war eine unsäglich schwere Aufgabe, die ich ohne eine unge-30 meßene Freiheit des Lebens und des Gemüts nie zustande gebracht hätte. Man denke, was das sagen will, ein Werk vorzunehmen, das zwölf Jahre früher geschrieben ist, es vollenden, ohne es umzuschreiben."

In den historischen Hintergrund des *Egmont* wob er drei verschiedene persönliche Erlebnisse: das Dämonische, das Staatsleben und die Liebe. Nach Überwindung der Wertherkrise[5] hatte Goethe das Gefühl, einem ganz bestimmten, strengen, aber wohlwollenden Schicksal unterworfen zu sein, einem Lenker des eigenen Genies. In Egmont wollte er dieses Vertrauen auf den Dämon darstellen. Den historischen Grafen Egmont, der 45 Jahre alt war und 11 Kinder hatte, verwandelte er[10] in einen jungen Helden und befreite ihn von allen Bindungen. Er gab ihm die unermeßliche Lebenslust und das grenzenlose Zutrauen zu sich selbst. Er hat auch die Gabe, alle Menschen an sich zu ziehen und so die Gunst des Volkes, die stille Neigung einer Fürstin, die ausgesprochene eines Naturmädchens, die[15] Teilnahme eines Staatsklugen zu gewinnen, ja selbst den Sohn seines größten Widersachers für sich einzunehmen. So beschrieb Goethe seinen Götterliebling in *Dichtung und Wahrheit*. Sorglos folgt Egmont der inneren Stimme: „Wie von unsichtbaren Geistern gepeitscht, gehen die Sonnenpferde der Zeit mit unsers[20] Schicksals leichtem Wagen durch, und uns bleibt nichts, als mutig gefaßt, die Zügel festzuhalten und bald rechts, bald links, vom Steine hier, vom Sturze da, die Räder wegzulenken. Wohin es geht, wer weiß es? Erinnert er sich doch kaum, woher er kam!" Bei seinem blinden Vertrauen, seiner Menschlichkeit und Welt-[25] offenheit wird er zum Opfer seines eigenen Charakters. Darin liegt Egmonts Tragik, daß gerade die Eigenschaften, die ihn so einmalig und liebenswürdig machen, ihn gnadenlos zugrunde richten.

Das zweite Thema, Staat und Regierung, das Verhältnis[30] zwischen Volk und Obrigkeit, zwischen Recht und Macht,

Selbstbehauptung und Autorität, wurzelt in Goethes Weimarer Pflichtenkreis. Die Volksszenen, die Reden Oraniens und Albas zeugen von Goethes Ideen über Fragen der Politik. Oranien ist der reife Staatsmann mit ernstem Verantwortungsgefühl, Sach-
5 lichkeit und strenger Selbstzucht, der, wie in einem Schachspiel, jeden Zug des Gegners genau beobachtet. Egmont ist impulsiv, in Staatsangelegenheiten naiv. Er liebt sein Volk, liebt die Freiheit und haßt jede Gewalt und Unterdrückung. Alba, der mißtrauische, verschlossene Zyniker, ist von Anfang an Egmonts
10 Gegenspieler. Er glaubt nicht, daß ein Volk sich selbst regieren kann, er verlangt Disziplin und willenlosen Gehorsam. Im Gegensatz zu Egmonts Naturgesetz tritt er für das Vernunft-gesetz, für Staatsraison ein. In den Gegenspielern Egmont — Oranien und Egmont — Alba kommt es Goethe wieder darauf
15 an, verschiedene Lebensmöglichkeiten, mögliche Standpunkte verschiedener Temperamente darzustellen.

Das dritte Thema in *Egmont* ist die Liebe, die Liebe als beseligendes Spiel, als „Ausruhn". In der Gestalt Klärchens verherrlicht Goethe die einfache, anspruchslose Hingabe. Sie
20 ist das Gegenstück zu einer Dame der Gesellschaft wie Lili Schönemann. Bei Klärchen findet Egmont Entspannung, sie ist sein Gesundbrunnen. Sorglos wie er, lebt sie für den Augen-blick, kennt kein schlechtes Gewissen und ist diesem Mann so sehr ergeben, daß sie jederzeit bereit ist, sich für ihn aufzu-
25 opfern. Auch sie folgt ihrem Dämon und wird zur demütigen und liebenden Begleiterin des verehrten Helden. Gegen Ende des Dramas idealisierte Goethe Klärchen, indem er sie zu einer heroischen Figur mit männlicher Kühnheit und Entschlossen-heit steigerte.

30 Egmonts Tod soll als Opfertod aufgefaßt werden, als Beispiel für kommende Generationen. Vor seinem Tode ordnet Egmont

sein vergängliches Sein in höhere, allgemeinere Zusammenhänge ein. Der Mensch, der die ganze Welt in sich fühlte, erkennt nun die Notwendigkeit, sich der menschlichen Gesellschaft und höheren Mächten unterzuordnen. Das Drama endet mit dem Ausblick, daß Egmont wohl für die Freiheit der Niederländer [5] sterben mußte, daß aber Oranien, der schweigende Rechner, für sie leben wird. Egmont trägt einen moralischen Sieg durch Albas Sohn davon, und man hofft, daß auch das Recht sowohl wie die Freiheit siegen werden.

Als historisches Freiheitsdrama wurde *Egmont* in Frankfurt [10] geplant, in Weimar als Charakterdrama fortgesetzt und in Rom mit einem idealistischen Ende gekrönt: der Erscheinung Klärchens als Freiheitsgöttin. Von einem Werk, das solch einen Entwicklungsgang durchmachte, kann schwerlich Stileinheitlichkeit und künstlerische Ausrundung erwartet werden. So [15] schrieb Goethe im März 1782: „Wenn ich's noch zu schreiben hätte, schrieb ich es anders, und vielleicht gar nicht. Da es nun aber so steht, so mag es stehen. Ich will aber nur das Allzuaufgeknöpfte, Studentenhafte der Manier zu tilgen suchen, da es der Würde des Gegenstandes widerspricht." Was für ein [20] Abstand zwischen den naturalistischen Volksszenen am Anfang des Werkes und dem Erscheinen der Freiheitsgöttin „im himmlischen Gewande, von einer Klarheit umflossen, auf einer Wolke ruhend" am Ende. Schiller nannte diesen Kulissenzauber einen „salto mortale ins Opernhafte", Richard Wagner hingegen [25] bezeichnete ihn als künstlerische Notwendigkeit.

War in *Götz* von uneinheitlicher Handlung die Rede, so ist sie in *Egmont* kaum vorhanden. Die Szenen stehen einzeln da, die dramatische Spannung geht nicht von der Handlung sondern von den Personen aus. Goethe ist Meister in der Zeichnung [30] der niederländischen Volkstypen. In den Volksszenen gründet

43

sich seine Gestaltungskraft auf exakte Welt- und Menschen-
beobachtung. Besonders hervorzuheben ist auch Goethes Technik, seine Gestalten einzuführen. Egmonts und Albas Charaktere
offenbaren sich in Berichten und Wechselreden anderer. So
5 sehen wir Egmont zuerst mit den Augen des Volkes, dann der
Regentin und endlich der Geliebten, bevor er selbst vor uns
hintritt. Die Sprache ist zum größten Teil kräftig realistisch,
volkstümlich und anschaulich. In manchen Schlußszenen nähert
sich Goethe dem jambischen Versmaß, das die Form seines
10 nächsten Dramas wurde.

Zu Goethes Zeiten hatte *Egmont* wenig Erfolg. Eine zum
Teil ungerechte Kritik Schillers verhinderte auf lange Zeit
Verständnis für dieses Werk. Schiller bearbeitete es auch für
eine Aufführung am Weimarer Theater im Jahre 1796, wobei
15 er es so redigierte, daß Goethe sich in späteren Jahren als
„grausam" darüber beklagte. Beethovens geniale Musik, vor
allem die *Egmont-Ouvertüre* (1811), verschaffte dem Werk
die Gunst, die es noch heute als Symbol des Tyrannenhasses
und des demokratischen Geistes genießt.

20 Die Bedeutung der ersten Jahre in Weimar für Goethes
Leben ist unzweifelhaft in seiner Liebe zu Frau von Stein zu
finden. In ihr, die sieben Jahre älter als er war, verheiratet und
Mutter mehrerer Kinder, schien Goethe all das gefunden zu
haben, was er je in einer Frau gesucht hatte. Unter ihrer Leitung
25 erfuhr er seine größte Metamorphose. Der junge Titan lernte
Ruhe, Ordnung und Harmonie schätzen. Auch wurde ihm die
Notwendigkeit der Selbstbeschränkung klar, Vorläuferin seiner
späteren Entsagungsidee. Aber trotz seiner Liebe zu Frau von
Stein und ihres für ihn vorteilhaften Einflußes, begann Goethe
30 unzufrieden zu werden. Die Seelenhaftigkeit dieser Liebe schien

ihm auf die Dauer nicht zu genügen. Auch seine dichterische
Phantasie fand er von Amtspflichten gelähmt. Im Jahre 1782
bezweifelte er den Sinn seiner Lage: „Ich bin recht zu einem
Privatmenschen erschaffen und begreife nicht, wie mich das
Schicksal in eine Staatsverwaltung und eine fürstliche Familie 5
hat einflicken mögen." Die innere Unruhe wuchs, und im
Jahre 1786 war Goethe der Verzweiflung nahe. „Ich finde,
daß der Verfasser [des *Werther*] übel getan hat, sich nicht
nach geendigter Schrift zu erschießen." Die einzige Lösung war
Rettung durch Flucht. In demselben Jahre reiste Goethe nach 10
Italien, wo für ihn ein neues Leben und für sein Künstlertum
eine klassische Periode begann.

Diese persönlichen Erlebnisse, ins Allgemein-Gültige geho-
ben, fanden ihren Niederschlag in *Iphigenie auf Tauris*. Als
weimarischer Hofdichter wurde Goethe der Auftrag gegeben, 15
zu Ehren der Geburt einer Prinzessin ein Festspiel zu schreiben,
dessen Hauptcharakter eine weibliche Figur sein sollte. Im
Jahre 1779 erlebte das Stück, von Goethe in Prosa verfaßt, seine
Erstaufführung, in der der Dichter selbst als Orest auftrat. Ein
Jahr später entschloß sich Goethe zu einer Umarbeitung des 20
Dramas in Verse, „mit mehr Harmonie im Stil", die er erst im
Jahre 1787 vollendete.

Der Stoff stammte von Euripides. Indem Goethe aber die alte
griechische Fabel verinnerlichte, füllte er sie mit neuem Gehalt.
Innerhalb des Rahmens der Sühnung und Versöhnung einer 25
Familie, kam es ihm hauptsächlich auf das Verhältnis Gott-
Mensch und Mensch-Mensch an. Im Mittelpunkt steht Iphi-
genie, die sittlich Reine, die Mittlerin. Unter den Barbaren ist
es ihr gelungen, Menschlichkeit zu verbreiten. Auf ihren Bruder
Orest hat sie dieselbe mildernde, menschliche Wirkung, die 30
Frau von Stein auf Goethe ausgeübt hatte. Der rastlose, ver-
zweifelte, müde Orest sehnt sich nach innerem Frieden. Bevor

Iphigenie ihn erlöst, glaubt er, nur im Tod diese innere Befreiung finden zu können. Iphigenie selbst führt den schwersten Kampf, indem sie aller Versuchung widersteht, um sich selbst, ihr reines Ich, zu behaupten. Sie triumphiert über die Weltklug-
5 heit Pylades' und hält an dem inneren Glauben fest, Thoas von ihrer edlen Gesinnung überzeugen und ihn für menschliches Handeln gewinnen zu können. Sie vertraut der Stimme ihres Herzens, die ihr sagt, daß die Götter gut und gerecht sind. „Rettet mich und rettet euer Bild in meiner Seele!" ruft sie in ihrer
10 Verzweiflung aus. Das Urbedürfnis von Iphigenies Wesen ist ihr Glaube an die Wahrheit und Menschlichkeit. Ihre edle Gesinnung kann bei Thoas auch nur edle Gesinnung hervorrufen. Das ist für Goethe die Macht der Humanität, denn, wie er es als Achtundsiebzigjähriger in einer Widmung eines Iphigenie-
15 Exemplars zusammenfaßte: „Alle menschlichen Gebrechen sühnet reine Menschlichkeit." Wie Iphigenie überwindet auch Thoas das Allzumenschliche, den Egoismus, so schmerzlich der dabei entstehende Verlust auch sein mag.

In diesem Werk, das als „Hohelied der Humanität" bezeich-
20 net worden ist, findet man den Beginn von Goethes klassischer Reife. Kein prometheischer Göttertrotz, nicht Übermut und Überhebung, sondern die Anerkennung der Grenzen der Menschheit. Innerhalb dieser Grenzen besitzt der Mensch die Freiheit, seinem Leben einen höheren Sinn zu geben. Goethe
25 glaubt an den reinen und guten Kern im Menschen, denn, wie er in *Faust* sagt: „Der gute Mensch in seinem dunklen Drange ist sich des rechten Weges wohl bewußt." In diesem Glauben liegt Goethes Humanitätsideal, eine Verschmelzung von antikem Harmoniebegriff und dem christlichen Glauben an einen
30 Schöpfer und an eine universale Vernunft. Humanität bedeutet Duldung, Verträglichkeit, vorurteilslose Liebe, Streben nach

reiner Menschlichkeit. Für Goethe ist dieses Ideal am besten in der Frau verwirklicht. In ihr findet er die Herzensreinheit und Selbstlosigkeit ganz erfüllt. Die Harmonie, die der Mann sich erst erkämpfen muß, ist in der Frau von vornherein schon vorhanden. Natur und Geist, Notwendigkeit und Freiheit, 5 Pflicht und Neigung sind für sie eins.

Iphigenies Griechensehnsucht drückt den Wunsch des Weimarer Goethe nach Ruhe, Maß und Klarheit aus. Diese Normen sind auch aus dem Stil dieses Werkes zu ersehen. Die zum großen Teil monologhaften Verse in rhythmischen Jamben 10 klingen maßvoll feierlich. Von Goethes Sturm und Drang Sprachgewalt sind wir weit entfernt. Das Parzenlied, das in vierhebigen trochäischen und daktylischen Versen die launenhaften Götter beschreibt, stellt als dichterische Glanzleistung den Schwerpunkt des Dramas dar: 15

> Es fürchte die Götter
> Das Menschengeschlecht!
> Sie halten die Herrschaft
> In ewigen Händen
> Und können sie brauchen 20
> Wie's ihnen gefällt.

Von äußerer Handlung ist in Iphigenie wenig zu finden. Goethe hat hier ein Seelendrama geschaffen, dessen Zauber in der Sprache und in den allgemein gültigen Ideen liegt.

Nach *Iphigenie*, d. h. nach der italienischen Reise, wurde 25 Goethe objektiver, sachlicher, unpersönlicher. In seinen späteren Werken, in dem dramatischen Gedicht *Torquato Tasso* (1789), in *Faust I* (1808) und *Faust II* (1831), in den Romanen *Wilhelm Meisters Lehrjahre* (1796) und *Die Wahlverwandtschaften* (1809) war Goethe auf der Suche nach Ordnung, 30

47

nach einem dauernden, gültigen menschlichen Dasein. In seinem meditativen Alterswerk betonte er Selbstbeherrschung, nützliche Tätigkeit, Dienen und Entsagung. Er warb unermüdlich um Verständnis zwischen den Völkern der Erde, um die
5 Idee der Weltliteratur und des Weltbürgertums.

In *Dichtung und Wahrheit* charakterisierte Goethe die Eigenart seines Küstlertums:

Und so begann diejenige Richtung, von der ich mein ganzes Leben über nicht abweichen konnte, nämlich das-
10 jenige, was mich erfreute oder quälte oder sonst beschäftigte, in ein Bild, ein Gedicht zu verwandeln und darüber mit mir selbst abzuschließen, um sowohl meine Begriffe von den äußeren Dingen zu berichtigen als mich im Innern deshalb zu beruhigen. Die Gabe hierzu war wohl niemand
15 nötiger als mir, den seine Natur immerfort aus einem Extrem in das andere warf. Alles was daher von mir bekannt geworden, sind nur Bruchstücke einer großen Konfession.

Zu dieser großen Konfession gehören auch Goethes Gedichte.
20 Was diese Lyrik auszeichnet, sind vor allem ihre Gegenständlichkeit und kunstvolle Unmittelbarkeit. Besonders in den frühen Gedichten ging Goethe nicht, wie zum Beispiel Schiller, von einer Idee aus, sondern von einem konkreten Gegenstand oder einer wirklichen Situation. Was immer auch das Thema
25 sein mag, die Liebe, die Natur oder der Mensch, das Persönliche drückt immer das Allmenschliche aus und das Gesagte steht unter dem Zauber der Improvisation. Wegen des genialen Gebrauchs der lebendigen Volkssprache, nicht des gepflegten

Hochdeutsch, klingen viele seiner Gedichte wie Volkslieder. Mit sprachlicher Melodie und der Gabe der Unmittelbarkeit, ging Goethe an die tiefsten Geheimnisse heran und wurde zum Sprachschöpfer, der die deutsche Poesie durch unzählige Ausdrucksmöglichkeiten bereicherte. 5

Als Beispiel mag das Gedicht „Mailied" aus Goethes Sesenheimer Zeit dienen. Seine überschwengliche Liebe zu Friederike Brion drängt zum Bekenntnis. Was er so stark im eigenen Herzen fühlt, entdeckt er im Ganzen der Schöpfung. „Wie herrlich leuchtet mir die Natur" ist die Widerspiegelung seines 10 Innern. Seine Leidenschaft wirkt ansteckend; was leibt und lebt, muß an der Freude der Liebenden teilnehmen: „Und Freud' und Wonne aus jeder Brust." Die Liebenden sind in eins verschmolzen, zwischen dem Du und Ich besteht völliges Gleichgewicht. Die stürmisch vorwärtsdrängenden Strophen 15 ergeben ein Liebes- und Lebensjauchzen, das zu Goethes Zeit völlig neu war. Kurze Sätze, von grammatischer Fügung weit entfernt, enden meistens mit Ausrufungszeichen. Goethe hat hier eine verinnerlichte Sprache geschaffen, die tiefsten Gefühlen unmittelbaren Ausdruck verleihen konnte. 20

Goethe experimentierte mit großem Erfolg mit neuen Wortbildungen, in denen Seelenregungen, oft eine ganze Gefülsskala, knapp zusammengefaßt werden. So gelang ihm im „Mailied" eine kühne Neubildung mit dem Wort „Blütendampf", so formulierte er treffend in der Hymne „Ganymed" mit der 25 Wortbildung „umfangend umfangen" ein ihm neues Lebensgefühl. In diesem Gedicht steigert sich die ekstatische Wonne des „Mailieds" ins Mythische. Goethe verwertet hier symbolisch die griechische Geschichte vom wunderschönen Hirtenknaben, der von Zeus geraubt wurde und dann unter den 30 Unsterblichen weilt. In freien Rhythmen drückt der Dichter

seinen pantheistischen Glauben aus. Auch hier ist es der Frühling, in dem das Innere mit Gewalt hervorbricht, in dem die
Natur einen gewaltigen Eindruck auf das ergriffene Gemüt
ausübt. Die Natur ist aber nicht mehr Spiegelung der eigenen
5 Liebesglut, sondern die vielfältige und gestaltenreiche Mani-
festation eines alliebenden Vaters. Gott wirbt als Frühling,
als Geliebter, unendliche Schöne, als lieblicher Morgenwind,
und das Ich des Dichters antwortet mit liebender Gebärde:
„Ich komm'! ich komme!" Zum Vater strebt der liebende Sohn
10 und wird liebend von ihm empfangen. Der Mensch ist vereint
mit der Natur, d. h. in Einklang mit Gott.

Seiner Sehnsucht nach Italien und dem klassischen Altertum
hat Goethe in dem Gedicht „Mignon" ein unübertreffliches
Denkmal gesetzt. „Mignon" verkörpert nicht nur die Sehnsucht
15 nach einem verlorenen Kindheitsparadies, nicht nur das Heimweh nach einer geistigen idealen Heimat, sondern die Sehnsucht
überhaupt. Im Refrain „Dahin, Dahin" liegt diese unwiderstehliche Sehnsucht. Wie wenige andere ist dieses Gedicht nur
Gefühl. Tönende Laute wie in der Zeile „Im dunklen Laub die
20 Gold-Orangen glühen" beschwören die südliche Landschaft
Italiens mit all ihrem Zauber herauf. In drei kunstvoll gesteiger-
ten Strophen erinnert sich Mignon an ihre Vergangenheit in
der sonnenbeglänzten Heimat. Jede Strophe steigert die Sehnsucht, bis das Ganze mit dem Ausruf endet: „O Vater, lass
25 mich ziehen!"

In dem Gedicht „Grenzen der Menschheit" setzt sich Goethe
mit dem Verhältnis Gott-Mensch auseinander. Mit dem Bild
eines Gewitters beginnt diese auch in freien Rhythmen abge-
faßte Hymne und drückt die Erfahrung aus, daß der Mensch
30 sich nicht mit den Göttern messen soll. Ergibt er sich dem
Alliebenden wie Ganymed, so verliert er den Boden unter den

Füßen; steht er hingegen fest auf der Erde, so erscheint er als
ein minderwertiges Geschöpf.

> Denn mit Göttern
> Soll sich nicht messen
> Irgend ein Mensch. 5
> Hebt er sich aufwärts
> Und berührt
> Mit dem Scheitel die Sterne,
> Nirgends haften dann
> Die unsichern Sohlen, 10
> Und mit ihm spielen
> Wolken und Winde.

In der vierten und fünften Strophe wiederholt Goethe die
Spannung zwischen Gott und Mensch, indem er die Götter als
unendlich und dauernd, die Menschen als begrenzt und ver- 15
gänglich hinstellt. Diese Trennung ist für Goethes Weltbild
nicht von Dauer. Bald lernt er das Göttliche innerhalb der
menschlichen Grenzen verstehen, das „Eine im Vielen", die
„Dauer im Wechsel."

In dem späteren geheimnisvollen Gedicht „Selige Sehnsucht" 20
greift Goethe auf klassische und orientalische Mystik zurück,
um das Verlangen des Menschen nach göttlicher Vereinigung
zu beleuchten. Hier begegnen wir dem alten Goethe, an dessen
Stil das naivmusikalisch Sprudelnde der früheren Lyrik fehlt,
da er sich nun in geistig betrachtenden Strophen ausdrückt. 25
Aber die Gegenständlichkeit ist noch immer da. Goethe weiß,
daß er hier etwas verkündet, was nur wenige verstehen:

> Sagt es niemand, nur den Weisen,
> Weil die Menge gleich verhöhnet;
> Das Lebend'ge will ich preisen, 30
> Das nach Flammentod sich sehnet.

Johann Wolfgang Goethe

Im Flammentod des Schmetterlings findet er das Gleichnis für die mystische Vereinigung der Seele mit dem, was über das Leben hinausgeht:

> Keine Ferne macht dich schwierig,
> Kommst geflogen und gebannt,
> Und zuletzt, des Lichts begierig,
> Bist du Schmetterling verbrannt.

Die Opferbereitschaft des Falters wird auf das Menschliche übertragen. Die Folgerung wird gezogen, daß der natürliche Lebensprozess aus einem „Stirb und Werde" besteht, aus einem dauernden Zustand des Verfalls und Werdens, aus ewiger Metamorphose:

> Und so lang' du das nicht hast,
> Dieses: Stirb und Werde!
> Bist du nur ein trüber Gast
> Auf der dunklen Erde.

Der Mensch, der sich dieses Gesetzes bewußt ist, sieht den Tod nicht als Ende, sondern als neuen Anfang und findet hierin die Erfüllung seiner „seligen Sehnsucht".

Inge D. Halpert

Fairley, Barker. *A Study of Goethe*. Oxford, 1947.
Fairley, Barker. *Goethe as Revealed in his Poetry*. Chicago, 1932.
Vietor, Karl. *Der junge Goethe*. Bern, 1950.
Staiger, Emil. *Goethe*. 3 vols. Zürich, 1959.
Bielschowsky-Linden. *Goethe. Sein Leben und seine Werke*. München, 1928.

Friedrich Schiller

1759-1805

J ohann Christoph Friedrich Schiller wurde am 10. November 1759 in der württembergischen Kleinstadt Marbach am Neckar geboren. Da sein Vater Werbeoffizier war, mußte die Familie in Orten wohnen, wo Garnisonen lagen. Das war zuerst in Lorch am Neckar, wo der junge Schiller so stark von dem 5 Landpfarrer Moser beeindruckt wurde, daß er selber Prediger werden wollte. Später übersiedelte die Familie nach Ludwigsburg, der Residenz des Herzogs von Württemberg, wo Schiller auf die Lateinschule ging. Der damals regierende Herzog, Karl Eugen, hatte unter dem Einfluß seiner Freundin, Franziska von 10 Hohenheim, auf seinem Jagdschloß, der Solitude bei Stuttgart, eine Anstalt zur Erziehung armer Soldaten- und Beamtenkinder ins Leben gerufen. Diese Schule wurde bald so ausgebaut, daß

53

man dort außer Theologie alles studieren konnte, was in Tübingen auf der Landesuniversität ebenfalls geboten wurde. Gerade Theologie aber hatte der junge Schiller studieren wollen; nun bestimmte jedoch Karl Eugen, der für seine 5 „Herzogliche Karls-Hohe Schule" begabte Schüler brauchte, daß der dreizehnjährige Junge auf die Karlsschule zu gehen habe.

Schiller verbrachte einen großen Teil seiner Jugend, von Anfang 1773 bis Ende 1780, auf der Karlsschule. Er war dort 10 sehr unglücklich und hat später geklagt, daß „eine Hälfte meines früheren Lebens . . . durch die wahnsinnige Methode meiner Erziehung zerstört [wurde]." Obwohl die Ausbildung, die ihm zuteil wurde, durchaus auf dem Niveau der Zeit stand, litt er unter dem Leben auf der Schule. Alles war militärisch 15 zugeschnitten: der Lehrplan war genau vorgeschrieben, die Schüler mußten Uniform tragen und selbst zum Essen geschlossen marschieren, sie konnten nicht einmal zu Weihnachten nach Hause fahren und durften nur selten Besuch von Familienmitgliedern empfangen. Die Willkür des Herzogs beherrschte 20 nicht nur jede kleinste Einzelheit im Leben der Zöglinge, sondern auch deren zukünftige Karriere. So mußte denn auch Schiller, sehr gegen seine Neigung, zuerst Rechtswissenschaft studieren und schließlich Medizin. Er war aber ein willensstarker junger Mensch und vermochte in zwei Jahren anstrengenden 25 Studiums soviel zu lernen, daß er eine glänzende Schlußprüfung ablegen und vom Herzog mit einem Preis ausgezeichnet werden konnte. Bei dieser Gelegenheit sah Schiller zum ersten Male Goethe, der der Preisverteilung zusammen mit „seinem" Herzog, Karl August von Sachsen-Weimar, als Gast des 30 württembergischen Herrschers beiwohnte. Als Karl Eugen nun aber verfügte, daß die frischgebackenen Mediziner noch ein weiteres Jahr auf der Karlsschule zu verbleiben hätten, da verschärfte sich Schillers Unzufriedenheit zu einem glühenden Haß nicht nur gegen die Person des Herzogs, sondern gegen die Karlsschule und gegen das gesamte absolutistische Regime, welches ihn schon in frühen Jahren der Freiheit beraubt hatte. 5 Schiller war somit einer der deutschen Dichter, die jahrelang an den Nachwirkungen tragischer Jugend- und Schulerfahrungen zu leiden hatten. Wir kennen ähnliches aus dem Leben Kellers, Rilkes und Hesses.

Schiller hatte schon als junger Schüler Gedichte geschrieben, 10 und einige waren bereits im *Schwäbischen Magazin* veröffentlicht worden. In seinem letzten Jahr auf der Karlsschule verfaßte er heimlich sein erstes erhaltenes Schauspiel, *Die Räuber*. Es geht zum Teil auf eine Erzählung des Dichters C. D. Schubart zurück, *Zur Geschichte des menschlichen Herzens*, in 15 welcher zwei Brüder zu Todfeinden werden. Dieses Lieblingsmotiv des Sturm und Drang, welches auch in Leisewitz' *Julius von Tarent* und Klingers *Die Zwillinge* behandelt wird, hat Schiller vertieft. Er läßt seinen Helden Karl Moor, einen von Natur aus edlen Menschen, der von seinem Bruder Franz um 20 die Liebe des Vaters betrogen wird, seine Rache am Bruder auf die ganze Menschheit erweitern, weil er an der Gerechtigkeit und damit am Sinn des Lebens überhaupt zweifelt; um das dergestalt verletzte sittliche Gesetz zu versöhnen, stirbt er schließlich freiwillig. Der andere und „schlechte" Bruder, 25 Franz Moor, ist ein völlig verdorbener Mensch, ein Verbrecher großen Stils, der sehr an gewisse Helden Shakespeares erinnert, den Schiller — wie seine ganze Generation — mit Begeisterung gelesen hatte und dessen Einfluß auch sonst, z. B. in der Breite der Charakterzeichnung und den Wortwitzen, unmiß- 30 verständlich zum Ausdruck kommt. Im übrigen spielt das

ganze Stück gewissermaßen in Superlativen, in der Handlungsführung, in der Sprache und auch im bewußten, ja absichtlichen Durchbrechen der Regeln des klassischen Dramas: der drei Einheiten, der erhabenen Redeweise, der vornehmen
5 Gesten, des Fehlens gewalttätiger Handlungen auf der Bühne, u.s.w. So ist *Die Räuber* recht eigentlich das repräsentative Schauspiel des Sturm und Drang zu nennen, und neben dem Shakespearschen Einfluß kommt auch derjenige der beiden anderen geistigen Väter jener Bewegung zur Geltung: in der
10 urkräftig-volkstümlichen Sprache, die Herder, und in der Rückkehr zur Natur, die Rousseau gefordert hatte. Vor allem aber wird die Handlung hier nicht von der Vernunft oder vom bloßen Menschenverstand motiviert, sondern von den guten und bösen, immer tiefempfundenen Leidenschaften der Helden.
15 *Die Räuber* ist somit ein Schauspiel eigener Art, und es war damals schon klar, daß sein Schöpfer nicht nur ein eigenwilliger, sondern auch ein ungemein begabter Bühnendichter war.

Als Schiller aus der Karlsschule entlassen wurde, überarbeitete er das Drama, welches er ursprünglich als „dialogisierte
20 Dichtung" aufgefaßt hatte, und ließ es auf eigene Kosten drucken. Ein Exemplar kam dem Intendanten des Mannheimer Nationaltheaters, dem Freiherrn von Dalberg, in die Hände, der den Dichter daraufhin bat, es ihm zur Aufführung zu überlassen und ihm auch weitere Schauspiele zu liefern. Da das
25 Stück manche Kritik an zeitgenössischen Verhältnissen enthielt und Schiller ihm den Wahlspruch *In tyrannos* — „Gegen die Tyrannen" — vorangestellt hatte, fand Dalberg es angebracht, die Handlung aus der Gegenwart ins späte Mittelalter zu verlegen, mit welchem das Theaterpublikum durch Goethes
30 *Götz von Berlichingen* ohnehin schon vertraut gemacht worden war. Mit dieser und anderen Veränderungen wurde *Die Räuber*

am 13. Januar 1782 uraufgeführt, im Beisein des jungen
Dichters, der mit einem Freunde heimlich zur Premiere nach
Mannheim gereist war — heimlich, weil er in Stuttgart als Mili-
tärarzt angestellt war und keinen Urlaub bekommen hatte.
Der Erfolg war umso größer, als das Werk bereits in der 5
Buchausgabe Aufsehen erregt hatte. Schiller wurde über Nacht
berühmt, und Dalberg ermutigte ihn, gleich sein nächstes
Drama, *Die Verschwörung des Fiesko zu Genua*, fertigzustellen.

Inzwischen hatte Karl Eugen erfahren, daß sein Untertan
sich nicht nur unerlaubt von Stuttgart entfernt, sondern ein 10
Stück hatte aufführen lassen, in welchem einige radikale Ansichten Ausdruck gefunden hatten. Er verbot dem Dichter
daraufhin alle weitere schriftstellerische Tätigkeit. Schiller
entschloß sich nun zu einem folgenreichen Schritt: er floh aus
Stuttgart, in Begleitung seines treuen Freundes Streicher, und 15
führte so einen offenen Bruch mit seinem Landesherrn herbei,
obwohl sein Vater, der sein Leben als Leiter der württembergischen Forstschule beschloß, noch in dessen Diensten stand.
Zuerst ging Schiller nach Mannheim; da er sich aber auch dort
vor Karl Eugen nicht sicher fühlte, nahm er die Einladung 20
einer Bekannten an und verbrachte einige Monate auf deren
Landgut bei Bauerbach in Franken. Er war so arm, daß er und
Streicher, der in Hamburg Musik studieren wollte aber Schiller
nun nicht allein zurücklassen mochte, bisweilen in einem Bett
schlafen mußten. Seine einzige Hoffnung auf finanzielle Unter- 25
stützung lag in der schnellen Beendigung des *Fiesko*, der Anfang
1784 in Mannheim auf die Bühne gebracht wurde, freilich mit
wenig Erfolg.

Schillers nächstes Drama, *Kabale und Liebe*, hieß nach der
Heldin des Stückes ursprünglich *Luise Millerin*, wie die Oper, 30
in der Giuseppe Verdi später den gleichen Stoff behandelte. In

57

diesem Drama ist die Anklage gegen die sozialen Mißstände
stärker als in *Die Räuber*, wo die psychologische Zergliederung
der beiden Brüder und das doppelte Motiv des Vater-Sohn Konfliktes und des Bruderzwists das Gesellschaftliche in den Hin-
5 tergrund drängt. Trotzdem entsprachen die in *Kabale und Liebe*
geschilderten Zustände oder vielmehr Mißstände durchaus der
Wahrheit, und Karl Eugen fühlte sich so getroffen, daß das
Stück bald in Stuttgart nicht mehr aufgeführt werden durfte.
Heute, da diese zeitkritischen Motive nur mehr historisches Inter-
10 esse haben, fällt unser Augenmerk vor allem auf Schillers Meisterschaft in der Menschenzeichnung. Nicht nur sind Ferdinand
und Luise gut getroffen (der erstere, ein Idealist, der durch seine
Unkenntnis der Welt und die Unbeugsamkeit seines Charakters
mehr Unheil stiftet als mancher Bösewicht, ist ein Typ, der
15 Schiller damals sehr am Herzen lag und der auch in der Figur
des Marquis Posa in *Don Carlos* wiederkehrt); auch einige
Nebenfiguren sind unvergeßlich, etwa der alberne Hofmarschall Kalb oder die Mutter der Luise, die, wie die Mutter des
Klärchen in Goethes *Egmont*, um die Tugend der Tochter be-
20 sorgt und zugleich stolz darauf ist, daß diese einen adligen Liebhaber gefunden hat. Um einen Begriff von der Intensität der
hier entfesselten Leidenschaften zu geben und auch von der
Wucht der Schillerschen Sprache, sei ein Absatz aus einem
Monolog Ferdinands zitiert, als dieser den Brief liest, welchen
25 Luise an Hofmarschall Kalb schreiben mußte und den ihr Liebhaber nun als „echt", d. h., freiwillig geschrieben, betrachtet:

> [Ferdinand allein, den Brief durchfliegend, bald erstar-
> rend, bald wütend herumstürzend.] Es ist nicht möglich!
> nicht möglich! Diese himmlische Hülle versteckt kein so
> 30 teuflisches Herz — und doch! doch! Wenn alle Engel her-
> unterstiegen, für ihre Unschuld bürgten — wenn Himmel

und Erde, wenn Schöpfung und Schöpfer zusammen-
träten, für ihre Unschuld bürgten — Es ist ihre Hand —
Ein unerhörter, ungeheurer Betrug, wie die Menschheit
noch keinen erlebte! — Das also war's, warum man sich so
beharrlich der Flucht widersetzte! — Darum — o Gott! 5
jetzt erwach' ich, jetzt enthüllt sich mir alles! *Darum* gab
man seinen Anspruch auf meine Liebe mit so viel Helden-
mut auf, und bald, bald hätte selbst *mich* die himmlische
Schminke betrogen!

In der gewaltsamen — wir würden heute sagen: übertriebenen 10
— Sprache („herumstürzend", „teuflisch", „ungeheuer"), in der
Berufung auf die himmlischen Mächte („Engel", „Schöpfer",
„Gott") und der Überzeugung, daß die Situation des Helden
einmalig ist („ein . . . Betrug, wie die Menschheit noch keinen
erlebte") und in der abgehackten, durch Ausrufungszeichen 15
unterstrichenen Redeweise findet man hier die hauptsächlichen
Merkmale des Sturm und Drang-Dramas.

Kabale und Liebe hatte Schiller zum größten Teil in der länd-
lichen Einsamkeit von Bauerbach geschrieben. Im Laufe der Zeit
bedrückte ihn jedoch der Umstand, daß er dort fern von der 20
Stadt und der Bühne lebte und wenig Umgang mit anderen
hatte. Außerdem hatte Schiller die Angewohnheit, sich mit
einem neuen Thema zu befassen, noch bevor er die Arbeit am
vorhergehenden beendet hatte. Dies war schon bei *Kabale und
Liebe* der Fall gewesen, an welchem zu arbeiten begonnen 25
hatte, ehe *Fiesko* fertig war; nun kam die Arbeit wieder ins
Stocken, als er sich in die Konzeption des *Don Carlos* vertiefte.
Vielleicht hing dies mit Schillers Arbeitsweise überhaupt zusammen, die stets etwas Krampfhaftes an sich hatte, so daß
Zeiten intensivster Konzentration, ja einer regelrechten Arbeits- 30
wut, während der er kaum an Essen und Schlafen dachte, mit

Zeiten völligen Brachliegens abwechselten. Hier liegt einer der vielen Unterschiede zwischen Schillers Veranlagung und Persönlichkeit und der Goethes.

Im Jahre 1783 kehrte Schiller nach Mannheim zurück. Er
5 setzte große Hoffnungen auf zwei Männer: Dalberg und den Schauspieler Iffland, den bedeutendsten männlichen Bühnendarsteller der deutschen Klassik, der schon bei der Uraufführung der *Räuber* den Karl Moor gespielt hatte. Aber trotz des Erfolges von *Kabale und Liebe* kühlten sich die Beziehungen des
10 Dichters zu diesen beiden Männern bald ab, zum Teil aus persönlichen Gründen, zum Teil auch weil Dalberg, der eine verantwortungsvolle Stellung im Herzogtum Baden einnahm und auch mit den regierenden Häusern anderer deutscher Fürstentümer verschwägert war, es sich nicht leisten konnte, den „radi-
15 kalen" Schiller auf die Dauer zu begünstigen. Schillers Plan, beim Mannheimer Nationaltheater eine ähnliche Anstellung zu finden wie sie Lessing vorher in Hamburg gehabt hatte, verlief also im Sande. Immerhin wurde Schillers Mannheimer Zeit, die den beruflichen und finanziellen Tiefpunkt seines Lebens be-
20 zeichnet, durch zwei Lichtblicke erhellt: seine Freundschaft mit Charlotte von Kalb, einer reichen jungen Dame aus aristokratischem Hause, und sein Bekanntwerden mit den Bildwerken des klassischen Altertums in jenem Mannheimer Antikensaal oder Museum, in dem auch Lessing und Goethe griechische Bild-
25 hauerei (freilich nur in Gipsabgüssen) kennengelernt hatten. Damals wurde Schiller mit der antiken Lebens- und Kunstauffassung vertraut, die dann durch den Kontakt mit dem preußischen Gelehrten und Staatsmann Wilhelm von Humboldt vertieft wurde und in *Die Braut von Messina* auch ein dichteri-
30 sches Monument erhielt.

Im Jahre 1785 entschloß sich Schiller, der Einladung eines

Bewunderers Folge zu leisten, der ihm nahegelegt hatte, nach Dresden zu kommen, dort als sein Gast zu wohnen und sich ganz der Kunst zu widmen. Dieser Mann, C. G. Körner, hatte den Dichter nie gesehen, war aber so von dessen Genie über- zeugt, daß er ihm einmal schrieb: „Alles, was die Geschichte in 5 Charakteren und Situationen Großes liefert und Shakespeare noch nicht erschöpft hat, wartet auf Ihren Pinsel." Körner stammte aus vermögender Familie, war als Konsistorialrat Mit- glied der obersten Regierungsstelle im Dresdener Schul- und Kirchenwesen, und konnte Schiller nicht nur viele materielle 10 Sorgen abnehmen, sondern sich auch als verständnisvoller Ken- ner für die Verbreitung der Schillerschen Gedichte einsetzen, indem er einige vertonte und andere einem befreundeten Ver- leger zur Einsicht gab. Zu den Werken, die nun entstanden, da Schillers Notjahre endlich vorüber waren und er sich im neu- 15 gefundenen Freundeskreise eingelebt hatte, gehört vor allem die berühmte Ode „An die Freude", die Beethoven im Schlußsatz der Neunten Symphonie vertonte. Sie war nicht das erste lyrische Werk des Dichters, denn er hatte schon in Stuttgart die soge- nannten Laura-Oden veröffentlicht, eine Anzahl Liebesgedichte, 20 die an Luise Vischer, seine Quartierwirtin, gerichtet waren. Das Lob der Freundschaft, die Schiller nicht nur für Körner emp- fand sondern für dessen Frau und Familienkreis, fand auch in *Don Carlos*, den der Dichter halbfertig aus Mannheim mitge- bracht hatte, einen Niederschlag. Das Schauspiel wurde nun 25 vollendet, wie bei Schiller von nun an gewöhnlich in zwei Fas- sungen, einer in Prosa und einer in Jamben für die Bühne. In der Tat ist *Don Carlos* Schillers erstes Drama in jenem Blank- vers, den Lessing von Shakespeare übernommen und in *Nathan der Weise* gebraucht hatte; er wurde nun zum Versmaß des 30 klassischen deutschen Dramas und löste sowohl die Prosa des

Sturm und Drang wie auch den Alexandriner des Barock-
dramas ab.

In *Briefe über Don Carlos* hat Schiller selbst zugegeben, daß
das Stück zwei Motive vereinigt: einerseits die Liebe des Prinzen
5 für seine Stiefmutter und den Vater-Sohn Konflikt zwischen
Carlos und Philipp, andrerseits die Freundschaft zwischen Carlos und Posa, in deren Verlauf sich der Thronfolger unter dem
Einfluß seines edlen Freundes zu vorbildlicher menschlicher
Größe entwickelt. Das Stück ist weniger zeitgebunden als *Die*
10 *Räuber* oder *Kabale und Liebe* und weist schon auf die Ideale
des reifen Dichters hin. Besonders stellt der große letzte Auftritt des dritten Aktes, die Unterredung zwischen König Philipp
und Marquis Posa mit der Forderung des letzteren: „Geben Sie
Gedankenfreiheit!", dramatisch und gedanklich einen der Höhe-
15 punkte der deutschen Bühnenliteratur dar.

Don Carlos sollte vorläufig Schillers letztes Drama sein. In
den folgenden Jahren beschäftigte er sich vor allem mit Geschichte und Philosophie, teils aus dem Bedürfnis, seine Bildung,
die er immer als lückenhaft empfunden hatte, zu ergänzen, teils
20 auch aus beruflichen Rücksichten, denn er wurde nun Professor
für Geschichte an der Universität Jena. Er hatte schon 1787
einen ersten Besuch in Weimar gemacht und war von seinem
schwäbischen Landsmann, dem Dichter und weimarischen
Prinzenerzieher Christoph Martin Wieland, freundlich empfan-
25 gen worden. Wieland lud ihn zur Mitarbeit an der Zeitschrift
Der teutsche Merkur ein, in der später Schillers Gedichte „Die
Götter Griechenlands" und „Die Künstler" erschienen sowie
die Einleitung zu seiner ersten größeren geschichtlichen Arbeit,
Geschichte des Abfalls der vereinigten Niederlande. Auf Grund
30 dieser Untersuchung wurde Schiller nun zum außerordentlichen
(d. h., praktisch unbesoldeten) Professor in Jena ernannt, wo

er sich mit einer Antrittsvorlesung über das Thema „Was heißt und zu welchem Ende studiert man Universalgeschichte?" einführte. Diese Vorlesung war ein großer Erfolg, nicht nur weil es sich bei dem Redner um den besonders bei der Jugend berühmten Verfasser der *Räuber* handelte, sondern weil das Gerücht umging, im Auditorium sei ein Feuer ausgebrochen! Bald darauf erkrankte Schiller jedoch an einem chronischen Magenleiden, welches ihn bis zu seinem Tode verfolgte. Er mußte daher seine Tätigkeit als Professor oft unterbrechen und schließlich ganz einstellen. Es war bezeichnend für diesen Mann, der eine außerordentliche Gabe für die Freundschaft besaß und Menschen aller Art an sich zu fesseln vermochte, daß ihn seine Studenten vergötterten und sogar während seiner Krankheit pflegten. Unter denen, die damals in Jena studierten und Schiller nähertraten, waren auch die Dichter Novalis und Friedrich Hölderlin.

Neben seinen historischen Studien, die zu einem anderen größeren Werke führten, *Geschichte des dreißigjährigen Krieges*, trieb Schiller um diese Zeit auch Philosophie. Wielands Schwiegersohn hatte ihn in das Werk Immanuel Kants eingeführt, bei dem ihn besonders dessen Überzeugung anzog, daß die Geschichte nicht, wie man bisher meist angenommen hatte, ein bloßes Nebeneinander und Durcheinander zufälliger Fakten darstelle, sondern den Weg des Menschengeschlechtes zu einer ihm angemessenen Staatsverfassung bezeichne. Nach Kant war die beste Staatsverfassung eine solche, die dem Einzelnen die volle Entfaltung aller seiner Anlagen ermöglichte. Als überzeugter Rationalist glaubte Kant an den Fortschritt und an die Perfektibilität der menschlichen Existenz; er sah damals in der geschichtlichen Entwicklung einen oft unterbrochenen, aber schließlich doch unausbleiblichen Aufstieg zu einer Höhe, die

wir noch lange nicht erreicht haben, eines Tages aber unweiger-
lich erreichen würden. Der Verlauf der Französischen Revolution, die Schiller zuerst begeistert begrüßt hatte und von deren
Führern er (zusammen mit George Washington, Thomas Paine
5 und einigen anderen) 1792 zum Ehrenbürger der Republik ernannt worden war, zeigte diesem jedoch, besonders nach der
Hinrichtung des Königs Ludwig XVI. und dem Blutbad unter
dem Terror, daß man den Höhepunkt der bisherigen geschichtlichen Entwicklung vielleicht nicht in der Gegenwart oder Zu-
10 kunft, sondern in der Vergangenheit zu suchen habe, und zwar
bei den Griechen. Tatsächlich steht Schillers Verherrlichung des
Griechentums, die besonders in den Gedichten und philosophischen Schriften zum Ausdruck kommt, kaum hinter der Goethes
und Hölderlins zurück. Auch sie gehört zum Ideengehalt der
15 deutschen Klassik.

In seinen ästhetischen Schriften ist Schiller ebenfalls stark von
Kant beeinflußt worden. Er ist ihm nicht nur in der Methodik
verpflichtet, sondern auch in seinen Gedanken über die Wichtigkeit der Ausbildung des Geschmacks und seiner Betonung der
20 ethischen Komponente aller Kunst und des Zusammenhangs
des Schönen mit dem Guten. So glaubte er, daß die Kunst
nicht nur den Menschen durch sittliche Mittel zum Guten
erzieht, sondern daß sogar das Gefallen, das wir beim Betrachten oder sonstigen Aufnehmen eines Kunstwerkes empfinden,
25 einen Weg zur Sittlichkeit darstellt. Das Ziel der erzieherischen
Schriften Schillers ist die „Schöne Seele", der vollkommen hu-
mane und harmonische Mensch, der Vernunft und Sinnenleben
in sich vereint und dessen Verwirklichung auch Lessing, Herder,
vor allem aber Goethe (etwa im berühmten sechsten Buch von
30 *Wilhelm Meisters Lehrjahre*) angestrebt hatten. Die wichtigsten dieser ästhetischen und philosophischen Schriften Schillers

sind *Briefe über die ästhetische Erziehung* sowie die Aufsätze
Über Anmut und Würde und *Über das Erhabene*. Ihnen sind
kleinere kritische Arbeiten zur Seite zu stellen und besonders
die Abhandlung *Über naive und sentimentalische Dichtung*, in
welcher Schiller eine Typenlehre des literarischen Schöpfers ent- 5
wickelt und den „naiven", d. h., wie die Griechen unbewußt
schaffenden und sich in Eintracht mit Welt und Umwelt empfindenden Dichter mit seinem „sentimentalischen" Gegenpol
vergleicht, der sich seines Künstlertums und seiner Andersartig-
keit bewußt ist und dessen Werke dementsprechend nicht aus 10
einem Guß sind, sondern verschiedene Schichten aufweisen.
Schiller betrachtete sich selbst als sentimentalischen, Goethe hingegen als naiven Dichter. Ähnlich wie das von Herder populari-
sierte Begriffspaar der Volkspoesie und Kunstpoesie ist diese
Schillersche Typologie für die gesamte spätere deutsche Litera- 15
tur und Literaturkritik von großer Bedeutung gewesen. Viele
deutsche Schriftsteller, von den Romantikern bis zu Nietzsche
und Thomas Mann, haben ihre kritischen Theorien weitgehend
aus dem Material erbaut, welches Schiller bereitgestellt hatte.

Daß er sich am Anfang der 1790er Jahre mit diesen Arbeiten 20
befassen konnte, verdankte Schiller einem jener unerwarteten
Glücksfälle, an denen sein Leben ebenso reich war wie an tragischen Begebenheiten. Als er 1791 erkrankte, wurde in Kopenhagen das Gerücht verbreitet, er sei gestorben. Einige dänische
Bewunderer seiner Werke veranstalteten daraufhin eine Trauer- 25
feier zu seinem Andenken. Als sie aber erfuhren, daß Schiller
lebte, wenn auch in sehr beschränkten Umständen, machte ihm
der Erbprinz Friedrich Christian ein jährliches Geschenk von je
tausend Talern für die nächsten drei Jahre, so daß Schiller nun
der Brotarbeit enthoben war, zu der neben den Geschichts- 30
werken auch viele Übersetzungen gehört hatten; zu verschie-

denen Zeiten seines Lebens übertrug er Shakespeares *Macbeth*, Euripides' *Iphigenie in Aulis*, Gozzis *Turandot* und Racines *Phèdre*. Kurz vor der Hilfeleistung aus Dänemark hatte Schiller Charlotte von Lengefeld geheiratet, die er schon im Sommer
5 1788 auf ihrem Landgut in Rudolstadt bei Jena besucht hatte. Dort hatte er auch den damals gerade aus Italien zurückgekehrten Goethe getroffen.

Die Freundschaft mit Goethe war das letzte große geistige und menschliche Erlebnis in Schillers Leben. Sie hatten sich schon
10 öfters getroffen, ohne daß sie sich besonders befreundet hatten. Verschiedene Gründe sprachen gegen eine nähere Beziehung: ein Altersunterschied von immerhin zehn Jahren; ihr gänzlich verschiedener äußerer Werdegang, der den einen zum einflußreichen Minister hatte werden lassen, während der andere zwar
15 schon ein bekannter Dichter war, aber weder finanziell noch gesellschaftlich eine sichere Lebensbasis gefunden hatte; sowie der Umstand, daß Schiller in *Kabale und Liebe* den Sturm und Drang zu einer Zeit fortgeführt hatte, als Goethe ihm bereits entwachsen und mit *Iphigenie* und *Egmont* zum klassischen
20 Dichter geworden war. Inzwischen war jedoch Schiller selbst durch seine historischen und philosophischen Studien, durch die in *Don Carlos* angezeigte Abwendung vom Sturm und Drang, durch seine Entdeckung des klassischen Altertums und durch seine Vertiefung und Verfeinerung als Mensch ein anderer
25 geworden: reifer, objektiver, ausgeglichener. Goethe seinerseits hatte sich seit der Rückkehr aus Italien von der Weimarer Gesellschaft zurückgezogen und empfand eine durch die vom Hofe nicht anerkannte Gewissensehe mit Christiane Vulpius verstärkte Vereinsamung, die auch seine dichterische Produktion
30 beeinträchtigte. Bei einer Versammlung der Naturforschenden Gesellschaft zu Jena am 20. Juli 1794 gerieten Goethe und

Schiller in ein Gespräch, welches sie später im Hause des letzteren fortsetzten. Sie diskutierten verschiedene Arten der Naturbetrachtung; als Goethe schließlich auf sein damaliges Steckenpferd zu sprechen kam, die Metamorphose der Pflanzen, da rief Schiller an einem bestimmten Punkt aus: „Das ist keine Er- 5 fahrung, das ist eine Idee!" Diese Bemerkung kennzeichnet einen wichtigen Unterschied zwischen den beiden: Goethe wurde immer von der Untersuchung des konkreten Gegenstands zum geistigen Bild der Gesetze geführt, welche die Entwicklung und Funktion eines gegebenen Phänomens bestimmen, 10 während Schiller, mehr Denker als Augenmensch, sich vorzugsweise in Ideen bewegte, die er für die Zwecke der Dichtkunst erst konkretisieren mußte.

Goethe hat Schillers Einfluß auf ihn später als einen „neuen Frühling" bezeichnet, „in welchem alles froh nebeneinander 15 keimte und aus aufgeschlossenen Samen und Zweigen hervorging". Es besteht kein Zweifel, daß viele Goethesche Werke, besonders *Wilhelm Meisters Lehrjahre* und *Faust*, sowie manche der schönsten Gedichte, ohne Schillers Zuspruch, Rat und bisweilen auch sehr praktische Hilfe entweder gar nicht geschrie- 20 ben worden wären oder jedenfalls nicht so, wie wir sie besitzen. Schiller seinerseits verdankte Goethe eine genauere Kenntnis seiner selbst, die er gerade im andauernden Vergleich mit dem Freunde gewann, und vor allem starke Förderung seiner dramatischen Pläne, von denen manche (etwa *Wallenstein*, der zuerst 25 in Weimar unter Goethes Leitung aufgeführt wurde und zu dem dieser manches beitrug, oder *Wilhelm Tell*, zu dem Goethe das Lokalkolorit lieferte) ebenfalls ohne den anderen vielleicht nicht ausgeführt worden wären. Wie fruchtbar ihr Gedankenaustausch war und wie der eine den Beitrag des anderen ver- 30 arbeiten und sich zu eigen machen konnte, das zeigt unter

anderm die schöne Beobachtung, die jetzt in Goethes *Wahl-verwandtschaften* steht und auch das Verhältnis der beiden Dichter zueinander charakterisiert: „Gegen große Vorzüge eines Anderen gibt es kein Rettungsmittel als die Liebe." Dreizehn
5 Jahre vor der Veröffentlichung des Romans hatte Schiller an Goethe geschrieben: „Dem Vortrefflichen gegenüber gibt es keine Freiheit als die Liebe." Wie intim ihre Zusammen-arbeit am Weimarer Theater und wie tief ihre gegenseitige Achtung war, das bezeugt die Anekdote, derzufolge Schiller, als
10 ein von Goethe wegen seiner übertriebenen Gestikulation ge-tadelter Schauspieler die Gründe für diese Handbewegungen er-klären wollte, diesem kurzerhand auf gut Schwäbisch zurief: „Ei was! Mache Sie's, wie ich's Ihne sag und wie's der Goethe habe will."

15 So entwickelte sich zwischen diesen beiden Dichtern sowohl eine enge persönliche Freundschaft, deren schönstes Denkmal der nach Schillers Tod von Goethe veröffentlichte Briefwechsel ist, als auch eine Bundesgenossenschaft in Form einer Zusam-menarbeit an einer von Schiller ins Leben gerufenen literarischen
20 Zeitschrift, *Die Horen*, und an *Xenien*, einer Sammlung von literaturkritischen und anderen Aphorismen, in welchen Goethe und Schiller ihre Kunstauffassung gegen manche Zeitgenossen verteidigten, deren Einfluß auf das Publikum sie im Namen des guten Geschmacks und einer erhabenen Auffassung vom Wesen
25 der Dichtkunst bekämpften.

Die Deutschen haben schon zu Schillers Lebzeiten begonnen, ihn mit Goethe zu vergleichen und sich zu fragen, wer von beiden der Größere sei; besonders haben die Romantiker, die Schiller nicht leiden mochten, versucht, Goethe gegen seinen
30 jüngeren Freund einzunehmen. Die beiden Dichter haben sich jedoch mit dieser Frage herzlich wenig beschäftigt. Goethe hat

in einem berühmten Ausspruch gesagt, daß ihre Landsleute sie nicht gegeneinander ausspielen, sondern sich freuen sollten, zwei solche Dichter zu besitzen. Schiller aber schrieb einmal an Wilhelm v. Humboldt, daß er hoffe, „man wird uns [d. h., Goethe und Schiller] verschieden spezifizieren, aber unsere 5 Arten einander nicht unterordnen, sondern unter einem höheren idealen Gattungsbegriff einander koordinieren". Dies ist inzwischen tatsächlich geschehen, nachdem Schiller in der ersten Hälfte des neunzehnten Jahrhunderts hoch über Goethe, Goethe hingegen in der ersten Hälfte des zwanzigsten Jahrhunderts 10 hoch über Schiller gestellt worden war.

Im letzten Jahrzehnt seines Lebens, welches er mit Ausnahme eines kurzen Besuchs in Berlin in Jena und Weimar verbrachte, schuf Schiller viele seiner bekanntesten Gedichte, vor allem die sogenannte „Gedankenlyrik" (z. B. „Der Spaziergang", „Das 15 Lied von der Glocke", „Das Ideal und das Leben") und die Balladen, besonders die aus dem „Balladenjahr" 1797 wie „Der Taucher", „Die Kraniche des Ibykus", „Die Bürgschaft". Es sind Lehrgedichte in dem Sinne, daß sie eine klar konstatierte Moral enthalten und dadurch — nach Schillers eigener Ästhetik 20 — nicht nur zum Vergnügen, sondern auch zur sittlichen Festigung des Lesers beitragen. Sie unterscheiden sich jedoch von den didaktischen Gedichten des achtzehnten Jahrhunderts erstens durch die Hoheit der in ihnen zum Ausdruck kommenden Gedanken, durch das, was Schiller „das Erhabene" nennt: 25 er zeigt uns nicht, wie wir eine bestimmte Handlung zu vollbringen haben, sondern betont die Grundsätze, nach denen man leben muß; und zweitens durch das Pathos der Sprache. Wegen dieses Pathos, wegen der vielen „großen Worte" und der Begeisterung, mit der er sie vorträgt, ist Schiller oft getadelt wor- 30 den. Grillparzer protestierte gegen seine „Sucht, den Philoso-

phen spielen zu wollen", Nietzsche nannte ihn einen „Moral-
prediger", und schon ein Zeitgenosse, der Romantiker A. W.
Schlegel, parodierte eines seiner erhabensten Gedichte, „Würde
der Frauen". Was Schlegel und die anderen Kritiker jedoch
5 übersahen, ist die Tatsache, daß sich das Pathos und die hoch-
fliegenden Gedanken im Munde Schillers natürlich ausnehmen.
Die feierlich-hymnische Sprache war bei ihm echt, und obwohl
die moderne Dichtkunst ganz andere Wege eingeschlagen hat,
ist Schiller einer der großen Lyriker Deutschlands geblieben.
10 Seine Stellung als wichtigster deutscher Dramatiker verdankt
Schiller den Tragödien seiner Spätzeit: *Wallenstein* (die Trilogie *Wallensteins Lager, Die Piccolomini, Wallensteins Tod*),
*Maria Stuart, Die Jungfrau von Orleans, Die Braut von Mes-
sina* und *Wilhelm Tell*, die in den Jahren 1798 bis 1804 entstan-
15 den. Als Schiller am 9. Mai 1805 an einer Lungenentzündung
starb, der sein durch jahrelange Krankheit geschwächter Körper
nicht zu widerstehen vermochte, arbeitete er gerade an *Demetrius*, einem Stoff aus der russischen Geschichte, der in Schillers
Bearbeitung möglicherweise zum besten seiner Dramen gewor-
20 den wäre. Mit Ausnahme der *Braut von Messina*, deren Handlung der Dichter frei erfand, sind diese Stücke historische Dramen. Auffallend ist an ihnen zunächst die Verbindung von
geschichtlichem Fachwissen und dichterischer Gestaltungskraft.
Ob er die italienische Geschichte in *Die Verschwörung des
25 Fiesko zu Genua* behandelt oder die spanische in *Don Carlos*,
die deutsche in *Wallenstein* oder die englische in *Maria Stuart*,
die französische in *Die Jungfrau von Orleans*, die schweizerische
in *Wilhelm Tell* oder die russische im *Demetrius*-Fragment:
dieser zünftige Historiker hat immer zunächst die tatsächliche
30 Überlieferung erforscht und erst dann dasjenige hinzugefügt,
weggelassen oder abgeändert, was dem Dramatiker angebracht

erschien. So haben sich z. B. die Königinnen Elisabeth und
Maria nie von Angesicht gesehen, und doch hat Schiller gerade
aus dieser erfundenen Begegnung den Höhepunkt seines
Dramas gemacht. Ferner ist bemerkenswert, daß er in viel ge-
ringerem Maße als etwa Shakespeare oder die französischen 5
Dramatiker auf die Größe der von ihm dargestellten geschichtlichen Figuren und Begebenheiten angewiesen ist; weder Fiesko
noch Demetrius, ja nicht einmal Wallenstein gehören zu den
historischen Gestalten erster Größenordnung. Dies erklärt sich
aus Schillers Neigung, in den Werken seiner Reifezeit nicht den 10
Charakter, sondern vornehmlich das Schicksal seiner Helden in
den Vordergrund zu rücken. Diese Helden sind bisweilen recht
zwielichtige Menschen, und es wäre schwer, sich etwa für Wallenstein als Persönlichkeit besonders zu erwärmen. In der Tat
hat die Frage, ob Schillers Wallenstein überhaupt ein gültiger 15
dramatischer Held ist, die Kritik oft beschäftigt. Der Dichter
machte sich selbst Sorgen darüber, daß Wallenstein nicht jenes
Übermaß eines Lasters, oder auch einer Tugend, besäße, das ihn
wie die Helden der antiken Tragödie zur ‚Hybris‘, zu einem
Verstoß gegen das Schicksal, treiben würde. Schiller fand jedoch 20
in dem Gedanken Trost, daß dies auch bei Shakespeares *Macbeth* der Fall sei. Wallensteins Verbrechen ist nicht die offene
Empörung gegen den Kaiser, sondern die bloße Versuchung
zum Abfall. Aber schon der Gedanke an den Verrat genügt, ihn
zu Fall zu bringen, und die Umstände, unter welchen er seine 25
verräterischen Gedanken hegt, sind dazu angetan, nach der ari-
stotelischen Terminologie nicht nur unsere Furcht zu erwecken,
sondern auch unser Mitleid: der Undank des Kaisers, Wallensteins Ehrgeiz und sein Vertrauen auf Piccolomini, der Einfluß
der Astrologie auf seine Handlungen, schließlich auch das von 30
Schiller frei erfundene Motiv der Liebe zwischen Max Piccolo-

mini und Thekla. Ohne diese ‚star-cross'd lovers' wäre das Stück zu sehr in der militärisch-diplomatischen Sphäre verankert geblieben.

Schillers Behandlung des Wallenstein-Themas zeigt auch ein
5 weiteres Merkmal des Klassikers: die Fähigkeit, seine Helden objektiv und gewissermaßen unbeteiligt zu betrachten. Diese Souveränität gegenüber dem Stoff kommt auch darin zum Ausdruck, daß der Dichter sich von der literarischen Überlieferung genauso wenig fesseln ließ wie von der historischen. So war z. B.
10 die Geschichte der Jeanne d'Arc durch Voltaires *La Pucelle* zu einer Farce geworden, und doch hat Schiller sie unbedenklich wieder aufgenommen und in *Die Jungfrau von Orleans* zu einer klassischen Tragödie gestaltet. Schließlich gehört auch die Freiheit, mit welcher er die dramatische Form jeweils den Gegeben-
15 heiten des Stoffes anpaßte, zu den Merkmalen eines genialen Dichters. Er hat Stücke verfaßt, in denen viele handelnde Personen auftreten, und andere, in denen die Handlung von wenigen getragen wird; er hat in Prosa geschrieben und in Vers; er hat die drei Einheiten manchmal eingehalten und zu anderen
20 Malen nicht beachtet. Sowohl seine Beherrschung der Bühnentechnik wie die seelische und ethische Intensität, mit der seine Helden gegen ihr Schicksal und ihre eigene Schwäche ankämpfen, zeichnen sich besonders klar in *Wilhelm Tell* ab. Der Apfelschuß ist eine der berühmtesten Bühnenhandlungen der Welt-
25 literatur. Der Seelenkampf des Vaters, der auf den eigenen Sohn anlegen muß, kommt im wiederholten Aufnehmen und Sinkenlassen der Armbrust unübertrefflich zum Ausdruck, und als sich die Aufmerksamkeit des Publikums auf den Streit zwischen Geßler und Rudenz konzentriert hat, fällt der Apfel
30 plötzlich. Zugleich ist der ethische Gehalt dieses Stückes so stark, daß seine Verherrlichung der Vaterlandsliebe, der männ-

lichen Bescheidenheit und des nationalen Selbstbestimmungs-
rechts dazu geführt hat, daß dieses Drama, das von einem deutschen Dichter stammt, der nie in der Schweiz war, zum schweizerischen Nationaldrama geworden ist.

Wolfgang Leppmann

Buchwald, Reinhard. *Schiller. Leben und Werk.* Wiesbaden, 1959.
Storz, Gerhard. *Der Dichter Friedrich Schiller.* Stuttgart, 1959.
Wiese, Benno von. *Friedrich Schiller.* Stuttgart, 1959.
Stahl, E. L. *Friedrich Schiller's Drama.* Oxford, 1954.
Norman, F. ed. *Schiller.* London, 1960.

Heinrich von Kleist
1777-1811

,, **V**erstanden wenigstens möchte ich gern zuweilen sein, wenn auch nicht aufgemuntert und gelobt, von *einer* Seele wenigstens möchte ich gern zuweilen verstanden werden, wenn auch alle anderen mich verkennen", schrieb der zweiundzwanzigjährige Heinrich von Kleist in einem Brief an seine Schwester 5 Ulrike. Mit diesen Worten hat der junge Dichter die Tragik seines Lebens zum Ausdruck gebracht, denn mit vielen anderen Dichtern und Denkern teilt Kleist das Schicksal, zu seinen Lebzeiten verkannt und mißverstanden worden zu sein.

Als Angehöriger eines alten adligen Offiziersgeschlechts 10 wurde der junge Heinrich von seinem Vater traditionsgemäß dazu bestimmt, die Offizierslaufbahn einzuschlagen. Doch schon bald fühlte er sich von der Eintönigkeit des Kasernenlebens ab-

gestoßen. Sein Wissensdurst fand dort keine Nahrung, und der feinfühlige junge Mann konnte sich in der starren, gefühllosen, öden Welt des Militärs nicht zurechtfinden. Er trat aus dem Militärdienst aus und wandte sich mit glühendem Eifer dem
5 Studium der Philosophie und Mathematik zu. Dieses Studium sollte ihm weniger dazu dienen, sich auf einen Beruf vorzubereiten, als eine Grundlage zu finden, auf der er sein Leben und Denken aufbauen könne. Kleist wollte sich einen Lebensplan aufstellen, auf Grund dessen er nach bestimmten Richtlinien
10 handeln könne und mit dem er „den sicheren Weg des Glücks" finden würde. Bildung und Wahrheit waren für ihn die höchsten Werte, nach denen ein Mensch streben konnte. Er glaubte, mit Hilfe eines wohlwollenden Gottes und seines eigenen Verstandes sich „ein sicheres tiefgefühltes und unzerstörbares
15 Glück . . . gründen" zu können. Kleists Briefe an seine Verlobte, Wilhelmine von Zenge, sind das beste Zeugnis seines Bildungsstrebens, denn statt Liebesbeteuerungen finden sich darin Versuche, auch die Braut in seinem Sinne zu erziehen und zu bilden.
  Aber nur zu bald sollte Kleists optimistischer, vom Gedanken-
20 gut der Aufklärungszeit beeinflußter Lebensplan zerschlagen werden und in nichts zerfließen. Kleist selbst macht Kants philosophische Lehre für den Zusammenbruch seiner so sorgfältig aufgebauten Lebensphilosophie verantwortlich, und deswegen wird allgemein von seiner ‚Kantkrise' gesprochen. Doch
25 zeigen Kleists Briefe, daß seine bisherige Weltanschauung nicht auf allzu festem Boden gestanden hatte und daß er hier und da ihre unbedingte Richtigkeit und Zuverlässigkeit bezweifelt hatte. Kants Begriff der Relativität aller Dinge scheint also nur der Anstoß für eine Wendung gewesen zu sein, die sich
30 vorher schon angebahnt hatte. Kleist verwechselte auch Kants Begriff der „Erscheinungswelt" mit dem Begriff „Schein". Auch

griff Kleist hauptsächlich das Negative an Kants Philosophie
heraus, und dieses Negative, nämlich die Idee, daß es keine absolute Erkenntnis gibt, traf den jungen Kleist mit nieder-
schmetternder Wucht: „Wir können nicht entscheiden, ob das,
was wir Wahrheit nennen, wahrhaft Wahrheit ist, oder ob es 5
nur so scheint. Ist das letzte, so ist die Wahrheit, die wir hier
sammeln, nach dem Tode nicht mehr — und alles Bestreben,
ein Eigentum zu erwerben, das uns auch ins Grab folgt, ist vergeblich. . . . Mein einziges, mein höchstes Ziel ist gesunken, und
ich habe nun keines mehr —", schreibt er an seine Verlobte. 10
Tiefste Verzweiflung spricht aus diesem Brief und die Hilflosigkeit und Ratlosigkeit eines Menschen, der plötzlich seine
Lebensgrundlage vernichtet sieht und vor dem Abgrund des
Nichts steht. Eine bohrende Unruhe und Rastlosigkeit und ein
Ekel vor den Wissenschaften erfassen den ziellos gewordenen 15
Kleist. Er reist nach Paris und beabsichtigt, erst dann zurückzu-
kehren, „sobald ich einen Zweck gefaßt habe, nach dem ich
wieder streben kann".

Das Kanterlebnis, so schmerzhaft und niederschmetternd es
für Kleist war, stellt einen Wendepunkt in seiner geistigen Ent- 20
wicklung dar, der für sein Leben und Schaffen grundlegend
werden sollte. Diese Krise verwandelte den selbst- und zielbe-
wußt strebenden, verstandesmäßig ausgerichteten und ordnungs-
bewußten Optimisten in einen gequälten, innerlich zerrissenen,
nach einem Lebenszweck suchenden Pessimisten. Aber in ihm 25
waren jetzt auch Kräfte erwacht, die vorher nur hier und da in
Form leiser Zweifel die ruhige Oberfläche seines vom Verstande
beherrschten Lebens gestört hatten. Mit elementarer Heftigkeit
machten sich jetzt diese Gefühlskräfte bemerkbar. Sie trieben den
jungen Menschen mit dämonischer Gewalt, stellten ihm immer 30
wieder vor Augen, daß die Welt des Gefühls und die Welt der

Wirklichkeit sich nicht in Einklang bringen ließen. Dieser Konflikt führte Kleist in die Phantasie- und Gefühlswelt des Dichters ein. Der Durchbruch der emotionellen Kräfte brachte mit sich den Durchbruch der dichterischen Schaffenskraft, die eben-
5 falls unter der Oberfläche geschlummert und sich nur ab und zu zaghaft bemerkbar gemacht hatte. In die Pariser Zeit fallen die anfänglichen Arbeiten an dem nur im Fragment erhaltenen Drama *Robert Guiskard* und dem Erstlingsdrama *Die Familie Schroffenstein.* Der Lebenszweck, dem Kleist von nun an nach-
10 jagte, war, dichterischen Ruhm zu erlangen, es dem großen Dichter Goethe, den er sehr verehrte, gleichzutun.

Kleist war ein einsamer und unverstandener Mensch geworden, auf der Jagd nach Anerkennung als Dichter. Von der Welt des Geistes und Verstandes enttäuscht, befiel ihn jetzt
15 eine rousseauistische Stimmung: er wollte Zuflucht suchen in dem primitiven, aber naturnahen Leben eines Bauern. Er forderte seine Verlobte auf, mit ihm in die Schweiz zu ziehen und dort auf einem Bauernhof in idyllischer Einsamkeit die Felder zu bebauen. Daß die aus einer alten Adelsfamilie stammende
20 Wilhelmine von Zenge nicht viel von dem Bauernhofidyll ihres Verlobten hielt, ist verständlich. Ihre ablehnende Haltung jedoch enttäuschte Kleist zutiefst. Brüsk löste er die Verlobung auf und begab sich allein in die Schweiz. Aus dem Landankauf wurde nichts, aber seine dichterische Arbeit begann er jetzt
25 immer ernsthafter. In Bern traf Kleist unter anderem den Schriftsteller Heinrich Zschokke und Ludwig Wieland, den Sohn des berühmten Dichters der Aufklärung, und er befreundete sich mit ihnen. In Zschokkes Zimmer hing ein Kupferstich, betitelt „La cruche cassée", und bei einem geselligen Zusammen-
30 sein beschlossen die Freunde, in einem Wettstreit dieses Thema dichterisch zu verwerten. Diesem Gesellschaftsspiel verdanken

wir Kleists Lustspiel *Der zerbrochene Krug*, das er allerdings
erst sechs Jahre später vollendete. Auch das in Paris begonnene
Drama *Die Familie Schroffenstein* wurde in der Schweiz fertig-
gestellt. Aber Kleists nicht sehr robuste Gesundheit hielt seiner
fiebrigen Arbeitsweise nicht stand und er erkrankte. Nach seiner 5
Genesung verließ er dann die Schweiz.

Kleists Irrfahrt durch das Leben, seine inneren Kämpfe, sein
gehetztes Flüchten vor sich selbst, seine Jagd nach einem Lebenszweck, sollten auch weiterhin charakteristisch für diese tragische Dichtergestalt bleiben. Es trieb ihn von einem Ort zum 10
anderen, von einer Enttäuschung zur anderen. Das rastlose Hin-
und Herreisen brachte Kleists gequältem Innern keine Lin-
derung. Er zweifelte an sich selbst und an seiner Arbeit. Einer
zweiten Reise in die Schweiz folgte eine zweite Reise nach Paris.
Dort erlitt Kleist anscheinend einen Nervenzusammenbruch, 15
und er vernichtete sein vielversprechendstes Werk, *Robert Guis-*
kard. Auf dieses Drama, das den Kampf des Normannenfürsten
mit der Pest darstellte und das, wie der Dichter Wieland meinte,
die dramatische Kunst eines Äschylus mit der eines Shakespeare
verbinden sollte, hatte Kleist alle Hoffnung gesetzt und sich den 20
höchsten Dichterruhm davon versprochen. Doch in seiner Seelennot zweifelte er an seiner Begabung: „Ich habe in Paris mein
Werk, soweit es fertig war, durchgelesen, verworfen und verbrannt. Nun ist es aus. Der Himmel versagt mir den Ruhm, das
größte der Güter der Erde; ich werfe ihm, wie ein eigensinniges 25
Kind, alle übrigen hin." Damit glaubte Kleist am Ende zu sein
und suchte als letztes einen „schönen" Tod: „. . . ich werde den
schönen Tod der Schlachten sterben. . . . ich frohlocke bei der
Aussicht auf das unendlich-prächtige Grab." Er wanderte nach
Nordfrankreich, um an Napoleons geplantem Angriff gegen 30
England teilzunehmen. Die Ironie des Schicksals ließ ihn aber

als Spion aufgegriffen werden. Hätte sich nicht ein Bekannter für ihn eingesetzt und ihn nach Hause zurückgebracht, so wäre Kleist wahrscheinlich erschossen worden.

Kleist war zu dieser Zeit ein an Leib und Seele erschöpfter 5 Mensch, und sein dichterisches Schaffensvermögen schien erloschen. Doch nun entzündete sich sein Dichtergeist an den Werken fremder Dichter: er übersetzte französische Originale. Er bearbeitete Molières Lustspiel *Amphitryon*, veränderte es aber ideenmäßig so durchgehend, daß das Original nur noch in der 10 allgemeinen Anlage und in den weniger wichtigen Nebenhandlungen zu erkennen ist. Besonders Alkmene wandte Kleist sein Interesse zu: er vertiefte diese Frauengestalt ethisch und psychologisch und erhob sie damit über das Niveau einer Lustspielfigur. Damit schien Kleist nun wieder zu 15 seiner eigentlichen Berufung als Dichter zurückgefunden zu haben, denn bald darauf verließ er die erst vor kurzem angenommene Staatsstellung und wollte sich voller Zuversicht als Dramatiker behaupten. (Es ist bemerkenswert, daß Kleist seinen Novellen, deren Anfänge in diese Zeit fallen, kaum Bedeutung 20 zurechnet; sie gehören heute zu den besten der deutschen Literatur.) Er arbeitete weiter an *Der zerbrochene Krug* und begann das Trauerspiel *Penthesilea*. In der Gestalt der Titelheldin dieses Dramas personifiziert Kleist seinen inneren Kampf, sein vergebliches Ringen mit seinem Drama *Robert Guiskard*, sein 25 Versagen und seine darauffolgende tiefste Verzweiflung und Zerstörungswut. Dieses Drama ist Kleists persönlichstes Werk. Voller Stolz brachte er es Goethe „auf den Knien seines Herzens" dar, der es jedoch, abgestoßen von der überschwänglichen Leidenschaft der Heldin, voller Spott und negativer Kritik ab-30 lehnte.

Die politischen Ereignisse der Zeit, Napoleons Herrschaft in

Europa, erregten wie so viele deutsche Dichter auch Kleist. Wie alles andere, was ihn in seinem Leben beschäftigte, erfaßte ihn die Vaterlandsliebe mit dämonischer Kraft. Er sah in Napoleon den satanischen Menschen, der den Völkern das Recht zur Freiheit raubte. So entstand einige Zeit später *Die Hermanns-* 5 *schlacht*, ein Drama, das das deutsche Volk zum Kampf gegen Napoleon aufrufen sollte. Unter dem Deckmantel der germanischen Befreiungsschlacht gegen die Römer im Teutoburger Wald unter Führung Hermanns des Cheruskers versuchte Kleist, den Deutschen ihre schändliche Lage als Unterdrückte klarzu- 10 machen und ihnen den einzigen Weg zur Freiheit zu zeigen: Vereinigung aller kleinen Staaten, Aufgabe aller persönlichen Motive, gemeinsamer Aufstand und Kampf gegen den Feind unter Anwendung aller Mittel, einschließlich der Täuschung, des Betrugs und des Verrats. Natürlich wagte keine Bühne, 15 dieses Drama aufzuführen.

Der Aufstand Österreichs gab Kleist Hoffnung, daß auch sein Vaterland Preußen sich vom Joche Napoleons befreien werde; aber die schnelle Niederlage Österreichs zerstörte auch diesen patriotischen Wunschtraum Kleists. Nachdem 20 er von einer erneuten Erkrankung genesen war, kehrte er nach Berlin zurück. Dort gab er zusammen mit einigen Romantikern die Zeitung *Berliner Abendblätter* heraus, die jedoch bald wegen der strengen politischen Zensur und aus Mangel an Beiträgen einging. In Berlin scheint Kleists Inneres sich ein 25 wenig ausgeglichen und beruhigt zu haben. Das Überschwänglich-Leidenschaftliche seines Temperaments war einer gewissen schmerzlich-wehmütigen Ruhe gewichen, was in seinem reifsten Drama, *Prinz Friedrich von Homburg*, zum Ausdruck kommt, das in Berlin entstand. Mit dem Eingehen seiner Zeitung und 30 durch den Kampf mit den Behörden hatte Kleist den Existenz-

boden verloren. Mit seiner Familie hatte er sich überworfen, da er keine feste Stellung annehmen wollte. Anerkennung und Verständnis fand er nicht, der erstrebte Dichterruhm blieb ihm versagt, und seine Gesundheit war durch die langen seelischen
5 Kämpfe zermürbt. Am 21. November 1811 beging er zusammen mit einer an Krebs erkrankten Frau in Berlin am Wannsee Selbstmord.

Kleists Lebenskämpfe spiegeln sich in seinen Werken. Immer wieder finden wir darin einen Menschen, dessen Welt plötzlich
10 durch die Realität des Lebens in Verwirrung gerät und der daran zugrunde geht. Die einzige Basis menschlicher Beziehung ist für Kleist das unbedingte Vertrauen zwischen zwei Menschen. Wird dieses Vertrauen durch irgendeinen Zwischenfall oder ein Mißverständnis seitens des Partners gestört, so wird dem Menschen
15 die Existenzbasis entzogen. Die Gewißheit des Gefühls wird zerstört, der Mensch wird ratlos, verwirrt und verzweifelt. Diese zeitweilige Verwirrung und Verzweiflung führen zu tragischer Schuld, falls das Vertrauen und damit die Harmonie nicht wiederhergestellt werden kann. Dieses Problem des Vertrauens,
20 und somit die tragische Lebensauffassung, finden wir sogar in Kleists Lustspielen *Amphitryon* und *Der zerbrochene Krug*.

Der zerbrochene Krug ist nicht in die traditionellen Akte, sondern in 13 Auftritte eingeteilt. Das Lustspiel stellt eine Gerichtsszene dar, in der der Dorfrichter Adam gezwungener
25 maßen über sich selbst zu richten hat. Im Rückblick wird die Vorgeschichte aufgerollt. Der Dorfrichter, ein alter, häßlicher Junggeselle mit Glatze und Klumpfuß und dem „paradiesischen" Namen Adam hatte versucht, Eve, ein unbescholtenes Mädchen, das mit einem Bauernburschen namens Ruprecht ver-

lobt ist, zu verführen. Zu diesem Zwecke hatte der unansehn-
liche Adam der Eve einen gefälschten Brief gezeigt, in dem es
hieß, daß Ruprecht zum Militärdienst nach Ostindien geschickt
werden sollte, wo das Fieber jährlich ungezählte Opfer fordert.
Adam gab vor, dies verhindern zu können, wenn Eve ihm zu 5
Willen sei. Er besuchte das junge Mädchen am Abend auf ihrem
Zimmer und hängte seine Perücke über einen Krug. Ruprechts
Dazukommen verhinderte jedoch Adams Absichten. Beim eili-
gen Sprung aus dem Fenster riß Adam den Krug herunter,
und die Perücke blieb in den Büschen hängen. Ruprecht hat ihn 10
jedoch nicht erkannt, und Eve hütet ihr Geheimnis. Frau Marthe,
Eves Mutter, erscheint nun vor dem Gericht, dessen diktatori-
scher Vertreter Adam ist, um den Krugzertrümmerer zu ermitteln und Schadenersatz einzuklagen.

Damit ist die Vorgeschichte zu Ende, und das eigentliche 15
Lustspiel, der Prozeß, beginnt. Frau Marthe hofft und behauptet, daß Ruprecht der Missetäter sei. Ruprecht jedoch
glaubt von Eve mit einem Rivalen betrogen worden zu sein
und will von einer Heirat nichts mehr wissen. Er behauptet,
Frau Marthe sei nicht so sehr an dem zerbrochenen Krug, 20
sondern eher an der zerbrochenen Ehre ihrer Tochter interessiert und wolle ihn zur Heirat zwingen. Der Dorfrichter Adam
steht natürlich auf Frau Marthens Seite und hofft, daß er Eve
mit Hinweisen auf Ruprechts eventuelles Soldatenschicksal ein-
schüchtern könne. Bei der Hochachtung, die die einfachen nie- 25
derländischen Bauern der kleinen Stadt Huisum vor dem hohen
Gericht haben, wäre es natürlich für Adam leicht, diese Angelegenheit unter Mißachtung der Rechtspflege und durch Mißbrauch seiner Amtsstellung zu seinen Gunsten ausfallen zu
lassen und Ruprecht als den Täter zu „ermitteln" und gebührend 30
zu bestrafen. Mit dem Recht des Individuums und mit der Ge-

rechtigkeit droht Spott getrieben zu werden, wäre da nicht der
hellhörige Gerichtsschreiber Licht, der seinen Vorgesetzten
durchschaut (zusammen mit dem Zuschauer), und käme nicht
gerade zur rechten Zeit der Gerichtsrat Walter, um die Hand-
5 habung der Rechtspflege an Ort und Stelle zu prüfen. Wie
Sophokles' Ödipus muß der Dorfrichter Adam nun hilflos zu-
sehen, wie die „Katastrophe", nämlich seine Entlarvung als der
gesuchte Missetäter, über ihn hereinbricht. So verfolgt der Zuschauer also zwei geschickt verwobene Themen: wie der Krug
10 zerbrochen wurde, und wie der Dorfrichter Adam sich in dieser
Angelegenheit behauptet.

Obwohl Adam der „Bösewicht" der Handlung ist, ist er dennoch kein unsympathischer Charakter. Den alten, lebenslustigen
Junggesellen können wir verstehen, wenn er sich von der hüb-
15 schen Eve angezogen fühlt aber seines Alters und häßlichen Aus-
sehens wegen zu einer List greifen muß, um sich ihr nähern zu
dürfen. Auch hat er eine angeborene Lust zum Lügen, und er
lügt noch munter, als alle andern ihn durchschauen, weil er einfach nicht anders kann. Dazu kommt noch sein Mutterwitz, seine
20 lebhafte, urwüchsige Phantasie, die den Zuschauer stets begierig
auf sein nächstes Lügengespinst warten läßt.

Dieser durchaus liebenswürdige Bösewicht, der sich in seinen
eigenen Schlingen gefangen hat, hat als Gegenspielerin Eve, die
ebenfalls in einer schwierigen Lage ist. Aus Liebe zu Ruprecht
25 ist sie in eine zweideutige Situation geraten und der Schande
preisgegeben. Doch das ist nicht das schlimmste: Eve hat fest
auf Ruprecht vertraut und geglaubt, daß selbst die widrigsten
Umstände sein Vertrauen in sie nicht erschüttern könnten. In
diesem Glauben findet sie sich bitter getäuscht, denn Ruprecht
30 wendet sich von seiner scheinbar ungetreuen Geliebten ab. Eve
steht vor einem verwirrenden Konflikt: sagt sie die Wahrheit,

so steht ihrem Geliebten, wie sie glauben muß, der fast sichere Fiebertod in Ostindien bevor; verschweigt sie den wahren Sachverhalt, so verliert sie ihren Geliebten ebenfalls. In ihrer Not macht sie dem im Vergleich zu ihr viel unkomplizierteren und urwüchsigeren Ruprecht den Vorwurf: „. . . oh schäme dich, [5] daß du mir nicht in meiner Tat vertrauen kannst." Eve ist die Gestalt, die dieses Lustspiel in die Nähe der Tragödie rückt, denn in ihr liegt die Möglichkeit eines tragischen Konflikts. Doch löst sich alles nach einigen weiteren Verwicklungen durch eine Zeugin, die zum Schluß mit Adams Perücke in der Hand [10] erscheint, die aber in der Gestalt des in der Dunkelheit entfliehenden Adams den Teufel erkannt zu haben glaubt. Die Spuren seines Klumpfußes hatte sie als die Abdrücke des teuflischen Pferdefußes betrachtet. Der Gerichtsschreiber Licht nimmt nun die Sache in die Hand und lenkt den Verdacht endgültig auf [15] den tapfer weiterlügenden Dorfrichter. Eve wirft sich in ihrer Verzweiflung dem Gerichtsrat zu Füßen, gesteht den Sachverhalt und fleht um Gnade für ihren Geliebten. Das Recht hat gesiegt, ein möglicher tragischer Ausgang ist abgebogen durch die endgültige Entlarvung Adams. Dieser wird zwar sein Richter- [20] amt verlieren, aber ansonsten wird der Gerichtsrat Gnade vor Recht ergehen lassen.

Der Urwüchsigkeit der Personen der Handlung entsprechen die volksmäßige Ausdrucksweise, die vor Derbheiten nicht Halt macht, sowie die satten Farben der Bildersprache und die knor- [25] rige Derbheit der Wortspiele. Und doch hat es Kleist verstanden, diese breit gemächliche Sprache im Blankvers einzufangen, ohne dem Rhythmus der Alltagssprache Abbruch zu tun. Darin zeigt sich der Meister der Sprachgestaltung. Auch der dramatische Aufbau des Lustspiels ist meisterhaft gehandhabt. Gleich von [30] Anfang an ist die Spannung da, die den Zuschauer sofort ein-

fängt und ihn bis zum Ende nicht mehr losläßt. Die Aufteilung in Szenen ist für diese dramatisierte Gerichtsverhandlung die einzig mögliche dramatische Form. Man muß sich daher fragen, was Goethe, den Leiter des Theaters in Weimar, dazu bewogen
5 hat, das Stück für die Aufführung in drei Akte mit zwei Pausen zu zerschneiden und für die Rolle des Adam, mit dessen Darstellung das Stück steht und fällt, einen für diesen Charakter völlig ungeeigneten, schwerfällig steifen Schauspieler auszuwählen. Es ist daher kaum überraschend, daß das Stück damals
10 in Weimar ausgepfiffen wurde. Die erste erfolgreiche Aufführung fand 1820 in Hamburg statt. Seitdem hat sich *Der zerbrochene Krug* als eines der besten deutschen Lustspiele neben Lessings *Minna von Barnhelm* und Hauptmanns *Biberpelz* auf der Bühne behauptet.

15 Von Kleists anderen Dramen hat sich vor allem *Prinz Friedrich von Homburg* auf der deutschen Bühne gehalten und auch in Frankreich höchst erfolgreiche Interpretationen erfahren. Die Quellen zu diesem Drama fand Kleist wahrscheinlich in den Memoiren Friedrichs des Großen, wo zwei legendäre Episoden
20 aus der Schlacht bei Fehrbellin erzählt werden. In der Nähe dieser Stadt wurden die Schweden, die in Brandenburg eingefallen waren, von dem Kurfürsten Friedrich Wilhelm besiegt. Der Prinz von Homburg erhielt von seinem Landesherrn eine Rüge, weil er in der Schlacht zu früh losgeschlagen hatte. Dieses
25 Ereignis greift Kleist auf und behandelt es mit dichterischer Freiheit in seinem Drama.

In der ersten Szene erlaubt sich der Kurfürst einen „Scherz" mit dem schlafwandelnden Prinzen, indem er ihm durch die Prinzessin Natalie einen Lorbeerkranz überreichen läßt. Im

86

Schlaf gesteht der Prinz seine Liebe zu Natalie, was den Kurfürsten die Szene mit der Bemerkung abbrechen läßt, daß man solche Dinge nicht im Traum erreicht. Der erwachende Prinz hat infolge dieses Erlebnisses Visionen von Kriegsruhm und Erfüllung seiner Liebe zu Natalie. Das macht ihn so zerstreut, 5 daß er bei der Erteilung der Schlachtbefehle nicht zuhört. In der am nächsten Tag stattfindenden Entscheidungsschlacht gegen die Schweden greift der Prinz in Zuwiderhandlung des Befehls und unter Nichtachtung der Warnungen seiner Offiziere verfrüht in die Schlacht ein. Das vereitelt den Sieg zwar nicht, aber 10 es beeinträchtigt ihn und fordert mehr Opfer. Der Kurfürst verlangt, daß der Befehlsverweigerer vor das Kriegsgericht gestellt werde, und dieses verurteilt den Prinzen zum Tode. Aus Angst vor dem Sterben wirft sich dieser der Kurfürstin unheldisch zu Füßen, die aber nichts für ihn erreichen kann. Natalie setzt sich 15 für ihn ein, und ihre Schilderung der Todesfurcht und Verzweiflung des Prinzen macht den Kurfürsten stutzig. Er läßt dem Prinzen mitteilen: wenn er glaube, daß ihm durch das Urteil Unrecht geschähe, so sei er frei. Diese Entscheidung läßt den Prinzen über seine Tat nachdenken und bringt ihn zur Läu-20 terung, indem er nun das Urteil als verdient und gerecht annimmt. Er ist bereit, für sein Vergehen zu sterben, um dem Recht Genugtuung zu leisten. Jetzt kann der Kurfürst ihn begnadigen, und die Vision der ersten Szene wird Wirklichkeit: Kriegsruhm und Liebesglück werden dem Prinzen zuteil. 25

Das ist in kurzen Zügen der Inhalt des Dramas. Kleists Interesse galt aber offensichtlich mehr den Charakteren, ihren Problemen und deren Lösung.

Die erste Szene dient vor allem der Charakterisierung des Prinzen, indem die tiefsten Geheimnisse seiner Seele bloßgelegt 30 werden: er ist ein im Grunde selbstsüchtiger Mensch. Seine

Liebe zum Vaterland ist eigentlich nur ein Mittel, um seine persönlichen Wünsche zu erfüllen. Er tut auch seine Pflicht dem Staat gegenüber nur um der Belohnung willen, die ihm der Staat oder die Gemeinschaft für erwiesene Dienste gewähren
5 wird. Aus dem Gegensatz zwischen dem Glück, das der Prinz erträumt, und der Realität der Gemeinschaft ergibt sich die Handlung des Dramas. Der Prinz überhört die Schlachtbefehle, weil er mit seinen Träumen beschäftigt ist. Er schlägt zu früh los, weil der Sieg schon fast gewonnen scheint und er
10 daran teilnehmen möchte, um des Kriegsruhms teilhaftig zu werden. Da seine im Überschwang der Gefühle begangene eigenmächtige Tat nicht in einer Katastrophe endet, sondern erst eigentlich zum Sieg führt, kann er das vom Kurfürst bestätigte Todesurteil nicht verstehen. Ich-bezogene Verzweiflung und
15 Angst vor dem Tod lassen den Helden der Schlacht zu einem Schwächling werden, der nur an sich und seine Rettung denken kann. Sogar seine Geliebte würde er opfern. Erst als er zu einer selbständigen, sein Ich betreffenden Entscheidung aufgerufen wird, tritt die Wandlung ein: der Prinz ist bereit, die Konse-
20 quenzen für seine egoistische, übereilte Handlung zu tragen. Er erkennt das Gesetz an and begibt sich wieder in die Gemeinschaft, deren Rechte und Gesetze er durch sein eigenmächtiges Handeln auf Grund persönlicher Wünsche verletzt hatte: „ich will das heilige Gesetz des Krieges ... durch einen freien Tod
25 verherrlichen."

Der Prinz ist jedoch nicht der einzige, in dem sich Läuterung und Wandlung vollzieht; auch der Kurfürst macht einen ähnlichen Prozeß durch. Der Kurfürst ist der Vertreter und zugleich Beschützer der Gemeinschaft und des Rechtes. Er hält sich aber
30 an den Buchstaben des Gesetzes, und Gefühle und menschliches Verständnis haben in seinen Handlungen und Entscheidungen

kein Mitspracherecht. In der Ausübung seines Amtes zieht er die gebrechliche Natur des Individuums nicht in Betracht, sondern er hält sich an eine starre Legalität, deren Forderungen er blind Folge leistet, genau so wie der Prinz seinen Wünschen und Gefühlen. Erst durch Natalies Fürsprache wird sich der Kurfürst 5 der Existenz der Gefühlswelt bewußt. Das bringt ihn zu der Entscheidung, daß der Prinz frei sein soll, wenn er glaubt, als Individuum ungerecht behandelt worden zu sein. Der Kurfürst verläßt sich dabei auf sein „Gefühl", daß der Prinz die richtige Entscheidung treffen wird. Dreimal unterzieht der Kurfürst den 10 Prinzen einer Probe, die zwar Elemente der Grausamkeit nicht entbehrt, aber den Prinzen zur endgültigen Läuterung führt und seine neu gewonnene Entscheidung auf ihre Festigkeit und Echtheit prüft. Die erste Prüfung ist der schon erwähnte Aufruf an das Verantwortungsgefühl des Prinzen. Der Prinz be- 15 kennt sich zum Gesetz und besteht somit die erste Probe. Die zweite Probe ist das Zusammentreffen des Prinzen mit dem Kurfürsten, den Offizieren, die auf seiner Seite stehen, und, vor allem, mit Natalie. Hier wird dem Prinzen vor Augen geführt, was er durch seine Entscheidung zugunsten des Gesetzes aufopfert. 20 Trotz tiefster Seelennot bleibt der Prinz in seiner Entscheidung fest. Die dritte und grausamste Probe ist die scheinbare Vorbereitung auf die Hinrichtung: mit verbundenen Augen glaubt sich der Prinz dem Tode nahe, den er vorher in seiner Verzweiflung so sehr gefürchtet hatte. Aber auch das läßt ihn in seiner 25 Entscheidung nicht wankend werden. Der Kurfürst ist nun seiner Sache absolut sicher und kann dem Prinzen im Ernst den Lorbeerkranz durch Natalie überreichen lassen. Somit hat der Kurfürst den Prinzen, der sich gegen die Gemeinschaft vergangen hatte, auch als Menschen und Individuum, nicht nur als 30 Rechtsperson, geprüft und als Menschen für unschuldig, oder zumindest entschuldbar gefunden. Auf dieser menschlichen, nicht rechtlichen, Basis kann er den Prinzen wieder in die Rechtsgemeinschaft des Staates aufnehmen.

Auch mußte der Kurfürst erfahren, daß starre und abstrakte 5 Legalität die Ordnung im Staat nicht unbedingt erhält, sondern sie im Gegenteil bedrohen kann. Seine Offiziere und damit das Heer, das Organ zum Schutz des Staates, drohen mit offener Rebellion, sollte das Todesurteil vollstreckt werden. Durch die revidierte Entscheidung des Kurfürsten wird eine Krise im Staat 10 vermieden. Als Hüter des Staates und der Gemeinschaft wird sich der Kurfürst der Subjektivität des Bürgers bewußt; er wird zum gütigen Mittler, der die Gegensätze zwischen Individuum und Gemeinschaft, zwischen persönlicher Freiheit und den Forderungen des Gesetzes ausgleicht, indem er den Prinzen be-15 gnadigt. Der Prinz wandelt sich also, indem er das Ordnungsprinzip des Staates anerkennt; der Kurfürst wandelt sich, indem er Nachgiebigkeit, Nachsicht und menschliches Mitgefühl mit dem Amt als Beschützer des Staates verbindet. Auch die für Kleist so typische „Verwirrung des Gefühls" spielt in dem 20 Drama eine Rolle. Der Prinz wird in tiefste Verzweiflung gestürzt, als er sein Vertrauen in den Kurfürsten zerstört sieht, da dieser sich weigert, das Todesurteil aufzuheben. Des Prinzen „Verwirrung" geht sogar so weit, daß er ein offenes Ohr hat für Andeutungen, der Kurfürst handle aus persönlichen Motiven, 25 als er das Todesurteil bestätigte. Auf Natalies Schilderung der tiefen, fast unwürdigen Verzweiflung des Prinzen antwortet der Kurfürst „verwirrt": „Nun denn . . . so ist er frei." Sein Vertrauen auf den Prinzen ist ebenfalls momentan erschüttert, doch nicht in dem Maße wie bei dem Prinzen, denn der Kurfürst ruft 30 sofort den Prinzen zur Entscheidung auf. Er muß aber dem Prinzen immer noch vertrauen, daß dieser sich im Sinne des Urteils entscheiden werde, denn wo wäre die Rechtsordnung des Staates, der einen vom Kriegsgericht Verurteilten straffrei ausgehen läßt, nur weil dieser Angeklagte sich für unschuldig hält? So wird also das Vertrauen des Kurfürsten in den Prinzen durch eine Versuchung und Prüfung erneut bestätigt, und die momentane 5 Gefühlsverwirrung ist behoben. Ähnlich ist es bei Natalie: als sie den Prinzen auffordert, dem Kurfürsten mitzuteilen, daß er sich unschuldig fühlt, erfahren wir aus den Bühnenanweisungen ihren inneren Kampf und ihre Verwirrung: sie möchte ihren Geliebten nicht verlieren, auf der andren Seite müßte sie den Prin- 10 zen, wenn er sich gegen das Urteil entschiede, ihrer aufrechten Natur gemäß verachten, besonders da er um des eigenen Lebens willen sogar sie hatte opfern wollen. Natalie verliert zeitweilig das Vertrauen in ihr Gefühl für den Prinzen, indem sie glaubt, dieser werde den verlangten Brief schreiben, und in ihrer Ver- 15 wirrung fordert sie ihn sogar dazu auf. Doch wird die Harmonie zwischen Gefühl und Wirklichkeit schnell durch die Entscheidung des Prinzen wiederhergestellt. Auch hat Natalie bereits vor ihrem Zusammentreffen mit dem Prinzen Anstalten zur Rettung ihres Geliebten getroffen, falls er sich für das Urteil 20 entscheide. Das beweist wie im Falle des Kurfürsten, daß tief innerlich ihr Gefühl für den Prinzen und ihr Vertrauen nicht wankend geworden waren. Es handelt sich also bei Natalie wie bei dem Kurfürsten nur um eine oberflächliche und momentane Gefühlsverwirrung, die ohne weitere Krisen ins Gleichgewicht 25 gebracht werden kann.

Kleist hat auch sein bestes Drama nie auf der Bühne gesehen. Erst 1821 wurde es im Wiener Burgtheater aufgeführt, jedoch ohne großen Erfolg. Auch die Aufführung in Berlin im Jahre 1828 fand keinen Anklang. Man empfand es damals als ge- 30 schmacklos, daß Kleist seinen Helden angesichts eines offenen

Grabes vor Todesfurcht erschauern läßt, daß ein Offizier unheldisch und verzweifelt um sein Leben bettelt und daß er dazu
noch in Ohnmacht fällt, als ihm statt der Hinrichtung die Verwirklichung seiner Träume zuteil wird. Friedrich Hebbel, einer
5 der großen Dramatiker des 19. Jahrhunderts, erkannte richtig die
verfeinerte und psychologische Handhabung der Charakterisierung und Entwicklung des Prinzen, denn „hier wird durch
die bloßen Schauer des Todes, durch seinen hereindunkelnden
Schatten erreicht, was in allen übrigen Tragödien . . . nur durch
10 den Tod selbst erreicht wird: die sittliche Läuterung und Verklärung des Helden". Daß Kleist seinen Helden nach seinem
Zusammenbruch umso glorreicher wieder erhebt, indem er ihn
einen Sieg über sich selbst erringen läßt, das sah das Theaterpublikum des 19. Jahrhunderts nicht. Erst das 20. Jahrhundert
15 erkannte den tieferen menschlichen Wert dieses Dramas.

Das Problem der Rechte des Individuums dem Staat und der
Gemeinschaft gegenüber wird auch in Kleists bekanntester und
größter Novelle, *Michael Kohlhaas*, behandelt. Im Chronikstil
wird die Geschichte eines Roßhändlers in der Mitte des 16. Jahr-
20 hunderts erzählt, der gegen einen gewissen Junker von Tronka
einen Prozeß anstrengt. Dieser hatte zwei Rappen, die Kohlhaas
auf der Burg als Pfand hatte zurücklassen müssen, mißhandelt.
Kohlhaas verklagt nun den Junker auf „Dickfütterung der
Rappen". Er kann mit seiner Klage bei den Behörden nicht
25 durchdringen. Seine Frau Lisbeth stirbt an einem Kolbenstoß,
den ihr ein Wachsoldat versetzte, als sie dem Kurfürsten die
Rechtssache ihres Mannes persönlich vortragen wollte. Kohlhaas, durch diesen schweren Verlust und die Verweigerung des
Rechts zum äußersten getrieben, nimmt seinen Rechtsfall selbst
30 in die Hand und wird zum Mörder und Brandstifter auf der

Jagd nach dem Junker und seinem Recht. Als Kohlhaas durch seine Mordbrennereien und andere Gewalttaten zur Gefahr für den Staat wird und er immer mehr Unzufriedene und Tagediebe zu sich zieht, da wird ihm endlich sein Recht zugesprochen. Doch muß Kohlhaas sterben, weil er seinerseits das Recht durch 5 Verbrechen an Unbeteiligten gebrochen hat.

Michael Kohlhaas ist die Geschichte eines Mannes, dessen „Rechtsgefühl einer Goldwage glich", der „in dieser Tugend ausgeschweift" ist. Kohlhaas fühlt, daß ein Mensch, dem seitens des Staates das Recht versagt wird, ein Ausgestoßener aus dem 10 Staat ist. Deswegen glaubt er sich berechtigt, auf eigene Faust Gerechtigkeit zu erzwingen, indem er durch Gewaltakte dem Staat Schaden zufügt, ihn somit zum Handeln bringt und die Aufmerksamkeit aller auf seine Sache lenkt. Dadurch zwingt das Individuum den Staat, ihn wieder in die Gemeinschaft auf-15 zunehmen, wenn auch nur, um ihn für seine Vergehen mit dem Leben bezahlen zu lassen, nachdem ihm Recht zugesprochen wurde. Die Harmonie zwischen Staat und Untertan wird also durch den Gebrauch (oder Mißbrauch) der persönlichen Freiheit wiederhergestellt. 20

Dieser Zusammenprall eines für seine Rechte kämpfenden Menschen mit der Staatsmaschine hinterläßt verständlicherweise seine Spuren in der Persönlichkeit des Rebellen. Zu Anfang ist Kohlhaas ein rechtschaffener, untadeliger Bürger mit einem stark ausgeprägten Rechtsgefühl (es ist bezeichnend, daß er nichts un-25 versucht läßt, ehe er seine Sache in die eigenen Hände nimmt). Sein Vertrauen in die Gemeinschaft zerbricht, als der Staat die Willkürakte des Junkers übersieht. Kohlhaas wird der Existenzboden entrissen, und er wird zum Rechtsfanatiker. Ein Rachetaumel erfaßt ihn, und schließlich sieht er sich als eine Art 30 Würgengel auf Erden. Sobald ihm jedoch Recht zugesprochen

wird, schwindet der Fanatismus, die Harmonie ist, wenn auch nur zeitweilig, wiederhergestellt. Die Schuld, die Kohlhaas auf sich geladen hat, stört ihn nicht; auch die Tatsache, daß seine blutigen Racheakte in keinem Verhältnis zu dem ihm zugefüg-
5 ten Unrecht stehen, scheint ihm keine Gewissensbisse zu verursachen. Ihm geht es um das Prinzip des Rechts und nicht um einen individuellen Fall.

Daß Kleist auf der Seite des Kohlhaas stand, wenn er ihn auch am Anfang der Novelle als einen der „entsetzlichsten Men-
10 schen seiner Zeit" bezeichnete, ist klar. Kleist zeigt den Rechtsstaat in seiner Korruption und die daraus entstehenden Folgen für das Individuum. Selbst Luther, der in einer bedeutenden Szene auftritt und als Christ Kohlhaasens Taten verdammt, muß ihm, was das Rechtsprinzip angeht, beistehen. Als die Ordnung
15 im Rechtsstaat durch Kohlhaasens Verurteilung wiederhergestellt wird, entgeht auch der Kurfürst von Sachsen seiner Strafe nicht. Als Vertreter und Beschützer des Rechts hat er seine Pflicht vernachlässigt, indem er die geschilderten Ereignisse in seinem Staat geschehen ließ. Er erhält seine Strafe durch Kräfte,
20 die jenseits menschlichen Wissens und Erkennens liegen: Eine Zigeunerin, die auf seltsame Art der toten Frau Lisbeth gleicht, hat Kohlhaas einen Zettel mit der Prophezeiung des Schicksals des Kurfürsten gegeben, so daß dieser sich damit freikaufen könne; sie ist das Organ dieser Kräfte, die dem Kurfürsten seine
25 Strafe zukommen lassen, da er ja über der staatlichen Rechtsprechung steht. Trotz seiner hohen Stellung widerfährt auch ihm noch auf Erden Gerechtigkeit.

Der Streit zwischen Kohlhaas und dem Junker brachte den Staat ins Wanken. Den Rappen, die der Anlaß dazu waren,
30 teilt Kleist noch eine zweite Rolle zu: sie versinnbildlichen die Rechtslage im Staat. Die Mißachtung des Rechts zeigt sich in der

Mißhandlung der Tiere, die immer unansehnlicher werden, je verworrener und chaotischer die Rechtslage im Staat wird. Als sie endlich schon dem Abdecker in die Hände gefallen sind und auf dem Marktplatz vor der gaffenden Menge stehen, sind sie zu Skeletten abgemagert, bemitleidenswert und doch zugleich 5 lächerlich durch das Groteske der Situation; denn der Rechtsstreit zwischen Kohlhaas und dem Staat ist ebenfalls durch die Überspitzung zu einer Groteske geworden. Bei Kohlhaasens Hinrichtung stellen die beiden wieder dickgefütterten Pferde symbolisch die Wiederherstellung des Rechts und somit Kohl- 10 haasens Triumph dar. Sie geben Kohlhaas die Gewißheit, daß er nicht umsonst schuldig geworden ist und büßen muß, sondern daß er seine Sendung, die er sich selbst auferlegte, erfüllt hat.

Kleist vermag den modernen Leser nicht nur durch das zeitlose Thema der Gegenüberstellung Individuum-Staat in *Michael* 15 *Kohlhaas* zu fesseln; auch die technische Handhabung der Novelle läßt uns vergessen, daß sie in der Blütezeit der Romantik entstanden ist. Kleist charakterisiert seine Helden nicht direkt durch Beschreibung, sondern durch realistische Schilderung der Handlung des Helden werden dessen Charakter und seine Ent- 20 wicklung enthüllt. Wenn der Dichter selbst kommentiert, ist es meistens eine Reaktion seinem Helden gegenüber, also keine Schilderung, sondern ein Werturteil. Wenn Kleist z. B. gleich zu Anfang der Novelle *Michael Kohlhaas* seinen Helden als einen „der rechtschaffensten und zugleich entsetzlichsten Menschen 25 seiner Zeit" bezeichnet, so ist das eine Feststellung, die erst später durch Kohlhaasens Handlungen erhärtet wird, also eine Art vorausgenommene Schlußfolgerung. Diese indirekte Charakterisierung der Menschen durch ihre Handlungen verleiht Kleists Novellen das Dramatische und erlaubt eine straffe, ziel- 30 strebige Durchführung des Themas. Auch die realistische

Sprache hat für den heutigen Leser nichts von ihrer Kraft
eingebüßt. Mit Recht bezeichnet man heute Kleist als einen
Meister der novellistischen Dichtung; seine acht Novellen, darunter neben *Michael Kohlhaas* vor allem *Das Erdbeben in Chili*,
5 gehören zu den hervorragendsten der deutschen Literatur.

Einsam ragt das Werk des Dichters Kleist aus dem literarischen Geschehen seiner Zeit heraus. Er kann ebensowenig in die
Klassik eines Goethe und Schiller wie in die romantische Strö-
mung eingereiht werden. Was ihn mit der Romantik verbindet,
10 ist die vorherrschende Stellung des Gefühls in seiner Weltanschauung. Doch in den Themen und in der Sprache geht er
weit über die Romantik hinaus. Sein einsames Kämpfen um
Verständnis, um Kontakt mit der Umwelt, sein Suchen nach
dem letzten Sinn des Lebens geben diesem Dichter etwas Zeit-
15 loses. Kleists Werke, entstanden aus den Kämpfen seiner Seele,
haben etwas ewig Modernes.

Ellen D. Lewis

Brahm, Otto. *Das Leben Heinrichs von Kleist.* Heidelberg, 1904.
Hohoff, Curt. *Heinrich von Kleist in Selbstzeugnissen und Bild-
dokumenten.* Hamburg, 1960.
March, Richard. *Heinrich von Kleist.* New Haven, 1954.
Silz, Walter. "On the Interpretation of Kleist's Prinz von Hom-
burg", *The Journal of English and Germanic Philology* XXXV,
1936.
Wiese, Benno von. *Die Deutsche Novelle von Goethe bis Kafka.*
Düsseldorf, 1956.

Die Romantiker

Ludwig Tieck und Friedrich von Hardenberg — mit dem Dichternamen Novalis — trafen sich zum erstenmal im Sommer 1799 in Jena. „Unsre Bekanntschaft wurde sogleich zur vertrautesten Freundschaft" heißt es darüber bei Tieck, und Novalis schreibt an den neuen Freund: „Du hast auf mich einen [5] tiefen, reizenden Eindruck gemacht — Noch hat mich keiner so leise und doch so überall angeregt wie Du." Daß sich Tieck und Novalis verstehen würden, wußte auch der Mann, in dessen Haus sie sich kennenlernten, August Wilhelm Schlegel. Er kannte ihre Einstellung in literarischen und allgemein welt- [10] anschaulichen Fragen. Er selbst und sein Bruder Friedrich hatten viel dazu beigetragen, diese Einstellung der beiden Gäste zu bestimmen und zu festigen.

Die Brüder Schlegel hatten besonders in der von ihnen herausgegebenen Zeitschrift *Athenäum* ihre Gedanken ausgespro- [15]

chen. Hier zeigte August Wilhelm Schlegel seine Gelehrsamkeit,
und Friedrich glänzte durch seine philosophisch-witzigen Gedanken, die er als kurze „Fragmente" erscheinen ließ. Dabei
wird der Begriff der „romantischen Poesie" benützt und kritisch
5 beleuchtet. Allerdings hat das Wort „romantisch" keinen fest
bestimmten Sinn, sondern ist schillernd und mehrdeutig. Teils
erscheint das Wort mit dem ursprünglichen Nebensinn „romanhaft", wobei Friedrich Schlegel vor allem an Goethes Roman
Wilhelm Meisters Lehrjahre denkt. Zum Teil aber ist mit „ro-
10 mantisch" auch ein Gegensatz zur antiken Klassik gegeben und
ein Wesenszug der „modernen" Dichtung seit dem Mittelalter
gemeint. Schließlich bezieht sich der Ausdruck manchmal auch
ganz allgemein auf das Poetische überhaupt.

Alle diese Möglichkeiten des Verständnisses spielen ihre
15 Rolle in dem berühmten Fragment, das mit den Sätzen beginnt:

> Die romantische Poesie ist eine progressive Universal-
> poesie. Ihre Bestimmung ist nicht bloß, alle getrennten
> Gattungen der Poesie wieder zu vereinigen und die Poesie
> mit der Philosophie und Rhetorik in Berührung zu setzen.
> 20 Sie will und soll auch Poesie und Prosa, Genialität und
> Kritik, Kunstpoesie und Naturpoesie bald mischen, bald
> verschmelzen, die Poesie lebendig und gesellig und das
> Leben und die Gesellschaft poetisch machen, den Witz
> poetisieren und die Formen der Kunst mit gediegnem
> 25 Bildungsstoff jeder Art anfüllen und sättigen und durch
> die Schwingungen des Humors beseelen. Sie umfaßt alles,
> was nur poetisch ist, vom größten wieder mehrere Systeme
> in sich enthaltenden Systeme der Kunst bis zu dem Seufzer,
> dem Kuß, den das dichtende Kind aushaucht in kunstlosem
> 30 Gesang. . .

Der erste Satz stellt die romantische Poesie als eine Dichtung
dar, die im Gegensatz zum zyklisch abgeschlossenen Werdegang

der antiken Dichtung sich immer weiter entwickeln kann. Schon
der zweite Satz aber weist deutlich darauf hin, wie nahe das
‚Romantische' hier dem Roman, dem Romanhaften steht; die
Forderungen scheinen nur auf die technischen Möglichkeiten
des Romans Rücksicht zu nehmen. Im letzten der zitierten Sätze 5
scheint endlich der Begriff „romantische Poesie" allumfassend
und grenzenlos zu sein. Dennoch wäre es falsch zu glauben,
Friedrich Schlegel wolle allgemein das unbewußte, rein intuitive
Schaffen propagieren, das nur aus dem starken Gefühl hervor-
quillt. Im Gegenteil lobt er grundsätzlich die bewußte Gestal- 10
tung durch den Künstler, der selbst über seinem Werk steht. So
sagt er von Goethe, dieser scheine „auf sein Meisterwerk selbst
von der Höhe seines Geistes herabzulächeln". In all seiner Vielfältigkeit ließ sich der Begriff „romantische Poesie" wohl besser
einfühlend verstehen, als klar definieren. Vielleicht aber eignete 15
sich gerade deshalb Friedrich Schlegels fragmentarisch-pole-
mische Behandlung dazu, die neue Auffassung der Dichtung für
die junge Generation fruchtbar zu machen.

Das erwähnte erste Zusammentreffen von Tieck, Novalis und
August Wilhelm Schlegel blieb nicht das einzige. Und als später 20
im Jahr 1799 noch Friedrich von Berlin nach Jena kam, bedeutete dies, daß dort um die Jahrhundertwende die vier wichtigsten Persönlichkeiten der neuen literarischen Schule in engem
Kontakt standen. Friedrich und August Wilhelm Schlegel waren
die Theoretiker, Ludwig Tieck und Friedrich von Hardenberg 25
aber waren die Dichter der frühen Romantik.

Ludwig Tieck (1773-1853)

Ludwig Tieck wurde 1773 als Sohn eines Handwerkers in
Berlin geboren. Dort, wo der Geist des Rationalismus und der

Aufklärung einflußreicher war als anderswo in Deutschland, wuchs er auf. Schon während der Gymnasialzeit fiel sein großer Leseeifer auf. Von den Werken des deutschen Sturm und Drang über Cervantes und Shakespeare bis zu den populären
5 ‚bestsellern' der Zeit — den Räuber-, Ritter- und Gespenster- romanen — las er alles, was ihm in die Hände kam. Die Stu- dienzeit in Halle, Göttingen und Erlangen brachte neue Erleb- nisse. In Erlangen in Süddeutschland war er mit seinem sensi- tiven und religiös veranlagten Freund Wilhelm Heinrich Wak-
10 kenroder zusammen. Auf ihren Wanderungen sahen die zwei Freunde die katholischen Kirchen mit ihrer religiösen Kunst, die tiefen Wälder und die alten Burgruinen. In Nürnberg wurden sie überall durch Bauwerke und Bilder an vergangene Jahrhunderte erinnert. Als Tieck 1794 nach Berlin zurückkam, kannte er also
15 manches, was nicht so nützlich oder „vernünftig" war, wie es die Berliner Aufklärung gerne haben wollte.

Die nächsten fünf Jahre lebte Tieck als freier Schriftsteller in Berlin. Um Geld zu verdienen, schrieb er für den auf- klärerischen Verleger Nicolai eine Anzahl unterhaltender und
20 belehrender Geschichten. Wesentlich weniger im Sinne der Auf- klärung war schon sein Roman *William Lovell*, der ebenfalls damals erschien. Der Held dieses Romans bezweifelt alle ethi- schen Werte und jede sichere Erkenntnis der Wirklichkeit. Die ganze Welt scheint ihm nur ein Produkt der eigenen Sinne und
25 Gedanken: „Die lebendige und die leblose Welt hängt an den Ketten, die mein Geist regiert, mein ganzes Leben ist nur ein Traum, dessen mancherlei Gestalten sich nach meinem Willen formen." Aus diesen Gedanken erwächst eine Unsicherheit, die den Helden zu Angst und wilder Verzweiflung bis an den Rand
30 des Wahnsinns treibt. In jener Zeit begann Tieck sich auch für die alten Volksbücher zu interessieren, jene billigen Drucke

älterer Geschichten, die man damals für echte anonyme Volksdichtung hielt. Dieses Interesse führte ihn dazu, eine Reihe von
Erzählungen und Stücken zu schreiben, die als *Volksmärchen
von Peter Leberecht* erschienen. Hier steht Tieck nun schon in
bewußtem Gegensatz zu aufklärerischen Nützlichkeits- und Ver- 5
nunftprinzipien.

Die beste Erzählung in dem Buch ist die Märchennovelle *Der
blonde Eckbert*. Darin wird zunächst recht sachlich berichtet,
wie Eckbert und Berta friedlich und einsam auf ihrer Burg
leben. Erst als Berta eines Abends Philipp Walther, Eckberts 10
Freund, aus ihrer Jugendzeit erzählt, werden die Märchenmotive
eingeführt: die alte Frau im Wald und der sprechende bunte
Vogel, der Edelsteine und Perlen legt. Dieser Märchenbericht
Bertas — ebenso wie der Rest der Erzählung — enthält viele
feine psychologische Beobachtungen irrationalen Verhaltens. So 15
ist etwa das Kind bei den Pflegeeltern „äußerst ungeschickt und
unbeholfen"; in der neuen Umgebung dagegen lernt es alle
Handgriffe schnell und mühelos. Da nun alles in einem Märchen-
Zusammenhang steht, nehmen solche Details leicht eine märchenhafte, übernatürliche Bedeutung an. 20

Berta hat die Alte betrogen, indem sie sie heimlich verließ und
den wertvollen Vogel mitnahm. Seitdem hat sie ein schlechtes
Gewissen. Was aus der Zauberwelt der Alten kommt, erinnert
sie an ihre Schuld und bedroht ihre Sicherheit. Sie reagiert deshalb
auf Übernatürliches ebenso wie jeder andere Mensch reagieren 25
würde (allerdings aus anderen Gründen): mit Schrecken
und Verwirrung. Ein solcher Einbruch des Übernatürlichen
geschieht, als Walther die Jugendgeschichte Bertas ergänzt und
den Namen des Hundes nennt, den er nicht wissen kann. Berta
wird aus Schrecken über den Vorfall krank und stirbt. Auch 30
Eckbert verliert seinen Halt. Um sich von dem unheimlichen

Mitwisser zu befreien, tötet er Walther in einer plötzlichen, halb unbewußten Handlung. Danach ist er zunächst erleichtert, bald aber macht er sich bittere Selbstvorwürfe.

Je weiter die Erzählung fortschreitet, desto mehr geht alle
5 Sicherheit verloren. Eckbert glaubt in verschiedenen Personen den toten Walther zu erkennen und hört schließlich im tiefen Walde auch den toten Vogel wieder singen und den Hund bellen. „Er konnte sich nicht aus dem Rätsel herausfinden, ob er jetzt träume oder ehemals von einem Weibe Berta geträumt
10 habe; das Wunderbarste vermischte sich mit dem Gewöhnlichsten, die Welt um ihn her war verzaubert und er keines Gedankens, keiner Erinnerung mächtig." Als dann die Alte erklärt, daß sie mit Walther und Eckberts späterem Freund Hugo identisch ist, und daß Berta Eckberts Halbschwester war, versteht
15 Eckbert, daß die ganze Wirklichkeit, an die er sein Leben lang glaubte, Trug und Täuschung war.

Tieck gelingt es, über die Erzählung die traumhafte Stimmung des Märchens zu legen. Daran wirken nicht nur die genannten Märchenmotive mit, sondern auch die Naturbeschrei-
20 bungen, die einfache und eindringliche Sprache, die sprunghafte Szenenfolge und vor allem das Lied des bunten Vogels:

> Waldeinsamkeit,
> Die mich erfreut,
> So morgen wie heut
25 > In ew'ger Zeit,
> O wie mich freut
> Waldeinsamkeit.

Wie ein musikalisches Motiv taucht das Lied wiederholt auf (wobei einzelne Verse variiert werden). Inhaltlich wird darin
30 nicht viel ausgesagt. Es wirkt vielmehr durch seine Stimmung.

Der eigentliche Träger dieser Stimmung ist das Wort „Waldein-
samkeit". Es wurde eines der Schlüsselworte der Romantik. Die
Stille des Waldes, der tiefe Eindruck, den die Natur auf den
aufgeschlossenen Menschen macht, scheinen darin enthalten.

In *Der blonde Eckbert* stellt Tieck also Vorgänge und Stim- 5
mungen dar, die gar nicht ‚vernünftig' sind, und für die er
keine Erklärung gibt. Er kann dies, denn er schreibt ja ein Märchen. Er durchbricht aber auch die geschlossene Phantasiewelt
des Märchens und berührt philosophische Probleme, die ihn und
seine zeitgenössischen Leser besonders interessieren: die reale 10
Welt wird als unsicher empfunden und das subjektive innere Erleben als traumhaft und irrational.

Ein ähnlicher Gedanke steckt auch in Tiecks Märchenkomödie
Der gestiefelte Kater, die im zweiten Bande der *Volksmärchen*
erschien. Hier zeigt der Dichter auf witzige Weise, daß er die 15
Illusionswelt, die er in seiner Dichtung erschafft, in derselben
Dichtung auch wieder zerstören kann. Diese Technik wird zum
Ausdruck der „romantischen Ironie". Der Grundstoff des
Stückes ist ein Märchen, das Tieck in einer französischen Mär-
chensammlung aus dem siebzehnten Jahrhundert fand. Tieck 20
schreibt aber nicht nur dieses Märchen als Theaterstück, sondern
er schreibt über die Aufführung dieses dramatisierten Märchens
auf einer Theaterbühne. Es handelt sich also um Theater im
Theater. Dabei kommen nun auch ‚Zuschauer' auf Tiecks
Bühne vor, und er verspottet in ihnen die Anhänger der Auf- 25
klärung und ihre literarischen Ansichten. Doch bringt das Stück
mehr als Literatursatire. Tieck läßt die ‚Zuschauer' dazwischen-
reden und kritisieren. Damit zerstören sie die Illusion des Mär-
chenstückes. Bald beginnen aber auch die ‚Schauspieler', die
das Märchen spielen sollen, sich zu unterbrechen und über das 30
Stück und das Publikum zu sprechen.

Der Höhepunkt der Verwirrung wird im dritten Akt erreicht, wenn der Hanswurst und der Gelehrte des Königs aus dem Märchen über das Stück *Der gestiefelte Kater* disputieren. Der Trick dabei ist, daß sie nicht über das Märchen, sondern über das von Tieck geschriebene Stück sprechen. Ihre Unterhaltung über dieses Stück ist aber nur ein Teil dieses selben Stücks. Da ist es kein Wunder, wenn die „Zuschauer" auf der Bühne immer wieder ausrufen, sie würden toll und verrückt. Ihr Problem ist dasselbe wie das des blonden Eckbert. Jede Sicherheit wird ihnen genommen, und keine feste Wirklichkeit bleibt bestehen. Nur ist diesmal die Wirklichkeit die des Theaters, und alles läuft lustig ab.

Der Autor hat sich dabei nicht nur über das Publikum lustig gemacht, sondern auch über sein eigenes Stück. Indem er das Märchen und seine Illusionswelt zerstörte, machte er aus dieser Zerstörung ein neues Stück, welches aber wieder als Stück erscheint und belächelt wird. Er selbst steht dabei ganz über seinem Werk. Der Theoretiker Friedrich Schlegel sagte von der romantischen Dichtart, daß sie „das als ihr erstes Gesetz anerkennt, daß die Willkür des Dichters kein Gesetz über sich leide". Tieck hat in *Der gestiefelte Kater* dieses Gesetz erfüllt. Die Freiheit und Willkür des Dichters konnten nicht mehr weiter getrieben werden.

Im Jahre 1797 gab Tieck schließlich auch ein Buch ganz anderer Stimmung heraus: *Herzensergießungen eines kunstliebenden Klosterbruders*. Sie stammten zum größten Teil von seinem Freund Wackenroder. In einer Reihe von Aufzeichnungen gibt Wackenroder hier seine Ideen über die Kunst — besonders über Malerei und Musik. Kunst und Natur sind für ihn die zwei Sprachen, in denen sich Gott ausdrückt. So bekommt die Inspiration des Künstlers, sein gefühlsmäßiges, inneres Erlebnis ebenso wie das Gefühl des Kunstbetrachters einen religiösen Sinn und eine religiöse Sicherheit jenseits aller Vernunftkritik.

Zusammen mit Wackenroder wollte Tieck einen Roman schreiben. Wackenroder starb jedoch 1798 im Alter von 5 fünfundzwanzig Jahren, und Tieck verfaßte das Buch allein. Er nannte es *Franz Sternbalds Wanderungen*. Der Held ist ein junger Maler, der von Deutschland nach Holland und schließlich nach Italien wandert und dabei viele Bekanntschaften macht und mancherlei Abenteuer besteht. Das äußere Vorbild 10 gab Goethes Bildungsroman *Wilhelm Meisters Lehrjahre*, der ja auch auf Friedrich Schlegels Vorstellung des Romantischen einen entscheidenden Einfluß hatte. Die Ähnlichkeit zwischen den beiden Romanen geht jedoch nicht sehr tief. Die Geschehnisse hängen bei Tieck nur lose zusammen, die Welt der 15 Erzählung ist weitgehend poetisiert und unwirklich. Im Gegensatz zu Goethes Meister lebt Sternbald nicht in der Gegenwart, sondern in der romantisch fernen, von Wackenroder und Tieck bewunderten altdeutschen Zeit. Auch sind seine Aufgaben nicht die des realen Lebens. Vielmehr liegt über allem eine 20 ungewisse Sehnsucht, die nie volle Erfüllung findet. Zu dieser Grundstimmung scheint es zu passen, daß der Roman nicht abgeschlossen ist. Sogar in diesem Zug ist *Franz Sternbalds Wanderungen* in gewissem Sinne typisch. Manches andere romantische Werk ist ebenfalls Bruchstück geblieben. Ja, man 25 hat es geradezu als einen Wesenszug der Romantik bezeichnet, daß sie zum Fragmentarischen, Unabgeschlossenen neigte.

Die unstillbare Sehnsucht nach einem fernen Ideal, die Liebe zu vergangenen Zeiten, die Abwendung von der nüchternen, alltäglichen Realität — all dies hat Tieck einige Jahre später 30 mit großer Virtuosität in einigen wenigen Zeilen angerührt, die wie ein Motto zu seinen gesamten romantischen Schriften klingen:

Mondbeglänzte Zaubernacht,
Die den Sinn gefangen hält,
5 Wundervolle Märchenwelt,
Steig' auf in der alten Pracht.

Tieck denkt hier an die Bücher und Märchen des Volkes, wenn er von der „alten Pracht" spricht. Es ist jedoch nicht zu vergessen, daß das Interesse, das er und die anderen Romantiker 10 der alten deutschen Volksliteratur entgegenbrachten, der Anlaß und die Voraussetzung war für das allgemeine Interesse, mit dem man sich bald auch der Sprachgeschichte sowie der politischen und Rechtsgeschichte zuwandte.

Die genannten Werke sind nur ein geringer Teil von Tiecks 15 Schaffen. Nach einer Reihe weiterer romantischer Dichtungen schrieb er in seinen späteren Jahren, bis zu seinem Tod 1853 vor allem Erzählungen und wandte sich dabei einer realistischeren Auffassung zu. Unter seiner Leitung wurde außerdem die Übersetzung der Shakespearestücke zu Ende geführt, die 20 A. W. Schlegel begonnen hatte; und Tieck war es, der die ersten Ausgaben von Novalis und Heinrich von Kleist besorgte.

Novalis (1772-1801)

Friedrich von Hardenberg, „Novalis", wurde am 2. Mai 1772 in Thüringen geboren. Sein Vater war ein streng religiöser Protestant und Freund der Herrnhuter Brüdergemeinde. Seine 25 Überzeugung bestimmte das einfache und zurückgezogene Leben der Familie und die Atmosphäre, in der Novalis auf-

wuchs. Als Student war der junge Hardenberg zunächst in
Jena, wo Schiller einer seiner Professoren war, und später in
Leipzig und Wittenberg. In Leipzig lernte er Friedrich Schlegel
kennen. Diese Freundschaft dauerte bis zu Novalis' Tod. Das
wichtigste Ereignis in Novalis' Leben war seine Liebe zu der 5
jungen Sophie von Kühn. Als er sie 1794 zum ersten Mal sah,
war sie zwölf Jahre alt, also eigentlich noch ein Kind. Dennoch
war Novalis — ebenso wie andere seiner Zeitgenossen — tief
von ihr beeindruckt. Es ist wohl nicht mehr zu entscheiden,
wie weit Novalis seine eigenen Vorstellungen und Wunsch- 10
bilder auf dieses junge Mädchen übertrug und wie weit
sie wirklich eine außerordentliche Persönlichkeit war. Trotz
ihrer Jugend verlobte er sich mit ihr im folgenden Jahre.
Aber schon im Herbst 1795 erkrankte Sophie und starb,
nach vorübergehender Besserung, einundeinhalb Jahre später, im 15
Frühling 1797. Der Verlust traf Novalis außerordentlich
schwer. Schon die bitteren Erlebnisse während Sophies Krankheit hatten in Novalis wieder die Religiosität seiner Kinderjahre
erweckt; ihr Tod erschütterte ihn so, daß er sich wünschte, ihr
nachzusterben. 20

Solche Empfindungen bewegten Novalis, als er seine tiefsinnigen und mystischen „Hymnen an die Nacht" dichtete. Die
sechs Hymnen erschienen zuerst im Jahre 1800 in Schlegels
Zeitschrift *Athenäum*, wo Novalis schon 1798 „Fragmente"
unter dem Titel „Blütenstaub" veröffentlicht hatte. In 25
Athenäum erschienen die „Hymnen" zum größten Teil in
lyrisch-rhythmischer Prosa. Es gibt jedoch auch eine Handschrift, in welcher der Prosatext in Verse abgeteilt ist.

Der entscheidende Gedanke der Hymnen ist die Abwendung
vom Licht und die Hinwendung zur Nacht. Licht und Tag 30
sind die Sphäre der äußeren, irdischen Welt; die Nacht ist die

ewige Sphäre des Überirdischen und des christlich verstandenen
Jenseits. Mit diesem Gedanken verbindet sich die Sehnsucht
nach der toten Geliebten. Sie ist die „liebliche Sonne der Nacht".
In der ersten Hymne heißt es einmal:

5   Du kommst, Geliebte —
       Die Nacht ist da —
       Entzückt ist meine Seele —
       Vorüber ist der irdische Tag
       Und du bist wieder mein.
10   Ich schaue dir ins tiefe dunkle Auge,
       Sehe nichts als Lieb und Seligkeit.

                    (*Nach der handschriftlichen Fassung*)

Während die zweite Hymne vom irdischen Schlaf spricht, der
der Vorbote der ewigen Nacht und ihrer Geheimnisse ist, bringt
15 die dritte Hymne die Darstellung eines mystischen Erlebnisses.
Dabei greift Novalis auf ein Erlebnis zurück, das er selbst
am Grabe von Sophie hatte. Aber die hier angedeutete Er-
hebung über das Irdische ist nur kurz. Auf die endgültige,
bleibende Wende zur Nacht — d.h. auf den Tod — weist die
20 vierte Hymne hin. Ein Mensch, der wie der Dichter „hinüber
sah, in das neue Land, in der Nacht Wohnsitz", sehnt sich
nach dem Jenseitigen, auch wenn er vorläufig seine Lebensaufgabe im Irdischen willig erfüllt. Viel weiter greift die fünfte
Hymne aus, die ein Bild der Menschheitsentwicklung gibt. Es
25 ist die Überwindung des Todes durch Christus, die als der
entscheidende Wendepunkt der Geschichte erscheint. Hier steht
die Erlösung der Welt durch Christus im Vordergrund.
       Christliche Religiosität und das Bewußtsein der ins Über-
irdische reichenden Liebe zu der toten Geliebten gehören beide
30 zum Verständnis der „Nacht" dieser Hymnen. So endet die

letzte, sechste Hymne, die wie ein protestantischer Kirchen-
choral klingt, mit den Worten:

> Hinunter zu der süßen Braut,
> Zu Jesus, dem Geliebten —
> Getrost, die Abenddämmrung graut   5
> Den Liebenden, Betrübten.
> Ein Traum bricht unsre Banden los
> Und senkt uns in des Vaters Schoß.

Der Ton und die Form dieser sechsten Hymne läßt an Novalis'
„Geistliche Lieder" denken. In einfachen Versen und Worten 10
gibt er in diesen Liedern das lebendige, innige Gefühl seiner
Frömmigkeit wieder. So in dem kurzen Marienlied:

> Ich sehe dich in tausend Bildern,
> Maria, lieblich ausgedrückt,
> Doch keins von allen kann dich schildern,   15
> Wie meine Seele dich erblickt.

> Ich weiß nur, daß der Welt Getümmel
> Seitdem mir wie ein Traum verweht,
> Und ein unnennbar süßer Himmel
> Mir ewig im Gemüte steht.   20

In beiden Strophen sprechen die ersten zwei Zeilen vom
Äußeren, Irdischen und stellen dieses dem in den zwei Schluß-
zeilen jeder Strophe genannten inneren Erlebnis gegenüber.
Die wesentliche Aussage dabei ist, daß das innere Bild und das
Himmelserlebnis alles äußerlich Darstellbare so weit über- 25
treffen, daß sie selbst nicht mehr darstellbar sind. Kein einziges
Bild kann Maria so zeigen, wie der Dichter sie in seiner
Seele sieht, also „unnennbar süß" wird das Gemütserlebnis des

Himmels geschildert. Auch der Anfang der zweiten Strophe „Ich weiß nur . . ." betont, daß es sich um ein unerklärliches persönliches Erlebnis handelt. Die persönliche Erfahrung des Sprechers, dem das weltliche Leben „wie ein Traum verweht", 5 gilt als Beweis für die Kraft des Gemütserlebnisses. Dieses wiederum reflektiert die Größe und Schönheit des Überirdischen.

Wenn der Protestant Novalis ein Marienlied dichtete, zeigt dies, daß er über den Konfessionen stand. So war es ihm auch möglich, in einem wichtigen Aufsatz *Die Christenheit oder* 10 *Europa* das Mittelalter als Vorbild für die Einheit des europäischen Christentums zu zeichnen und die Spaltung durch die Reformation zu bedauern.

Novalis schrieb zwei Romanfragmente. Das erste, *Die Lehrlinge von Sais,* behandelt das Thema der Beziehungen zwischen 15 Natur und Menschen. In diesem Roman kommen verschiedene naturwissenschaftliche und naturphilosophische Theorien und Hypothesen aus Novalis' Zeit zu Wort. Das wahre Verständnis der Natur und der Welt überhaupt aber haben nach Novalis die Dichter, die sie mit dem Gefühl erfassen. Denn, wie es in 20 *Die Lehrlinge* heißt: „Das Denken ist nur ein Traum des Fühlens, ein erstorbenes Fühlen, ein blaßgraues, schwaches Leben." Das innere Erlebnis reicht also hier über den Verstand hinaus und deutet auf höhere Welten, die wichtiger sind als die irdische Wirklichkeit. Dementsprechend sind weder dieses 25 Romanfragment noch das größere Werk *Heinrich von Ofterdingen* realistische Romane. Die spärliche Handlung ist märchenhaft und ist symbolisch zu verstehen.

Wie Tiecks *Sternbald* spielt die Geschichte des halb sagenhaften Sängers Heinrich von Ofterdingen in altdeutscher Zeit, 30 ist also der realen Gegenwart entrückt. Der Held ist ein Dichter oder vielmehr ein Jüngling, der zum Dichter geboren ist. Der

erste, vollendete Teil des Romans erzählt Heinrichs Reise von
Eisenach nach Augsburg. Unterwegs trifft Heinrich Kaufleute,
Ritter, eine junge Frau aus Arabien, einen Bergmann und einen
edlen Einsiedler. In Gesprächen, Erzählungen, Märchen und
Liedern geben sie alle ein Bild ihrer Welt. Der Sinn der Be- 5
gegnungen liegt in ihrer Bedeutung für Heinrich. Sie bezeichnen
symbolisch seine Einführung in die Weite und die Geheimnisse
der Welt und deuten Stufen seiner Entwicklung zum Dichter an.
Sie sind deshalb keinesfalls als zufällige Reiseerlebnisse zu
verstehen, sondern so, wie sie der Dichter Klingsohr auffaßt, 10
dessen Schüler Heinrich wird, als er nach Augsburg kommt.
Klingsohr sagt über Heinrichs Reiseerlebnisse: „Ich habe wohl
gemerkt, daß der Geist der Dichtkunst Euer freundlicher Be-
gleiter ist. Eure Gefährten sind unbemerkt seine Stimmen
geworden. In der Nähe des Dichters bricht die Poesie überall 15
aus." Es entspricht diesem Sinn des Romans, daß Konflikte und
Verwirrungen des täglichen Lebens darin nicht vorkommen.
Die Reisebegegnungen ebenso wie die Liebesgeschichte zwischen
Heinrich und Klingsohrs Tochter verlaufen traumhaft einfach
und ohne Spannungen oder Schwierigkeiten. Das Äußere, 20
Irdische hat nur Bedeutung, indem es auf das Wesentliche
deutet, das geistig und unbegrenzt ist, wie die Liebe und die
Poesie. Gleich zu Beginn des Romans erscheint auch jenes
Symbol, das uns heute oft als Sinnbild des romantischen Dichtens und Sehnens überhaupt gilt: die blaue Blume. Heinrich 25
sieht sie zuerst im Traum. Sie ist das eigentliche Ziel, dem er
zustrebt, das Ideal, nach dem er sich sehnt. Zwar ist sie jenseitig
und nicht von dieser Welt, aber doch bisweilen — im Traum
oder dem Gesicht Mathildens — erkennbar.

Der erste Teil des Romans schließt mit einem komplizierten 30
symbolisch-allegorischen Märchen, das Klingsohr erzählt. Vom

zweiten Teil konnte Novalis nur noch den Anfang des ersten
Kapitels zu Papier bringen, denn schon im Jahre 1800 erkrankte
er schwer und starb am 25. März 1801. Sein Freund Friedrich
Schlegel veröffentlichte im nächsten Jahr zusammen mit Ludwig
5 Tieck *Novalis' Schriften.*

Clemens Brentano (1778-1842)

„Gott! wie ist es so schrecklich, daß ich gar nichts kann,
daß in meiner Seele alles wie in einer Pflanzenwelt hergeht, und
ich mitten drinne sitze und nur zusehe, wie ich an vielen
Stellen nur ins Kraut schieße und meine verborgnen Früchte
10 unter der Erde keine Kartoffeln, sondern wunderbare, unerkannt
heilsame Wurzeln sind." So schreibt der einundzwanzigjährige
Clemens Brentano in einem Brief über sich selbst. Und wenn
er dabei auch um des eindrucksvollen Bildes willen ein wenig
übertreibt, so trifft er doch das Wesentliche: sein großes Talent,
15 seine überreiche Phantasie, seine brillanten Einfälle gehörten
ebenso zu seiner Persönlichkeit wie die plötzlich wechselnden
Stimmungen, die er nicht beherrschen konnte und die ihm selbst
und seinen Freunden das Leben schwer machten.

Am 9. September 1778 wurde Clemens Brentano als Sohn
20 eines wohlhabenden Frankfurter Kaufmanns italienischer Herkunft geboren. Nach einigen mißglückten Versuchen als Kauf-
mannslehrling begann er 1797 in Halle und im nächsten Jahr
in Jena zu studieren. Dort aber wurde er nicht zum Mediziner,
wie er sich vorgenommen hatte, sondern zum Dichter. Bald nach
25 seiner Ankunft in Jena lernte er die Brüder Schlegel und Ludwig Tieck kennen. Noch im selben Jahr begann er selbst einen
Roman zu schreiben. Das Buch, *Godwi oder das steinerne Bild*

der Mutter, läßt deutlich erkennen, daß der Autor von Schlegelscher Theorie und Tieckscher Praxis beeinflußt ist. Es zeigt jedoch auch schon die sprachliche Virtuosität Brentanos. Die verschiedensten Stimmungen, vom bitteren Witz bis zur empfindsamen Schwärmerei, werden überzeugend dargestellt. Auch 5 an romantischer Ironie bzw. der „Ironie des aus-dem-Stücke-Fallens", wie Brentano sie nannte, fehlt es nicht. Der fiktive Autor des ersten Bandes besucht im zweiten Band den Helden seines Romans, Herrn Godwi, in dessen Landhaus. Godwi führt den Autor dann durch den Park und zeigt ihm schließlich 10 einen Teich mit den Worten: „Dies ist der Teich, in den ich Seite 143 im ersten Bande falle." Später stirbt gar der fiktive Autor, und Godwi muß seinen Roman selbst zu Ende schreiben.

In *Godwi* stehen auch einige Gedichte im Volksliedton, die alles Ähnliche von Tieck übertreffen, indem sie keine störenden 15 Spuren des bewußt Gemachten mehr enthalten.

> Zu Bacharach am Rheine
> Wohnt eine Zauberin,
> Sie war so schön und feine
> Und riß viel Herzen hin. 20
>
> Und brachte viel zu schanden
> Der Männer rings umher,
> Aus ihren Liebesbanden
> War keine Rettung mehr.

So beginnt dort das Lied von der schönen Lore Lay. Alle 25 Männer außer einem einzigen verfallen ihrem Zauber. Der eine aber ist ihr Geliebter, der sie verlassen hat. Deshalb will sie sterben, und deshalb stürzt sie sich von einem hohen Felsen in den Rhein. Das Gedicht Brentanos ist die erste Behandlung der Lore Lay in der Literatur. Auf diese Quelle geht Heinrich Heines berühmte Ballade zurück.

Aus einem anderen Lied in *Godwi* entwickelte Brentano selbst wenig später ein Singspiel mit dem Titel *Die lustigen Musi-* 5 *kanten*. Darin nun steht das berühmte kleine Gedicht, das als „Abendständchen" bekannt ist:

> Hör, es klagt die Flöte wieder,
> Und die kühlen Brunnen rauschen.
> Golden wehn die Töne nieder —
> 10 Stille, stille, laß uns lauschen!
>
> Holdes Bitten, mild Verlangen,
> Wie es süß zum Herzen spricht!
> Durch die Nacht, die mich umfangen,
> Blickt zu mir der Töne Licht.

15 Da dies kleine Meisterwerk manche typische Züge romantischer Lyrik trägt, soll es nun etwas genauer betrachtet werden. Zum ersten und bleibenden Eindruck, den es auf den Leser macht, gehört die Musik der lyrischen Sprache Brentanos. Sie ganz zu erklären oder ihre technischen Voraussetzungen genau zu be- 20 stimmen ist nicht möglich. Einen kleinen Einblick gibt die Betrachtung der in dem Gedicht häufigen Assonanzen. Sie ergeben Klangverbindungen in den Zeilen und über die Zeilen hinweg. So klingt der Vokal *ö* des ersten Wortes *Hör* gleich im ersten Vers noch einmal im Wort *Flöte* an und verbindet diese 25 beiden Worte mit dem Wort *Töne* der dritten Zeile. Ähnlich sind in der vierten Zeile *lass* und *lauschen* durch den Anlaut *l* verbunden, weiter aber noch mit dem wiederholten *Stille*, das den Vers einleitet.

Das Gedicht spricht nur vom Klang der Flöte und vom

Rauschen des Brunnens. Diese Geräusche werden jedoch mit Ausdrücken beschrieben, die nicht nur einen akustischen Eindruck wiedergeben. Die Töne „wehen golden", im letzten Vers ist sogar die Rede von „der Töne Licht". Hier sind also visuelle Begriffe zur Beschreibung des Akustischen gebraucht. Auch das 5 Kühle der Brunnen, das eigentlich nur dem Gefühlssinn erkennbar wäre, scheint in dem akustischen Eindruck des Rauschens enthalten. Eine solche Vermischung der Sinneseindrücke im sprachlichen Ausdruck, die sogenannte Synästhesie, ist ein häufig gebrauchtes Stilmittel in der romantischen Lyrik. Im 10 „Abendständchen" bekommt die Synästhesie noch grössere Bedeutung, wenn man weiß, daß das Gedicht ursprünglich ein Wechselgesang zwischen einem Blinden (V. 3-4 und 7-8) und seiner sehenden Begleiterin war. Die Nacht, die den Blinden umfangen hat, ist hier seine Blindheit. Sie wird durch „der 15 Töne Licht" durchbrochen.

In dem Gedicht kann das innere Erlebnis vom äußeren Geschehen gar nicht getrennt werden. Alles, was beschrieben ist, wird als Eindruck eines Menschen geboten, ist also subjektiv erlebt. Eine objektive Wirklichkeit, die vom Erlebenden getrennt 20 existiert, wird hier gar nicht gezeigt. So ist Brentanos Gedicht Ausdruck eines lebendigen Gefühls — und vermittelt dieses Gefühl ganz und direkt.

Es war Brentanos Glück, daß er auf Grund der finanziellen Lage seiner Familie nicht dazu gezwungen war, seinen Lebens- 25 unterhalt selbst zu verdienen. So war es ihm möglich, immer wieder von einer Stadt zur nächsten zu ziehen. Diese Reisen, sein literarisches Interesse und nicht zuletzt verwandtschaftliche Beziehungen brachten ihn in Kontakt mit fast all den Dichtern

und Gelehrten, die im literarischen Deutschland der Zeit einen
Namen hatten. Er war überall bekannt für seine geistreiche
Unterhaltung, aber auch für seinen scharfen, oft beleidigenden
Witz. Im Jahre 1803 heiratete er die Schriftstellerin Sophie
5 Mereau und zog mit ihr nach Heidelberg. Mit seinem Freund,
dem Dichter Achim von Arnim, zusammen gab Brentano dort
eine Sammlung deutscher „Volkslieder" heraus. Das romantische Interesse an alter deutscher Dichtung, dessen Beginn
wir schon bei Tieck und seinen Freunden beobachten konnten,
10 trug in dieser Sammlung schöne Früchte. Zugleich diente
Arnims und Brentanos Unternehmen auch der patriotischen
Absicht, das nationale Bewußtsein durch den Hinweis auf die
Vergangenheit zu stärken. Der erste Band von *Des Knaben
Wunderhorn: Alte deutsche Lieder* erschien 1805 und wurde
15 bald zum Liederbuch des ganzen deutschen Volkes. Die Quellen
der Sammlung waren vor allem alte Drucke und Bücher, daneben aber auch mündlich überlieferte Gedichte.

Schon 1806 war Brentanos Frau gestorben. In den folgenden
Jahren, bis 1818, führte er wieder ein Wanderleben. In Berlin
20 lernte er Heinrich von Kleist und Adalbert von Chamisso, den
Dichter des *Peter Schlemihl*, kennen. Dort und später in
Böhmen arbeitete Brentano an Märchen. Seine Märchen sind
jedoch nicht Volksmärchen in dem Sinn, wie die der Gebrüder
Grimm. Die Grimms, die Brentano schon seit seiner Heidel-
25 berger Zeit kannte, gehörten ebenfalls zum dortigen romantischen Kreis und teilten das Interesse an Volksdichtung und
altdeutscher Vergangenheit. Sie versuchten die Märchen weitgehend so zu lassen, wie sie im Volke erzählt wurden. Brentano greift zwar in seinen Märchen auch auf alte Märchen,
30 Lieder und Sagen zurück, aber er bearbeitet den Stoff künstlerisch selbständig und formt neue Dichtungen.

In diesen Jahren wurde Brentano innerlich immer unglücklicher. Erst 1817, als er sich dem katholischen Glauben seiner Kindheit wieder ganz zuwandte, fand er seine seelische Ruhe wieder. Von da an bis zu seinem Tode 1842 war er ein treuer Anhänger seiner Kirche.

Aus dem Jahr dieser Entscheidung (1817) stammt eine seiner eindrucksvollsten Erzählungen, *Geschichte vom braven Kasperl und dem schönen Annerl.* Es handelt sich dabei der Form nach um eine Rahmenerzählung mit zwei Binnenerzählungen, die aber am Ende in die Rahmenerzählung übergreifen. Der Ich-Erzähler des Rahmens beginnt mit einer wirklichkeitsnahen Schilderung seines Zusammentreffens mit der erstaunlichen alten Landfrau. Die Zeit wird genau angegeben; die Reden der Umstehenden sind im echten Gesprächston gehalten. Sobald jedoch die Großmutter zu erzählen beginnt, ändern sich Stil und Ton. Sie erzählt in der irrationalen Weise des Volkes. Nur einzelne Höhepunkte in Kasperls und Annerls Geschichten werden von ihr gegeben; die verbindenden Zusammenhänge läßt sie meist aus. Dagegen nimmt sie einzelne Worte oder Sätze, die besondere Bedeutung haben, immer wieder in ihre Darstellung auf: für Kasperl das Wort „Ehre", für Annerl die Vorstellung, daß es sie „mit Zähnen gerissen" hat.

Diese beiden Ausdrücke nennen zugleich die Grundkräfte der beiden Geschichten. Für Kasperl ist der höchste Wert seine weltliche Ehre, und er orientiert sich in allem, was er tut, nach diesem Begriff. Gerade weil er daran unnachgiebig festhält und nicht „Gott allein die Ehre" gibt, scheint es ihm schließlich, als gebe es für ihn keinen anderen Ausweg als den Selbstmord. Annerl dagegen ist wie vom Schicksal verfolgt. Dies zeigt sich schon zu Beginn ihres Lebens in den wunderlichen Ereignissen ihrer Kinderzeit: dem wankenden Richtschwert und dem grausigen Vorfall, als das Haupt des Geköpften sich in ihr Röckchen verbeißt.

Als die Großmutter mit dem Erzähler spricht, ist Kasperl schon tot, Annerl aber soll erst hingerichtet werden. Damit
5 greift nun die Erzählung der Großmutter in die Rahmenhandlung über, denn der fiktive Erzähler versucht im letzten Augenblick, Annerl zu retten. Dies mißlingt. Es ist aber auch gar nicht nach dem Willen der Großmutter. Sie will nur, daß Kasperl und Annerl in ein ehrliches Grab kommen, so daß sie
10 am Jüngsten Tag zusammen auferstehen können. Dieser Wunsch wird ihr durch die Anstrengungen des Erzählers und die Gnade des Herzogs erfüllt, aber eigentlich ist es doch die göttliche Gnade, die ihr und Kasperl und Annerl am Ende zuteil wird.

15 Die Sicherheit der Großmutter, die besonders der inneren Unsicherheit des Erzählers gegenübergestellt wird, beruht auf ihrem völligen Gottvertrauen. So sieht sie die Welt in einem ganz anderen Licht als alle anderen Menschen in der Erzählung. Sie spricht von Annerls Hinrichtung als deren Ehrentag; sie
20 kann trotz ihrer eigenen Not sagen, daß sie alles im Leben nur noch mit Freuden ansehe, "weil es Gott so treulich damit meint". Es ist der Sinn der Geschichte, das Gottvertrauen der Großmutter zu bestätigen. Durch diesen Gedanken sind alle Teile der Erzählung verbunden, und er entspricht schließlich
25 auch Brentanos eigener Anschauung im Jahre 1817.

In *Kasperl und Annerl* ist die Darstellung des Irrationalen nicht mehr herausfordernd in den Vordergrund gestellt, sondern wie etwas Selbstverständliches in die Erzählung aufgenommen. Das einfache Volk wird lebendig geschildert, ohne
30 daß der Autor „von oben herab" spricht. Dies gelingt Brentano auf Grund seiner komplizierten Erzähltechnik. Der fiktive

Erzähler, den Brentano einführt, braucht nicht so zu tun, als gehörte er selbst zum einfachen Volk. Er kann einfach die Großmutter erzählen lassen, die nichts vom rationalistischen Denken weiß. Es kommt nun auch gar nicht mehr auf eine Einzelheit an, wie etwa die Frage, warum das Schwert des 5 Scharfrichters sich bewegte und ob es wirklich nach Annerls Blut dürstete, denn wir wissen, daß die Großmutter auf jeden Fall in ihrem Gottesglauben recht hat. Brentano findet es offenbar besser, daß die Großmutter gläubig ist, als daß sie skeptisch-rationalistisch wäre und mit dem Aberglauben auch 10 den christlichen Glauben verlöre.

Brentano konnte das Denken und Erzählen der alten einfachen Landfrau so echt schildern, weil er schon mit seinem Studium des Volkslieds in diese Welt gedrungen war. Er hat in seiner genauen Zeichnung aber auch vorausgewiesen auf die 15 spätere literarische Entwicklung der realistischen Dorfgeschichte bis zu Gottfried Keller.

Joseph von Eichendorff (1788-1857)

Wünschelrute

Schläft ein Lied in allen Dingen,
Die da träumen fort und fort,
Und die Welt hebt an zu singen,   20
Triffst du nur das Zauberwort.

Dies Gedicht stammt von Joseph von Eichendorff, den Heine den „letzten Ritter der Romantik" nannte. Er war um zehn Jahre jünger als Clemens Brentano. Am 10. März 1788 wurde er auf dem Familienschloß Lubowitz in Schlesien geboren. Er 25

wurde katholisch erzogen und blieb sein ganzes Leben ein guter
Katholik. Auf dem väterlichen Landsitz verlebte er eine glückliche Kindheit, ging dann in Breslau bei den Jesuiten aufs
Gymnasium und studierte ab 1805 in Halle und später in Heidel-
5 berg Jurisprudenz. Schon in Heidelberg lernte er Achim von
Arnim kennen, 1809 in Berlin auch Brentano und ein Jahr
danach in Wien Friedrich Schlegel. Im Jahre 1813 nahm er an
den Befreiungskriegen gegen Napoleon teil. Nach dem Pariser
Frieden heiratete er und trat 1816 in den preußischen Staats-
10 dienst. Zwar hatte er es als katholischer Beamter im protestantischen Preußen nicht immer einfach, aber 1841 erreichte er
doch die hohe Stellung eines geheimen Regierungsrates. Er blieb
bis 1844 im Dienst. Nach seiner Pensionierung reiste er viel.
Er starb dreizehn Jahre später, 1857, in Schlesien.

15 Eichendorffs Dichtertum wird durch das oben zitierte kleine
Gedicht treffend gekennzeichnet. Er spürte in allen Dingen eine
geheime Musik, ein inneres Leben. Seine Gedichte vom freien
Wandern in Wald und Feld, von den rauschenden Bäumen
und Bächen, von träumerischen Dämmerstunden lassen die
20 Sprache wie selbstverständlich als Lied, als Musik erklingen.
Es ist deshalb nicht verwunderlich, daß sehr viele der Eichen-
dorffschen Gedichte vertont worden sind (Schubert, Schumann,
Hugo Wolf).

Die einfache, schlichte Sprache, die unkomplizierten Ge-
25 danken, der Stimmungsreichtum trugen dazu bei, daß manche
der Gedichte sehr schnell zum Volkslied wurden. So das noch
heute beliebte Lied vom zerbrochenen Ringlein. Es beginnt mit
den Strophen:

In einem kühlen Grunde,
Da geht ein Mühlenrad,
Mein' Liebste ist verschwunden,
Die dort gewohnet hat.

Sie hat mir Treu' versprochen,   5
Gab mir ein'n Ring dabei,
Sie hat die Treu' gebrochen
Mein Ringlein sprang entzwei.

Das Lied erschien zuerst in Eichendorffs *Ahnung und Gegenwart*. Dieses Buch ist wie Tiecks *Sternbald*, Novalis *Ofterdingen* 10
und Brentanos *Godwi* ein Bildungsroman. Daneben umfaßt
Eichendorffs Gesamtwerk noch eine Anzahl von Prosawerken
sowie Dramen, Epen und kritische Schriften. Aber wie bei
Brentano haben vor allem die Lyrik und einzelne kürzere Erzählungen seinen Ruhm begründet.   15
    Eine Erzählung, die zugleich einige seiner schönsten Verse
enthält, trägt den Titel *Aus dem Leben eines Taugenichts*
(1826). Schon die ersten Zeilen der Geschichte lassen den
Grundton erkennen, auf den alles abgestimmt ist. Die Situation
erinnert ganz deutlich an den Beginn eines Märchens. Ein Vater 20
wirft seinem Sohn vor, daß er nicht genug arbeite, er nennt ihn
einen Taugenichts und schickt ihn weg. Zugleich erkennt der
Leser, daß es sich um eine Erzählung in der Ich-Form handelt.
Zusammengenommen bedeutet dies, daß hier der Taugenichts
seine eigenen Erlebnisse wie ein Märchen berichtet. Wie dem 25
Leser bald klar wird, kann er dies, weil er die Umwelt, die
Wirklichkeit, tatsächlich märchenhaft erlebt. Das bedeutet nicht
etwa, daß er Feen und Zauberer träfe. In den Aufzeichnungen
des Taugenichts kommt — anders als etwa bei *Kasperl und
Annerl* — gar nichts Übernatürliches vor. Es bedeutet vielmehr, 30

daß die Umwelt ihm nicht als etwas Objektives, Festes erscheint, sondern wie eine subjektive Bilderfolge, wie ein Traum. Sehr oft fühlt er sich auch „wie im Traum". Der naive, fast dumme Müllersohn macht sich weder Gedanken über die Folgen noch
5 über die möglichen Ursachen eines bestimmten Geschehens. Er denkt irrational. Weil er nun nie weiß, was er zu erwarten hat, wird er von allem, was geschieht, gleichermaßen überrascht. Aber nichts kann ihn eigentlich erstaunen, denn er erwartet ja schon die Überraschung. Wichtig ist dabei vor allem, daß er
10 im Grunde innerlich fest überzeugt ist, daß es angenehme Überraschungen sein werden. Das ist auch der Sinn seiner Wanderlust: je mehr er sich ins Unbekannte begibt, desto besser kann sich sein Welt- und Gottvertrauen bestätigen. Und diese Einstellung steht hinter seinen liebenswürdigen Wanderliedern.

15   Wem Gott will rechte Gunst erweisen,
      Den schickt er in die weite Welt,
      Dem will er seine Wunder weisen
      In Berg und Wald und Strom und Feld.

So beginnt eines davon und endet mit dem Ausdruck völliger
20 Gott-Sicherheit:

      Den lieben Gott lass' ich nur walten;
      Der Bächlein, Lerchen, Wald und Feld
      Und Erd' und Himmel will erhalten,
      Hat auch mein' Sach' aufs best' bestellt!

25 Der leichtbeschwingte Optimismus des Taugenichts wird nicht enttäuscht. Wenn er von seiner gemütlichen Einnehmerstelle wieder in die weite Welt hinein wegläuft, und immer nur das tut, was seinem guten und einfachen Herzen das Rechte scheint, so führt dies zu allerlei Verwirrungen und Verwechslungen,

aber am Ende zum glücklichen Ausgang mit Hochzeit und sicherem Heim und zur Gunst des Gräflichen Herrn. Am Ende ist „alles, alles gut".

Allerdings kennt der Taugenichts auch traurige Stimmungen. Sie gehören als Gegenstück zu seiner sonstigen Fröhlichkeit. 5 Ebenso wie diese bleiben aber auch jene Stimmungen ihm selbst eigentlich unverständlich. Er erlebt sie einfach und gibt sich ihnen hin in dem Wissen, daß sie auch bald wieder ein Ende haben werden.

Sicherlich ist der Taugenichts für Eichendorff nicht der ideale 10 Mensch. Darum zeigt der Dichter seinen Helden auch oft in ironischem Licht. Dennoch hat der naiv-fröhliche Held natürlich die volle Sympathie seines Autors. Anders kann es gar nicht sein, denn der Taugenichts zeigt uns jenen seltenen Fall eines romantischen Menschen, der zwischen seiner poetischen 15 Wunsch- und Traumwelt und der Wirklichkeit keinen Gegensatz empfindet. In dieser Harmonie liegt sein Glück und seine Beschränkung. Mit der Problematik bleibt ihm nämlich auch manche tiefere Einsicht verschlossen. Jenes Lied, das von den Liedern aus *Taugenichts* wohl am tiefsten greift, singt 20 deshalb nicht er selbst, sondern die Tochter der Gräfin:

> Schweigt der Menschen laute Lust:
> Rauscht die Erde wie in Träumen
> Wunderbar mit allen Bäumen,
> Was dem Herzen kaum bewußt,   25
> Alte Zeiten, linde Trauer,
> Und es schweifen leise Schauer
> Wetterleuchtend durch die Brust.

Hier greift Eichendorff eines seiner oft wiederkehrenden Motive auf: der Lärm des Tages ist zum Schweigen gekommen. Erst aus der Stille und der Besonnenheit erhebt sich „kaum Bewußtes" zum Gefühl. Es ist die Situation der Dämmerung, die Eichendorff so gerne und oft heraufbeschwört; der Moment, in 5 dem das Erlebnis jener Sphäre beginnt, die dem Tag verschlossen bleibt — in dem aber auch das Gefährliche, das in der Natur lebt, spürbar wird.

Für solche plötzlichen tieferen Einsichten gilt wohl dasselbe, was Eichendorff für die Poesie überhaupt als gültig erkannte: 10 „das Gefühl ist hier nur die Wünschelrute, die wunderbar verschärfte Empfindung für die lebendigen Quellen, welche die geheimnisvolle Tiefe durchranken; die Phantasie ist die Zauberformel, um die erkannten Elementargeister heraufzubeschwören, während der vermittelnde und ordnende Verstand sie erst in die 15 Formen der wirklichen Erscheinung festzubannen vermag."

Diese Sätze lassen die romantische Haltung ihres Autors erkennen, auch wenn sie um vieles ruhiger, gemäßigter und sicherer klingen als die Forderungen Friedrich Schlegels zu Anfang der Epoche. Sie bezeichnen aber gerade deshalb Eichen- 20 dorffs Stellung innerhalb der Romantik. Er ist kein revolutionärer Neuerer, sondern Bewahrer und Vollender des Alten.

Ernst Fedor Hoffmann

Korff, H. A. *Geist der Goethezeit*. 2. Aufl. Bd. III und IV. Leipzig 1949 und 1953.
Natan, Alex, Hrsg. *German Men of Letters: Twelve Literary Essays*. London, 1961.

Tymms, Ralph. *German Romantic Literature*. London, 1955.

Wiese, Benno von, Hrsg. *Die deutsche Lyrik: Form und Geschichte*. Düsseldorf, 1956.

Zeydel, Edwin H. *Ludwig Tieck, the German Romanticist: A Critical Study*. Princeton, 1935.

E. T. A. Hoffmann

1776-1822

E. T. A. Hoffmann ist als Mensch der vielseitigste und als Dichter der erfindungsreichste der deutschen Romantiker. Er ist hauptsächlich als Erzähler des Phantastischen, des Grotesken und des Schauerlichen bekannt. Wenn man ihn aber nur von dieser Seite her betrachtet, entgeht einem viel, manchmal sogar das 5 Wesentliche, an seinen Werken. Hinter seinen phantastischen Spukgeschichten und Märchen steht ein äußerst lebendiger, vielschichtig ausgebildeter Geist. Daher sind seine Werke keineswegs Ausschweifungen eines weltfremden Romantikers, sondern höchst originelle Umbildungen der wesentlichsten Er- 10 fahrungen und Probleme des Menschenlebens.

Er war nicht nur in diesem umgeformten Märchenland der deutschen literarischen Romantik zu Hause, sondern gehörte

auch als Komponist, Kapellmeister und Kritiker der musikalischen Romantik an. Außerdem war er ein geschickter Zeichner und Maler. Er war auch eine Zeitlang bei der Direktion des Bamberger Theaters beschäftigt. Dann kommt noch sein
5 eigentlicher Beruf hinzu: die Jurisprudenz, die ihm schließlich ein hohes Richteramt bei der damaligen preußischen Regierung einbrachte.

Hoffmanns Vielseitigkeit steht im engen Zusammenhang mit einer problematischen Unstetigkeit, die er mit anderen Romanti-
10 kern teilte. Der Mangel an festem Halt ist teilweise psychologisch, teilweise als Schicksal und Zufall zu erklären. Seine Kindheit in Königsberg, seiner Vaterstadt, war äußerst leidvoll, da seine Eltern sich früh scheiden ließen, und Hoffmann bei einem Onkel wohnen mußte, den er den „O-Weh-Onkel"
15 nannte. Seine Jugend und seine ersten Mannesjahre waren auch mit Problemen persönlicher Art erfüllt, wie es bei der Gestalt des romantischen Dichters beinahe stets der Fall zu sein scheint. Damit verbunden ist seine lange Wanderzeit.

Hoffmann wurde relativ spät im Leben Dichter, denn bis in
20 seine Dreißigerjahre verdrängte die Musik jede Neigung, sich der Dichtkunst zu widmen. Hoffmann kam aber in den Jahren 1804–1807 mit der literarischen Romantik in Berührung, als er in Warschau (damals in „Westpreußen") war. Hier lernte er die neue romantische Dichtung durch seinen Freund Julius
25 Eduard Hitzig (einen bedeutenden Verleger und Schriftsteller der Romantik) und den Dichter Zacharias Werner kennen. Hoffmann hatte also hier Gelegenheit, durch persönliche Beziehungen den Zeitgeist auf sich wirken zu lassen, denn Hitzig stand in enger Beziehung zu den Frühromantikern Novalis,
30 Brentano, Tieck und den beiden Schlegels. Zweifellos kannte Hoffmann die meisten Hauptwerke dieser Romantiker, die

solche charakteristischen Themen wie das Künstlerleben, die dämonische Unterwelt und die Märchenwelt behandelten.

In den Jahren 1813 und 1814 ging schließlich Hoffmanns Laufbahn als Berufsmusiker zu Ende. Er verließ Bamberg, wo er am Theater beschäftigt gewesen war, und übernahm die Leitung des Orchesters bei einer Operngesellschaft, die abwechselnd in Dresden und Leipzig spielte. Hier hätte es ihm nicht schlechter ergehen können, denn er geriet mitten in die Kriegswirren des Jahres 1813, die mit der Schlacht bei Leipzig zusammenhingen. Außerdem war er vom Regen in die Traufe gekommen, denn er wurde auf äußerst unwürdige Weise von seinem neuen Vorgesetzten behandelt, was bald dazu führte, daß er seine Kapellmeisterstellung aufgeben mußte.

Gerade in dieser unglücklichen Zeit ist Hoffmann ganz Dichter geworden. Er hatte schon einige bedeutende dichterische Leistungen zustandegebracht, wie z. B. *Ritter Gluck* und die *Kreisler-Fragmente*. Die Musik hatte aber in seinem Künstlerleben den Vorrang gehabt. Jetzt aber, in seinen schlimmsten Tagen, bricht die Poesie mit voller Gewalt durch und er bleibt ihr bis zu seinem Tode treu. Dieser Durchbruch steht im engsten Zusammenhang mit der Entstehung seines bekanntesten Werkes, dem Märchen *Der goldne Topf*. Dieses Werk hatte er im Sinne, als er am 19. August 1813 an seinen Verleger schrieb: „In keiner, als in dieser düstern verhängnisvollen Zeit, wo man seine Existenz von Tage zu Tage fristet und ihrer froh wird, hat mich das Schreiben so angesprochen — es ist, als schlösse ich mir ein wunderbares Reich auf, das aus meinem Innern hervorgehend und sich gestaltend mich dem Drange des Äußern entrückte." Die Gewalt dieses dichterischen Erlebnisses schlug ihn unwiderstehlich in ihren Bann. Bald danach gab Hoffmann seine Stellung als Kapellmeister auf, und das Dichten trat in den Vordergrund. Von dieser Zeit an war er auch als Jurist in Berlin tätig.

Hoffmann hatte seine eigentliche dichterische Laufbahn mit den *Fantasiestücken in Callots Manier* begonnen. (Callot war 5 ein französischer Zeichner und Kupferstecher, dessen fantastischen und grotesken Stil Hoffmann bewunderte.) In dieser Sammlung wurde *Der goldne Topf* veröffentlicht. Dann wandte er sich in Berlin einer anderen Art von Erzählung zu. Anstatt „Fantasiestücke" (d. h. phantastische Erzählungen und 10 Skizzen), schrieb er nun eine Reihe „Nachtstücke" (so nannte Hoffmann seine nächste Novellensammlung), die 1817 erschien. Diese Werke behandeln Stoffe, die zusammen eine umfangreiche Nachtsymbolik bilden. Furchterregende Gestalten wie Gespenster, Teufel, und Bösewichte, und Themen wie der 15 Wahnsinn, das Böse und das Zerstörerische stehen im Vordergrund. Zu diesem Stoffkreis gehören auch andere einzelne Erzählungen außerhalb der *Nachtstücke* und der Schauerroman *Die Elixiere des Teufels*. Eine ausgezeichnete kürzere Novelle dieser Art ist *Der Sandmann*.

20 Mitten in dieser „Nachtzeit" begann eine andere Phase von Hoffmanns Schaffen sich weiterzuentwickeln, nämlich die märchenhafte, womit seine große Schaffenszeit mit der Entstehung von *Der goldne Topf* angefangen hatte. Diese Weiterentwicklung kam wahrscheinlich teilweise aus der Notwendigkeit, 25 einen Ausgleich zu den düsteren *Nachtstücken* zu schaffen. Er hatte aber noch einen weiteren Anlaß darin, daß er gerne den Kindern seines Freundes Hitzig Märchen erzählte. Diese beiden Kinder, Marie und Fritz, machten einen tiefen Eindruck auf ihn, und sie erscheinen als Hauptcharaktere in dem Märchen 30 *Nußknacker und Mausekönig*. (Auf Grund dieser Geschichte komponierte Tschaikowsky seine bekannte Ballettmusik.) Noch

kunstvoller aber ist das darauffolgende Märchen, *Das fremde Kind*, worin wieder ein Mädchen und ein Junge ein wunderschönes Märchenland kennenlernen, diesmal durch ein seltsames Kind, das sie im Walde finden. Von 1814 an schuf Hoffmann jährlich ein längeres Kunstmärchen, das nicht nur für Kinder, 5 sondern auch für Erwachsene gedacht war.

Hoffmanns große Schaffenszeit wurde früh durch den Tod beendet. Als er im Alter von 46 Jahren starb, hinterließ er einige unvollendete Schriften und vielversprechende Pläne für künftige Werke. Besonders tragisch ist es, daß er wahr- 10 scheinlich als Opfer der philisterhaften Geistesart zugrundeging, gegen die er sich sein ganzes Leben lang gewehrt und die er oft verspottet hatte. In seinem letzten Lebensjahre wurde er wegen vermeintlich rechtswidriger Äußerungen in seinem letzten Märchen, *Meister Floh*, verklagt. In einem Nebencha- 15 rakter hatte er einen verachteten Vorgesetzten lächerlich gemacht. Es ist wahrscheinlich, daß Hoffmann unter dem Druck der Sorgen wegen dieser Anklage erkrankte und einige Monate danach starb.

Die unvollendeten Werke, die er hinterließ, wären wohl zu 20 seinen größten Leistungen geworden. Besonders bedauerlich ist es, daß er nicht dazu gekommen war, den Schluß seines großangelegten Romanes, *Lebensansichten des Katers Murr*, zu schreiben. Dieses Werk wäre ein passender Abschluß für Hoffmanns Behandlung der Künstlergestalt gewesen, hätte er es zu 25 Ende gebracht, denn es besteht teilweise aus Fragmenten über die Gestalt und das Schicksal des Kapellmeisters Kreisler, den Hoffmann schon vor einigen Jahren als Widerspiegelung seines eigenen Künstlercharakters geschaffen hatte. Trotzdem bilden die vorhandenen Abschnitte des Romans eines von Hoffmanns 30 bedeutendsten Werken.

E. T. A. Hoffmann

Betrachtet man Hoffmanns sämtliche Leistungen als Erzähler im Überblick, so lassen sich drei Stoffkreise feststellen: das Künstlerische, das Märchenhafte und das Dämonische. Unsere im folgenden besprochenen charakteristischen Beispiele sind 5 *Ritter Gluck, Der goldne Topf* und *Der Sandmann*.

Ritter Gluck (1808) steht am Anfang von Hoffmanns Künstlerlaufbahn. Das Werk ist eine erstaunliche Leistung, denn er stand damals zwischen dem Beruf des Staatsbeamten und des Musikers, und die Dichtung spielte keine besondere 10 Rolle in seinem Leben. Es steht plötzlich da, ohne Vorbereitung und ohne unmittelbaren Nachklang, als reiner Ausdruck eines Menschen, der den Versuch macht, die ungeheure Problematik des romantischen Künstlers zu bewältigen.

Die Musik ist die repräsentative Kunst der Romantik. In 15 seinem Aufsatz, *Beethovens Instrumentalmusik* behauptet Hoffmann, die Musik sei „die romantischste aller Künste". Ferner heißt es: „Die Musik schließt dem Menschen ein unbekanntes Reich auf; eine Welt, die nichts gemein hat mit der äußern Sinnenwelt, die ihn umgibt, und in der er alle durch Begriffe 20 bestimmbaren Gefühle zurückläßt, um sich dem Unaussprechlichen hinzugeben." Selbst das, was wir durch die Musik im Leben empfinden, „führt uns hinaus aus dem Leben in das Reich des Unendlichen".

Eine Kunst, die eine solche Abkehr vom alltäglichen Leben bedeutet, muß die Existenz des Künstlers unter den Menschen 25 äußerst problematisch, wenn nicht praktisch unmöglich machen. Dieses bisher unbekannte Reich des Unendlichen ist in der Welt des Endlichen kaum vorstellbar. Es muß also vorkommen, daß die menschliche Gesellschaft eine solche Kunst nicht nur mißversteht, sondern ihr feindlich gegenübersteht, weil diese Sphäre der Musik sich um die weltlichen Zwecke dieser Gesellschaft nicht kümmern kann.

Der vollkommene Tonkünstler widmet sich der musikalischen Schönheit in den reinen Sphären des Geistes. Das ist aber 5 praktisch unmöglich, wenn man in der menschlichen Gesellschaft einen Beruf auszuüben hat, der verlangt, daß man Musik schafft. Wenn nun der Tonkünstler versucht, das Unendliche im Reich des Endlichen darzustellen, so gelingt es ihm bestenfalls, einen schwachen Eindruck seines Schönheitsideals zu 10 vermitteln.

Diese Begriffe der Musik und des Musikers sind die Voraussetzungen von *Ritter Gluck.* Am Anfang der Novelle, als der Erzähler bei einer Tasse Kaffee allein sitzt und die bunte Welt des damaligen Berliner Sommers beobachtet, 15 wird im Hintergrunde „weltliche" Musik gespielt. Die kleine Kapelle könnte wohl kaum schlechter spielen. Außerdem wird die Melodie eintönig in Oktaven dargestellt, was den empfindlichen Ohren des dilettantischen Erzählers Schmerz bereitet. Diese Oktaven bilden den Ausgangspunkt für die Handlung 20 der Geschichte, denn der plötzlich wie ein Gespenst erscheinende Fremde ist angeblich kein anderer als Christoph Willibald Gluck, der Opernkomponist, der gerne Oktaven auf diese Weise benutzte. Es entsteht also gleich hier Spannung zwischen einem Begriff der alltäglichen Musik und einem ganz anderen Begriff. 25

Der Erzähler kann keine Ahnung von der „wirklichen" Identität des ungeladenen Gastes haben, denn unsere Geschichte stammt aus dem Jahre 1809, wie im Untertitel angegeben wird, und Gluck war schon im Jahre 1787 gestorben! Die seltsame Szene, die darauf folgt, bietet ein frappantes Beispiel für 30 Hoffmanns phantastischen Begriff des romantischen Künstlers.

Hier wird die Kunst der Musik möglichst weit vom Leben
entfernt, indem sie fast gar keines äußeren Ausdrucks bedarf.
Die Musik, die auf Glucks Bitte von den Musikanten zum
besten gegeben wird (die Ouvertüre zu Glucks eigener Oper),
5 wird falsch gespielt. Für Gluck aber, den Eingeweihten, ist sie
der Anlaß zu der eigenartigsten Aufführung dieser Ouvertüre,
denn Gluck deutet die „wirkliche" Musik mit Handbewegungen
und Gesichtsausdruck an. Die Beschaffenheit dieser nicht gehörten Musik wird dann vom Erzähler durch visuelle, sinnliche
10 Bilder für uns gekennzeichnet: die Töne haben „Fleisch und
Farben", seien wie ein Sturm oder ein Riese. Hier bereitet uns
der Erzähler auf die mythische Vision vor, die Gluck nun auf
den nächsten Seiten beschreibt.

Die phantastische Reise, auf die uns Gluck in das Märchen-
15 land der wirklichen Musik mitnimmt, ist die Kernstelle des Werkes, denn sie zeigt uns, was es eigentlich bedeutet, Künstler zu
sein. Hier werden verschiedene Bereiche der inneren Welt eines
romantischen Künstlers auf phantastische, aber völlig konkrete
Weise aufgezeigt. Um das Werk zu verstehen, muß man sich
20 hier darüber im klaren sein, daß Gluck eine komplizierte
Metapher für die geistigen Erlebnisse eines schaffenden Musikers entwickelt.

Der erste Bereich ist die breite Heerstraße, die Welt des
Alltags. Die Menschen gehen hin und her auf einer sonnigen
25 Straße, wie am Anfang der Novelle. Das ist sonst ein schönes,
lebendiges Bild, hier aber negativ beurteilt, denn diese Menschen
meinen, sie seien schon am Ziel, d. h. es gäbe keine bessere
Welt als die ihre. Sie achten nicht auf „das elfenbeinerne Tor".
Hinter dem Tor ist der zweite Bereich, „das Reich der
30 Träume". Es ist hier schöner, lebendiger, abenteuerlicher als
auf der breiten Heerstraße. Dies ist die Welt der schöpferischen

Phantasie des Künstlers, der jetzt von den bedrückenden Grenzen der alltäglichen Realitäten befreit ist. Er bezahlt aber einen hohen Preis dafür, denn das Reich der Träume ist mit drohenden Gestalten bevölkert. Eine befreite Künstlerphantasie erlebt also nicht nur Schönes, sondern auch Schreckliches. Hier kann 5 der Künstler leicht zugrundegehen, denn er wird vom Wahnsinn, von der Erschöpfung seiner Kräfte, usw. bedroht. Wer aber diese Probe bestanden hat, der gelangt in den dritten Bereich. Hier ist der Künstler am Ziel. Er kommt schrittweise dahin, indem ein großes, strahlendes Auge ihm 10 Begeisterung einflößt, und er — metaphorisch ausgedrückt — die Kolosse und den weichen Jüngling zu beherrschen lernt, die zusammen eine musikalische Harmonie bilden. Ein langer Kampf ist es, eine solche Harmonie sinnvoll in der Kunst zu gestalten. Eines Tages ist er dann genug vorbereitet, ganz in 15 den dritten Bereich aufgenommen zu werden, und Gluck geht in das große Auge, das auch eine Sonnenblume ist, hinein.

Was in diesem Jenseits ist und geschieht, wissen wir nicht. Vermutlich ist hier ein Begriff der höchsten, esoterischen Wahrheit vorhanden. Gluck vermag nicht weiterzuerzählen, 20 denn der „Euphon" — die reinste Musik — tönt in seinen Ohren. Er darf nicht zu viel enthüllen, denn er hat schon oft genug gesündigt, da er die Mysterien der Kunst an „Ungeweihte" weitergegeben hat. Er wird vermutlich dafür bestraft, indem er wie ein abgeschiedener Geist im öden Raum von 25 Berlin spuken muß. Diese in den Augen der Welt kultivierte Stadt ist für den wahren Künstler eine Wüste.

Die Kunst liegt für Hoffmann jenseits der Erfahrung. Sie lebt in ihrer eigentlichen reinen Form nur im Geist des Künstlers und in dem absoluten Reich, das er vertritt. Sobald er versucht, 30 sie vor das Publikum zu bringen, wird sie „entweiht", d. h. sie

verliert ihr innerstes Wesen, das sie aus dem Reich der Wahrheit hat. Der Künstler fühlt sich aber gezwungen, diese unendliche Schönheit vor das Publikum zu bringen. Hieraus entsteht der tragische Konflikt, woran Ritter Gluck und fast alle
5 Künstler in Hoffmanns Werken leiden.

Als Gluck dann später vor dem Theater steht und sich bei der Aufführung seiner eigenen Oper so seltsam benimmt, ist diese Szene so zu verstehen, daß er sich das Werk in seiner „wirklichen" Form vorstellt, wie er vorher seine eigene Musik
10 vor dem Erzähler „aufgeführt" hat. So kann er seine reine Kunstwelt dem inneren Auge nahebringen, obwohl das Orchester die falsche Ouvertüre spielt! Das zeigt wieder, wie wenig der romantische Künstler eines äußerlich vorhandenen, auf Papier geschriebenen Werkes bedarf. Im Gegenteil, es wäre
15 besser, wenn es als Text oder Aufführung gar nicht existierte!

Diese absurde, aber doch konsequent ausgeführte Möglichkeit wird dann gegen Schluß der Novelle auf extreme Weise verwirklicht. Hier bestehen Glucks sämtliche Werke aus lauter leeren Notenblättern, die paradoxerweise diese Werke in
20 ihrer schönsten Form bedeuten. So ist es jetzt möglich, die Werke in „höherer Potenz" — wie Hoffmann sich ausdrückt — wiederzugeben. Das kann aber von keinem normalen, alltäglichen Menschen geleistet werden, und die Person, die sich Gluck nennt, ist auch weder normal noch alltäglich. Gluck
25 war ja schon Jahre vor der Handlung der Geschichte gestorben. Der seltsame Musiker muß also entweder ein Gespenst oder ein Geisteskranker sein, der sich für den verstorbenen Komponisten ausgibt. Dieses Problem braucht man aber nicht zu lösen, um das Werk zu verstehen. Denn es bleibt in jedem Falle
30 eine gelungene Darstellung des reinen romantischen Künstlertums, in einer Gestalt, die eine tiefe Künstlertragik erlebt hat,

jetzt aber, von der Welt innerlich entfernt, die wahre Form seiner Kunst besitzt.

Das Märchen *Der goldne Topf* (1813/14) ist der nächste Gipfelpunkt in Hoffmanns dichterischem Schaffen. Es bedeutet den endgültigen Durchbruch des Poetischen in seiner Künstler- 5 laufbahn. Gerade dieses Thema — der Durchbruch des Dichterischen — ist der Ausgangspunkt des Werkes selbst.

Das Poetische erscheint hier in märchenhafter Form. Daher nennt Hoffmann seine Erzählung im Untertitel „Ein Märchen aus der neuen Zeit". Es ist aber kaum mit den bekannten Volks- 10 märchen wie *Aschenputtel* oder *Rotkäppchen* zu vergleichen, gerade wegen der Worte „aus der neuen Zeit". Denn „die neue Zeit" bringt den Alltag des zeitgenössischen Lebens mit in die Geschichte hinein — was nie in einem typischen Volksmärchen vorkommt. Außerdem ist das Märchenhafte daran das, was 15 das Werk mit einer damals beliebten Gattung verbindet: dem Kunstmärchen. Goethe hatte zu dieser Form mit seiner Erzählung *Märchen* beigetragen; Novalis schrieb ein ähnliches Märchen als Teil des Romans *Heinrich von Ofterdingen*; auch gehören zahlreiche Werke Tiecks dazu. 20

Das Eigentümliche an Hoffmanns Märchen ist die Gegenüberstellung der Märchenwelt und des Alltags und ihre seltsamen Beziehungen zueinander. Hier, wie in *Ritter Gluck*, beginnt die Geschichte auf einer symbolischen „Breiten Heerstraße" und wird in einer phantastischen Welt beendet. In *Der* 25 *goldne Topf* aber machte Hoffmann ungeheure Fortschritte in der Darstellung und Deutung der beiden Bereiche.

Das alltägliche Dasein des Studenten Anselmus besteht hauptsächlich aus Begegnungen mit den „Philistern". Die scharf satirisch gezeichneten Kleinbeamten, Paulmann und Heerbrand, sind hier deren Hauptvertreter. Auch Veronika Paulmann handelt letzten Endes im Interesse des philisterhaften Alltags; ihr Charakter hat aber Dimensionen, die darüber hinausgehen.

5 Anselmus kann sich in der geistig leeren Philisterwelt nicht zurechtfinden. Deshalb ist er für einen Durchbruch von Hoffmanns „anderer Welt" besonders zugänglich. Der Durchbruch beginnt gleich am Anfang der ersten Vigilie mit dem Umsturz des Apfelkarrens. Hier ist ein zerstörerisches Prinzip vorhanden, 10 denn das Apfelweib, das auf ihn flucht, ist eine Hexengestalt aus den niederen Regionen der Märchenwelt. Ein höheres, schöpferisches Prinzip steht aber über solchen Dämonen, und dieses Prinzip ist am Ende der ersten Vigilie in der schönen Musik und in dem anziehenden Äußeren der schönen Schlange 15 verkörpert. Anselmus muß aber noch viele Angriffe der dämonischen Welt erleben, bevor er sein endgültiges Ziel erreicht.

Der Sinn und die Struktur der „anderen Welt" werden zu Beginn der dritten Vigilie von Lindhorst in seiner Erzählung angedeutet, dann weiter in der achten von Serpentina darge-20 stellt. Dieser Mythos ist in seinen Anfängen eine Widerspiegelung der Schöpfung, wie sie im ersten Buch Mose dargestellt ist. Darauf folgt eine dichterische Neuschöpfung der Welt in ursprünglicher Gestalt, wie sie am Anfang der Zeit sein sollte, als alle Wesen — ehe es Menschen gab — im Einklang mit der 25 Natur lebten.

Diese Welt ist dreifach gegliedert. Sie besteht aus einer oberen, einer mittleren und einer niederen Region. Die Dreiteilung wird sofort zu Beginn der Erzählung Lindhorsts sichtbar. Der Geist schaut auf das Wasser, das sich dann in die Abgründe 30 stürzt. Die Dreiheit von Geist, Wasser und Abgründen bildet die Grundlage der mythischen Welt, wie auch im gewissen

Sinne, der ganzen Welt. Denn jedes Motiv, jede Handlung geht auf die triadische Struktur von Hoffmanns Auffassung der Schöpfung zurück. Dieser thematische Zusammenhang der Grundmotive und deren dynamische Weiterentwicklung sind wohl Hoffmanns größte Leistung in der Erzähltechnik des 5 Kunstmärchens.

Das macht die Erzählung unendlich verwickelt, denn die drei Bereiche, die vor der Schöpfung getrennt waren, überschneiden sich mit der Zeit immer mehr. Daher sind viele Einzeldinge mit Bezug auf die Dreiheit ambivalent. Die ursprüngliche Welt 10 des Jünglings Phosphorus besteht aus einem Tal (mittlere Region), das von der Sonne (der höheren Region) beschienen, aber auch von den Dünsten der Abgründe angegriffen wird. Man könnte fast jede Zeile in dem darauffolgenden Mythos der dritten und achten Vigilie auf ähnliche Weise auslegen und 15 zeigen, inwiefern ein gegebener Gegenstand aus jedem Bereich der Dreiheit stammt. Diese mythische Welt ist unmittelbar in der Schöpfung, die die Grundlage der Natur bildet, verwurzelt und von den neuzeitlichen Realitäten äußerst weit entfernt. Der Mensch der Neuzeit ist von seinem natürlichen, ursprüng- 20 lichen Zustand abgeschnitten. Dies gilt besonders bei den Philistern.

Es gibt aber in der Neuzeit Gestalten, die Merkmale unseres Ursprungs tragen. Solche Geschöpfe erscheinen als „phanta-stisch" und werden durch Charaktere wie Lindhorst, Serpen- 25 tina und Liese vertreten. Unter ihnen ist Lindhorst am klarsten in dieser Hinsicht dargestellt. Im Alltag ein seltsamer Kauz, ist dieser Mann „in Wirklichkeit" ein Geisterfürst des Mär-chenlandes. Er ist aber auch noch ein Salamander, der unter „das entartete Geschlecht der Menschen" verbannt worden ist. 30 Er trägt viele Merkmale seines mythischen Ursprungs. Über-

wiegend sind diejenigen Motive, welche mit Naturkräften verbunden sind. Der Salamander ist einer der vier „Elementargeister" und hat daher außergewöhnliche Macht über das
Element des Feuers. (Die anderen Elementargeister, mit ihren
5 „Elementen", sind: Gnomen [Erde], Sylphen [Luft] und Un-
dinen [Wasser].) Deswegen ist es ihm ein Leichtes, mit einem
Schnippchen seine Pfeife anzuzünden. Außerdem gehören allerlei Tiere und Pflanzen zum Zubehör seiner märchenhaften
Wohnung, vor allem seine blauäugigen, grünen Schlangen-
10 töchterlein. Lindhorsts Wesen ist vieldeutig, denn diese Motive
sind mit verschiedenen Bereichen der Urwelt verwandt. Das
Feuer — das Hauptmotiv in seinem mythischen Charakter —
hat die Sonne, den Geist des höheren Bereiches, als Quelle.
Er ist deshalb hauptsächlich als Bote der höheren Regionen
15 der Urwelt aufzufassen. Ein Salamander aber gehört durch
seine animalischen Assoziationen eher der Unterwelt an, wie
andere derartige Tiere, z. B. der schwarze Drache, der Ahnherr
von Liese. Lindhorst hat daher auch eine dunkle, zerstörerische
Seite, nicht nur die schöpferische. Im allgemeinen liegt der
20 Sinn dieser Vieldeutigkeit darin, daß Lindhorst manchmal
zerstörerisch wirken muß, um sein endgültiges schöpferisches
Ziel — die Bekehrung von Anselmus — zu erreichen. Er muß
dem Alltag als Bedrohung erscheinen, obwohl er letzten Endes
dem höheren Prinzip dient.
25   Das Apfelweib, Liese Rauerin, ist Lindhorsts Gegenspielerin.
Bei ihr liegt das Hauptgewicht der Motive auf dem Dämonischen, was in ihrer Abstammung sofort zum Vorschein
kommt: sie ist ja das Kind einer Ehe zwischen einer Feder
aus einem schwarzen Drachen und einer Runkelrübe (aus der
30 unterirdischen Pflanzenwelt). Während Lindhorst der feurigen
Rasse der Salamander entstammt und ein Gesandter des Lichts

ist, gehört Liese der Finsternis an. Sie ist in ihrem eigentlichen Element in ihrer kaum beleuchteten Wohnung, als Veronika sie besucht, und auch während der spukhaften Nachtszene in der siebenten Vigilie. Es ist selbstverständlich, daß eine dem Archivarius Lindhorst so scharf entgegengesetzte Gestalt seine Feindin sein muß und grundsätzlich gegen seine schöpferischen Bemühungen wirken soll. Wie Mephistopheles dient sie einem verneinenden, zerstörerischen Prinzip.

Es ist aber etwas Ungewöhnliches an ihrer Rolle als dä- monische Gestalt: in der Philisterwelt wirkt sie schöpferisch. 10 Dies zeigt sich in ihrem Verhältnis zu Veronika. Dieses Mädchen ist tief im Alltag verwurzelt. Sie ist aber nicht so karikaturhaft wie ihr Vater, Konrektor Paulmann, und ihr zukünftiger Mann, Registrator Heerbrand, gezeichnet. Fast die einzige Satire über sie erscheint dort, wo sie am hellen Tage von sich selbst in 15 der Rolle der „Frau Hofrätin" träumt. Sonst ist Veronika tiefer als die anderen Philister aufzufassen, besonders darin, daß sie wie Anselmus Beziehungen zur mythischen Welt hat, obwohl es sich hier um deren niedere Region handelt. Es ist das Ziel der dämonischen Urwelt, Veronika zu einer sicheren, konven- 20 tionellen Ehe mit Anselmus zu verhelfen. Das wäre eine echte Philister-Ehe, denn die Motivierung dafür ist der Drang nach einer oberflächlichen Art von Prestige. Da Anselmus aber von den höheren Zwecken der Märchenwelt motiviert ist, kann Lieses Plan nicht ausgeführt werden, und Veronika wählt 25 Heerbrand.

Was ist die Belohnung dafür, daß Anselmus die schöne Veronika nicht heiratet und kein Geheimrat wird? Vor allem hat er sich ein Landgut im Märchenland Atlantis erworben. Die ganze ursprüngliche Vitalität und mannigfaltige Schönheit des 30 Märchenhaften werden sein ständiger Besitz. Und wo ist At-

lantis? Hoffmann selbst gibt die Antwort am Schluß: „Ist denn
überhaupt des Anselmus Seligkeit etwas anderes als das Leben
in der Poesie, der sich der heilige Einklang aller Wesen als
tiefstes Geheimnis der Natur offenbaret?" Das ganze Märchen
5 ist also als die Geschichte eines Dichterlehrlings aufzufassen.
Die Dokumente, die er für Lindhorst abgeschrieben hat, sind
Dichtungen gewesen; und sein ständiger Aufenthalt in Atlantis
bedeutet seine Dichtermeisterschaft.

Es wäre aber hier ein Fehler, die Begriffe des Dichters und
10 der Dichtung im engsten Sinne zu verstehen. Der Dichter ist
ja in diesem Falle die Stimme eines kosmischen Geschehens.
Der Dichter offenbart uns das sonst nicht greifbare Fundament der Welt. Hoffmann leistet das auf eine besonders
originelle Weise dadurch, daß er schöne, reichhaltige, phanta-
15 stische Bilder und Begebenheiten benutzt. Was er als das in-
tuitiv wahrgenommene Fundament der Welt begreift, gibt er
uns in märchenhafter Form wieder, weil das eben phantastisch
und märchenhaft im übertragenen Sinne ist. Das Märchenhafte
ist bei Hoffmann das Poetische schlechthin.

20 Eine dritte Phase von Hoffmanns literarischem Schaffen —
die dämonische — ist auf die Jahre 1814–1817 konzentriert. Zu
dieser Zeit schrieb er eine lange Reihe schauriger Erzählungen
über Menschen, die von dunklen Mächten angegriffen werden.
Die Hauptwerke dieser Phase sind der Roman *Die Elixiere des*
25 *Teufels* und die Novellensammlung *Nachtstücke*. Die Erzählung *Der Sandmann* ist die erste in dieser Sammlung. Sie ist
als Darstellung der ‚Nachtseite' des Menschen und seiner
Welt zu verstehen. Dieser Begriff war in der deutschen Romantik weitverbreitet und bezeichnete das Dunkle, das Zer-

störerische und das Teuflische im Menschenleben. Man darf
hier aber keine sensationellen Spukgeschichten oder Kriminalro-
mane erwarten, denn Hoffmanns „Nacht" ist ein echt poetisches
Bild und verkörpert einen tiefgehenden weltanschaulichen
Begriff.   5

Der Sandmann (1815/16) ist diejenige Erzählung Hoffmanns, worin diese ‚Nacht' sich auf grausamste und un-
widerruflichste Weise durchsetzt. Hier wird ein Mensch von
den Kräften zugrundegerichtet, die ihn seit früher Kindheit
bedroht haben. In *Der goldne Topf* haben wir eine ähnliche 10
Bedrohung in der Gestalt der Hexe Liese gesehen. Hier wie
dort ist der Hauptcharakter, Nathanael, ein Dichter.

Der Sandmann ist das Gegenstück von *Der goldne Topf*.
Nathanael ist als Dichter die Stimme des Dämonischen. Das
Hauptmotiv des Gedichtes, das er in der Geschichte schreibt, 15
ist die Zerstörung der Liebe zwischen ihm selbst und Klara
durch den satanischen Coppelius. Anselmus hätte wohl dieses
Gedicht nicht schreiben können, denn *Der goldne Topf* zielt
auf das Schöpferische hin, während bei Nathanael alles seine
mörderischen und selbstzerstörerischen Neigungen fördert.   20

Der Gang der Handlung ist konsequent durchgeführt.
Alles wächst aus einem Ausgangspunkt, dem Märchen, das
Nathanaels Kinderwärterin ihm erzählt. Diese kurze, grauen-
hafte Erzählung von dem Sandmann, der die Augen kleiner
Kinder nimmt, um seine eigenen Kinder damit zu füttern, 25
bildet den Keim, woraus das Zerstörerische in Nathanaels Leben
wächst. Seine kindlichen Angstgefühle führen dazu, daß der
Sandmann für Nathanael Wirklichkeit wird. Vor allem gilt
das von dem grotesken Coppelius, in dem Nathanael die
Märchengestalt sieht. Es geht aber noch weiter. Alles, was 30
Augen betrifft, wird nun ein Teil der Kraft, die Nathanael

beängstigt. Auch der infantile Charakter dieser Erlebnisse wird auf manches, was mit Nathanaels Wahnsinn verbunden ist, übertragen. Das trifft besonders auf seine Liebe zu Olimpia, dem „Püppchen", zu.

5 Das Augenmotiv wird in den seltsamen naturwissenschaftlichen Betätigungen von Coppelius und Nathanaels Vater weiterentwickelt. Die Drohung, Nathanaels Augen zu diesen Zwecken zu benutzen, prägt ihm die mit Augen assoziierte Angst tief ein. Als der Italiener Coppola auftritt, liegt es auf 10 der Hand, ihn mit Coppelius zu assoziieren, besonders weil Coppola Verkäufer von Brillen und Perspektiven ist, die er „sköne Oke" — „schöne Augen" — nennt. Coppola gibt dann dem verliebten Nathanael „Augen" (d. h. das Perspektiv), um Olimpia sehen zu können. Olimpia hat wahrscheinlich ihr 15 Leben durch die Augen von Coppola erhalten. Es ist auch das Perspektiv, das Nathanael endgültig wahnsinning macht, als er auf dem Turm Klara darin erblickt und sie mit Olimpia verwechselt. Die thematische Entwicklung ist also in dieser Novelle auf eine relativ einfache Augensymbolik konzentriert 20 — was *Der Sandmann* von *Der goldne Topf* und dessen unendlich komplizierter thematischer Struktur wesentlich unterscheidet.

Noch tiefgehender ist aber ein anderer Unterschied. Wenn man das Phantastische an den beiden Werken vergleicht, so wird 25 es klar, daß *Der Sandmann* mehr psychologisch und weniger mythisch gerichtet ist als *Der goldne Topf*. Die phantastische Welt von Anselmus kommt aus den ursprünglichen Schichten des Lebens. Nathanaels phantastische Erlebnisse sind aber eher Widerspiegelungen seines Innenlebens. Mythischen Charakter 30 hat die Novelle schon in der Gestalt und Geschichte des Sandmanns selber. Das Mythische daran wird aber nicht weiterentwickelt. Was daraus entspringt, ist eine psychologische Symbolik, die in einigen Einzelheiten klar hervortritt. Die ganze Nachtszene im Laboratorium hat die Stimmung eines kindlichen, bösen Traums, den das Sandmann-Märchen zur Folge hat. Die Olimpia-Episoden haben die Atmosphäre einer Halluzi-[5] nation. Nathanaels Zuneigung zu einem Automaten ist die psychologische Parallele zu seiner Abneigung gegen ein wirkliches Mädchen, Klara. Hoffmann hat in anderen Werken Automaten als dämonisch dargestellt, was hier nur teilweise der Fall ist. Durch Olimpia kommen zerstörerische, sonst unerlaubte [10] Wünsche der lebensnahen Klara gegenüber zum Ausdruck. Rein psychologisch gesehen, ist Olimpia nichts anderes als eine verklärte Klara, wie bei Anselmus Serpentina die poetische Verklärung von Veronika ist. Da in beiden Fällen das phantastische Bild des geliebten Mädchens sich mit dem wirklichen [15] nicht vereinigen läßt, kann die Liebe des Helden im Alltag nicht in Erfüllung gehen. Bei Anselmus kommt die Motivierung dafür „aus dem Märchenland", während Nathanaels Mißerfolg einer dämonischen Kraft entspringt, die sich überwiegend psychologisch auswirkt. [20]

Hoffmanns Vielseitigkeit ließ ihn nicht lange bei einer Seite des menschlichen Lebens verweilen. Mit den *Nachtstücken* endet größtenteils seine intensive Beschäftigung mit dem Dämonischen, die an Besessenheit grenzte. In den wenigen Jahren, die ihm noch blieben, machte er große Fortschritte in der [25] Dichtkunst. Er erlangte eine künstlerische Reife, die Meisterwerke wie die Novellen in *Die Serapionsbrüder* und den Roman *Lebensansichten des Katers Murr* ermöglichte. Er blieb aber im Grunde derselbe Mensch, der in Gluck, Anselmus und Nathanael reflektiert ist: der Künstler, der sich von kosmischen [30] Mächten berufen fühlt, die Welt in ihren märchenhaften und

E. T. A. Hoffmann

dämonischen Formen zu erleben und damit an der unsterblichen
Welt der Poesie weiterzubauen.

Kenneth Negus

Harich, Walther. *E. T. A. Hoffmann: Das Leben eines Künstlers.*
  Berlin, 1920.
Hewett-Thayer, H. W. *Hoffmann: Author of the Tales.* Princeton,
  1948.
Ricci, Jean-F.-A. *E. T. A. Hoffmann: L'homme et l'œuvre.* Paris,
  1947.
Schaukal, Richard von. *E. T. A. Hoffmann: Sein Werk aus seinem
  Leben.* Zürich-Leipzig-Wien, 1923.

Heinrich Heine

1797-1856

Die schönen, schlichten Liebeslieder, Balladen und Stimmungsgedichte, die Heinrich Heine vor allem in der Welt bekannt gemacht haben, erstrecken sich nicht über seine gesamte Schaffensperiode. Sie sind das Ergebnis seiner frühesten Versuche in der Lyrik, welche er unter dem Titel *Buch der* 5 *Lieder* sammelte und 1827 veröffentlichte. Mit diesem einen Gedichtband wurde er über Nacht berühmt. Die größten Komponisten seiner Zeit, die die naturhaften Töne der Sprache in seiner Lyrik erkannten, vertonten viele seiner Gedichte, indem sie den eigentümlichen Harmonien seiner Verse noch neue 10 Harmonien hinzufügten. Und als er hier noch eine persönliche Note einführte, den Weltschmerz, erschien das Ganze seinen Zeitgenossen umso unmittelbarer, bedeutungsvoller und wahrer.

Seit Goethe hatte es keine so originelle Stimme in der deutschen
Lyrik gegeben.

Das war der junge Heine, und obgleich sich später ein anderer
Heine zeigte, der reifere und subtilere Satiriker in Prosa und
5 Versen, tut man gut daran, sich zu vergegenwärtigen, wie er
begann. Er war der geborene Dichter. Seine Prosa, ganz gleich
ob sie Politik, Literatur, seine eigenen Erfahrungen, die Ideen
und Stimmungen seiner Zeit, oder, wie so oft, all dies gleichzeitig behandelt, bleibt immer das Werk eines Dichters. Es
10 erhält Gewicht nicht so sehr durch seine Einsichten und Ideen,
als durch die schöpferische Bildsprache, in der sie sich äußern.
Der Gedanke, zum Beispiel, daß das Leben ein Traum sei, ist
oft formuliert worden, aber es noch einmal zu sagen, in der Art
wie Heine es an einer typischen Stelle seiner Prosa ausspricht,
15 heißt, es auf eine unvergeßliche, mit anderen Worten, poetische
Weise zu formulieren:

> Das Leben ist gar zu spaßhaft süß; und die Welt ist so
> lieblich verworren; sie ist der Traum eines weinberausch-
> ten Gottes, der sich aus der zechenden Götterversammlung
> 20 à la française fortgeschlichen und auf einem einsamen
> Stern sich schlafen gelegt und selbst nicht weiß, daß er
> alles das auch erschafft, was er träumt — und die Traum-
> gebilde gestalten sich oft buntscheckig toll, oft auch har-
> monisch vernünftig — die Ilias, Plato, die Schlacht bei
> 25 Marathon, Moses, die Mediceische Venus, das Straßburger
> Münster, die Französische Revolution, Hegel, die Dampf-
> schiffe usw. sind einzelne gute Gedanken in diesem
> schaffenden Gottestraum — aber es wird nicht lange
> dauern, und der Gott erwacht und reibt sich die verschla-
> 30 fenen Augen und lächelt — und unsre Welt ist zerronnen
> in nichts, ja, sie hat nie existiert.

In diesem Beispiel findet sich ebenso viel Humor wie dichterische Einsicht. Wie Aristophanes und Cervantes, die vielleicht
seine wichtigsten literarischen Leitsterne sind, darf man auch
Heine den Rang des Dichters nicht absprechen, wenn er mit
einem Lächeln schreibt. 5

Aber Heine einen geborenen Dichter zu nennen, bedeutet in
seinem Falle weniger, das Problem zu lösen, als es zu stellen.
Er war ein Dichter zur unrichtigen Zeit. Niemand wußte besser
als er selbst, daß die Welt, in die er geboren war, brennendere
Anliegen hatte als Schmetterlingsträume in schöne Worte 10
einzufangen, um einen Vergleich zu gebrauchen, den er selbst
über die Musik Rossinis geprägt hat. Die romantischen Dichter,
deren Spuren Heine in *Buch der Lieder* folgte, konnten eher
ihre ursprünglich eingeschlagene Richtung einhalten, da die
umwälzenden politischen Veränderungen, die den jungen Heine 15
in seinen Entwicklungsjahren geformt haben, für sie Erfahrungen ihrer reiferen Jahre waren. Heine, der 1797 geboren
wurde, war während der französischen Besatzung Deutschlands und der späteren Befreiungskriege ein Schuljunge. Es ist
kaum verwunderlich, daß er unter diesen Umständen wenig in 20
der Schule lernte, wie er in *Das Buch le Grand* berichtet, einem
Werk, das diese frühen Jahre politischer und sozialer Veränderungen behandelt. Am wenigsten lernte er in der Geographie:
„Damals hatten nämlich die Franzosen alle Grenzen verrückt,
alle Tage wurden die Länder neu illuminiert, die sonst blau 25
gewesen, wurden jetzt plötzlich grün, manche wurden sogar
blutrot." Er bemerkt mit einer gewissen traurigen Ironie, daß
es vielleicht auf diese frühen unglücklichen Erfahrungen in der
Geographie zurückzuführen ist, daß er sich später so schlecht
in der Welt zurechtzufinden wußte. Heine verlor in diesen 30
bewegten Entwicklungsjahren nicht seinen Humor und seine

Lust zum Träumen. Vielleicht hat er beides sogar damals erst gefunden, aber er zeigte gleichzeitig ein ebenso starkes Gefühl für die ernsten und aktuellen Probleme seines Landes und seiner Zeit.

5 Die geistigen Auseinandersetzungen in seiner Generation waren nicht weniger drastisch. Hätte ein früherer romantischer Dichter die erwähnte Vorstellung vom Leben als Traum gehabt, würde er wahrscheinlich den Namen Fichtes unter den Traumgebilden seines weinberauschten Gottes genannt haben. 10 Heine wählte Hegel, und der Unterschied ist bezeichnend. Die vorangegangene Generation war mit dem Fichteschen Begriff vom absoluten Ich groß geworden, der das Individuum als eine Welt und ein Gesetz an sich verstand. In dieser Welt konnte man schaffen um des Schaffens willen, dichten um des Dichtens 15 willen, und der Schmetterlingstraum würde dann seinen Platz haben als Ausdruck des Ichs innerhalb der moralischen und sozialen Ordnung. Hegel holte den Bereich des Absoluten zurück in den des Realen. Er sah die universalen Naturgesetze nicht im Prinzip des Ichs ausgedrückt, sondern in der Ge-20 schichte, das heißt, in der politischen, geistigen, wissenschaftlichen, religiösen und künstlerischen Entwicklung der Menschheit. Heine hörte Hegel an der Berliner Universität, lernt sogar später in Paris den berühmtesten der Nachfolger Hegels, Karl Marx, kennen. Der junge Dichter, der von Natur aus am 25 liebsten geträumt hätte, wurde vom Schicksal davor bewahrt, daß er die Welt, in der er lebte, vergaß: „Ich wurde aus dieser gemächlichen Träumerei sehr oft durch harte Rippenstöße des Schicksals geweckt, ich mußte gezwungenerweise teilnehmen an den Schmerzen und Kämpfen der Zeit, und ehrlich war dann 30 meine Teilnahme . . ." Nach dem Erfolg des *Buch der Lieder* spielte er sogar mit dem Gedanken, die lyrische Dichtung voll-

kommen aufzugeben. Er fühlte sich gleichermaßen zu Traum wie zu aktiver Wirklichkeit hingezogen und sah sich so vor ein Dilemma gestellt. Gereimte Zeitungsartikel zu schreiben, wie er die politischen Gedichte seiner Zeitgenossen nannte, kam für ihn als echten Dichter ebenso wenig in Frage, wie das Dichten 5 schlichter Lieder in einer Zeit der Ideenkämpfe. So sehr Heine, zum Beispiel, Goethe bewunderte, konnte er dessen Gleichgültigkeit den sozialen Fragen der Zeit gegenüber nicht übersehen: „Die Tat ist das Kind des Wortes, und die Goetheschen schönen Worte sind kinderlos. Das ist der Fluch alles dessen, was bloß 10 durch die Kunst entstanden ist. Die Statue, die der Pygmalion verfertigte, war ein schönes Weib, sogar der Meister verliebte sich darin, sie wurde lebendig unter seinen Küssen, aber so viel wir wissen, hat sie nie Kinder bekommen." Dramen zu schreiben, was ihm theoretisch eine Lösung des Konfliktes 15 zwischen Kunst und sozialer Verantwortung ermöglicht hätte, war für Heine in der Praxis unmöglich, wie seine frühen dramatischen Versuche deutlich zeigen. Der Roman war ebenfalls nicht sein Metier, und abgesehen von dem kurzen Fragment *Der Rabbi von Bacharach*, finden sich keine Belege für 20 sein Interesse an dieser Form. Sein Talent lag woanders: in einer ihm eigentümlichen Art von Prosa und Lyrik.

Aber dies stellt nur die bewußte Seite seiner zwiespältigen Interessen dar, des Zwiespaltes, den er selbst witzig charakterisierte, indem er vorgab, um Mitternacht des neuen Jahres 25 1800 zur Welt gekommen zu sein, und so mit einem Fuß in das alte Jahrhundert des Idealismus und mit dem anderen in das neue Jahrhundert des sozialen Fortschritts geboren zu sein. Jedoch es gab andere Konflikte in ihm, über die er weniger sagte, aber an denen er vielleicht noch mehr litt. Heine war 30 Jude. Er würde sich wahrscheinlich wegen seiner Herkunft in

jeder Gesellschaft zu jeder Zeit als Fremdkörper empfunden haben, genau so wie er sich seiner Zeit gegenüber als Dichter entfremdet fühlte. Auch reagierte er auf die Tatsache seiner Herkunft auf eine ihm eigene Weise. Einerseits war er ver-
5 sucht, in eine Welt der Träume und zeitlosen Belange zu entfliehen, wo es auf Menschlichkeit und nicht auf Nationalität oder Rasse ankam, andererseits wollte er die Gesellschaft, die ihn nicht akzeptierte, schockieren, an der Nase herumführen, amüsieren und überraschen, bis sie ihn als einen der Ihren
10 anerkannte. Hier liegt auch der tiefere Grund für die Ambivalenz, die Heine immer wieder in seinem Verhältnis zu Politik, Religion, Kunst und Philosophie an den Tag legte. Fügt man hier noch hinzu, daß sich derselbe doppelte Drang, zu entkommen und sich ihr anzupassen, in seinem Verhältnis
15 zu seiner Familie beobachten läßt, so hat man einen Maßstab für die einander widersprechenden Kräfte, die den Dichter und den Menschen Heine bestimmten.

Das *Buch der Lieder* mit seinen zeitlosen Themen von Liebe und Schmerz scheint wenig mit dem Ideenkampf zu tun zu
20 haben, mit dem wir Heine eben in so enge Beziehung gebracht haben. „Du bist wie eine Blume", zum Beispiel, ist ein Gedicht, das zu jeder Zeit hätte geschrieben werden können. Es verdankt seine Schönheit nicht zuletzt der vollkommenen Abwesenheit jeglicher Affektiertheit einer literarischen Richtung. Dasselbe
25 gilt für das Lied „Im wunderschönen Monat Mai". Aber Lieder dieser Art, selbst wenn sie einem vielleicht als erstes einfallen, wenn der Name Heine genannt wird, sind fast Ausnahmen in diesem Buch. Nicht, daß sie etwa Flucht in eine ideale Welt sind. Dafür sind sie im Einfall wie in der Aus-

führung zu rein. Aber für jedes Gedicht in diesem Buch, das
Heine mit naiver und schöner Einfachheit gestaltet, findet sich
ein Gedicht, in das sich die Bitterkeit und Enttäuschung ergossen
hat, die ebenfalls Teil seiner Erfahrung und seiner Welt waren.
Hier liegt der Kontrast und zwar nicht zwischen Wirklichkeit 5
und Unwirklichkeit, sondern zwischen zwei gleichstarken Trieben oder Verhaltungsweisen, von denen keine völlig überwiegt
oder unterliegt. Nebeneinander in diesem Buch stehen also
gepriesene Liebe und bloßgestellte Liebe, echt erlittenes Leid
und bespötteltes Leid, tief empfundene Sehnsucht und ver- 10
höhnte Sehnsucht. Kurz, das Romantische wird sowohl erzeugt
wie vernichtet. Einige Jahre später schrieb Heine das Gedicht,
das dem romantischen Gedicht den Todesstoß versetzen sollte,
„Das Fräulein stand am Meere".

> Das Fräulein stand am Meere 15
> Und seufzte lang und bang,
> Es rührte sie so sehre
> Der Sonnenuntergang.
>
> „Mein Fräulein sein Sie munter,
> Das ist ein altes Stück; 20
> Hier vorne geht sie unter
> Und kehrt von hinten zurück."

Aber das Nebeneinander von Romantischem und Alltäg-
lichem in *Buch der Lieder* scheint nicht nur durch Kontrast
das eine oder das andere Element zu betonen. Durch Assimi- 25
lierung verleiht es beiden neue Bedeutung. Die Lieder, die von
Liebe und Leid handeln, nehmen einen leichteren, persön-
licheren und moderneren Ton an, wenn man sie zwischen
humoristischen oder skeptischen Gedichten liest, so wie diese

umgekehrt in dieser Zusammenstellung eine gewisse Zärtlichkeit und Traurigkeit gewinnen, die sie sonst nicht haben
würden. Wenn „Das Fräulein stand am Meere" ebenfalls in
dieser Sammlung erschienen wäre, würden wir es vielleicht
5 auch mit anderen Augen sehen. Wir würden es dann als ein
anti-romantisches Gedicht empfinden und doch wieder als einen
wehmütigen Epilog auf den unwiederbringlichen Verlust dieser
schönen geistigen Welt. Darin liegt das Wesen des *Buch der
Lieder*, daß es viele Dinge gleichzeitig darstellt, aber keines in
10 vollkommener oder dauerhafter Weise. In diesem Sinne steht
es im Geiste, wenn auch nicht thematisch, in direkter Beziehung
zu den eigenartigen geistigen und sozialen Umständen, unter
denen es erschien. Der alte Idealismus war verloren, aber nicht
vergessen, die neue Auffassung des Lebens war bereits da, aber
15 noch nicht gestaltet. Ein oft zitiertes Wort des französischen
Dichters Alfred de Musset kennzeichnet die Situation treffend:
‚Alles was war, ist nicht mehr; alles, was sein wird, ist noch
nicht.'

Der Krieg, die sozialen Umwälzungen und die geistige Ver-
20 waisung mußten notwendigerweise auf einen Dichter in diesen
Jahren stark beeinträchtigende Einflüsse ausüben. Sie hatten
aber darüber hinaus, wenigstens in Heines Fall, auch eine
positive Wirkung. Denn ohne Konflikt gibt es keine Auseinandersetzung, ohne Auseinandersetzung keine Distanzierung, und
25 ohne Distanzierung läßt sich das Element nicht gewinnen, das
sich als das entscheidende bei Heine erwies: Ironie. Dieses
Element findet sich bereits, bewußt oder unbewußt, in *Buch
der Lieder*; in den anderen Werken wird die Ironie mit wenigen
Ausnahmen zu einem überwiegenden Anliegen, sie wird zum

Gehalt und zur Gestalt einer Art zu dichten und das Leben zu sehen.

Kein Werk Heines zeigt dies deutlicher als *Die Harzreise*, die im Jahre 1826 erschien. Das Erscheinungsjahr erweist, daß das Werk in derselben Zeit entstand wie das *Buch der Lieder*, 5 so verschieden die beiden in Ton und Inhalt auch sein mögen. Aber der Grund für die Verschiedenheit liegt nicht in dem Gemütszustand des Autors, als er die beiden Werke schrieb. Nichts hatte sich in Heines Leben oder in seiner Umwelt ereignet, was seine Weltanschauung verändert hätte. Er ließ 10 einfach den Interessen und Trieben freien Lauf, die er von jeher gehabt hatte, aber die er sich weitgehend in seiner Lyrik zu zügeln genötigt sah. Das Genre selbst schien das zu verlangen. Sein neues Genre, das er „Reisebilder" nannte, wobei die Betonung mehr auf „Bild" lag als auf „Reise" — die Reise 15 ist nur der Rahmen für seine Beobachtungen — diese neue Form der Prosa gab ihm die Freiheit, die er brauchte. Nun war er in der Lage, die vielen widersprüchlichen Stimmungen und Ideen seiner Zeit unmittelbar auszudrücken.

Heine machte ausgiebig Gebrauch von dieser neuen künstle- 20 rischen Freiheit, oder, um genau zu sein, er erschuf sie sich, um Gebrauch von ihr zu machen. Alles in *Die Harzreise* scheint spontan zu sein. So wie er in seiner Lyrik in der Lage war, die natürlichen Töne und Rhythmen der Sprache einzufangen, so fängt er in seiner Prosa den natürlichen Ablauf der Gedanken 25 ein. Wenn er zu schreiben beginnt, hat man den Eindruck, daß er noch nicht weiß, wo er enden wird. Aber er ist sich darüber klar, wo er ankommen will: nämlich in der entgegengesetzten Richtung, von wo er ausging. Dies ist der Fall nicht nur, wenn es ihm offensichtlich auf Humor oder Satire ankommt, 30 was man einfach als literarische Technik auffassen könnte,

sondern auch, wenn er seine Phantasie frei spielen läßt und niederschreibt, was ihm in den Sinn kommt. Er scheint instinktiv und unvermeidlich in Gegensätzen zu denken. Der Leser fängt an, ihn zu verstehen, wenn er selber so zu denken beginnt, wenn
5 der Geist der Komik ihn dazu gebracht hat, die Logik von Ursache und Wirkung aufzuheben und gerade das Unerwartete zu erwarten.

Die Harzreise enttäuscht in dieser Hinsicht nicht. Gleich ihr erster Satz ist eine Übung im Zusammenspiel der Gegensätze.
10 Alles ist auf den Kopf gestellt. Das Göttingen, das Heine beschreibt, ist nun nicht mehr in erster Linie berühmt wegen seiner Universität, sondern wegen seiner Würste, und erst an zweiter Stelle für seinen Tempel des Wissens. Die Kirchen der Stadt, die in jedem gewöhnlichen Reiseführer genannt und
15 beschrieben würden, werden hier mit dem nichtssagendsten und plattesten Adjektiv eingeführt: er charakterisiert sie als „divers". Andrerseits gibt er die Zahl der Wohnungen an, und zwar als 999, eine Zahl, die ebenso absurd ist, wie sie genau zu sein scheint. Nur eine Institution hält Heine über-
20 haupt einer, wenn auch flüchtigen, Charakterisierung für würdig, und das ist der Ratskeller. Aber er erwähnt nichts von dem Altertumswert oder der historischen Bedeutung, die er wahrscheinlich hat, er sagt lediglich, das Bier dort sei gut. Und so geht es weiter. Die Bewohner von Göttingen werden in
25 vier Klassen eingeteilt: Studenten, Professoren, Philister und Vieh. Der letzteren wird, wie man von Heines Logik der Unlogik bereits erwarten kann, die größte Bedeutung zugesprochen. Er behandelt die Stände der Reihe nach und weist darauf hin, daß er sich nicht an die Namen aller Studenten
30 erinnern kann, und daß es unter den Professoren sogar einige gibt, die überhaupt keinen Namen haben. In einem ernsteren

Hinweis stellt er fest, daß an einer Universität ein ständiges
Kommen und Gehen von Studenten herrscht, jedes dritte Jahr
bringt eine neue Generation hervor, jede Semesterwelle ver-
drängt die vorhergegangene, und nur die alten Professoren
bleiben stehen in dieser allgemeinen Bewegung, wie — und nun 5
hat Heine einen Hebel für seine Ironie gefunden — wie die
Pyramiden von Ägypten, nur daß in diesen Universitätspyra-
miden keine Weisheit verborgen ist. Aber das ist keineswegs
das Ende der Ironie. Überall finden sich Widersprüche, entgegengesetzte Gedanken oder Stimmungen, die irgendwo in einem 10
Satz oder in einem Gedicht warten, irgendwo in einem Hinter-
gedanken Heines. Die Tatsache, daß wir wissen, daß sie da
sind, vergrößert paradoxerweise noch unsere Überraschung.

Aber dies bezieht sich darauf, *wie* man Heine liest, nicht
warum man ihn liest. Trotz der Unberechenbarkeit des 15
Komischen lassen sich aus dem Text der *Harzreise* Einsichten
in das Leben, die Politik und den Lauf der Welt ziehen, die
sich bei näherem Hinsehen als gültig erweisen. „Der Ernst tritt
um so gewaltiger hervor, wenn der Spaß ihn angekündigt",
bemerkte Heine einmal. Er mag nur um des Humors willen 20
das Gewicht verlagern, aber wie alle genialen humoristischen
Schriftsteller setzt er schließlich den Akzent dort, wo er, wie
man plötzlich entdeckt, hingehört. Wenn er von den vier
Ständen in Göttingen das Vieh als den wichtigsten bezeichnet,
erlaubt er sich nicht nur einen Scherz, sondern macht dabei 25
eine sehr bittere Aussage über die Gewöhnlichkeit der Masse,
die den Charakter der Stadt bestimmt. Wenn er für die Kirchen
nur das Adjektiv „divers" hat, zeigt er, welch eine unter-
geordnete Rolle ihre verschiedenen Konfessionen im Leben
spielen. Dies ist Satire, und sie hat ihren tieferen Sinn. Der 30
Idealist — und der Humorist ist von Natur aus der Feind des

Idealisten — mag diejenigen Seiten des Lebens betonen, die assoziativ seinem eigenen Charakter und dem Charakter des Menschen im allgemeinen gewisse Würde und Adel verleihen, aber damit wollte Heine nichts zu tun haben. Sein ironischer
5 Instinkt richtete sich gerade darauf, dieses Gewand des Idealismus umzuwenden, um zu zeigen, wie seine fadenscheinige Seite aussieht. Es ist eben so, daß Ironie für Heine nicht nur eine Art zu schreiben, sondern eine Art das Leben zu betrachten ist.

10 Jedoch ist *Die Harzreise* eher ambivalent als bewußt kritisch. In ihrer eigenartigen Stellung zwischen dem, was war und dem, was bevorstand, scheint sie ebenso oft auf das Vergangene zurückzugreifen, wie sie das Künftige vorwegnimmt. So wie in *Buch der Lieder* das Romantische und das Alltägliche in einen
15 neuen künstlerischen Zusammenhang gebracht wurden, so treten in *Die Harzreise* gesellschaftliche Satire und rein lyrische Elemente Hand in Hand auf und ergänzen sich genau so. Die Gedichte und die lyrischen Prosastellen, die, wenn sie für sich stünden, den Verdacht der Sentimentalität erwecken könnten,
20 werden in *Die Harzreise* vor dieser literarischen Sünde bewahrt durch die Skepsis, den Humor und den Witz. Aber die Zusammenhänge haben in diesem Sinne nicht nur eine negative Aufgabe. Ihre positive Wirkung ist, wie in *Buch der Lieder*, den verschiedenen Elementen neue Abstufungen der Bedeutung
25 und des Gefühls zu verleihen. Der Ernst tritt um so gewaltiger hervor, wenn der Spaß ihn angekündigt, aber auch das Romantische scheint auf seine Art umso bedeutungsvoller zu werden, wenn es vor die Folie der Kraßheit und Absurdität des Lebens gestellt wird, und die Kraßheit und Absurdität
30 selber umso menschlicher, wenn sie zusammen mit dem lyrischen Ton auftreten. All das und darüber hinaus Heines Brillanz der

Sprache und der Metaphorik werden in dem folgenden Absatz aus *Die Harzreise* veranschaulicht:

> Ich stand am Fenster und betrachtete den Mond. Gibt es wirklich einen Mann im Monde? Die Slawen sagen, er heiße Clotar, und das Wachsen des Mondes bewirke er durch Wasseraufgießen. Als ich noch klein war, hatte ich gehört: der Mond sei eine Frucht, die, wenn sie reif geworden, vom lieben Gott abgepflückt und zu den übrigen Vollmonden in den großen Schrank gelegt werde, der am Ende der Welt steht, wo sie mit Brettern zugenagelt ist. Als ich größer wurde, bemerkte ich, daß die Welt nicht so eng begrenzt ist, und daß der menschliche Geist die hölzernen Schranken durchbrochen und mit einem riesigen Petrischlüssel, mit der Idee der Unsterblichkeit, alle sieben Himmel aufgeschlossen hat. Unsterblichkeit! schöner Gedanke! wer hat dich zuerst erdacht? War es ein Nürnberger Spießbürger, der, mit weißer Nachtmütze auf dem Kopfe und mit weißer Tonpfeife im Maule, am lauen Sommerabend vor seiner Haustüre saß und recht behaglich meinte: es wäre doch hübsch, wenn er nun so immerfort, ohne daß sein Pfeifchen und sein Lebensatemchen ausgingen, in die liebe Ewigkeit hineinvegetieren könnte! Oder war es ein junger Liebender, der in den Armen seiner Geliebten jenen Unsterblichkeitsgedanken dachte, und ihn dachte, weil er ihn fühlte, und weil er nicht anders fühlen und denken konnte?

Aber Phantasie, Lyrik und Satire, selbst wenn sie wie hier auf so vollkommene Weise verbunden sind, spiegeln immer noch nicht die volle Spannweite von Heines humoristischem Genie wider. Er erreicht manchmal eine Ebene des Humors, die über den Humor hinausgeht. Dies ist die Ebene des komischen Mythos. So wie es heroische Mythen gibt, die uns, obwohl sie

159

der Wirklichkeit entrückt sind, immer noch ansprechen, so
gibt es auch komische Mythen, die ebenso suggestiv und be-
deutungsvoll sind, obgleich wir ihren Sinn auch nicht ganz
ausschöpfen können. Eine Gestaltung dieser Art in *Die*
5 *Harzreise* ist Dr. Saul Ascher, der Heine in einem Traum
erscheint. Und nur Heine hätte so von ihm träumen können.
Er ist eine lächerliche und zugleich sympathische Figur, Gegenstand der Satire und gleichzeitig Ursprung einer seltsamen
Tragik, eine ganz und gar undenkbare Figur, und doch un-
10 mittelbar und echt, wie Don Quixote, nur daß er so kurze Zeit
in der Hand seines Schöpfers lebt und handelt und wieder
verschwindet. Seine Welt und seine Philosophie ist die Vernunft,
und in seinem ganzen Wesen drückt sich sein Denken aus. Er
war, berichtet Heine satirisch, eine personifizierte gerade Linie,
15 ein Mann, der in seinem Streben nach dem Positiven alles Herrliche aus dem Leben herausphilosophierte, alle Poesie und allen
Sonnenschein, um am Ende nichts als das kalte positive Grab
zu haben. Der gute Doktor stirbt schließlich, aber gewinnt erst
jetzt wirkliches Leben in Heines Traum. Als Geist sieht er
20 genau so aus wie vorher, nur — und hier zeigt sich wieder
Heine als glänzender Satiriker — etwas gelber im Gesicht, den
Mund, der zu seiner Lebenszeit zwei Winkel von 22½ Grad
bildete, jetzt zusammengekniffen und der Radius seiner Augen
etwas größer. Sonst ist er unverändert, denn selbst als wirkliches
25 Gespenst erlaubt ihm seine Vernunft nicht, die Existenz von
Geistern zuzugeben. Und wenn er Heine erscheint, verbringt er
die ganze Zeit damit, eben das zu beweisen, und zwar unter
Hinweisen auf Kants *Kritik der reinen Vernunft*, mit einem
Syllogismus nach dem anderen, während Heine dabeisteht, mit
30 klappernden Zähnen, in größter Furcht auf alles eingehend,
was der gute Doktor will. An einem gewissen Punkt, wie immer,

wenn er dozierte, fährt der Doktor mit der Hand in die Tasche,
um auf die Uhr zu schauen und zieht nicht eine Taschenuhr
hervor, sondern eine Handvoll Würmer, die er, als er seinen
Irrtum bemerkt, blitzschnell wieder in die Tasche zurückschiebt.
Dann schlägt die Uhr Eins und unterbricht den Doktor in dem 5
Augenblick, als er gerade wieder einmal behaupten will, die
Vernunft sei das höchste Prinzip. Der Geist verschwindet.

Dies ist mehr als Satire und Humor: es ist das Produkt
schöpferischer Phantasie in reinster Form, das sich nicht analysieren läßt. Dasselbe gilt für das rein Lyrische, wie man in *Die* 10
Harzreise und in *Buch der Lieder* sieht, daß sie nämlich in
ihren besten Stellen am schwierigsten zu deuten sind. Denn
Humor ist eine Art Weltanschauung und nicht lediglich eine
Art, diese Anschauung auszudrücken. Ihn in die Begriffe der
Logik zu verlegen, heißt nicht nur, seine Ausdrucksweise son- 15
dern seine tiefere, ‚poetische' Bedeutung zu ändern.

Nachdem Heine in *Die Harzreise* einmal seinen Stil gefunden
hatte, schrieb er eine Reihe von Reisebildern in derselben freien
Form. So erfolgreich sie zu ihrer Zeit waren, und so gern
wir heute bereit sind, in ihnen Beispiele der besten Prosa in 20
deutscher Sprache zu sehen, für Heine blieben sie jedoch immer
noch hinter seinen höchsten Idealen als Dichter zurück. Zwar
sprach er davon, die Lyrik aufzugeben, um sich in der Prosa
einen Namen zu machen. Doch blieb er zu sehr der echte
Dichter, um mit diesem Kompromiß lange leben zu können. 25
Er schrieb sogar trotz seiner Erklärung weiterhin Gedichte,
wenn auch mit größeren Bedenken als vorher. Zu diesem
Zeitpunkt geschah nun das Ereignis, das notwendigerweise
sein ganzes Leben und seine Weltanschauung verändern

Heinrich Heine

mußte. Er hatte Deutschland verlassen. Er hatte den an-
wachsenden Konservatismus und Antiliberalismus in seinem
Heimatland gespürt und sich entschlossen, die freiere intellektuelle und politische Luft von Paris zu atmen. Seine Wahl
5 war richtig. 1835, nur wenige Jahre nach seiner Auswanderung nach Paris, erließ der Bundestag zu Frankfurt ein Edikt,
das den Druck und Verkauf seiner Bücher verbot. Aber Paris
war weniger ein Zufluchtsort für Heine als eine Festung,
von der aus er die Mißstände seiner Zeit wirkungsvoller an-
10 greifen und die Gebote seiner neuen Freiheitsreligion propagieren konnte. Die Schriften, die aus diesen ersten Jahren im
Exil stammen, wurden auch geschrieben, um die Politik, Philosophie, Religion und Literatur der Deutschen den Franzosen und
die der Franzosen den Deutschen zu erklären. Und sie sind fast
15 vollkommen frei von dem Trieb zur Romantik und zum Traum.
Das heißt nicht, daß Heine seine poetische Gabe und seinen
Humor verloren hätte. Selbst in *Zur Geschichte der Religion
und Philosophie in Deutschland* findet er mitten in seinen
ernsten Erläuterungen Zeit zu erzählen, wie die Bewohner von
20 Königsberg, wenn sie den großen Philosophen Immanuel Kant
auf seinem täglichen pünktlichen Spaziergang sahen, ihn
grüßten und vielleicht ihre Uhren nach ihm stellten. Oder
man fühlt sich in diesem Zusammenhang erinnert an die teils
kritische, teils komische und teils wahre Charakterisierung in
25 *Die Romantische Schule* der Werke E. T. A. Hoffmanns
als „ein entsetzlicher Angstschrei in 20 Bänden". Doch alle
Größe der Phantasie und Tiefe der Einfühlung in der Prosa-
form befriedigte einen Dichter nicht, der das Gefühl hatte, er
sei dazu geboren, sich in Versen auszudrücken.
30 Heine tat eben das. Er behandelte die Probleme seiner Zeit

162

und seines Landes in längeren Gedichten wie *Atta Troll* und *Deutschland. Ein Wintermärchen.* Aber das Resultat war immer noch nicht ganz das, was wir als gleichmäßig große Dichtungen bezeichnen könnten. Wenigstens zeigen sie nicht die Größe, derer er, wie wir seit *Buch der Lieder* wissen, fähig war. Viel- 5 leicht lag es am Inhalt selbst. Zeitgemäße Probleme sind zeitgebundene Probleme, und sie dauern nur fort, wenn in ihnen etwas Zeitlos-Universales enthalten ist. In diesen Gedichten sind zwar neu geschaffene ,Mythen' und Symbole wie in seiner Prosa, aber sie werden oft durch das Aktuelle und Persönliche 10 verschleiert. In seinem Eifer, wirkungsvoll anzugreifen, verwechselte Heine manchmal seine Waffen mit seinen Zielen.

Aber wenigstens in *Atta Troll*, obwohl er sich selbst dessen vielleicht nicht bewußt war, war Heine auf ein literarisches Genre gestoßen, das durchaus sein permanentes Dilemma 15 zwischen Kunst und sozialer Verantwortung hätte lösen können. Es war die Fabel. Der Vorteil dieser literarischen Form bestand darin, daß sie eine große Tradition hatte. Und Tradition war genau das, was Heines Stil in Prosa wie in satirischer Lyrik fehlte. Es gibt keine Dichtungen in der deutschen Literatur 20 oder in der Weltliteratur, die uns dabei helfen können, den seinen gerecht zu werden. Diese Schwierigkeit steht noch heute der völligen Anerkennung seines Genius im Wege. Die Fabel andrerseits hat ihren Ursprung im Ursprung der Dichtung selbst. Ihr Zweck ist auch der Zweck des Heineschen 25 Werkes, nämlich der Ausdruck wesentlicher Gedanken in lebendiger Bildsprache. Wenn Heine sich der Fabel bedient, steht er in keiner Weise hinter anderen zurück. Die Kapriolen und Einsichten des Tanzbären Atta Troll, wenn sein Autor ihn im Zügel hat, gehören hierher. Oder wir könnten auf das 30

Heinrich Heine

Gedicht „Die Wanderratten" hinweisen, eine bittere Fabel
der Massenbewegungen der Menschheit, die auf lange Zeit ihre
Bedeutung behalten wird:

> Es gibt zwei Sorten Ratten:
> 5 Die hungrigen und satten.
> Die satten bleiben vergnügt zu Haus,
> Die hungrigen aber wandern aus.

Zu einer weiteren Entwicklung dieser Form sollte es jedoch
nicht kommen.

10 Heine war am Ende seines Lebens, dem Tode verfallen
durch eine Krankheit, die ihn in seinen letzten Jahren in einer
„Matratzengruft", wie er sie nannte, in Paris wie begraben hielt.
Die Gedichte, die aus dieser letzten Periode stammen, Gedichte, die er vorher im Kopfe ausarbeitete und von seinem
15 Krankenbett aus diktierte, kehrten manchmal zu der Einfachheit und Zärtlichkeit seiner frühen Lyrik zurück, manchmal
brach auch wieder die Bitterkeit durch, und manchmal, wie in
„Morphine", erreichten sie eine Höhe klassischen Ausdrucks,
der einen völlig neuen Aspekt seines lyrischen Genies enthält.
20 Er greift hier das alte Thema vom Schlaf und vom Tod auf:

> Groß ist die Ähnlichkeit der beiden schönen
> Jünglingsgestalten, ob der eine gleich
> Viel blässer als der andre, auch viel strenger,
> Fast möcht' ich sagen viel vornehmer aussieht
> 25 Als jener andre, welcher mich vertraulich
> In seine Arme schloß — wie lieblich sanft
> War dann sein Lächeln, und sein Blick wie selig!

164

Heine starb im Jahre 1856. Er hat nie auf lange den Dichter und den Denker in sich vereinigt. Er hat vielleicht nie ganz das letzte Ziel erreicht, das er sich gesetzt hatte und das er in seinem idealen Dichter, Jehuda ben Halevy, sah:

> Durch Gedanken glänzt Gabirol   5
> Und gefällt zumeist dem Denker,
> Iben Esra glänzt durch Kunst
> Und behagt weit mehr dem Künstler.
>
> Aber Beider Eigenschaften
> Hat Jehuda ben Halevy,   10
> Und er ist ein großer Dichter
> Und ein Liebling aller Menschen.

Wenn Heine auch sein literarisches Ziel, die vollkommene Verbindung von tätigen Gedanken und Poesie, nicht so erreichte, wie er es sich wünschte, so war die Wirkung seiner 15 Werke doch die gleiche. Kein Dichter wurde zu seinen Lebzeiten mehr gelesen, kein Denker war herausfordernder. Seit seiner Zeit haben sich Lyrik und Zeitprobleme weiter und weiter voneinander entfernt, so daß sie heute fast unvereinbar scheinen. Aber sollten sie sich in der Entwicklung der Literatur 20 wieder einmal vereinigen, um eine neue Tradition zu bilden, wird der neue Lyriker nicht umhin können, sich an Heine zu wenden, um Inspiration und auch Einsicht in die Schwierigkeiten seiner Aufgabe zu finden.

John Gearey

Fairley, Barker. *Heine: An Interpretation.* Oxford, 1954.
Lukács, Georg. *Deutsche Realisten des 19. Jahrhunderts.* Berlin, 1951.

Heinrich Heine

Marcuse, Ludwig. *Heinrich Heine in Selbstzeugnissen und Bild-dokumenten.* Hamburg, 1960.
Marcuse, Ludwig. *Heinrich Heine. Ein Leben zwischen Gestern und Morgen.* Berlin, 1932.
Prawer, S. S. *Heine's „Buch der Lieder".* London, 1960.

Franz Grillparzer

1791-1872

Wenn ein Dichter sich nicht leicht kategorisieren und einer literarischen Bewegung zuordnen läßt, wird er von der Literaturgeschichte gewöhnlich stiefmütterlich behandelt. So ist es Franz Grillparzer ergangen. Obwohl er chronologisch noch in die Romantik gehören würde — er war drei Jahre jünger als [5] Eichendorff und sechs Jahre älter als Heine — kann man ihn doch nicht als romantischen Dichter ansehen. Während die Romantiker mit dem Genre des Dramas nicht viel anzufangen wußten, war Grillparzer vor allem Dramatiker. Wo die Landschaft für die Romantiker als Inbegriff aller Poesie angesehen wurde, [10] spielt sie bei Grillparzer keine nennenswerte Rolle. Das wichtigste und beliebteste Genre der Romantiker war die Lyrik, — Grillparzers wenige Gedichte sind nicht bedeutend. Metaphysik

und das Irrationale, für die Romantiker Anfang und Ende aller Poesie, waren Grillparzer wesensfremd. Theorien und Philosophien der Dichtung, ein noch immer nachwirkendes Erbe der deutschen Romantik, konnten ihn böse machen. Es
5 ist nun seltsam, daß Grillparzer sich ebensowenig unter die Realisten einreihen läßt. Gerade wie Kleists Dichtung, zwischen Klassik und Romantik stehend, vor allem des Dichters individuelle Züge trug, so spiegeln auch Grillparzers Werke weder den Geist der Romantik noch den des Realismus, sondern sie
10 zeigen vor allem des Dichters eigenstes Wesen.

Grillparzers Gleichgültigkeit gegenüber der Literatur seiner Zeit, der Romantik, erklärt sich zum Teil aus der Tatsache, daß er Österreicher war. In Österreich hatte sich die Romantik nie so stark durchgesetzt wie in Deutschland. Überhaupt hat
15 die Entwicklung der österreichischen Literatur im allgemeinen keine so extremen Bewegungen und Gegenbewegungen aufzuweisen wie die der deutschen. In Deutschland folgte die Romantik als eine radikale, die ganze Denkweise einer Epoche umstürzende Reaktion auf die Aufklärung, und der Kampf
20 zwischen Aufklärern und Romantikern wurde mit großer Erbitterung ausgefochten. Dagegen war in Österreich von einer gewaltsamen Änderung nichts zu verspüren. Der Grund hierfür liegt in der kulturellen Tradition Wiens und Österreichs. Die Verdrängung der eigenen Kultur durch fremde Einflüsse, die
25 in Deutschland Lessing mit scharfer Zunge bekämpfte, war auch in Österreich im späten siebzehnten und frühen achtzehnten Jahrhundert vorherrschend gewesen. Maria Theresia (1740-1780), die große Habsburger Kaiserin, und ihr Sohn Joseph II. (1780-1790) bemühten sich, sehr im Gegensatz zu ihrem
30 großen preußischen Gegenspieler Friedrich II., um eine Wiederbelebung der eigenen Kultur, aber auf dem Gebiet der Dichtung

sah es in Österreich trotzdem noch auf Jahrzehnte hin dunkel aus. Es gab keine Bewegung, die dem deutschen Sturm und Drang vergleichbar war, und auch keine Klassik, abgesehen von einigen Nachahmern des Weimarer Geistes. Es gab wohl einige aufklärerische Dichter, vielleicht noch sarkastischer und 5 bissiger als die in Deutschland, aber es handelte sich dabei um keine Bewegung, die etwa wie in Deutschland eine radikale Gegenbewegung ausgelöst hätte. Überhaupt wurde die Literatur in Österreich nie als ein Teil einer philosophischen oder historischen Epoche angesehen, nie als etwas durch Programme 10 und Manifeste zu bestimmendes — wie etwa die Politik —, sondern mehr wie bei den romanischen Völkern als eine höchst intime Kunstform, die nur unbewußte Reaktionen auslöst und mit intellektuellen Begriffen nicht erfaßt werden kann.

Grillparzer wird oft der „deutsche Shakespeare" genannt, 15 oder doch unter allen deutschen Dramatikern der, der Shakespeare am nächsten kommt. Ob das richtig ist, sei dahingestellt. Interessant ist es, daß Grillparzers Verwurzelung in Österreich, im besonderen in Wien, es überhaupt erst möglich machte, ihn in einem Atem mit Shakespeare zu nennen. In Wien fand 20 Grillparzer eine starke Theatertradition vor, wie es sie in Deutschland zu der Zeit nirgends gab. Keine noch so verschiedenartigen Einflüsse hatten je die Theaterfreudigkeit Wiens schwächen können. Die starke Wirkung Italiens und Spaniens in der Barockzeit haben sie wohl noch verstärkt. Schon 25 1708 war in Wien ein permanentes Theater gebaut worden, in dem bald nach Eröffnung die italienische *Commedia dell'arte* (Stegreifkomödie) zu sehen war, und das schnell zu einer echten Volksbühne wurde. Aber auch die Hofgesellschaft war dort zu finden, und offiziell wurde das Theater als ein Hoftheater 30 geführt. Ab 1741 gab es in Wien zwei Hoftheater. Eines von diesen, das „Königliche Theater nächst der Burg", wurde als „Burgtheater" die führende Bühne des deutschen Sprachraums und ist es wohl heute noch. Dort wurden fortan literarisch bedeutende Stücke gegeben, während das andere Hoftheater, 5 das „Theater am Kärntner Tor", lange die wichtigste der vielen Volksbühnen Wiens blieb. Dort behauptete sich die Stegreifkomödie auch weiterhin und bildete sich sogar zu einer bestimmten literarischen Form aus, die auch dem Publikum außerhalb Wiens auf einem Umweg bekannt geworden ist: 10 Mozarts Opern und Singspiele — z.B. Teile der *Zauberflöte* — stehen völlig in der Tradition des Wiener Volksbühnenstils. Der Burgtheater- und Volksbühnenstil waren niemals ganz entgegengesetzt; besonders wurde der hohe Stil des Burg-theaters immer wieder durch letzteren aufgelockert. Aus all 15 dem geht klar hervor, daß der Dramatiker Grillparzer mit einem theatererfahrenen Publikum rechnen konnte und auch selbst, bewußt oder unbewußt, in einer deutlich ausgeprägten Theater-tradition stand. Er brauchte nicht, wie so viele deutsche Dra-matiker, in einem geistigen Vakuum zu schreiben, das sich oft 20 zerstörend auf die dramatische Form auswirkte. Ganz abge-sehen von der Qualität der einzelnen Dramen Grillparzers fällt sofort deren Bühnenechtheit, ja oft Theatralik ins Auge. Man erkennt den Dichter, der für das Theater schrieb, der Stücke verfaßte, die nicht für Lektüre, sondern für die Bühne be-25 stimmt waren. Daß Grillparzers Dramen dann doch von seinem Wiener Publikum zum guten Teil abgelehnt wurden, ist, wie noch gezeigt werden soll, eine tragische Ironie innerhalb seines persönlichen Lebens.

Verglichen mit den Klassikern Lessing oder Schiller läßt 30 Grillparzer sich bereits als ein moderner Dichter bezeichnen. Während bei den ersteren der Dichter und sein persönliches

Schicksal im Hintergrund stehen und vom Werk scharf getrennt bleiben, zeigen sich bei Grillparzer schon deutliche Spuren der Selbstdarstellung. Grillparzers komplizierte Persönlichkeit, seine Kämpfe und Enttäuschungen fanden immer wieder indirekt Einlaß in seine Werke und wurden in einem Fall sogar der 5 Gegenstand eines solchen. Das Leben des Dichters war äußerlich weder ereignisreich noch abenteuerlich. Die Jahre seiner Bildung und männlichen Reife fielen in die sogenannte Zeit des Vormärz, also die Zeit zwischen den Napoleonischen Kriegen und der Revolution im März 1848. Es war eine Periode 10 geistiger Unfreiheit und strenger reaktionärer Zensur. Im Gegensatz zu vielen anderen Dichtern der Zeit erging sich Grillparzer in keinen großartigen geistigen Kämpfen gegen diesen staatlichen Druck und hatte nur die üblichen Reibereien mit den Zensurbehörden. 15

Grillparzer wurde 1791 in Wien als Sohn eines angesehenen Rechtsanwalts geboren. Die Mutter stammte aus einer sehr kunstliebenden Familie, bei der vor allem viele Musiker, u. a. Haydn und Mozart, zu Gast waren. Diese Liebe zur Musik vererbte sich stark auf den Dichter, der musikalisch gut geschult 20 war, ein wenig komponierte und vor allem gern auf dem Klavier phantasierte. Das Ehepaar bildete einen großen äußerlichen Kontrast: der Vater, im Grunde gutherzig und wohlmeinend, gab sich als ein nüchterner Verstandesmensch, der jede Regung der Phantasie als etwas Ungehöriges unterdrückte. Die Mutter, 25 das reine Gegenteil, war von krankhafter Empfindsamkeit. Sie beging später in einem Wahnsinnsanfall Selbstmord. Franz erlebte eine unglaublich chaotische Erziehung durch Hauslehrer und besuchte dann auf Wunsch des Vaters die Universität, um

gleich ihm das Rechtswesen zu studieren. Obwohl er gute Fortschritte machte, hatte er am Studium überhaupt keine Freude
und studierte nur dem Vater zuliebe. Sein wahres Interesse galt
längst der Literatur. Nach dem plötzlichen Tod des Vaters ge-
5 riet die Familie in große Armut. Franz brachte trotz aller Hinder-
nisse seine Rechtsstudien zum Abschluß und trat in den Staats-
dienst. Unterdessen war er auch schon als Dramatiker bekannt
geworden. Daneben machte er sich mit der griechischen, römi-
schen, spanischen, englischen und französischen Literatur be-
10 kannt, deren Werke er alle in den Originalsprachen las. Grillparzer war einer der belesensten und sprachkundigsten deutschen Dichter. Seine zahlreichen feinen kritischen Einblicke in
die Weltliteratur zeigen ihn als einen hochgebildeten Leser. Im
Jahre 1831 erhielt er die Stelle des Direktors am „Hofkammer-
15 archiv", dem offiziellen staatlichen Archiv Österreichs. Er be-
dauerte diesen Schritt sofort, aber er war nicht mehr rückgängig
zu machen. Sein Amt bot nicht das geringste geistige Interesse.
Er hatte für kleine Rechtsstreitigkeiten staubige Dokumente zu
exzerpieren, Aktenbündel in Ordnung zu halten, Berichte zu
20 schreiben, und dergleichen mehr. Andererseits war er mit Arbeit
keineswegs überlastet und fand genug Zeit für seine eigenen
Interessen. Er verblieb im Hofkammerarchiv bis zu seiner Pensionierung im Jahre 1856.

Wie sein berufliches, blieb auch Grillparzers persönliches
25 Leben unerfüllt. Seinem Wesen nach menschenscheu, führte er
ein einsames Junggesellendasein und verbrachte viel Zeit in
stillen Kaffeehäusern. Trotzdem unterhielt Grillparzer eine
höchst merkwürdige Liebesbeziehung. 1821 verlobte er sich mit
einer jungen Wienerin, Katharina Fröhlich. Freunde und Be-
30 kannte sahen in den beiden ein ideales Paar, und doch kam eine
Heirat nie zustande. Kathi Fröhlich wurde weder Grillparzers

Frau noch seine Geliebte. Die Gründe hierfür waren verborgener
seelischer Art, — Grillparzer hat sich nie darüber genau ausgesprochen. Bloß in einem Gedicht sagte er einmal, nur zwei Hälf-
ten könnten je ganz zusammen passen; er und seine Braut wären
aber jedes für sich ein Ganzes. Es scheint, daß Kathi ein so leb- 5
hafter, stark ausgebildeter Charakter war, daß der zurückhal-
tende, unsichere Grillparzer vor ihrer überwältigenden Persönlichkeit irgendwie Angst verspürte. Während nun die beiden
nicht miteinander zu leben vermochten, konnten sie es ohne einander ebensowenig. Trotz aller Zänkereien fand Grillparzer 10
immer wieder zu ihr zurück. Aus der Liebe wurde mit den
Jahren eine Freundschaft, und Kathi und zwei ihrer Schwestern
sorgten rührend für den in allen praktischen Dingen recht
hilflosen Dichter. Später nahmen sie den Sechzigjährigen zu sich
in die Wohnung auf. Grillparzer lebte fortan bei den drei 15
Schwestern — den drei Parzen, wie ein Freund sie nannte — bis
an sein Lebensende (1872).

Grillparzers Laufbahn als Dramatiker war ebenso voll von
Enttäuschungen wie sein persönliches Leben. Die ersten beiden
Stücke, mit denen Grillparzer vor das Publikum trat, wurden 20
begeistert aufgenommen. Beim dritten war man bereits kühler,
das vierte wurde nach wenigen Aufführungen wieder vom Spielplan abgesetzt. Nach dem völligen Mißerfolg eines Lustspiels
im Jahre 1838 brachte Grillparzer bis zu seinem Tode kein neues
Stück mehr auf die Bühne. Er verfaßte zwar noch weiterhin 25
Dramen, aber nur für seine Schreibtischschublade.

Sein erstes Drama, mit dem er gleich großes Aufsehen erregte
und berühmt wurde, war ein Gespensterstück und hieß *Die Ahnfrau* (1817). Es stand zum Teil in der Tradition der Wiener
Volksbühnen, zum Teil hat Grillparzer hier schon seine eigenen 30
inneren Erlebnisse zu gestalten versucht. Ein alles umfassendes

Angstgefühl — man könnte es als existenzielle Angst ansehen —, symbolisiert durch das Gespenst der Ahnfrau, unterliegt der Handlung und bestimmt sie. Nach dem Erfolg dieses Stückes erkannte Grillparzer leicht die Gefahr, daß sein Name für immer
5 mit Räuber- und Gespensterstücken verbunden werden könnte und wandte sich respektableren Themenkreisen zu. Der Großteil seines weiteren dramatischen Schaffens gruppiert sich in zwei Gattungen: Stücke mit klassisch-mythologischen Themen einerseits, und historische Dramen andrerseits, vor allem über
10 Ereignisse aus der österreichischen Geschichte. Zu ersteren gehören *Sappho* (1818), die Tragödie der griechischen Dichterin, die einen einfachen, geistig ihr nicht ebenbürtigen Jüngling liebt; die Trilogie *Das goldene Vließ* (1820), eine Neubehandlung des Medea-Stoffes; und *Des Meeres und der Liebe Wellen*
15 (1831), eine Dramatisierung der Sage von Hero und Leander. Unter den historischen Dramen Grillparzers sind die bedeutendsten *König Ottokars Glück und Ende* (1823), *Ein treuer Diener seines Herrn* (1828) und *Ein Bruderzwist in Habsburg*, eines der späten Stücke, die Grillparzer nach Fertigstellung in seinen
20 Schreibtisch verschloß und da liegen ließ.

König Ottokars Glück und Ende, Grillparzers bekanntestes und meistgespieltes Stück, handelt in der verworrenen Zeit des Interregnums im dreizehnten Jahrhundert. Ottokar, König von Böhmen, strebte die deutsche Kaiserkrone an, die aber dann der
25 Graf Rudolf von Habsburg erhielt. Darauf zog Ottokar gegen Rudolf zu Felde, verlor aber die entscheidende Schlacht und zugleich sein Leben (1278). Aus diesen geschichtlichen Tatsachen arbeitete Grillparzer in seinem Drama vor allem ein Thema

heraus, das ihn seit dem *Goldenen Vließ* immer wieder fesselte: die Tragik der Hybris, des Frevelmutes. Ottokar verkörpert sie. Ein steiler, glanzvoller Aufstieg verführt zum Mißbrauch der Macht, zu moralischer Verschuldung, und endet in Sturz und Katastrophe. Der Beginn des Stückes zeigt Ottokar auf der 5 Höhe seines Glückes: er kommt siegreich aus einem Feldzug gegen die Ungarn heim, neue Länder fügen sich seinem Königreich ein, er ist der größte Fürst Deutschlands. Ottokars Gewalt ist größer als die des Reiches. Als bei Ankunft der Gesandten der Wahlversammlung jemand verfrüht ausruft „Heil Ottokar, 10 dem deutschen Kaiser!", spricht Ottokar: „Nun Erde, steh mir fest;/ Du hast noch keinen Größeren getragen!" Von Beginn des Stückes an besteht kein Zweifel, daß es der Größe Ottokars bestimmt ist, unterzugehen. Sie ist nur Schein, sie ist äußerlich und beruht auf Täuschung. Es ist bezeichnend, daß Grillparzer 15 selbst sich keinen Augenblick der Begeisterung an Ottokars Glück hingibt. Der König wird als ein Tyrann hingestellt, der Rücksicht gegenüber seinen Mitmenschen nicht kennt, der Unrecht verübt und zu Grausamkeiten neigt. Dabei wird er aber doch nicht als im Grunde seines Wesens böse dargestellt, wie 20 etwa Shakespeares Richard III., sondern als klarblickender Herrscher, der vom Erfolg verführt wurde und dessen innere, menschliche Entwicklung nicht Schritt halten konnte mit seinem äußeren Glanz. Darin liegt Ottokars Tragik. Menschlich wird er erst dann wesentlich, als das Glück der Welt ihn verlassen 25 hat, als in der entscheidenden Stunde sich die Gefährten seines Glücks gegen ihn kehren und er allein und verlassen stirbt, nachdem er sein eigenes Unrecht erkannt hat. Von allen menschlichen Situationen verstand und fühlte Grillparzer die der Enttäuschung, der hilflosen Resignation am tiefsten und gestaltete 30

sie dichterisch am ergreifendsten. Während Shakespeare alle Gefühlsäußerungen packend und wahr auf die Bühne zu stellen wußte — innigste Liebe und wildesten Haß, höchste Freude und tiefste Trauer — gelingt dies Grillparzer hauptsächlich bei den
5 ruhigen, resignierten Gefühlsaspekten. Seine elegische Natur macht ihn gewissermaßen zum Dichter der Ruhe. Die wildbewegte, kräftig-primitive Welt stand ihm fern, persönlich wie auch dichterisch. Seine Darstellung von Ottokars Schande und Demütigung, vom Abnehmen seiner Kräfte und seiner stillen
10 Verzweiflung hat tatsächlich Shakespearesche Ausmaße. Grillparzers Gestaltung von starken, sprudelnden Gefühlen, von Leidenschaft und sieghaftem Heldentum überzeugen dagegen nicht immer vollkommen.

Ottokars Gegenspieler ist Rudolf von Habsburg. Grillparzer
15 zeigt ihn als ruhig, überlegen, tapfer und vor allem gerecht. Wir sehen ihn stets von der einfachen, menschlichen Seite, ohne den großartigen Glanz Ottokars, aber immer selbstsicher und unwiderstehlich, fast wie eine Naturgewalt. Er ist sich der Größe seine Amtes bewußt und ordnet diesem seine eigene Person
20 unter, steht aber doch jeder Zeremonienhaftigkeit, allem kaiserlichen Pomp, fern. Rudolf bleibt gewissermaßen ein Mann des Volkes, auch als Kaiser. Eine zweite Gegnerschaft erwächst Ottokar in den drei Brüdern Rosenberg, vor allem Zawisch, dem eigentlich negativen Charakter des Stückes. Während
25 Rudolf als Prinzip der Gerechtigkeit herausgestellt und sein Kampf gegen Ottokar als ehrenhaft und notwendig gezeigt wird, bekämpft Zawisch seinen König heimtückisch und hinter dem Rücken. Seine lachende Maske verbirgt einen haßerfüllten Intriganten, der Ottokar berechnend da verletzt, wo es ihn am
30 tiefsten trifft: er macht ihm seine junge Frau abspenstig, er er-

schüttert seinen Stolz, sein Selbstbewußtsein als Mensch und als König.

Während sich Grillparzer in den Dramen griechischer Thematik bewußt von der Theatralik seines Erstlings, *Die Ahnfrau*, und damit von der volkstümlichen Wiener Theatertradition ab- 5 gewandt hatte, griff er in Ottokar wieder ganz vorsichtig auf die einprägsamen, anschaulichen Elemente der Volksbühne zurück. Die griechischen Dramen sollten durch ihre Menschen allein wirken. In *Ottokar* kam ein prächtiges, farbenfrohes Bühnenbild dazu, groß angelegte Massenszenen und eine Freude 10 am rein Optischen, für die das Wiener Theater berühmt ist. Hier machen sie freilich nicht das Wesen des Stückes aus, sondern stehen im bescheidenen Dienst dramatischer Dichtkunst. Einzelne Szenen des Stückes bleiben immerhin schon durch ihre bildliche Prägnanz für immer im Gedächtnis haften. So z. B. der 15 Auftritt im ersten Akt, wo der jugendliche Ottokar, auf der Höhe seiner Erfolge und auch seiner Rücksichtslosigkeit, dem greisen Bürgermeister der Stadt Prag sein Bein hinstreckt, ihm befiehlt, ihm beim Abnehmen der Schienen zu helfen und darauf, als der Bürgermeister ihm nicht schnell und geschickt genug ist, 20 ungeduldig die Schiene selbst wegreißt und schallend mitten in den Saal wirft; oder die Szene im dritten Akt, wo Kaiser Rudolf in seinem, mit dem Reichsadler geschmückten Zelt, sitzt und mit einem Hammer die Beulen in seinem Helm ausklopft; wie Zawisch mit seinem Schwert die Schnüre des Zeltvorhanges 25 durchhaut, so daß die Böhmen ihren Herrn und König vor Rudolf können knien sehen; schließlich der Auftritt, in dem der gedemütigte Ottokar, nach seiner heimlichen Rückkehr nach Prag, auf den Stufen seines eigenen Schlosses sitzt und stumm die Menschen an sich vorbeigehen sieht, deren Schicksal bisher 30

völlig von ihm abhing, die ihn nun aber übersehen oder gar ver-
spotten: der Bürgermeister, die irreredende frühere Geliebte des
Königs, die Königin und ihr Liebhaber Zawisch.

Die Struktur des Dramas ist ungewöhnlich. Ein Aufstieg der
5 Handlung ist nur im ersten Akt zu sehen: Ottokars Erfolge
scheinen einen kurzen Höhepunkt zu erreichen. Vom zweiten
Akt an sinkt sein Stern. Zunächst kehrt sich die junge, heißblü-
tige Königin von ihm ab. Gegen seine Untertanen ergeht sich
Ottokar in zwecklosen Grausamkeiten. Im dritten Akt sieht er
10 seine militärische Macht zusammenbrechen; er beugt sich vor Rudolf. Aber nicht einmal dieser Sieg über sich selbst bleibt ihm
vergönnt: zuerst verspottet Zawisch ihn, dann, im vierten Akt,
tut es die Königin. Bewußt treiben sie ihn in sein Verderben. Obwohl Ottokar weiß, daß er seinem Untergang entgegeneilt,
15 beginnt er aus verletztem Stolz den Krieg von neuem. Der
Ottokar, der im letzten Akt fällt, ist äußerlich nur noch ein
Schatten seiner selbst. Er hat seine Entschlußkraft, seinen früheren Schwung verloren, innerlich sich aber zu einem Menschen
entwickelt, der gelernt hat, Ehrfurcht vor dem Leben zu emp-
20 finden. Sein letzter Monolog, der halb eine Anklage seiner
selbst, halb ein Gebet zu Gott ist, steht in prinzipiellem Gegensatz zu seiner herrisch-grausamen Haltung im ersten Akt. Er,
für den bisher ein Menschenleben nur dann Sinn bekam, wenn
es seiner eigenen vergänglichen Größe geopfert wurde, denkt
25 nun nach über die Heiligkeit und das Wunder des Lebens, über
das Wachsen eines jungen Menschen, die Liebe und Sorge der
Eltern für ihn, und sein Ende unter den Waffen des Feindes:

> Wenn er am Finger sich verletzt die Haut,
> Da liefen sie herbei und banden's ein
> 30 Und sahen zu, bis endlich es geheilt:
> Und 's war am Finger nur, die Haut am Finger!

Ich aber hab sie schockweis hingeschleudert
Und starrem Eisen einen Weg gebahnt
In ihren warmen Leib. — Hast du beschlossen
Zu gehen ins Gericht mit Ottokar,
So triff mich, aber schone meines Volks!   5

Ganz abgesehen vom dichterischen Wert des Stückes hätte die
Verherrlichung Österreichs und seiner Herrscherfamilie allein,
würde man glauben, in Österreich einen sicheren Erfolg garan-
tieren sollen. Es kam anders. Zunächst lag das Stück zwei Jahre
lang bei der Zensurbehörde, und als es endlich doch auf die 10
Bühne fand, wurde es von der Polizei als „gefährlich" angesehen: man glaubte eine Parallele zwischen Ottokar und dem
kürzlich verstorbenen Napoleon (dessen zweite Frau eine österreichische Prinzessin war) zu sehen, man fürchtete, daß sich die
Böhmen — eine der vielen Völkergruppen der Monarchie — 15
durch Grillparzers Darstellung beleidigt fühlen könnten; kurz,
Ottokar wurde bald wieder vom Spielplan abgesetzt und jahr-
zehntelang nicht wieder inszeniert.

Es ist nicht zu verwundern, daß Grillparzer dem „gefährlichen" Genre der historischen Tragödie bald den Rücken 20
kehrte. Auf der Suche nach „ungefährlichen" Themen griff er zu
einem für ihn ganz neuen Genre: dem Märchendrama. Sein
Der Traum, ein Leben wurde 1831 fertig. Gefährliche historische Anspielungen waren hier nicht zu befürchten; das Stück
spielt zu legendärer Zeit im Orient. Ganz offen wandte sich 25
Grillparzer hier wieder den volkstümlichen Elementen der Wiener Vorstadtbühne zu. Daß das Stück dann doch im Burgtheater
aufgeführt wurde — erst 1834 und nach starkem Protest des
Direktors — bedeutet ein wichtiges Ereignis in der Wiener

Theatergeschichte. Während Grillparzers historische und griechische Dramen im Blankvers geschrieben sind, ging er in *Der
Traum, ein Leben* auf den volkstümlicheren, zum Teil gereimten
vierfüßigen trochäischen Vers zurück, den er schon in *Die Ahn-*
5 *frau* verwendet hatte. Das Stück verlangt eine glänzende
Bühnenausstattung, kostbare bunte Kostüme und eine komplizierte Bühnenmaschinerie, die Verwandlungen auf offener Szene
möglich macht. Grillparzers Leistung besteht darin, daß er bei
all diesen literarisch fragwürdigen Äußerlichkeiten doch ein
10 dichterisch hochwertiges Stück schrieb. Er hat damit einerseits
die Tradition des Wiener Volksstückes zu einem künstlerischen
Höhepunkt geführt, andrerseits eine völlig neue, nur ihm eigene
literarische Form geschaffen.

Der Gehalt des Stückes ist wiederum, freilich in ganz anderer
15 Form als in *Ottokar*, der tiefe Zweifel an den vergänglichen
Gütern des Lebens. Wieder geht es um einen steilen Aufstieg
und einen tiefen Fall. Der Held des Dramas kommt zu hohen
Ehren an einem Königshof, begeht eine Reihe von Verbrechen,
die er schließlich durch seinen Tod sühnen muß. Er durchlebt
20 aber nicht, wie Ottokar, tatsächlich sein eigenes Schicksal, sondern
träumt es nur. Die Schattenhaftigkeit der Güter des Lebens wird
demnach schon in der Thematik selbst festgehalten. Rustan, ein
junger Bauer und Jäger, spürt in sich den Drang nach Ferne und
Abenteuer, nach Macht und Ruhm. Sein Sklave Zanga über-
25 redet ihn, mit ihm am nächsten Morgen fortzuziehen, seinen
Onkel und dessen Tochter Mirza, die ihn liebt, zu verlassen.
Während der Nacht träumt nun Rustan sein eigenes Leben, das
ihn zu Macht und Ruhm führt, aber auch zu tiefer Verschuldung
und Mord, und das in Verzweiflung endet. Das Verhängnis be-
30 ginnt mit einer alltäglichen Lüge: Rustan erliegt der Versuchung, sich selbst einer kleinen Heldentat zu rühmen, die ein

anderer begangen hat, — die Errettung eines Königs vor einer
Schlange. Die Tat wird reich belohnt, aber zugleich verstrickt
Rustan sich immer tiefer in Schuld: er muß den plötzlich er-
scheinenden wirklichen Retter töten, und dann den König selbst,
als dieser gegen ihn Verdacht faßt. Rustan will Gülnare, die ₅
Tochter des Königs, heiraten und übt als ihr Mitregent eine
grausame Herrschaft über die Untertanen des Reiches aus.
Schließlich lehnt sich das Volk und auch Gülnare gegen ihn auf
und Rustan muß fliehen. Von allen Seiten bedrängt, stürzt er
sich in einen Fluß. Dieser Traum macht den mittleren Teil des ₁₀
vieraktigen Stückes aus; die Rahmenhandlung nimmt den ersten
Akt und die Schlußszene des letzten Aktes ein.

Das Stück ist nur dichtgedrängte Handlung. Für Charakterisierung und Reflexion blieb kein Platz. In zweieinhalb kurzen
Akten mußte Grillparzer den Aufstieg und das Ende seines ₁₅
Helden darstellen. Hier ging nun die Notwendigkeit, alles
knapp und exemplarisch zu erfassen, Hand in Hand mit Grillparzers feiner dichterischer und psychologischer Intuition: Die
einzelnen Episoden in Rustans Schicksal erscheinen im Stück
wirklich mit der Prägnanz und Eindringlichkeit von Traumbil- ₂₀
dern. Man hat keine realistische Entwicklung vor sich, sondern
tatsächlich die wirbelnden Gebilde einer fieberheißen Phantasie.
Die Übergänge zwischen Wirklichkeit und Traum geschehen
allmählich, und oft gehen beide Welten auf überraschend moderne Weise ineinander über. Am Ende des ersten Aktes öffnet ₂₅
sich die Wand hinter dem Nachtlager Rustans, und die erste
Szene des Traumes erscheint, erst hinter Wolken und Nebel-
schleiern, dann immer klarer. In diese Szene — Wald, Felsen,
ein Bergstrom und eine Brücke — tritt zu Beginn des zweiten
Aktes Rustan, begleitet von Zanga. Der Zuschauer sieht ge- ₃₀
wissermaßen das Bild Rustans in dessen eigenem, traumhaften

Bewußtsein Gestalt gewinnen. Ebenso bricht am Ende, zugleich mit dem Sturz Rustans in den Fluß, ein Teil der Szenerie zusammen und der Schlafende wird sichtbar. Schleier fallen über die Traumlandschaft — die gleiche wie am Anfang — und Rustan
5 erwacht. Die technischen Möglichkeiten der Bühne stehen hier ganz im Dienst der genauen Darstellung der inneren Erlebensweise. Auch während der Traumhandlung wird einige Male leicht auf die Wirklichkeit hingedeutet. In einer kurzen, eingeschobenen Szene tritt Mirza, eine Lampe tragend, in ihr Zimmer
10 und sagt, sie habe Rustan im Schlafe rufen hören. Und wenn Rustan als Mörder des Königs entlarvt wird, läßt ihn der Dichter — psychologisch völlig richtig — in der Vorstellung Zuflucht nehmen, daß dies alles nicht wahr und wirklich sein könne:

15   Es ist nichts Wirklichs, sag' ich.
    Truggestalten, Nachtgebilde;
    Krankenwahnwitz, willst du lieber,
    Und wir sehen's, weil im Fieber.

Er hört die Uhr schlagen und glaubt Mirza zu sehen. Es ist klar,
20 daß er nahe am Erwachen ist; aber dann behält der Schlaf doch die Oberhand und Rustan taucht wieder in seine Traumwelt ein. Eine richtige Regieführung kann diese Spannung zwischen den zwei Welten sehr stark wirken lassen.

Bei der Uraufführung des Stückes war dies offenbar nicht der
25 Fall. Erst gegen Ende wurde es dem Publikum klar, daß es nicht die Wirklichkeit sah, sondern einen Traum. Das Stück wurde begeistert aufgenommen. Grillparzer selbst machte dieser Erfolg wenig Freude, denn er sah wohl, daß es mehr die glänzende Aufmachung war, die das Wiener Publikum entzückte, als die dich-
30 terische Leistung. Auch wurde *Der Traum, ein Leben* sein letz-

ter Erfolg. Nach dem Durchfall seines einzigen Lustspiels, *Weh dem, der lügt,* vier Jahre später, trat Grillparzer mit keinem neuen Stück mehr vor die Öffentlichkeit.

Obwohl Grillparzer schwer an den persönlichen und dichterischen Enttäuschungen seines Lebens litt, erlaubte es ihm eine 5 gewisse Vornehmheit der Geisteshaltung und seine Verschlossenheit in allen privaten Dingen nicht, über eigene seelische Vorgänge zu sprechen oder gar zu schreiben. So ist des Dichters Selbstbildnis in seiner Autobiographie ein Beispiel für jenen leicht wehmütigen Humor, mit dem sich große Menschen sehen, 10 die aufgehört haben, mit dem Leben und auch mit sich selbst im Streite zu liegen. Es gibt nun ein Werk Grillparzers, in dem er doch sein inneres Selbst, freilich in dichterischer Form, darstellt: die Erzählung *Der arme Spielmann.* Es ist beachtenswert, daß der Dichter zunächst einen humoristischen Ich-Roman, dann 15 ein selbstironisches Lustspiel plante; es wurde eine tragische Novelle daraus, bei der das ironische Element sehr in den Hintergrund gedrängt wurde. Grillparzer hat seinen wenigen Prosawerken nie viel Bedeutung zugemessen; den *Armen Spielmann* schrieb er als einen kleinen Beitrag für ein Taschenbuch, das 20 1848 erschien. Den äußeren Stoff fand er in seiner Umgebung: in dem Gasthaus, wo er gewöhnlich speiste, sah er häufig einen armen, alten Geiger, der durch seine unbeholfenen Bewegungen auffiel und, wenn man ihn für sein Spiel beschenkte, mit irgendeiner lateinischen Phrase dankte. Als der Stadtteil, in dem der 25 Musikant wohnte, von einer großen Überschwemmung heimgesucht wurde und er seitdem nicht mehr in das Gasthaus kam, nahm Grillparzer an, der Alte sei unter den Opfern der Katastrophe gewesen. Diese wenigen Tatsachen benutzte nun der Dichter zu einer Selbstdarstellung, die trotz Grillparzers eigenen 30 Zweifeln zu seinen besten Leistungen gehört.

Der Form nach haben wir es mit einer Rahmennovelle zu tun:
der Erzähler — also der Dichter selbst — berichtet in der Ich-
Form über seine Bekanntschaft mit dem Spielmann Jakob, dessen Schilderung seines eigenen Lebensschicksals den Hauptteil
5 des Werkes bildet. Die Kernhandlung steht demnach in einem
doppelten Rahmen, denn die Erzählung des Spielmanns wird
nicht von ihm selbst, sondern erst indirekt durch den Dichter
wiedergegeben. Dieses Formprinzip machte es Grillparzer möglich, die Erzählung selbst in einer fein differenzierten Beleuch-
10 tung zu entwickeln: er konnte die Einstellung des Spielmanns zu
seiner eigenen Lebensgeschichte zeigen, sowie auch die des
Dichters zum Spielmann und schließlich zu dessen Geschichte.
Der äußere Erzähler ist Grillparzer, wie er tatsächlich nach
außen hin in der Welt dastand, und wie viele Leser der No-
15 velle ihn sicherlich kannten: ruhig, gebildet, Angehöriger der
oberen Gesellschaftsschicht, empfindlich und ein wenig launen-
haft, leicht ironisch gegenüber den Eigenschaften der unteren
Stände und doch gefesselt von der primitiven Lebenslust, die
sich etwa in den Menschenmassen eines Volksfestes darbietet.
20 Diese wilde, natürliche Lebenskraft war es, die Grillparzer so
bewunderte, und die ihm doch unerreichbar war. Sein psycholo-
gisches Interesse, sagt er, führe ihn zu dem Volksfest, — nicht
etwa die Absicht selbst daran teilzunehmen. Auch gegenüber
dem Spielmann zeigt er dieses etwas distanzierte Interesse und
25 keineswegs die starke, gefühlsbedingte Anteilnahme, die der
Leser sofort für ihn faßt. Das Geigenspiel Jakobs macht ihn nervös, seine Erzählung läßt er zwar über sich ergehen, läuft aber
dann ungeduldig und ein wenig verärgert fort. Sogar nach dem
traurigen Ende Jakobs ist es „psychologische Neugierde", die ihn
30 in dessen Gegend treibt. Höchstens durch die Tatsache, daß er
Jakobs Geschichte überhaupt erzählenswert findet, scheint der

Dichter zuzugeben, daß er doch über ihn nachgedacht habe. Dies
wäre für den „äußeren" Grillparzer, den Erzähler der Rahmenhandlung, zu sagen. Jakob ist nun gleicherweise ein Abbild des
Dichters, aber des inneren: So wäre Grillparzer, wenn die Welt
ihn nicht zwingen würde, sich hinter einer Maske kritischen 5
Hochmuts zu verbergen. Der Spielmann lebt ohne Maske, fast
als ein Heiliger, unberührt von der Welt. Die vornehme Zurückhaltung Grillparzers erlaubte es nicht, seine innere Identität mit dem Spielmann in Worte zu fassen und so seine seelischen Qualen vor die Öffentlichkeit zu bringen, und doch hat der 10
Dichter seinem „Liebling", wie er Jakob einmal halbironisch
nennt, alle die inneren Lasten zugeschrieben, die ihn selbst be-
drückten. So gehen etwa die Ähnlichkeiten in biographischen
Zügen und Charaktereigenschaften zwischen Grillparzer und
Jakob sehr weit: Aussehen, Elternhaus, Erziehung, große Ord- 15
nungsliebe, übertriebene Gewissenhaftigkeit, persönliche Scheu
und Zurückhaltung, Angst vor den Menschen, Enttäuschung in
der Liebe, Ausbleiben der öffentlichen Anerkennung, Leidenschaft zur Musik und besonders zur musikalischen Improvisation, Flucht in eine rein subjektive Kunstwelt. Der Spielmann 20
Jakob ist eine höchst merkwürdige und eindringliche Charakter-
schöpfung. Ohne jede Spur von Sentimentalität ersteht hier vor
den Augen des Lesers ein Mensch, dessen Dasein eine einzige
Kette von Enttäuschungen war, der in großer Armut, abge-
trennt von der Welt nur für seine Kunst lebt und der niemals 25
erkennt, daß seine „Kunst" in den Ohren anderer eine Qual
ist. Seiner menschlichen Unzulänglichkeit ist er sich wohl bewußt: er liebt Barbara, wagt aber nicht zu hoffen, von ihr
wiedergeliebt zu werden. Daß gerade seine tiefe Empfindsamkeit und seelische Feinheit für Barbara eine völlig neue Welt er- 30
öffnen, das ahnt er nicht.

Grillparzers Erzählung ist weit entfernt von dem Genre romantischer Künstlergeschichten, deren Prototyp etwa in *La Bohême* zu sehen ist. Jakob ist das genaue Gegenteil des ‚Künstlertypus‘ mit Samtjacke und fliegender Krawatte, für den eine
5 wilde, ungeordnete Lebensweise das wichtigste Merkmal des Künstlertums ist. Jakob führt ein ärmliches, aber streng geregeltes, bürgerliches Dasein. Die Kunst ist für ihn etwas Heiliges, eine Form des Gebets. Daß nun Grillparzer diesen Mann, der einen so hohen Begriff von der Kunst hat, tatsächlich als einen
10 armseligen Stümper hinstellt, über dessen Spiel sich sogar halbwüchsige Gassenjungen lustig machen, darin liegt ein geradezu archetypischer Ausdruck der Enttäuschung und Verzweiflung, des Zusammenbruchs einer ganzen Welt. Freilich trifft diese Wirkung nur den Leser. Jakob stirbt ahnungslos und beinahe
15 heroisch; der Erzähler scheint sich hinter seiner psychologischen Neugier zu verschanzen; die Teilnehmer am Begräbnis, selbst Barbara, tragen eine gewohnheitsmäßige Abgestumpftheit zur Schau: Nur der Leser sieht bis auf den Grund der Dinge. Jakobs menschliche Isoliertheit geht noch über seinen Tod hinaus, denn
20 bewußt hat Grillparzer es in dieser Erzählung nicht dazu kommen lassen, daß sein äußeres Selbst seinem inneren Selbst ein tiefes Verständnis, ein starkes Gefühl entgegenbrächte. Erst ganz am Ende der Novelle ist eine Szene, in der — bezeichnenderweise ohne Worte, sondern nur durch Handlung — auf
25 Jakobs Leben und Tod gefühlsmäßig reagiert wird: Durch Barbara, die einzige Frau in Jakobs Leben. Wieder als Vorwand für seine Neugier will der Erzähler Jakobs Geige kaufen. Der Fleischermeister wäre einverstanden. Da mischt sich Barbara ein, sie, die als unschön, verhärtet und grob geschildert wurde, die
30 ganz im Bereich des Fleischers lebt und jede Beziehung zu Jakobs Welt verloren zu haben scheint: Sie lehnt das Angebot

zornig ab. Während der Erzähler fortgeht, trifft sein letzter
Blick die Frau: „Sie hatte sich umgewendet, und die Tränen lie-
fen ihr stromweis über die Backen."

Mit Recht wird *Der arme Spielmann* eine frühe psychologische Novelle genannt. Mit der Methode der Persönlichkeits- 5
spaltung und der kritischen Selbstdarstellung war der Dichter
seiner Zeit weit voraus. Parallelen zum Spielmann finden sich
erst wieder im lebensunfähigen Anti-Helden in der Literatur
unserer Zeit. Stilistisch noch in der Tradition der deutschen
Klassik stehend, ohne peinliche Selbstzerfleischung, und ohne 10
von der Arbeitsweise der Psychoanalyse noch etwas zu ahnen,
zeichnete Grillparzer hier das Bild einer Seele ab, wie es von
keinem modernen Dichter eindringlicher getan werden könnte.

Hugo Schmidt

Ehrhard, August. *Franz Grillparzer. Sein Leben und seine Werke.*
München, 1902.
Nadler, Josef. *Franz Grillparzer.* Vaduz, 1948.
Naumann, Walter. *Grillparzer. Das dichterische Werk.* Stuttgart,
o.J.
Silz, Walter. „Grillparzer, ‚Der arme Spielmann'." *Realism and
Reality. Studies in the German Novelle of Poetic Realism.*
Chapel Hill, 1956.
Staiger, Emil. „Grillparzer: ‚König Ottokars Glück und Ende'."
*Meisterwerke der deutschen Sprache aus dem neunzehnten
Jahrhundert.* Zürich, 1948.

Georg Büchner
1813-1837

Georg Büchner steht so allein in den literarischen Strömungen seiner Zeit, daß er der Öffentlichkeit fast hundert Jahre lang ein Rätsel geblieben ist. Wäre sein *Dantons Tod* ein Drama der Helden der Französischen Revolution, würde es sich viel leichter in die Tradition der klassischen Bühne eingefügt 5 haben, und es hätte bei seinen Zeitgenossen, die in nationalistischen Gefühlen schwelgten und nach Helden hungerten, einen tiefen Eindruck machen können. Aber Büchner zerstörte in seinem Drama die Illusion von den idealistischen Revolutionären, die in der Einbildungskraft der Öffentlichkeit zu legen- 10 dären Gestalten geworden waren, und entwarf in Danton und seinen Freunden das Bild einer Gruppe von Menschen, die zum Teil gegen ihren eigenen Willen zwischen die Mühlsteine der

Geschichte geraten. Sie spielen eine Weile eine Rolle in diesem
Mühlwerk, dann werden sie erbarmungslos zwischen den Steinen vernichtet. Sie sind sich zuerst in Angst, dann in bitterem
Zynismus ihrer Hilflosigkeit und Unwichtigkeit dieser anonymen
5 Macht der Geschichte gegenüber bewußt. Für Büchner sind sie
nie Helden im herkömmlichen Sinne, sondern Menschen aus
Paris, denen in einer gefährlichen Krise der Geschichte der kalte
Angstschweiß auf der Stirne steht. Damit stellt sich Büchner
außerhalb der literarischen Mode seiner Zeit und verletzt auch
10 das traditionelle Bild von der Rolle des Menschen in der Geschichte. Mit Danton betritt zum ersten Mal der negative Held
die Bühne. Er blieb im neunzehnten Jahrhundert wenig beachtet,
erst im zwanzigsten Jahrhundert erkannte das Publikum im
‚frustrated hero' der amerikanischen Bühne ein gültiges Ab-
15 bild des Menschen wieder.

Um Georg Büchner als Dichter und Politiker näher zu kommen, muß man die kurze Geschichte seines Lebens in Zusammenhang mit der Geschichte seiner Zeit stellen. Die wichtigsten
Daten in den nicht ganz vierundzwanzig Jahren seines Lebens
20 sind schnell genannt: Er wurde 1813 als Sohn eines Arztes in
einem kleinen Ort bei Darmstadt geboren. Nach dem Besuch
des Darmstädter Gymnasiums ging er 1831 nach Straßburg,
um Medizin zu studieren. Er wohnte im Hause des Pfarrers
Jaegle, mit dessen Tochter Minna er sich 1833, kurz vor seiner
25 Übersiedlung an die Universität Gießen, heimlich verlobte. Der
Wechsel nach Gießen geschah unter dem Zwang eines Gesetzes
des Staates Hessen, nach dem ein Hesse sein Studium in seinem
Heimatstaat abschließen mußte. Während seines Aufenthaltes
in Gießen beteiligte sich Büchner in zunehmendem Maße an
30 dem politischen Widerstand gegen den Landesherrn, Großherzog Ludwig II. Wegen seiner politischen Ansichten und

Tätigkeiten mußte Büchner im März 1835 nach Straßburg fliehen. Hier widmete er sich sehr intensiv seinen naturwissenschaftlichen Studien, um seine berufliche Zukunft und materielle
Unabhängigkeit im Ausland zu sichern. Im Herbst 1836 pro-
movierte er an der Universität Zürich. Gegen Ende desselben 5
Jahres habilitierte er sich mit einer Schrift über die Schädelnerven. Anfang Februar 1837 erkrankte er an Typhus, zwei
Wochen später starb er im Alter von dreiundzwanzig Jahren.

Büchners politisches Denken und Handeln wird nur verständlich, wenn man sich die politischen Institutionen und Mächte ins 10
Gedächtnis zurückruft, gegen die er seine Kritik und seinen
Haß wandte. Nach den umwälzenden Ereignissen der Französischen Revolution und den Erschütterungen der napoleonischen
Kriege breitete sich unter den Herrschern Europas Panikstim-
mung aus. Man mußte mit Recht befürchten, daß die Keime der 15
Freiheitsideen, die die Heere Napoleons aus Frankreich in die
halbe Welt getragen hatten, aufgehen und die Throne der Mo-
narchen bedrohen würden. Die gesamte bestehende Ordnung
der europäischen Staaten und ihrer Gesellschaft stand auf dem
Spiel. Die Herrscherhäuser begriffen, daß sie ihre Macht mit 20
wirkungsvollen Gegenmaßnahmen festigen mußten, wenn nicht
ganz Europa von den Flammen einer Revolution verschlungen
werden sollte. So traten zu diesem Zweck Zar Alexander, der
preußische König Friedrich Wilhelm und der österreichische
Kaiser Franz zur Gründung einer „Heiligen Allianz" zusam- 25
men, der außer England alle europäischen Mächte beitraten. Der
ursprüngliche Sinn dieser Allianz war, den zersetzenden Ideen
der Revolution die Prinzipien der Religion entgegenzustellen
und damit eine Gesinnung des Friedens und einer patriarchalisch-
sittlichen Staatsordnung im Volke zu sichern. Aber es wurde nur 30
zu bald deutlich, daß diese Allianz lediglich der gewaltsamen

Durchführung der einseitigsten absolutistischen Ideen diente. Die Fürsten regierten ihre Staaten nach den erbarmungslosen Prinzipien des Absolutismus, nach denen der Regent, dem die Kirche sein Gottesgnadentum bereitwilligst bescheinigt hatte, ⁵ uneingeschränkte Gewalt über Leben und Tod seiner Untertanen hatte. Büchners Heimat, das Großherzogtum Hessen, wurde auf diese Weise von seinem Fürsten, dem Großherzog Ludwig II., regiert. Am kürzesten und treffendsten hat Wilhelm Grimm, der jüngere der berühmten Brüder Grimm, die damaligen ¹⁰ politischen Zustände in Hessen beschrieben: „Die Freiheit war allmählich bis zu einem Grade untergegangen, von dem niemand, der es nicht selbst miterlebt, einen Begriff hat. Jede Unbefangenheit, ich sage nicht einmal Freiheit der Rede, war unterdrückt. Die Polizei, öffentliche und heimliche, angeordnete ¹⁵ und freiwillige, durchdrang alle Verhältnisse und vergiftete das Vertrauen des geselligen Lebens. Alle Stützen, auf welchen das Dasein eines Volkes beruht, Religiosität, Gerechtigkeit, Achtung vor der Sitte und dem Gesetz, waren umgestoßen oder gewaltsam erschüttert. Nur eins wurde festgehalten: jeder Widerspruch ²⁰ gegen den geäußerten Willen [des Landesherrn], direkt oder indirekt ausgesprochen, sei ein Verbrechen."

Der junge Büchner hatte sich schon als Gymnasiast mit leidenschaftlichen Freiheitsideen hervorgetan. Als Straßburger Student machte er sich mehr und mehr mit der wirklichen politischen ²⁵ Not seines Landes und mit den verschiedenen Formen des Widerstandes gegen die Staatsgewalt vertraut. Er sah, wie sich freiheitsliebende Idealisten in Straßburg zur „Gesellschaft der Menschenrechte" zusammenschlossen. Er informierte sich über die mannigfachen Ideen zur Völkerbefreiung und zur Neuordnung ³⁰ des Staatswesens, die aus Frankreich kamen. Er selbst verhielt sich noch neutral, weil er in Straßburg im Ausland war und sich von den dortigen politischen Zuständen nicht selbst betroffen fühlte. Er beruhigte sogar seine Eltern in einem Briefe, daß er sich nicht in die „Gießener Winkelpolitik" einlassen würde. Seine Einstellung änderte sich jedoch schlagartig, als er nach Gießen übersiedeln mußte und als reiferer Mensch die demütigenden Unterdrückungsmaßnahmen der Regierung miterlebte, die ihn nun auch persönlich betrafen. Er gründete ebenfalls in seinem Freundeskreis nach dem Straßburger Vorbild eine „Gesellschaft der Menschenrechte".

Büchners politische Ideen werden deutlich in seiner Streitschrift *Der Hessische Landbote*, die 1834 erschien. Schon an dem Titel läßt sich erkennen, daß der Autor sich nicht an die Studenten, die Intellektuellen oder die Bürger wandte, die sich doch für die wichtigsten Repräsentanten der neuen Ideen hielten, sondern an die Bauern. In der Tat waren die Bauern in Hessen derjenige Stand, der am meisten unter der Ausbeutung und Unterdrückung des Großherzogs litt. Die Argumente und der Ton dieser Schrift zeigen, daß Büchners politische Gedanken viel weitsichtiger sind, viel tiefer auf den eigentlichen Grund der Mißstände seiner Zeit vorstoßen als die Theorien seiner freiheitsbegeisterten Zeitgenossen. Man findet bei ihm weder den patriotischen Enthusiasmus der Studenten, noch das Pathos der Dichter, die von einer idealen Gesellschaft träumen, in der alle Menschen Brüder sind. Büchners Schrift beginnt mit dem bitteren Vergleich zwischen dem Elend der Armen, die versklavt und entrechtet sind, und dem Luxus der Reichen, die durch Unrecht und Grausamkeit unermeßliche Vermögen ansammeln. Das Schlagwort des Pamphlets ist „Friede den Hütten! Krieg den Palästen!"

Anstatt idealistischer Freiheitsschwärmerei findet man bei Büchner eine nüchterne, aber vielsagende Statistik, an der sicht-

bar wird, wie der Staat die Millionen von Steuergeldern sinnlos
verpraßt, die er der Bevölkerung abzwingt. Die Sprache des
Landboten ist grob, aber unerhört mutig und allgemein verständlich. Sie bezeugt das echte Mitleid des Autors mit der Not
5 der Unterdrückten. Die Justiz sei seit Jahrhunderten in Deutschland die Hure der deutschen Fürsten, heißt es da. Das Volk sei
der Willkür einiger Fettwänste überlassen, und diese Willkür
gelte als Gesetz. Die Untertanen aber seien die Ackergäule des
Staates. Das Land habe einen Wust von Gesetzen, das Gesetz
10 aber sei das Eigentum einer unbedeutenden Klasse von Reichen
und Gelehrten, die sich durch ihr eigenes „Machwerk" die
Herrschaft zuspreche. Das Mitgefühl mit den Entrechteten und
Mittellosen, die Dialektik von Arm und Reich, der Haß gegen
die Besitzenden und die starke Betonung des Wirtschaftlichen
15 in seinen Argumenten scheiden Büchner von den Katheder-
revolutionären und den Welterneuerern in ihren Studierstuben.
Büchners Gedanken setzen eindeutig das Erbe der französischen
Frühsozialisten fort, sie erinnern an die Sozialprogramme der
Philosophen Saint-Simon und Babeuf, und weisen gleichzeitig
20 in die Zukunft, auf Marx und Engels.

Diese Einsicht in das politische Credo Büchners ist wichtig
für das Verständnis seiner Dichtungen. Sein scharfer Blick für
die eigentlichen Fronten der Französischen Revolution, die jenseits der populären Vorstellungen vom Heldentum politischer
25 Schwärmer liegen, befähigt ihn zu seiner überraschenden Men-
schenanalyse der Revolution in *Dantons Tod*. Seine sozialisti-
sche Gesinnung, die sich im Mitleid für die Entrechteten äußert,
bestimmt den Ton seines eigenartigen dramatischen Fragmentes
Woyzeck.

30 Wenn Büchners politische Gedanken von denen der meisten seiner Zeitgenossen abweichen, so steht seine Dichtung

noch einsamer in ihrer Zeit. Dies wird einem klar, wenn man sich einige der Werke vergegenwärtigt, die die Literatur dieser Zeit bestimmten. Büchners *Dantons Tod* erschien 1835. Nur drei Jahre vorher hatte Goethe den zweiten Teil seines *Faust* abgeschlossen. Drei Jahre später sollte die deutsche Romantik mit 5 dem ersten Erscheinen von Eduard Mörikes Gedichten einen ihrer Höhepunkte erleben. Friedrich Hebbels *Judith* kam vier Jahre früher als *Danton* heraus. Im selben Jahre wie *Judith* erschienen in Amerika Longfellows romantische Verse *Voices of the Night*, und im gleichen Jahre wie *Dantons Tod* Washing- 10 ton Irvings *A Tour on the Prairies*. Zu dieser literarischen Welt scheint Büchners Werk vollkommen beziehungslos zu sein. Büchners *Danton* steht zeitlich mitten in einer der wichtigsten literarischen Epochen des neunzehnten Jahrhunderts, aber dieses Drama gehört weder thematisch noch in der Form 15 in die Romantik. Büchner findet in *Dantons Tod* und im *Woyzeck* einen eigentümlichen Ton des poetischen Realismus. Damit kommt er stilistisch dem Dramatiker Christian Dietrich Grabbe am nächsten, der übrigens, von Schopenhauer beeinflußt, ein ähnlich pessimistisches Geschichtsbild hatte. In der Schärfe der 20 Zeitkritik und in seinem wachen sozialen Gewissen berührt sich Heine häufig mit Büchner.

Die erste Szene in *Dantons Tod* ist ein gutes Beispiel für Büchners eigenartige Bühnenkunst. Man steht sofort unter dem Bann des Ungezwungenen, des Unstilisierten, Realistischen, 25 wenn sich der Vorhang hebt: eine kleine Gesellschaft von Damen und Herren in einem Salon am Spieltisch, etwas abseits sitzt Danton zu Füßen seiner Frau. Während die Gesellschaft im Spiel engagiert ist und Gesprächsfetzen des konventionellen Geredes untermischt mit galanten Phrasen und obszönen An- 30

spielungen laut werden, flüstert Danton seiner Frau seine zynischen und pessimistischen Beobachtungen über die Gesellschaft,
ihre Sitten, über die Frauen und die Liebe ins Ohr. Auf die Frage
Julies „Glaubst du an mich?" antwortet er lakonisch, man wisse
5 so wenig voneinander, keiner erreiche und kenne den anderen
wirklich. „Wir sind sehr einsam." Wenn Julie ihm dann vorhält,
er kenne sie doch, seine eigene Frau, wird aus dem Spötter der
ernste philosophische Zweifler: kennen sei ein vager Begriff. Er
wisse, wie sie aussehe, und sei mit ihren Gewohnheiten vertraut,
10 aber dann zeigt er auf ihre Stirn und auf ihre Augen und fragt
sie, was dahinter liege. „Wir haben grobe Sinne. Einander kennen? Wir müßten uns die Schädeldecken aufbrechen und die
Gedanken einander aus den Hirnfasern zerren . . ." Danton ist
in der Tat ein sehr einsamer Mann. Er glaubt und weiß nur, was
15 er sehen und fühlen kann. Das beschränkt seinen Umgang mit
Menschen auf das Körperliche, darüber hinaus scheint ihm der
Mensch ungewiß, unbekannt und problematisch zu sein. Nach
diesen klaren, kalten, nihilistischen Gedanken zieht sich Danton
wieder in düstere Mystik zurück. Er überhäuft Julie mit lyrischen
20 Todesmetaphern, die ihr unverständlich bleiben müssen. Sie sei
sein Grab, ihre Lippen Totenglocken, ihre Stimme Grabgeläute,
ihre Brust sein Grabhügel. In diesen ersten Minuten des Dramas
gelingt es Büchner bereits, das vollkommene Porträt Dantons
zu zeichnen: der schwermütige Spötter, der mit Frauen spielt,
25 der lakonische Intellektuelle, der mit Ideen spielt, und der zyni-
sche Nihilist, der mit dem Leben und dem Tod spielt.

Am Kartentisch verwickeln sich seine Freunde neben gesell-
schaftlichem Klatsch in erhitzte Gespräche über die Ziele der
Revolution, das Wesen des Staates und den Sinn der Freiheit.
30 Der junge Herault, der später mit Danton auf die Guillotine
steigen muß, ist eine Mischung aus blasiertem Intellekt und

jugendlich glühendem Idealismus. Er behauptet, die Menschen seien alle Narren, und keiner habe das Recht, dem anderen seine eigene Narrheit aufzudrängen. Für ihn besteht die ideale Gesellschaft darin, daß jeder auf seine Art genießen könne, jedoch so, daß keiner auf Unkosten eines anderen genieße oder ihn in seinem eigentümlichen Genuß stören dürfe. Ein anderer Freund, Camille, entwirft die Vision eines Staates, der sich wie ein durchsichtiges Gewand dicht an den Leib des Volkes schmiegt, so daß sich jedes Schwellen der Adern, jedes Spannen der Muskeln, jedes Zucken der Sehnen darin abheben. 10

Danton hört diesem Disput schweigend und, wie es scheint, etwas gelangweilt zu. Als man ihn auffordert, im Konvent zum Angriff überzugehen, sticht seine Antwort sehr von dem Enthusiasmus seiner Freunde ab. In seiner Mischung aus Spott und Melancholie sagt er: „Wenn wir bis dahin noch leben." Schließ- 15 lich erträgt er das müßige politische Gerede nicht mehr, abrupt verläßt er das Zimmer, an der Tür wendet er sich um und warnt die Schwärmer: „Die Statue der Freiheit ist noch nicht gegossen, der Ofen glüht, wir alle können uns noch die Finger dabei verbrennen." 20

Der neuartige Realismus in diesen Dialogen ist überraschend. Büchner beherrscht den natürlichen Tonfall der seichten Konversation vollkommen. Er räumt in späteren Szenen dem Dialekt eine wichtige Rolle ein und schreckt nicht davor zurück, ausgedehnte obszöne Gespräche zwischen Männern wiederzugeben. 25 Alle diese Elemente werden kunstvoll und umsichtig angewandt, um diese Gruppe von Männern, ihren eigentümlichen Typ, ihre Stimmungen und Temperamente realistisch auf der Bühne zu gestalten. Die eindrucksvolle Mischung der Stimmungen wird in dieser ersten Szene besonders deutlich. Die Blasiertheit und 30 Pikanterie der französischen Gesellschaft zur Zeit der Revolution

ist wirksam kontrastiert mit dem aufflammenden Pathos revolutionärer Ideen. Mit diesen beiden Tönen mischt Büchner dann
äußerst effektvoll den düster brütenden Pessimismus Dantons,
durch den von Zeit zu Zeit messerscharfe Zynismen oder derbe
5 Frivolitäten blitzen. In einem Brief aus dem Jahre 1835 hat
Büchner seine Ansichten über das historische Drama, über seine
eigene dramatische Technik und besonders über die problematischen Seiten einer Dantondarstellung zu erklären versucht. Er
sagt dort an einer Stelle, der dramatische Dichter sei nichts als
10 ein Geschichtsschreiber, den er allerdings dadurch übertreffe,
daß er die Geschichte zum zweiten Male erschaffe und den Leser
unmittelbar in das Leben einer Zeit hineinversetze, anstatt eine
trockene Erzählung zu geben. Der Dichter erschaffe Charaktere,
nicht Charakteristiken, Gestalten, nicht Beschreibungen. Sein
15 Buch dürfe weder sittlicher noch unsittlicher sein als die Geschichte selbst.

> Die Geschichte ist vom lieben Herrgott nicht zu einer
> Lektüre für junge Frauenzimmer geschaffen worden, und
> da ist es mir auch nicht übel zu nehmen, wenn mein
> 20 Drama ebenso wenig dazu geeignet ist. Ich kann doch aus
> einem Danton und den Banditen der Revolution nicht
> Tugendhelden machen! Wenn ich ihre Liederlichkeit
> schildern wollte, so mußte ich sie eben liederlich sein,
> wenn ich ihre Gottlosigkeit zeigen wollte, so mußte ich
> 25 sie eben wie Atheisten sprechen lassen. Wenn einige unan-
> ständige Ausdrücke vorkommen, so denke man an die
> weltbekannte obszöne Sprache der damaligen Zeit, wovon
> das, was ich meine Leute sagen lasse, nur ein schwacher
> Abriß ist.

30 Büchner bedient sich im *Danton* desselben Mittels, das
Shakespeare mit so großer Kunst anzuwenden wußte: er kon-

trastiert die Hauptcharaktere seines Dramas, die sich in einer
gebildeten Schicht bewegen, deren Schicksale im Denken
wurzeln, mit einfachen Leuten aus dem Volke, die ihr
Schicksal im leiblichen Hunger erfahren. Mit diesem Gegensatz
der Bildungsschichten erreicht Büchner, wie Shakespeare, einen 5
Kontrast der Sprachschichten. Büchner versteht es, diese
Möglichkeiten vollkommen auszunutzen. Die Handlung wird
aufgelockert dadurch, daß die gehobenere Sphäre der Schicksale
Dantons und seiner Freunde unterbrochen wird durch die
derben Streitereien und unanständigen Schimpfkanonaden in 10
der Straßenszene zwischen Simon, dem Souffleur, und seiner
Frau, oder durch die rohen Witze und Wortspiele zwischen
dem Schließer und den beiden Fuhrmännern vor der Con-
ciergerie im vierten Akt, oder durch die unflätigen Zwischenrufe
der Weiber, die die Straßen auf Dantons und Heraults Weg 15
zur Guillotine säumen.

In der zweiten Szene des ersten Aktes hat der Auflauf der
Bürger auf der Straße aber noch eine wichtigere Bedeutung.
Büchner fängt hier die Stimmen des Volkes ein, das an seinen
Ketten rüttelt. Neben dem burlesken Humor des streitenden 20
Ehepaares wird hier das soziale Pathos hörbar: „Unser Leben
ist der Mord durch Arbeit!" Am Ende dieser Szene erscheint
Robespierre, der unheimliche Tugendpriester der Revolution,
dessen Selbstgerechtigkeit und puritanischem Eifer später der
lebenshungrige, sinnliche Danton zum Opfer fallen soll. Robes- 25
pierre zeigt seine demagogische Kunst, er beruhigt das erhitzte
Volk, indem er ihm schmeichelt: „Armes, tugendhaftes Volk!
Du tust deine Pflicht, du opferst deine Feinde."

Die Gestalt Robespierres, die sich auch ohne dichterische
Ausmalung bereits unmenschlich und unheimlich aus den hi- 30
storischen Dokumenten des Nationalkonvents erhebt, zeichnet

199

Büchner meisterhaft im Jakobinerklub. In seiner großen Rede
vor dem Klub enthüllt hier Robespierre seinen eigentümlichen
schwärmerischen Geist, der kalt und engstirnig mit hochge-
züchteten Idealen und unpraktischen Ideen spielt. Dabei ge-
5 winnt dieser kleine Mann dadurch seine Größe, daß er gewillt
ist, seinen hochgeschraubten Idealen in einem Blutbad Gehör
zu verschaffen. „Die Waffe der Republik ist der Schrecken",
hört man ihn sagen, „die Kraft der Republik ist die Tugend —
die Tugend, weil ohne sie der Schrecken verderblich, der
10 Schrecken, weil ohne ihn die Tugend ohnmächtig ist." Die
Revolutionsregierung sei der Despotismus der Freiheit gegen
die Tyrannei, vernehmen Dantons Freunde mit Entsetzen. Aus
seinen sorgfältig ausgeklügelten Wortkonstruktionen hören sie
mit wachsendem Bedenken den verbissenen, blindgewordenen
15 Haß, der seinen Gegenstand längst aus dem Auge verloren hat
und der mit immer neuen Opfern seinen Hunger stillen muß.
In seiner Rede ahnt man die Lawinenwirkung von Ideen, die
haltlos geworden sind, und man fühlt sich an Dantons Wort
von dem glühenden Ofen erinnert, an dem sie sich alle die
20 Hände verbrennen können. Am Ende seiner Rede züchtigt
Robespierre, ohne Namen zu nennen, diejenigen Revolutionäre,
die begierig die Untugenden des Adels angenommen haben,
deren Gedanken nach Luxus und Reichtum gehen, und deren
Träume von unzüchtigen Spielereien mit Frauen erfüllt sind.
25 Jeder Anwesende im Jakobinerklub weiß, wer gemeint ist.

Während Robespierre so im Klub eifert, verspielt Danton
den Nachmittag mit einer Grisette. Er lauscht den langen
Erzählungen ihrer sinnlichen Ausschweifungen und berauscht
sich an ihrer Verderbtheit. Als Danton später von seinen
30 Freunden Robespierres Drohungen hört, bleibt er zynisch und
kühl: „Ich weiß wohl — die Revolution ist wie Saturn, sie

frißt ihre eigenen Kinder." Allerdings gibt er sich einer Illusion hin, denn er fährt fort: „Doch, sie werden's nicht wagen." Er bleibt überzeugt, daß er außer Gefahr ist, daß die Revolution ihn noch braucht. Er entläßt die Freunde mit anzüglichen Spöttereien und widmet sich für den Rest der Nacht seinem 5 Mädchen.

Am nächsten Morgen besucht Danton Robespierre, um ihn auszuhorchen. Er verspottet seinen Tugendeifer und seine Selbstgerechtigkeit. Mit zynischen Scherzen und ernsten Vorhaltungen versucht er, seinen eigenen Standpunkt zu verteidigen 10 und Robespierre von seiner Tugendmanie und seinem Schwärmen für das Blutvergießen abzubringen. Aber Robespierre bleibt fest. Er läßt eine Bemerkung fallen, die sehr aufschlußreich ist, die Danton aber in ihrer Bedeutung zu entgehen scheint: „Danton, das Laster ist zu gewissen Zeiten Hochverrat." 15 Als Danton ihn verlassen hat, enthüllt Robespierre in einem Monolog die tiefe Kluft, die ihn von Danton scheidet. Robespierre verneint den Körper, den Danton so inbrünstig liebt, ihm ist alles Körperliche fremd, es ist ihm unwichtig und zufällig. Nicht einmal des wirklichen Lasters ist der Körper in seinen 20 Augen fähig. Alles, was von Wichtigkeit ist, vollzieht sich im Geiste, auf dem Gebiet, dem Danton so wenig trauen kann, weil es unfaßbar und unsichtbar ist. „Die Sünde ist im Gedanken", sagt Robespierre zu sich selbst, „ob der Gedanke Tat wird, ob ihn der Körper nachspielt, das ist Zufall." Robespierre hält 25 Danton offensichtlich nicht die lange Reihe der Grisetten vor, mit denen er seine Tage verspielt. Aber er klagt seine Gedanken an, die nach nichts anderem als nach leiblichen Genüssen trachten.

In dem Gespräch in der ersten Szene des zweiten Aktes 30 zwischen Danton und seinen Freunden wird Dantons scheinbare

Leichtlebigkeit verständlicher. Was Robespierre für Unterlassungssünden im Geiste halten muß, hat seinen tieferen Grund in Dantons melancholischem Zweifel an der Wichtigkeit der menschlichen Initiative in der Geschichte. In seinen
5 Augen ist Robespierres heiliger Eifer jünglingshafter, naiver Enthusiasmus, der die Bedeutung der eigenen Person überschätzt. Danton kann nicht mehr an die Schönheit des Lebens glauben, es langweilt ihn in all seinen Äußerungen und Funktionen. Es ist ihm unmöglich, den Menschen als Träger und
10 Vollstrecker hoher ethischer Werte zu sehen, in seinen Augen ist er ein Tier. Und da für ihn der Mensch eine Mikrobe in der Schöpfung ist, kann er auch nur ein kleines Rädchen in der Maschine der Revolution sein. Der Mensch kann nicht Geschichte machen, die Geschichte schwemmt ihn in ihrem
15 Schlick und Schlamm mit fort: „Wir haben nicht die Revolution, sondern die Revolution hat uns gemacht." Und aus dieser Perspektive schrumpft die Wichtigkeit seines eigenen Handelns. Seine Bemerkungen über das Leben, die Revolution oder selbst über den Tod neigen zum nihilistischen Aphorismus. Büchner
20 formuliert sein eigenes Schicksal, wenn er Danton über das Leben sagen läßt:

Es ist recht gut, daß die Lebenszeit ein wenig reduziert wird; der Rock war zu lang, unsere Glieder konnten ihn nicht ausfüllen. Das Leben wird ein Epigramm, das geht
25 an; wer hat auch Atem und Geist genug für ein Epos in fünfzig oder sechzig Gesängen? 's ist Zeit, daß man das bißchen Essenz nicht mehr aus Zubern, sondern aus Likörgläschen trinkt; so bekommt man doch das Maul voll, sonst konnte man kaum einige Tropfen in dem plumpen
30 Gefäß zusammenrinnen machen.

Diese Skepsis dem Leben gegenüber gibt ihm den brennenden
Durst nach konzentriertem Genuß, und das Bewußtsein, ein
Wirbeltier mit überdimensionalem Gehirn zu sein, gibt seinem
Bild vom Menschen, vom Leben und von der Welt die Bitter-
keit, den Pessimimus und den Nihilismus.   5

Obwohl er die Bedrohung wachsen fühlt, die von dem nüchternen Robespierre ausgeht, den nie Zweifel plagen, fällt es
ihm doch schwer, sich die Gefahr in Wirklichkeit vorzustellen.
Auf einem einsamen Spaziergang über ein freies Feld wird
ihm bewußt, daß er eigentlich nur mit dem Tode kokettiert, 10
(„ . . . es ist ganz angenehm, so aus der Ferne mit dem Lorgnon
mit ihm zu liebäugeln . . .“) aber es bleibt ihm im Innersten
völlig unvorstellbar, daß es für ihn vielleicht bald kein Morgen
oder Übermorgen geben könnte.

In einer langen Rede vor dem Nationalkonvent bereitet St. 15
Just, der eifrige Freund und ideologische Schrittmacher Robespierres, das Tribunal auf weiteres, rücksichtsloses Blutvergießen
vor. Er beschreibt ihnen die Revolution als eine anonyme Kraft,
die, wie die Natur, den Menschen vernichtet, wenn er mit ihr
in Konflikt kommt. Er streut den naiven Bürgern Sand in die 20
Augen und schläfert ihr Gewissen damit ein, daß er ihnen
einredet, sie seien Vollstrecker der großen Naturgewalt der Geschichte. Mit immer neuen, immer hochfahrenderen Metaphern
bezaubert er ihre Ohren und schläfert ihnen den Sinn für
Recht und Unrecht ein. „Der Weltgeist“, schwärmt er, „bedient 25
sich in der geistigen Sphäre unserer Arme ebenso, wie er
in der physischen Vulkane und Wasserfluten braucht. Was
liegt daran, ob sie an einer Seuche oder an der Revolution
sterben?“

Am Beginn des dritten Aktes sind Danton und seine Freunde 30

bereits verhaftet. Vor dem Revolutionstribunal hat Danton
noch einmal Gelegenheit, sich zu verteidigen. Aber er recht-
fertigt sich nicht eigentlich, er hat bereits das tragische
Schicksal akzeptiert, ein Opfer der Revolution zu werden, deren
5 wichtigster Agent er einmal war. Er ist weder daran interessiert,
wie das Urteil lauten wird noch daran, es zu ändern. „Das
Nichts wird bald mein Asyl sein", vernehmen die staunenden
Ohren der verständnislosen Bürger aus seinem Munde.

Während Dantons junge Freunde sich im Gefängnis mit
10 zynischen Reden über die Todesangst quälen, über die Furcht
vor der Schmerzsekunde, wenn die Schneide des Fallbeils das
Fleisch des Halses durchdringt, bleibt Danton sich in seiner
Stimmung wie in seinen Worten gleich. Ja, es fällt auf, daß
seine ersten Worte in diesem Drama beim Kartenspiel zu Julie
15 nicht mehr und nicht weniger Pessimismus und Schmerz verraten als jetzt, wenige Stunden vor seiner Enthauptung. Danton
wandelt sich nicht im Verlaufe des Dramas. Das Prinzip der
Katharsis oder des Schuldigwerdens, das in der Dramaturgie
des achtzehnten und neunzehnten Jahrhunderts so wesentlich
20 war, ist diesem Drama völlig fremd. Danton stirbt, weil er sich
nicht wandelt, und mit dem, was Robespierre in Dantons Natur
als Schuld bezeichnen würde, ist er bereits geboren.

Danton durchschaut seine bürgerlichen Richter im Revolutionstribunal, sie sind nur Puppen. Selbst über Robespierres
25 Kopf sieht er die Drähte, die ihn bewegen. Danton weiß, daß
er in einen verhängnisvollen Strudel der Geschichte geraten ist,
der ihn unabänderlich in die Tiefe zieht: „Aber es ist mir, als
wäre ich in ein Mühlwerk gefallen, und die Glieder würden
mir langsam, systematisch von der kalten, physischen Gewalt
30 abgedreht. So mechanisch getötet zu werden!"

In den langen Gesprächen mit den Freunden, in denen sich

die Angst vor dem Tode und der Ekel am Leben immer lauter
zu Worte melden, findet Danton schließlich die kürzeste Formel
für seinen Nihilismus. Camille fragt ihn: „Ist denn der Äther
mit seinen Goldaugen eine Schüssel mit Goldkarpfen . . . und
die Fische sterben ewig, und die Götter erfreuen sich ewig 5
am Farbenspiel des Todeskampfes?" Darauf antwortet Danton
kryptisch: „Die Welt ist das Chaos. Das Nichts ist der zu
gebärende Weltgott." Dantons letzte Worte auf der Guillotine
zeugen noch einmal von der eigentümlichen Menschlichkeit
dieses Mannes, von seiner Liebe zur Sinnlichkeit und von 10
seinem Zweifel an den Spielregeln des Lebens und des Todes.
Als Herault seinen Kopf zusammen mit ihm unter das Beil
legen will und der Henker ihn zurückstößt, fragt Danton ihn
traurig: „Willst du grausamer sein als der Tod? Kannst du
verhindern, daß unsere Köpfe sich auf dem Boden des Korbes 15
küssen?"

Kurz nachdem Büchner im Winter 1836 seine Antrittsvorlesung über die Schädelnerven gehalten hatte, schrieb er sein
eigenartigstes Werk, *Woyzeck*. Dieses Stück, obwohl es der
Form nach fragmentarisch zu sein scheint (es läßt sich auf 20
nicht ganz 24 Seiten drucken), ist eines der meist bewunderten
Dramen des neunzehnten Jahrhunderts. Es hat einer ganzen
Generation von Bühnendichtern, den Expressionisten nach dem
ersten Weltkrieg, als Vorbild gegolten. Es hat mit seinen
wenigen kargen Dialogen immer wieder erneute Fragen nach 25
dem Wesen der Dichtung an sich aufgeworfen. Es verblüfft uns
heute mehr denn je durch seine unmittelbare Kühnheit der
Sprache, durch seine geradezu medizinische Diagnose der unge-
sunden Schwankungen des menschlichen Geistes, und, sonder-

barerweise, durch seine merkwürdig sparsame dichterische Ge-
formtheit, die sich trotz der scheinbaren Abwesenheit konven-
tioneller dramatischer Form magisch aus dem Ganzen heraus
geltend macht. Auch *Woyzeck* ist im gewissen Sinne ein „ge-
5 schichtliches" Drama. Zu Anfang des vergangenen Jahrhunderts
wurde ein Mann mit Namen Woyzeck wegen Mordes an einer
jungen Frau verhaftet und zum Tode verurteilt. Vor seiner Hinrichtung wurde er der medizinischen Fakultät in Heidelberg zur
psychologischen Beobachtung übergeben, und die Heidelberger
10 Gelehrten veröffentlichten einen interessanten Bericht über diesen verstörten jungen Mann, der etwas Abruptes, Hektisches in
seinen Bewegungen zeigte, viel zu schnell und zu überstürzt
sprach, und dem während der Untersuchungen durch die Ärzte
immer Perlen kalten Schweißes auf der Stirn standen. Man hat
15 vor einiger Zeit nachweisen können, daß Büchner den medizinischen Bericht über Woyzeck studiert hat und sein Stück sehr
eng an die Figur des Mörders Woyzeck angelehnt hat.

Die Frage nach der Ursache des starken Zaubers, der von
dieser kurzen Szenenfolge ausgeht, hat nie große Schwierig-
20 keiten bereitet. Sie liegt im Akt der Verdichtung selber, in der
kühnen poetischen Zusammenschau der Symptome und Motive,
die in oft ganz kurzen Bildern aneinandergereiht werden. Sie
liegt in der großen Ökonomie der Darstellung, die von Satz zu
Satz zur Essenz gerinnt, nie ein Wort zu viel oder zu wenig
25 zu beanspruchen scheint.

Woyzeck ist Soldat. In der ersten Szene rasiert er seinen
Hauptmann. Gleich die ersten Worte enthüllen Woyzecks
krankhafte Gehetztheit: „Langsam, Woyzeck, langsam . . ."
ermahnt ihn der Hauptmann, der selbst behaglich auf einem
30 arrivierten Posten innerhalb der Militärhierarchie sitzt und den
gefährdeten Woyzeck mit dummen und banalen Ratschlägen

überhäuft. Er hat den sicheren Instinkt der Mittelmäßigkeit gegenüber der Problematik Woyzecks. Er legt immer wieder plump und gefühllos den Finger in Woyzecks Wunden: „Woyzeck, er sieht immer so verhetzt aus! Ein guter Mensch tut das nicht, ein guter Mensch, der sein gutes Gewissen hat." 5 Und etwas später bohrt er noch tiefer: „Woyzeck, er hat keine Moral!" Der simple Hauptmann hat jedes Mal Recht. Woyzeck ist die Kreatur des absoluten Staates. Er ist der rechtlose Untertan, der dem Fürsten bedingungslosen Militärdienst absolviert. Er ist in die Hände eines gewissenlosen, mit ausschwei- 10 fenden wissenschaftlichen Theorien spekulierenden Arztes gefallen, der seit Jahren mit ihm experimentiert, bestimmte Diäten an ihm ausprobiert und seine körperlichen und geistigen Funktionen auf das Ungünstigste beeinflußt hat. Woyzeck ist seinem Fürsten wie seinem Doktor willenlos preisgegeben, jeder 15 von beiden zieht aus ihm heraus, was in ihm ist. Woyzeck ist zu einer hilflosen Kreatur geworden. Er ist nervös, seine Glieder zittern, seine Augen huschen scheu hin und her. Er ist auf der niedrigsten Stufe der Bildung stehengeblieben, weil es ein Luxus für den Staat wäre, die Untertanen zu erziehen. 20 So hat Woyzeck die Überzeugung, daß Moral das Privileg vornehmer Leute sei, sie ist ein Luxus wie seidene Hosen oder goldene Uhren. Deswegen ist er der Ansicht, daß arme Leute keine andere Wahl haben, als sich gehen zu lassen, „wenn ihnen die Natur kommt", deswegen hat er ein uneheliches Kind. Des 25 Hauptmanns Phrasen von der Tugend sind für ihn sinnlos. Er kennt nur die Natur, die so stark ist, daß er ihr keinen Widerstand leisten kann. Und auf noch einen Charakterzug Woyzecks legt der Hauptmann den Finger: „Aber du denkst zu viel, das zehrt; du siehst immer so verhetzt aus." Auch 30 diese Beobachtung ist richtig. Woyzeck denkt sehr viel nach,

seine Gedanken gehen immer im Kreise, um unbekannte Ängste und Bedrohungen, vor denen er sich unentwegt fürchtet. Seine Ängste, die seinem manisch depressiven Gemüt entstammen, nehmen schließlich mythische Formen an. Auf dem Feld vor
5 der Stadt ahnt er unheimliche Gewalten unter der dünnen Kruste der Erde. Er entsetzt sich vor der unheimlichen Form der Schwämme, die am feuchten Boden wachsen. Wetterleuchten oder Abendröte werden ihm zu apokalyptischen Feuern, die Untergang und Ende ankünden, seine Furcht erhöhen und
10 seine Träume vergiften.

Marie, das Mädchen, mit dem er ein Kind hat, ist ein derbes, sinnliches Landmädchen, das seine Ängste nicht teilt, das seine Nöte nicht verstehen kann. Sie sieht gern vom Fenster strammen Soldaten nach und kennt keinen Grund in der Welt, aus dem
15 sie sich einem Manne versagen sollte. Woyzeck scheint ihr zu „vergeistert", und sie befürchtet, daß er noch „überschnappen" wird „mit den Gedanken". In der turbulenten Stimmung eines Jahrmarktbummels mit Woyzeck sieht sie einen großen, schönen Tambourmajor, der ihrer Phantasie von nun an keine Ruhe
20 mehr läßt. In der kurzen Szene zwischen ihr und dem Tambourmajor in ihrer Kammer wird mit wenigen, sehr sparsamen Worten der ganze Komplex der erotischen Verführung, der Armeleute-Moral, die Wortkargheit der Werbung zwischen primitiven Untertanen beschworen. Marie ergibt sich mit den
25 Worten: „Meinetwegen, es ist alles eins!"

Der Hauptmann erweckt in Woyzeck den Verdacht gegen den Tambourmajor. Er prophezeit dem schwächlichen, bartlosen Woyzeck, daß er bald die Barthaare des Tambourmajors in seinem Suppenteller wiederfinden werde. Die Eifersucht löst
30 nun in dem gequälten und von Ängsten verfolgten Woyzeck die Hölle aus. Man sieht ihn jetzt in immer rascherer Bilder-

folge seinen wahnsinnigen Liebesschmerz steigern bei einsamen
Spaziergangsimpressionen auf einem freien Feld, im Kasernen-
zimmer, auf dem Exerzierplatz, oder draußen vor dem Fenster
des Wirtshauses, während drinnen Marie mit dem schönen
Tambourmajor tanzt. Die meisten dieser Szenen bestehen nur 5
aus einigen Worten, ein paar gestammelten oder gestöhnten
Klagen Woyzecks oder dem Bruchteil eines Gesprächsfetzens,
den er auffängt, wenn das Paar am Fenster vorübertanzt. (Er
hört zum Beispiel, wie Marie in den Armen des Tambourmajors erhitzt lallt: „Immer zu, immer zu . . .") 10

Wie in der Schnittechnik des Filmes wird nur ein kurzer,
typischer Moment festgehalten, dann wird sofort in ein anderes
Bild übergeblendet. So springt die Szene für Momente vom
Wirtshaus aufs Feld, von der Kasernenstube in Maries Kammer,
von der Straße zum Teich. Immer fallen nur wenige Worte, 15
lyrische Stimmungen blitzen kurz auf, Schatten fallen schnell
ein, Töne, Lärm, Gerüche und Triebe werden gemischt und
ganz kurz mit ein paar Worten vor den Zuschauer hingehalten.
Woyzeck, der die heiße Marie in den Armen des Tambourmajors
nicht aus seinen Sinnen verbannen kann, lockt sie endlich zu 20
einem Spaziergang zum „Waldsaum am Teich", wo er sie
brutal absticht wie ein Kalb. Von hier springt die Szene schnell
ins Wirtshaus über, wo er in den Lärm des Tanzrummels unter-
taucht. Er schreit in die Menge: „Tanzt alle, immer zu! Schwitzt
und stinkt!" Stimmen und Musik lärmen durcheinander, es 25
wird geschäkert und getrunken, bis plötzlich das Blut an
Woyzecks Händen sichtbar wird und er fliehen muß.

Die letzte Szene klingt dann völlig balladenhaft-lyrisch im
Nebel am Teich aus, wo Woyzeck das blutige Messer ins
Wasser wirft. Er lallt zusammenhanglos, daß er sich von 30
Flecken reinigen müsse und scheint sich dabei zu ertränken.

Am Schluß sind nur noch rufende Stimmen im Nebel. Das Ganze löst sich in musikalisch-lyrischen Tönen auf. Eine der suchenden Stimmen hört man sagen: „Es ist unheimlich! So dunstig, allenthalben Nebelgrau — und das Summen der 5 Käfer wie gesprungne Glocken."

Unter den Bewunderern Büchners hört man seit einigen Generationen den erstaunten Hinweis auf die verblüffende Modernität seines Werkes. Dieser Begriff ist so schlüpfrig, daß man sich seiner heute nicht mehr guten Gewissens bedienen 10 kann. Aber es läßt sich nicht leugnen, daß sowohl Büchners politische Gedanken wie sein dichterisches Werk der politischen und literarischen Wirklichkeit seiner Zeit weit vorgreifen. Das höchste Lob, daß man diesem Dichter zollen kann, liegt in der Tatsache, daß seine Gedanken und seine Dichtungen in hun- 15 dertunddreißig Jahren nichts an Frische und Magie verloren haben. Damit gehört er zu den ganz wenigen Dichtern, deren Wert die Zeit nichts anhaben kann.

Reinhard Paul Becker

Mayer, Hans. *Georg Büchner und seine Zeit.* Wiesbaden, 1946.
Diehm, Eugen. *Georg Büchners Leben und Werke.* Heidelberg, 1946.
Viëtor, Karl. *Georg Büchner als Politiker.* Bern, 1939.
Majut, Rudolf. „Georg Büchner and some English Thinkers" *Modern Language Review* XLVIII, 1953.

Friedrich Hebbel

1813-1863

Kampf gegen eine scheinbar feindliche Umwelt ist die Geschichte von Friedrich Hebbels Leben. Am 18. März 1813 als Sohn eines armen Maurers in dem Dithmarscher Dorf Wesselburen geboren, mußte er sich schon früh an die Not des Daseins gewöhnen. In dem bescheidenen Vaterhäuschen 5 mangelte es an den allernötigsten Lebensbedürfnissen, und so war für eine geistige Ausbildung nichts übrig. Der frühzeitige Tod des Vaters nötigte Hebbel schon im fünfzehnten Lebensjahr, für seinen eigenen Unterhalt zu sorgen, und er trat als Laufbursche in den Haushalt des Kirchspielvogts Mohr ein. 10 Trotz der Hoffnungslosigkeit seiner Lage hielt er aber hartnäckig an seinem Kindertraum fest, einmal Dichter zu werden, und durch Fleiß und außerordentliche Intelligenz rückte er

schon innerhalb eines Jahres zum Schreiber auf. Mohr öffnete ihm seine Bibliothek und dadurch den Eintritt in die Welt der Literatur. Schiller, E. T. A. Hoffmann, Goethe, Shakespeare, Uhland wurden allmählich seine Leitsterne, die ihn in das
5 Reich der Natur und der Dichtkunst hinüberführten. Zuerst als Schwärmer, dann als begeisterter Schüler, endlich mit kritischem Scharfsinn las er, was in Mohrs Bibliothek zu finden war. Mit siebzehn Jahren begann er selbst zu dichten und versuchte, manchmal mit Erfolg, doch meistens vergebens, kleine
10 Gedichte in den Zeitungen seiner Gegend unterzubringen.

Jedoch je weiter er sich geistig entwickelte, desto beschränkter kam ihm seine Umgebung vor. Er wußte, daß es in der engen Heimat für ihn nichts zu suchen gab, doch Geldmangel erlaubte keinen Ausweg. Eine Reihe von fast grotesken Versuchen, sich
15 die nötigen Mittel zu verschaffen, beweisen nicht nur einen starken Drang zur großen Welt, sondern vor allem sein wachsendes Selbstbewußtsein. Erst im Jahre 1835 sollte sein „erster und nächster Wunsch" Erfüllung finden. Amalie Schoppe, die Leiterin der in Hamburg veröffentlichten *Neuen*
20 *Pariser Modeblätter*, meinte in dem jungen Autor, dessen Gedichte und Erzählungen sie schon öfters gedruckt hatte, ein ganz hervorragendes Talent gefunden zu haben. Sie bemühte sich, Geld für seine Ausbildung unter ihren Bekannten zusammenzubringen und ermöglichte es ihm, nach Hamburg zu
25 kommen.

Als Hebbel in Hamburg eintraf, war er ein unerfahrener junger Mann. Die große Welt kannte ja der zweiundzwanzigjährige nur aus Büchern. Die großen Hoffnungen, die er sich damals machte, deuten auf eine recht naive Beurteilung seiner
30 Verhältnisse hin. Seine finanzielle Lage hatte sich keineswegs verbessert. Im Gegenteil, er hatte jetzt gar kein Einkommen.

Das Geld, das ihm Frau Schoppe verschafft hatte, sollte für das Universitätsstudium aufgespart werden, doch erst mußte er sich ein Jahr lang durch Privatunterricht vorbereiten. Was seinen Lebensunterhalt betraf, so mußte er sich auf seine Gönnerin verlassen, die ihn mit Lebensmitteln und Freitischen 5 versorgte. Aber als Gegenleistung erwartete man von ihm Unterwürfigkeit. Hatte er geträumt, als junges Genie Eintritt in die Gesellschaft zu finden, so mußte er bald feststellen, daß er eher als Bettler behandelt wurde, von dem man als Dank Gehorsam verlangte. Er mußte seine Gedanken und, noch 10 schlimmer, seinen allzu empfindlichen Stolz unterdrücken. Was er öffentlich verschweigen mußte, schrieb er in sein Tagebuch, das er am 23. März 1835 begann und mit nur wenigen Unterbrechungen bis zu seinem Lebensende führte. In einem Vorwort sagt er: „Wer kann gleichgültig so manche tausend Welten in 15 sich versinken sehen und wünscht nicht, wenigstens das Göttliche, sei es Wonne oder Schmerz, welches durch sie hinzog, zu retten?" Also sollten seine Tagebücher von Anfang an die Geschichte seiner Seele werden, in die er den Überfluß seiner Denkkraft goß. Was für ihn eine Wendung nach Innen be- 20 deutete, hat der Nachwelt den ganzen Reichtum seines Geistes eröffnet. Die Tagebücher sind nicht nur die Hauptquelle der Hebbelforschung geworden, sie haben auch seit der ersten Ausgabe (1885-87) durch die Schärfe, mit der sie ein ganzes Zeitalter darstellen, das allgemeinste Interesse erregt. 25

Im Frühjahr 1835 lernte Hebbel auch Elise Lensing kennen, den einzigen Menschen, dem er sich als junger Mann anvertrauen konnte. Sie war achteinhalb Jahre älter als er und nicht weniger einsam. Er konnte die Liebe, mit der sie ihm entgegenkam, nicht erwidern. Da sie ihm zwei Kinder gebar, wirkt 30 seine ständige Betonung des nur freundschaftlichen Charakters

seiner Neigung zu ihr grausam. Sie hat ihr kleines Vermögen, ja ihr ganzes Leben für ihn aufgeopfert, und man hat Hebbel oft vorgeworfen, daß er über sie hinwegschritt. Ohne ihren menschlichen und finanziellen Beistand wäre er kaum durch die
5 Studienjahre in Heidelberg (1836) und München (1836-39) gekommen. Trotz aller Bemühungen, sich als Journalist durchzubringen, konnte er damals nichts verdienen. Da sein Stolz es ihm verbot, weitere Unterstützung von Amalie Schoppe und von deren wohlhabenden Bekannten anzunehmen, kam sein
10 Unterhalt zum größten Teil von Elise, die Stücke aus ihrem Haushalt verpfänden und schließlich arbeiten mußte, um ihm in seiner Not zu helfen. Konnte Hebbel seine Elise nicht zu seiner Frau machen, so erhob er sie doch zur Göttin, deren Bild sich in seinen größten Werken widerspiegelt. Wie so
15 manche seiner Heldinnen gefährdete sie am Ende, was sie erst durch ihr Opfer ermöglicht hatte. Sie hatte ihm geholfen, Dichter zu werden, doch dem Dichter hatte sie nichts mehr zu bieten. „Schüttle Alles ab, was Dich in Deiner Entwicklung hemmt, und wenn's auch ein Mensch wäre, der Dich liebt,
20 denn was dich vernichtet, kann keinen Anderen fördern." Dieser herbe Lehrsatz half Hebbel, sich mit seiner Schuld gegenüber Elise abzufinden.

Obgleich sich Hebbel schon während der Studienjahre als Dramatiker bezeichnete, konnte er bis 1840 kein einziges Stück
25 fertigbringen. Gedichte und kleine Prosaerzählungen sowie einige kritische Schriften gelangen ihm schon, doch das Ergebnis seiner dramatischen Bemühungen waren flüchtig hingeworfene Skizzen, in denen nur wenige Szenen ausgeführt waren. Vielleicht hat er damals zu hoch gegriffen. *Napoleon, Alexander*
30 *der Große*; so heißen die Fragmente aus der Zeit zwischen 1835 und 1840. *Moloch*, wohl das größte unter den fast hundert

Fragmenten, die Hebbel hinterlassen hat, stammt auch aus dieser Zeit. In diesem Werk wollte der junge Dichter die Erziehung eines primitiven altgermanischen Stammes durch die Einführung von religiösen und politischen Begriffen aus dem vorchristlichen Karthago darstellen und hoffte, dadurch die 5 Entstehungsgeschichte der ganzen abendländischen Kultur auf die Bühne zu bringen. So viel versprach sich Hebbel von dem Molochstoff, daß er fast sein ganzes Leben lang immer wieder daran arbeitete. Erst im Jahre 1861, als er die schon vergilbte Handschrift wieder hervorzog, mußte er gestehen, daß „der 10 Ton zu hoch genommen" sei. Das gilt wohl auch für die anderen frühen Versuche, denn in den ersten Jahren nach seiner Flucht aus Wesselburen lagen die Grundgedanken seiner Weltanschauung noch nicht fest. Den richtigen Ton konnte er nicht treffen, bis er sich ein Weltbild gestaltet hatte, das seinem 15 eigenen Verhältnis zur Außenwelt entsprach.

Hebbels jahrelanger Kampf um das tägliche Brot, seine Einsamkeit und seine tief empfundene Schuld gegenüber Elise hatten ihn zu einer tragischen Weltanschauung geführt, in der er den Grundgedanken der Menschheit zu sehen glaubte und 20 deren dramatische Darstellung er sich zur dichterischen Aufgabe machte. „Alles Leben ist Kampf des Individuellen mit dem Universum", so heißt es. Dieser Kampf verinnerlicht sich in jedem Individuum und führt zu einem tragischen Dualismus, der „durch alle uns're Anschauungen und Gedanken, durch 25 jedes einzelne Moment unseres Seins hindurchgeht, und er selbst ist uns're höchste, letzte Idee. Wir haben ganz und gar außer ihm keine Grund-Idee." Das bedeutet, daß der Mensch an sich ein entzweites und daher tragisches Wesen ist, daß also das einzige Grundprinzip des Lebens zum Leiden führt. 30

215

Diesen Begriff betonte Hebbel immer wieder, doch wollte er dadurch nicht, wie etwa sein Zeitgenosse, der Dramatiker Georg Büchner, den Menschen von der Idee der Schuld befreien. Tragische Schuld war für ihn sogar der Brennpunkt des Dramas. Jedoch hat Hebbels „dramatische Schuld" nichts mit der christlichen Schuld zu tun, die „erst aus der *Richtung* des menschlichen Willens entspringt". Die dramatische Schuld geht „unmittelbar aus dem Willen selbst, aus der starren eigenmächtigen Ausdehnung des Ichs" hervor. Im Drama — das heißt bei Hebbel in der „realisierten Philosophie" — gibt es keine guten oder bösen Menschen, sondern nur diejenigen, die sich vor dem „Universum in seiner Notwendigkeit" beugen, und die andern, ‚Schuldigen', die sich dagegen sträuben, indem sie dem Ich gehorchen. Daraus folgt, „daß es dramatisch völlig gleichgültig ist, ob der Held an einer vortrefflichen oder verwerflichen Bestrebung scheitert". In diesem Begriff ist Hebbels Verbindung mit dem klassischen Goethe nicht zu verkennen. In Hebbels Schuldigem könnte man etwa Tasso erkennen, der an der „Dissonanz" zwischen dem Ich und dem Universalen scheitert. Goethe will in seinem Drama aber nicht die Dissonanz, sondern die durch Entsagung mögliche Harmonie der Welt betonen, die nur durch Tassos Naivität kurz unterbrochen wird. Gerade da biegt Hebbel scharf von dem klassischen Begriff ab, denn bei ihm fehlt die moralische Grundlage des Humanitäts glaubens. *Sollen* wird durch *müssen* ersetzt, und der Entsagungskult wird zum Notwendigkeitskult. Die klassische Harmonie ist schon deswegen ausgeschlossen, weil das Universum dem Menschlichen in allem geradezu entgegengesetzt ist. Das folgt aus Hebbels vorhergenannter „Grund-Idee", denn das Menschliche im Menschen ist der Drang zum Individuellen. Selbst der

Trieb zum Leben ist im universalen Sinn unvernünftig. Das hat
Hebbel ganz klar im Tagebuch angedeutet.

> Das Allervernünftigste für das Individuum kann das
> Allerunvernünftigste für das Universum sein. Was wäre
> z.B. vernünftiger, als daß das Individuum sich die ewige ₅
> Jugend, in der sich alle seine Kräfte auf dem Höhepunkt
> der Entwicklung und der Wirkung befinden, wünscht?
> Und doch, was ist unvernünftiger für das Universum?
> Das Individuum, das diesen Wunsch zurücknimmt, ist
> kein Individuum mehr.   10

Aus diesem Beispiel läßt sich schließen, daß der Mensch sich
der Außenwelt gegenüber beugen *muß*, obgleich seine angeborene „Widerspenstigkeit" ihn dazu zwingt, alle seine Kräfte
dagegen anzuwenden. Da der Mensch seine Jugend nicht erhalten kann, beweist Hebbel, wenigstens in diesem Fall, die 15
völlige Machtlosigkeit des Willens. Indem er dieses Verhältnis
zwischen Ich und Universum verallgemeinert, scheint er alles
rein menschliche Streben als wertlos zu verwerfen. Doch der
letzte Satz der Tagebucheintragung deutet auf eine Möglichkeit, durch die Hebbel sich gerade noch diesem nihilistischen 20
Schluß entzieht. Könnte der Mensch seinen Wunsch nach ewiger
Jugend zurücknehmen, könnte er also die Notwendigkeit des
universalen Willens einsehen und billigen, so könnte er auch
möglicherweise im Verband mit dem Universalen handeln.
Gerade diese Möglichkeit machte Hebbel zum Grundproblem 25
seines ganzen Denkens und Strebens. Er wollte, so erklärte er
immer wieder, das Überindividuelle im Menschen veranschaulichen, indem er es im Drama dem rein Menschlichen
„dialektisch" entgegensetzte. Sein Notwendigkeitsglaube ließ

217

ihn den universalen Willen im Strom der Geschichte erblicken, der trotz aller menschlichen Widerspenstigkeit ungestört seinem geheimnisvollen Ziel entgegenfließt. Wollte er also den Gegensatz zwischen dem Menschen als Individuum und dem Überindividuellen im Menschen dramatisch darstellen, so dachte er ganz natürlich an die großen historischen Krisen, durch die sich dieser Gegensatz unbedingt offenbaren müßte. Historische Krisen könnten ja nur dann entstehen, wenn sich der Mensch gegen die geschichtliche Notwendigkeit auflehnt. Daher hat Hebbel das „höchste Drama" eng mit der Geschichte verbunden und zwar gerade mit jenem „verbindenden Mittelglied zwischen einer Kette von Jahrhunderten, die sich schließen, und einer neuen, die beginnen will".

Hebbels dramatische Theorien sind hauptsächlich in der Streitschrift *Mein Wort über das Drama* (1843) und im *Vorwort zur Maria Magdalene* (1844) zu finden. Daß er sie aber schon früher systematisch durchdacht hatte, beweisen häufige Tagebucheintragungen, die zum Teil schon aus der Münchner Zeit stammen. Philosophische Idee und Kunst vereinen sich aber zum ersten Mal in *Judith*, die im Winter 1839-40 entstand. Hebbel beherrschte schon in seinem Erstlingsdrama die dramatische Form. Der Konflikt scheint ganz im Stoff zu liegen, doch wenn man die farblose biblische Fabel von Judith und Holofernes liest, so merkt man sofort, daß die Einheit von Idee und Handlung ganz der nun völlig reifen dichterischen Kraft Hebbels zuzuschreiben ist. Gewaltig wird in *Judith* das rohe Ich in der Gestalt des Holofernes dargestellt, der mit seinem Heer die ganze Welt auf die Kniee zwingen will. Mit fürchterlicher Herrlichkeit enthüllen die Worte des Feldherrn einen ungebändigten, urmenschlichen Egoismus:

Es kommt mir unter all dem blöden Volk zuweilen vor,
als ob ich allein da bin, als ob sie nur dadurch zum
Gefühl ihrer selbst kommen können, daß ich ihnen Arm
und Bein abhaue . . . Hätt' ich doch nur einen Feind, der
mir gegenüber zu treten wagte! . . . Er komme, . . . der 5
mich darnieder wirft. . . . Es ist öde, nichts ehren zu
können, als sich selbst. . . . Ich bohre tiefer und immer
tiefer mit meinem Schwert; wenn das Zetergeschrei den
Retter nicht weckt, so ist keiner da. . . . O, der letzte Moment . . . wäre er schon da! . . . Dann donn're ich . . . ich 10
bin Euer Gott, und schließe Lippen und Augen und sterbe
still und geheim.

Holofernes' Zerstörungswut, durch die er sich zur Gottheit
erheben will, entspringt unmittelbar einer dem Ich zugrunde
liegenden Ironie. Um die Unendlichkeit der Kraft seines 15
Wollens zu erproben, muß er gerade das in der Außenwelt
zerstören, was er in sich vergöttert, nämlich die Kraft. Hat er
sie einmal zerstört, so kann er seine eigene Macht, die sich
nur im Kampf offenbart, an nichts mehr messen. Also wird sein
Leben ein ewiges Sehnen nach Feinden, ein Sehnen, das schon 20
deswegen selbstvernichtend wirkt, weil das Objekt, der Feind,
jedesmal aus der Welt geschafft werden muß. Diese Ironie
scheint Holofernes selbst zu ahnen, als er sagt: „Schade, daß
ich Alles, was ich achte, vernichten muß." Doch entgeht ihm
der nihilistische Schluß. Er versteht nicht, daß er sein eigenes 25
Leben verwirft, indem er die Außenwelt angreift, durch die
allein es Bedeutung gewinnen kann.

Indem Hebbel Holofernes' Egoismus zum höchsten Grad
steigert, läßt sich der Konflikt zwischen Ich und Universum
schon im ersten Akt erblicken, obgleich die Gegenhandlung erst 30

im zweiten eingeführt wird. Es ist völlig klar, daß Holofernes die
ganze Weltordnung gefährdet, als er nun das letzte unbesiegte
Volk vernichten will. Es sind die Hebräer, die sich trotz der
Todesgefahr auf ihren Gott verlassen. Besonders Judith zeichnet
5 sich unter ihrem Volk durch unerschütterlichen Glauben an
den geheimnisvollen Willen Gottes aus. Hebbel stellt sie als
jungfräuliche Witwe dar, um ihr den Schein des Mysteriösen
zu geben. Ihr früh verstorbener Gatte soll in unbegreiflicher
Scheu vor ihr zurückgeschreckt sein und sie nie berührt haben.
10 Gerade wegen dieses ihr selbst unverständlichen Zeichens fühlt
sie sich von Gott zur Retterin ihres Volkes auserkoren, als sie
nun hört, daß Holofernes auch die Frauen töte, aber nicht
wie die Männer durch das Schwert, sondern durch Umarmung.
In der Hoffnung, ihn in den Tod locken zu können, geht sie
15 also in sein Lager.

Bis dahin ist das Universale in Judiths Handeln nicht zu
verkennen. Sie macht sich zum Werkzeug einer höheren Macht.
Aber als sie wirklich vor Holofernes steht, erwacht das Menschliche in ihr. Erst da fängt der echt dramatische Konflikt an,
20 der sich in Judith abspielt. Nun muß sie sich fragen, war es
der Gott, der sie ins feindliche Lager trieb, oder war es ihr
Sehnen nach dem „ersten und letzten Mann der Erde"? Vergebens fleht sie ihren Gott an: „Schütze mich vor mir selbst,
daß ich nicht verehren muß, was ich verabscheue! Er ist ein
25 Mann." Indem Holofernes ihr weibliches Verlangen erfüllt,
erkennt sie, daß sie ihrer Sendung untreu geworden ist. Als sie
nun den im Schlafe lächelnden Mann enthauptet, tut sie es
nicht, um ihr Volk zu retten, sondern um ihr eigenes Wollen,
das sie als Sünde empfindet, an ihm zu rächen. Als gebrochene
30 Frau, nicht als siegreiche Heldin, kehrt sie zu den Ihrigen
zurück. Der Gedanke, daß sie Holofernes einen Sohn gebären

könnte, der ihren Frevel verewigen würde, bringt sie am Ende der Verzweiflung nahe. Allein der hebräische Gott ist der Sieger. Trotz der menschlichen Schwäche Judiths hat sich der universale Wille durchgesetzt. Der Rebell, der sich gegen die Weltordnung empörte, ist aus dem Wege geräumt. Daß der Gott sein 5 Werkzeug bei der Arbeit zerstört hat, daß es also im Universalen keine dem Menschen erkennbare Gerechtigkeit gibt, ist der bittere tragische Schluß, zu dem *Judith* führt.

Im Juli 1840 wurde *Judith* uraufgeführt und fand sofort allgemeinen Beifall. Unter den Literaten galt Hebbel nun als 10 „kommender Mann", und ehe er 1842 Hamburg wieder verließ, wurden zwei weitere Stücke fertig, die seinen Ruf als Dramatiker festigten, obgleich sie nicht die künstlerische Höhe der *Judith* erreichten. Seine größten Hoffnungen hatten sich erfüllt, doch der Erfolg hatte ihm nur wenig Geld eingebracht. Da 15 Elise damals gerade ein Kind erwartete, wurde die Not wieder äußerst dringend. Als holsteinischer Untertan der dänischen Krone reiste er nach Kopenhagen, um sich Hilfe von seinem König zu erbitten. Es dauerte über ein Jahr, bis sie schließlich kam. Im April 1843 erhielt er ein auf zwei Jahre verteiltes 20 Reisestipendium von 1200 Talern. Zum ersten Mal konnte der nun dreißigjährige Hebbel frei atmen. Im Herbst desselben Jahres reiste er nach Paris, wo er sich ein Jahr lang aufhielt, dann weiter nach Rom, nach Neapel und wieder zurück nach Rom. Erst im Herbst 1845 kehrte er in das deutsche Sprachge- 25 biet zurück, und zwar diesmal nach Wien. Hier lernte er die junge Schauspielerin Christine Enghaus kennen, die schon öfters im Burgtheater als Heldin in seinen Stücken aufgetreten war. Da sie ihm außer Jugend und Schönheit auch Unabhängig-

keit bieten konnte, nahm er sie im Mai 1846 zur Gattin und
ließ sich in Wien endgültig mit ihr nieder.

Hebbels Kampf aber war nicht zu Ende. Sein Körper war
durch die langen Entbehrungen der früheren Jahre dermaßen
5 geschwächt, daß er sich gegen Krankheit nicht mehr wehren
konnte. Immer häufiger hielten Fieber und unerträgliche
Schmerzen den Dichter von seiner Arbeit ab. In seinem fünfzig-
sten Lebensjahr, am 13. Dezember 1863, starb er, kurz nachdem
sein Schaffen noch mit dem Schillerpreis gekrönt worden war.

10 In Kopenhagen begonnen und in Paris beendigt, wurde das
bürgerliche Trauerspiel *Maria Magdalene* (1844) das Werk
Hebbels, das am beliebtesten werden sollte. Es war Hebbels
Absicht, eine dramatische Form zu retten, die seit Lessings
Emilia Galotti immer weiter abgesunken war, und ihr eine
15 neue, dem neunzehnten Jahrhundert entsprechende Richtung
zu geben. Anstatt auf den veralteten, doch immer wieder dramatisch behandelten Standesgegensatz zurückzugreifen, ließ
er die ganze Handlung seines Werkes innerhalb des klein-
städtischen Mittelstandes spielen und verkörperte darin die
20 wirklichen gesellschaftlichen Verhältnisse seiner Zeit. Die damaligen Zustände werden nicht als endgültiges historisches
Resultat dargestellt, sondern im Gegenteil als ein zu Ende
kommendes Zeitalter, in dem eine neue, nur schattenhaft angedeutete Gegenwendung gerade noch sichtbar wird. Wie
25 einflußreich *Maria Magdalene* wurde, läßt sich in den Gesell-
schaftsdramen Ibsens und der deutschen Naturalisten erkennen,
wo sich das gleiche Verhältnis zwischen einer zum Tode verurteilten Gegenwart und einer noch nicht ganz bestimmten,
neuen Richtung immer wieder zeigt.

30 Das Hauptmotiv der *Judith*, die Unerkennbarkeit des uni-

versalen Willens, ist auch der Grundgedanke, aus dem sich *Maria Magdalene* entwickelt. Schon der Titel deutet auf dieses Thema, indem er auf jene biblische Sünderin weist, die trotz ihres Verbrechens Eintritt in das himmlische Reich gewinnt. In *Judith* wollte Hebbel den Gedanken darstellen, daß sogar eine 5 Heilige nur durch den Durchbruch ihres Ichs ihre universale Rolle erfüllen kann. Da es aber Judiths Rolle ist, den ungebändigten Egoisten Holofernes aus der Welt zu schaffen, kommt der notwendige Dualismus des Menschen klar zum Vorschein. Der Mensch muß sich selbst und zugleich dem universalen 10 Willen, den er ahnen, doch nicht verstehen kann, treu bleiben. In *Maria Magdalene* greift Hebbel dieses Problem von der entgegengesetzten Richtung an. Im Vordergrund der Handlung steht der „gute" Bürger, der genau zu verstehen glaubt, was die Welt von ihm verlangt. Er erkennt die traditionelle Sittlich- 15 keit als göttliches Gebot an und meint daher, alles menschliche Handeln als „gut" oder „böse" beurteilen zu können. Ohne weiteres Nachdenken setzt er das sittlich Gute dem Weltwillen gleich. Hebbel hat diese bürgerliche Haltung selbst erlebt, als er bei der Familie Anton Schwarz in München wohnte. Aus 20 seinen damaligen Erfahrungen leitet sich die Handlung der *Maria Magdalene* ab.

Klara, die Tochter des Tischlermeisters Anton, hat sich unter dem Druck ihrer Familie mit Leonhard verlobt, nachdem sie sich von ihrem Jugendgeliebten verlassen fühlte. Aus einer 25 Art Pflichtgefühl hat sie sich ihrem Verlobten hingegeben. Dieser will sich zurückziehen, als er erfährt, daß Klara kein Erbe zu erwarten hat. Klaras Bruder wird zur gleichen Zeit unter dem Verdacht, einen Diebstahl begangen zu haben, verhaftet. Das bietet Leonhard die Gelegenheit, die Verlobung 30 zu lösen, obgleich Klara ein Kind erwartet. Klaras Vater ist

von der Schuld seines Sohnes überzeugt und leidet schwer
darunter. Um ihm weitere Schande zu ersparen, geht Klara
freiwillig in den Tod.

    Meister Anton spielt die traditionelle Rolle des Familien-
5 tyrannen, der seine Tochter zum Selbstmord aus Verzweiflung
treibt. Er ist aber nicht als unsympathischer Egoist dargestellt.
Im Gegenteil, sein ganzes Streben ist darauf gerichtet, ein guter
Mensch zu sein. Er ist ehrlich, treuherzig, arbeitsam, und wenn
es ihm an Geduld fehlt, so nur deswegen, weil er nicht in allen
10 Mitmenschen dieselben guten Charakterzüge findet. Es ist also
gar nicht Hebbels Absicht, Meister Anton mit persönlicher
Schuld zu beladen. In ihm verkörpert sich die kleinbürger-
liche Welt. Wenn er nun doch an seiner Familie schuldig
wird, so liegt sein Fehlen nicht an ihm selbst, sondern in den
15 Idealen, die er vertritt. Hebbel will also durch ihn den Bankrott
der ganzen Bürgerwelt veranschaulichen. Die Sittlichkeit, auf
die sich Antons Handeln stützt, stellt er als unvernünftig,
ja als unverständlich dar — nicht nur im universalen, sondern auch im menschlichen Sinn. Als göttliches Gebot kann
20 die bürgerliche Moral schon deswegen nicht gelten, weil sie
überall zu Fehlschlüssen führt. Obgleich Anton sein Urteil für
unfehlbar hält, irrt er sich immer wieder. Den Schwindler
Leonhard macht er zum Ehrenmann, und im eigenen, ehrlichen
Sohn erkennt er nur den Gauner und den Dieb. Daß die tradi-
25 tionelle Sittlichkeit auch menschlichen Bedürfnissen nicht entspricht, wird dadurch bewiesen, daß Antons Unfähigkeit, selbst
im Notfall seine sittlichen Begriffe aufzugeben, seine Familie
unmittelbar ins Verderben stürzt.

    Das Fatale an der Bürgermoral ist, daß sie sich völlig auf den
30 Schein verlassen muß. Man glaubt, was man sieht. Von Meister
Anton wird dieser Begriff sogar zum Ideal erhoben, denn er

behauptet: „Über Menschen denke ich gar nichts, . . . ich mache bloß Erfahrungen über sie, und nehme mir ein Beispiel an meinen beiden Augen, die auch nichts denken, sondern bloß sehen." Indem er dem Sehen die Allmacht zuspricht und dazu noch das Denken herabsetzt, macht er Wirklichkeit und Schein 5 völlig ununterscheidbar. Diese Zusammenstellung ist sein gefährlichster Irrtum, denn gerade darauf stützt sich das bürgerliche Selbstvertrauen, das ihn ins Unglück führt. Erst durch Klaras Tod wird ihm die Unzuverlässigkeit des Scheins enthüllt. Daß diese Enthüllung sein ganzes Weltbild zerstört, ist selbst-10 verständlich. Ganz am Ende muß er gestehen: „Ich verstehe die Welt nicht mehr." Doch das bedeutet eigentlich, daß er die Welt nie verstanden hat, denn sein früheres Verständnis war nichts als Täuschung, die er erst jetzt erkennt, als es schon zu spät ist. 15

Da Meister Anton als Vertreter des Mittelstandes und nicht als Mensch schuldig wird, gibt es keine echte Gegenhandlung in *Maria Magdalene*. Nur in Antons Sohn, der am Ende „ins Freie" will, läßt sich eine schattenhafte, neue Richtung erkennen. Die anderen Figuren im Drama unterwerfen sich auch 20 der bürgerlichen Sittlichkeit und machen sich dadurch mitschuldig. Auch Klara teilt die Schuld, indem sie sich ihrem Verlobten nicht etwa aus Liebe hingibt, sondern um dem Spott zu entgehen, der gegen ein „verlassenes Mädchen" gerichtet wird. Klaras Bräutigam hebt die Verlobung auf, als ihr Bruder 25 verhaftet wird, weil er sich nicht durch diese Schande beflecken will. Darin liegt seine Schuld. Daß er außerdem ein niedriger Mensch ist, hat mit seiner dramatischen Schuld nichts zu tun. Selbst die fast heldische Figur, Sekretär Friedrich, dem Hebbel seinen eigenen Vornamen gibt, kann die Schein-Moral nicht 30 überwinden, als ihm Klara das Geständnis macht, daß sie

Leonhards Kind trage. Obwohl er sie liebt, wendet er sich im entscheidenden Augenblick von ihr ab mit den Worten: „Darüber kann kein Mann weg! Vor dem Kerl, dem man ins Gesicht spucken möchte, die Augen niederschlagen müssen?"
5 Auch er fürchtet das Urteil der Anderen. Doch ist Meister Anton der Schuldigste. Indem er von Klara den grausamen Schwur erpreßt, daß sie ihm nie Schande machen wird, obgleich er schon ihre Not ahnt, stellt er die Meinung der Welt über das Leben seiner Tochter und verurteilt sie dadurch zum Tod.
10 In *Maria Magdalene* wird ein Mädchen das Opfer eines bankrotten Bürgerstandes. Daß ihr Tod zu keiner Besserung der Zustände führt, daß ihr Opfer also sinnlos ist, macht dieses Drama wohl zur bittersten Tragödie Hebbels. Um so deutlicher tritt die tiefere Bedeutung des Stückes hervor. Eine Gesellschaft,
15 die sich solche Opfer leistet, eine Gesellschaft, die ihr eigenes Wollen zum Weltwillen erhebt, deren Weltanschauung also völlig auf Irrtum beruht, kann nicht lang gedeihen.

Hebbels Pessimismus führte zu weiteren Gegenwartsdramen, die jedoch stark von *Maria Magdalene* überschattet werden.
20 Erst 1848 entstand wieder eine großes Werk. Es ist die Verstragödie *Herodes und Mariamne*, deren Grundgedanke im Psychologischen liegt: Ein Mann spricht seiner Gattin gegenüber den Wunsch aus, daß sie ihm, wenn er sterbe, sogleich ins Grab nachfolgen solle. Der Wunsch — einmal ausgesprochen —
25 führt ihn aber dazu, die Treue der Frau auf die Probe zu stellen. Er will nämlich mit eigenen Augen sehen, ob und wie seine Gattin den Wunsch erfüllen würde. Das heißt, daß sie ihre Liebe nur durch den Tod beweisen kann. Sie aber liebt ganz anders als er. Während seine Liebe ganz dem Egoismus ent-
30 springt, sucht sie ihr Glück in der völligen Hingabe. Da er von ihr nur noch den Tod verlangt, läßt sie sich schließlich von ihm

ohne Widerstand hinrichten. Diese innere Handlung verbindet
Hebbel aufs engste symbolisch mit dem Untergang der heid-
nisch-jüdischen Welt und gestaltet dadurch ein welthistorisches
Drama im höchsten Sinn. Herodes verkörpert den durch Egoismus herbeigeführten Selbstvernichtungsdrang der alten Welt, 5
während Mariamnes hingebende Liebe das neue christliche Zeitalter verkündet. Trotz ihres Todes gehört der Sieg ihr, denn als
Herodes unmittelbar nach ihrer Hinrichtung den Kindermord
von Bethlehem befiehlt, um den anderen, berühmteren Verkünder dieser neuen Zeit zu vernichten, wird das Weiterleben ihrer 10
Sache völlig gewiß.

In *Herodes und Mariamne* läßt uns Hebbel eine weltgeschicht-
liche Umwälzung in dem Verhältnis zweier Eheleute erblicken.
In *Agnes Bernauer* (1852) hat er seinen Begriff von der historischen Notwendingkeit in dem Verhältnis zwischen Vater 15
und Sohn veranschaulicht. Auch hier ist ein Konflikt zwischen
dem Egoismus und dem universalen Handeln dargestellt, aber
diesmal wird nicht die hingebende Liebe, sondern die unbedingte Unterwerfung des Einzelnen vor dem Allgemeinen zum
siegreichen ıdeal. Dieses völlig politische Ideal führte zu einem 20
leidenschaftlichen Streit, der sich noch nach über hundert Jahren
in der literaturwissenschaftlichen Polemik spiegelt, obwohl
Hebbel seine Absicht deutlich ausgesprochen hat:

> Es ist darin ganz einfach das Verhältnis des Individuums
> zur Gesellschaft dargestellt und demgemäß an zwei Cha- 25
> rakteren, von denen der eine aus den höchsten Regionen
> hervorging, der andere aus der niedrigsten, anschaulich
> gemacht, daß das Individuum, wie herrlich und groß, wie
> edel und schön es immer sei, sich der Gesellschaft unter
> allen Umständen beugen muß, weil in dieser und ihrem 30

notwendigen formalen Ausdruck, dem Staat, die ganze Menschheit lebt, in jenem aber nur eine einzelne Seite derselben zur Entfaltung gelangt. Das ist eine ernste, bittere Lehre, für die ich von dem hohlen Demokratismus unserer Zeit keinen Dank erwarte.

Weil aber diese antidemokratische Absicht nicht in jeder Szene zu erkennen ist, wurde der Zusammenhang der Tragödie immer wieder in Frage gestellt. Doch hat man dabei die echt dialektische Struktur des Dramas allzu oft verkannt, die gerade dadurch wirksam wird, daß beide Seiten des Konflikts im besten Licht dargestellt sind. Erst ganz am Ende gibt Hebbel dem Staat den ideologischen Sieg. Gerade das verleiht dem Drama den eigenartigen Charakter, der es über die anderen Werke Hebbels emporhebt. Mit Recht wurde *Agnes* schon von einem Zeitgenossen als das Juwel in Hebbels Krone bezeichnet.

Obwohl der Stoff dem Mittelalter entnommen ist, ist diese Tragödie eigentlich Hebbels Wort über die politische Revolution von 1848. Wie in *Maria Magdalene* wird auch hier ein Mädchen geopfert, und zwar ein völlig schuldloses, aber diesmal nicht umsonst. Agnes stirbt aus historischer Notwendigkeit für ein politisches Prinzip, das sich schlecht mit dem demokratischen Idealismus des neunzehnten Jahrhunderts verträgt.

Im Politischen stützt sich *Agnes Bernauer* stark auf Kleists *Prinz von Homburg*. Es wäre aber ein Irrtum, eine enge Beziehung in der Handlung der zwei Dramen zu suchen. Scheinbar handelt es sich in beiden Stücken um die Erziehung eines Prinzen. Jedoch kann dies in *Agnes Bernauer* nur als Nebenhandlung betrachtet werden. Es wäre höchst undramatisch, wenn das Leben eines Mädchens geopfert würde, um einen Fürsten das zu lehren, was er auch ohne ein solches Opfer hätte lernen können. Albrecht wäre zum törichten Buben erniedrigt,

wenn er nur durch den Tod seiner Gattin zur Bewußtheit seiner
Pflicht gebracht werden könnte. Das ist bestimmt nicht Hebbels
Absicht, denn die ersten zwei Akte stellen Albrecht als echten
Helden dar. In seinem Streben nach persönlichem Glück — er
will sich mit einer Bürgerin vermählen — erscheint Albrecht als 5
Kämpfer gegen willkürliche Standesvorurteile. Er kämpft also
für ein demokratisches Grundprinzip, nämlich für das Recht des
Individuums, sein eigenes Glück zu suchen. Indem der Kampf
in den ersten zwei Akten fast einseitig dargestellt wird, gewinnt
Albrecht die völlige Sympathie des Zuschauers.   10

Erst im dritten Akt tritt die Gegenhandlung in den Vordergrund. Herzog Ernst ist kein Tyrann, der seinen Sohn aus rein
willkürlichen Gründen ins Unglück stürzen will, sondern ein
idealer Fürst von höchster Begabung und völliger Gerechtigkeit.
Erst jetzt erfährt man, daß es sich nicht um einen allgemeinen, 15
sondern um einen ganz speziellen Fall handelt. Albrecht ist —
außer dem kränklichen Adolph — Ernsts einziger Nachfolger.
Nun stellt es sich heraus, daß Albrechts Anspruch auf die
Macht durch seine Ehe mit Agnes Bernauer, einer Nichtadligen,
dermaßen geschwächt wird, daß er den schon schwankenden 20
Staat nicht zusammenhalten könnte. „Wenn die Erbfolge gestört wird oder auch nur zweifelhaft bleibt, so bricht früher oder
später der Bürgerkrieg mit allen seinen Schrecken herein", so
behauptet Kanzler Preising, und da er als erfahrener Staatsmann
dargestellt wird, ist sein Urteil ausschlaggebend. Als nun der 25
junge Adolph stirbt, wird Ernst gezwungen einzugreifen. Da
Albrecht nicht zu einer Scheidung von seiner Frau zu überreden
ist, erhebt sich für Ernst die schreckliche Alternative: Der Tod
eines einzigen Mädchens oder Bürgerkrieg, der Land und Staat
zerstören würde. Als Vater und als Mensch erwägt er jeden 30
möglichen Ausweg, als Fürst gibt es aber kein Zögern. Er weiß

wohl: „es ist entsetzlich, daß sie sterben muß, bloß weil sie schön und sittsam war", doch ist es die erste Pflicht des Fürsten, sein eigenes Wollen zu überwinden. Indem er Agnes zum Tode verurteilt, zertritt er das absolute Recht des Einzelnen zum Glück, 5 aber er sichert den Staat, ohne den es gar keine Rechte geben kann.

Ernsts Entscheidung wird durch die historische Notwendigkeit erzwungen. Als Fürst wird von ihm verlangt, daß er den Weltwillen errate und danach handle. Sein Ich muß er völlig 10 überwinden können. Das versteht Albrecht noch nicht, als er mit Agnes im Eheglück lebt. Im Licht der Notwendigkeit erscheint sein Handeln völlig unberechtigt. Seine Menschlichkeit — gerade was ihn in den ersten zwei Akten zum Helden erhebt — wird nun seine Schuld, die ihn am Ende noch zum 15 egoistischen Prahler erniedrigt. Wie einst Holofernes will Albrecht nach Agnes Tod den Weltwillen zum Kampf herausfordern. Da preßt ihm Ernst den Herzogsstab in die Hand, unter dessen Gewicht sich das Ich beugt. Obwohl Hebbel Albrecht als Mensch liebt, muß er Ernst recht geben, denn der eine lebt nur 20 für sich selbst, der andere für die gesamte Menschheit.

Agnes Bernauer ist wohl die ausführlichste dichterische Gestaltung von Hebbels bitterer Lehre: Der Mensch kann sein eigenes Schicksal nicht frei bestimmen, er muß sich vielmehr dem „höchsten Plan" unterordnen. Wenn man bei Agnes überhaupt 25 von Schuld sprechen kann, so ist sie schuldig, weil sie Mensch ist.

Das Versdrama *Gyges und sein Ring* (1854) wird auch zu Hebbels großen Tragödien gezählt. Das Verhältnis des Königs Kandaules zu seiner Gattin erinnert an *Herodes und Mariamne*. 30 Da dem Konflikt aber das übertriebene Schamgefühl der Frau, die schon den Blick eines Fremden als Befleckung empfindet, zugrunde liegt, fehlt es hier an historischer Bedeutung. Es ist nicht schwer, den Egoisten in Kandaules zu erkennen, der die Schönheit seiner Gemahlin nur dann zu schätzen weiß, wenn sie auch jemand anders empfunden hat. Deswegen entschleiert er 5 sie vor den Augen seines Freundes. Doch die dramatische Gegenhandlung kann nur symbolisch verstanden werden. Nur wenn man annimmt, daß die übertriebene Sittlichkeit der Königin die Idee der Moral selbst darstellt, läßt sich das tragische Ende rechtfertigen: des Königs Frevel kostet beide Eheleute das 10 Leben. Es war Hebbels Absicht, mit diesem Werk einen antiken Konflikt der modernen Welt zugänglich zu machen. Ob er sein Ziel erreicht hat, ist fraglich. Die Darstellung der Hauptpersonen wirkt stark und überzeugend, doch stützt sich die Handlung zu sehr auf Zufall. 15

Gyges und sein Ring sollte das letzte bedeutende Drama Hebbels bleiben. In den nächsten fünf Jahren (1855-60) konzentrierte er seine ganze Kraft auf die Nibelungentrilogie: *Der gehörnte Siegfried, Siegfrieds Tod* und *Kriemhilds Rache*. So wie manche anderen Dichter des neunzehnten Jahrhunderts 20 scheiterte auch Hebbel am Kompromiß zwischen Epos und Drama. Die zum Drama nötige Beredsamkeit und Motivierung zerstörte auch bei ihm das Epische in den altgermanischen Helden. Wie schon der Schriftsteller Friedrich Theodor Vischer im Jahre 1844 vorausgesehen hatte, eignet sich der Nibelungenstoff 25 wohl zur Oper, wo das wilde Getöse der eisernen Mannen und Kraftweiber durch die Musik wirksam wird, doch nicht zum Drama, wo sich die Personen ganz auf die Sprache verlassen müssen. Gerade weil Hebbel immer die höchste dramatische Wirkung erzielen wollte, konnte er diesen Stoff nicht beherr- 30 schen.

Friedrich Hebbel

Als Hebbel über der Arbeit an einem Demetrius-Drama starb, hatte er das Höchste erreicht, was ein Dichter anstreben kann. Er wurde nicht nur von der gelehrten Welt gefeiert, er war auch beim Volk beliebt. Sogar die Nibelungenwerke genossen einen
5 großen Bühnenerfolg. Er hatte die deutsche Bühne, die sich bis dahin zum großen Teil auf Modestücke und Werke des vorigen Jahrhunderts stützen mußte, durch eine Reihe von modernen Dramen auf einen neuen Höhepunkt gebracht. Zusammen mit Franz Grillparzer hatte er das Literaturdrama aus dem roman-
10 tischen Schlaf erweckt, in den es seit Schillers Tod gesunken war.

Ronald Hauser

Hallmann, Georg. „Das Problem der Individualität bei Friedrich Hebbel", *Beiträge zur Ästhetik XVI,* 1921.
Müller, Joachim. *Das Weltbild Friedrich Hebbels.* Halle, 1955.
Purdie, Edna. *Friedrich Hebbel.* New York, 1932.
Walzel, Oskar. *Friedrich Hebbel und seine Dramen.* Leipzig, 1927.
Wiese, Benno von. *Die deutsche Tragödie von Lessing bis Hebbel.* Hamburg, 1952.

Adalbert Stifter

1805-1868

„Wißt ihr, warum euch die Käfer, die Butterblumen so glücken?
   Weil ihr die Menschen nicht kennt, weil ihr die Sterne nicht
     seht!
Schautet ihr tief in die Herzen, wie könntet ihr schwärmen für
     Käfer? 5

   Säht ihr das Sonnensystem, sagt doch, was wär euch ein Strauß?
Aber das mußte so sein; damit ihr das Kleine vortrefflich
   Liefertet, hat die Natur klug euch das Große entrückt."

Dieses halb sarkastische, halb mitleidige Epigramm war trotz
des Plurals der Anrede gegen einen einzelnen Mann gerichtet: 10
Adalbert Stifter. Der Verfasser der Verse ist der bedeutende
Dramatiker Friedrich Hebbel, der gleichzeitig ein Philosoph und

kenntnisreicher Kritiker war. Sicherlich glaubte er, mit diesem Ausspruch nicht nur das Wesen des österreichischen Dichters getroffen, sondern auch über seine Werke das endgültige Urteil gefällt zu haben. Nicht wenig erstaunt wäre er gewesen, hätte
5 er wissen können, daß noch im selben Jahrhundert Friedrich Nietzsche, der unerbittliche und vorurteilslose Kulturphilosoph gerade Stifters *Nachsommer* als Meisterleistung würde gelten lassen, denselben Roman, von dem Hebbel höhnisch sagte, der Leser, der ihn zu Ende brächte, verdiente die Krone von Polen.
10 Verständnislos würde Hebbel, der so fest an die Gerechtigkeit der Geschichte glaubte, dem Treiben des zwanzigsten Jahrhunderts zugesehen haben, welches dem Stern Adalbert Stifters zu stärkstem Glanz verhalf.

Was war geschehen? Blieb es unserer zerrissenen Zeit über-
15 lassen, Käfer und Butterblumen zu schätzen? Oder hatte Hebbel einen Irrtum, vielleicht gar ein Unrecht begangen? Nichts von allem. Hebbels philosophischer Geist hatte etwas durchaus Richtiges, wenn auch nur einen Bestandteil unter vielen, in der seelischen Veranlagung Stifters entdeckt, das bieder-
20 meierliche Element. Über das literarische Biedermeier ist viel nachgedacht und noch mehr geschrieben worden. Die Resultate dieser Forschung wurden aber immer wieder angefochten, weil es trotz aller Bemühungen nicht gelang, den Begriff einerseits scharf genug zu umreißen, um seine Bedeutung klar zu
25 machen, und andrerseits allgemein genug, um ihn auf eine ganze Reihe von Schriftstellern, eine ganze Epoche der deutschen Literatur anzuwenden. Auf *einen* Dichter freilich scheinen merkwürdigerweise trotz allen sonstigen Mißerfolges die biedermeierlichen Kategorien zu passen, und dieser Dichter
30 ist Adalbert Stifter. In groben Umrissen soll das Biedermeier die Lebenshaltung charakterisieren, die auf die französische Revo-

lution und die napoleonischen Kriege folgte. Erschreckt von der
Wildheit und Fessellosigkeit dieser Epoche, deren unmittelbare
Folge Leiden und Elend für halb Europa war, geängstigt durch
die Bedrohung des Althergebrachten, welche man in dem herauf-
kommenden Industrialismus und der siegreichen Naturwissen- 5
schaft sah, zieht sich der einzelne Mensch von der verwirrenden
Öffentlichkeit, die er nicht mehr überblickt, zurück in einen
kleinen, aber beherrschbaren Bereich. Haus und Garten werden
symbolisch für diesen Verzicht auf Gesellschaft und Natur im
Großen. Treue Pflege dieses Bezirks wird charakteristisch für 10
die Tätigkeit des Einzelnen. In seinem Heim ist ihm alles vertraut und übersehbar. Hier kann er mit dem Hausrat schalten
und walten nach Gutdünken. Nichts hindert ihn, innerhalb seiner Familie und seines Freundeskreises jene altehrwürdigen
Formen des Umgangs zu pflegen, die ihm zartes Mitgefühl und 15
ehrfürchtige Würdigung der einzelnen Person auferlegen.
Alles Hitzige und ungesund Leidenschaftliche kann hier durch
sanfte Erziehung und liebevolles Verstehen gemildert oder überwunden werden. Diese Stätte kann er vor der Beunruhigung
durch das Neue und Verderbliche schützen, von ihr kann er — 20
um es kurz zu sagen — das Böse fernhalten. Dabei schneidet ihn
diese Lebensweise keineswegs von der Natur ab. In seinem
Garten hat er im Kleinen alles, was das Herz des Liebhabers er-
freut. In der Beschränkung kommen die Neigungen seines Herzens am besten zur Geltung. Keine großen, gewaltsamen Natur- 25
erscheinungen können ihn ablenken oder gar quälen. Sein Hang
zur Beobachtung des Winzigen, sein Sinn für das Versteckte,
seine Vorliebe für die Pflege des Unscheinbaren, für das Sammeln des Charakteristischen kommen hier zur schönsten Entfaltung. Was er bei solcher Lebensweise an Weite einbüßt, gewinnt 30
er an Tiefe und Innigkeit. So stellt sich bald der feste Glauben

ein, durch diesen Verzicht auf die große Welt den Weg zum guten Leben beschritten und Gottes Gefallen erregt zu haben.

Vieles von dieser Haltung finden wir bei Stifter wieder. Seine Welt ist bevölkert von Zurückgezogenen: heiteren Einsiedlern,
5 pflanzen- und steinesammelnden Sonderlingen, Gärtnern und stillen Kunstliebhabern, meist aber von gesunden, freudig rührigen Menschen, die in kleiner abseitiger Gemeinde uneigennützig tätig sind und einander mit schonender Ehrerbietigkeit begegnen. Großen Worten und Gesten sind sie abhold. Erfüllung
10 finden sie in frommer Nähe zu Gott, Mensch und Natur. Viele von ihnen sind Heimkehrer aus gefährlicher Ferne, deren Verzicht auf das Treiben der Zeitgenossen aus genauer Bekanntschaft und bewußter Ablehnung entspringt. Mehr als einer muß sein Gemüt von den krankhaften Erregungen und wühlenden
15 Leidenschaften reinigen, denen es „draußen" ausgesetzt und beinahe zum Opfer gefallen war, und kein Aufenthalt ist geeigneter zur Gesundung der Seele als der ländlich-dörfliche Wohnsitz im Voralpengebiet oder mitten im Walde, den ihnen Stifter angewiesen hat. Die Sprache, in der dies alles geschildert
20 wird, ist ebenso frei von Leidenschaft wie das Leben, das sie darstellt, schlicht, klar und von Buch zu Buch zeremoniöser. Kein schrilles Wort beleidigt die Reinheit, kein böser Aufschrei zerreißt den stillen Fluß der Rede.

Diese Charakteristik in Stifters Wesen konnte dem durch Ab-
25 neigung geschärften Blick Hebbels, der sich vornehmlich mit den gewaltigen Zeitenwenden und historischen Umbrüchen im Bewußtsein des Menschengeschlechts befaßte, nicht verborgen bleiben. Stifter ist ihm freilich die Antwort nicht schuldig geblieben. In seiner berühmten „Vorrede" zu der Novellensammlung
30 *Bunte Steine* zeigt er sich des Problems voll bewußt. „Es ist einmal gegen mich bemerkt worden, daß ich nur das Kleine bilde",

beginnt er seine Erwiderung. „Weil wir aber schon einmal von dem Großen und Kleinen reden, so will ich meine Ansichten darlegen, die wahrscheinlich von denen vieler anderer Menschen abweichen", heißt es dann weiter. „Das Wehen der Luft, das Rieseln des Wassers, das Wachsen der Getreide, das Wogen 5 des Meeres, das Grünen der Erde, das Glänzen des Himmels, das Schimmern der Gestirne halte ich für groß: das prächtig einherziehende Gewitter, den Blitz, welcher Häuser spaltet, den Sturm, der die Brandung treibt, den feuerspeienden Berg, das Erdbeben, welches Länder verschüttet, halte ich nicht für größer als obige 10 Erscheinungen, ja ich halte sie für kleiner, weil sie nur Wirkungen viel höherer Gesetze sind. Sie kommen auf einzelnen Stellen vor, und sind Ergebnisse einseitiger Ursachen."

Diese Einschätzung der Größenverhältnisse wendet Stifter auch auf die menschlichen und historischen Belange an. „So wie 15 es in der äußeren Natur ist", belehrt er seine Leser, „so ist es auch in der inneren, in der des menschlichen Geschlechtes. Ein ganzes Leben voll Gerechtigkeit, Einfachheit, Bezwingung seiner selbst, Verstandesgemäßigkeit, Wirksamkeit in seinem Kreise, Bewunderung des Schönen, verbunden mit einem hei- 20 teren, gelassenen Sterben, halte ich für groß: mächtige Bewegungen des Gemütes, furchtbar einherrollenden Zorn, die Begier nach Rache, den entzündeten Geist, der nach Tätigkeit strebt, umreißt, ändert, zerstört, und in der Erregung oft das eigene Leben hinwirft, halte ich für kleiner, da diese Dinge so gut nur 25 Hervorbringungen einzelner und einseitiger Kräfte sind, wie Stürme, feuerspeiende Berge, Erdbeben." Wie es zu diesem Parallelismus zwischen dem seelischen Inhalt des Menschen und der großen, unpersönlichen Außenwelt der Natur kommt, wieso diese beiden Bereiche von denselben Prinzipien beherrscht sind, 30 darüber läßt Stifter keine Zweifel bestehen. Ein und dieselbe

von Gott eingesetzte moralische Ordnung durchwaltet das All, dem auch die Menschenwelt unterworfen ist: das „sanfte Gesetz". Dieser Ausdruck ist zum Kennwort für Adalbert Stifters Sicht des Universums geworden. Die leicht paradoxe Formel
5 enthält die für ihn charakteristischen Auffassungen von der unerbittlichen Gerechtigkeit allen Geschehens und der Milde der göttlichen Gnade, die dem Gläubigen jene Notwendigkeit zur inneren Freude verklärt.

Dies ist althergebrachtes christliches Gedankengut. Stifter hat
10 es sich im Benediktinerstift, in dem er seine Erziehung genoß, erworben. Schroff steht es der Weltlichkeit Hebbels gegenüber. Für welche Anschauung man sich aber auch entscheiden mag, so reichen Stifters Formulierungen nicht aus, um die ehrfurchtsvolle Bewunderung zu verstehen, mit der man heute seinen
15 Dichtungen begegnet. Damit sich unser böses, gequältes Jahrhundert der sanften Frömmigkeit dieses Dichters überhaupt zuwenden konnte, mußte unter der resignierten Oberfläche seiner Friedenswelt eine geheime Verbindung zu unserer haß- und kriegsgepeitschten Zeit bestehen. Den Zugang zu diesem Ge-
20 heimnis eröffnet uns die Betrachtung des „dämonischen" Adalbert Stifter, der uns Heutigen infolge unserer Erfahrungen erkennbar geworden ist.

Solche Zusammenhänge ergeben sich bereits aus der Biographie. Stifter war als Jüngling ein aufbrausender, leidenschaft-
25 licher Mensch, der eine gefährliche Neigung zur Maßlosigkeit im Gefühl zeigte und jahrelang an einer unglücklichen Liebe leiden konnte. Die spätere Ruhe und Umsicht sind also einer Läuterung und Beherrschung des Willens zu verdanken. Das muß man festhalten. Man ist betroffen, wenn man erfährt, daß
30 Stifters Leben durch Selbstmord endete. Eines Morgens beim

238

Rasieren schnitt er sich die Kehle durch. Diese Tatsache wurde
von den frühen Biographen übergangen. Wie aber läßt sich eine
solche Handlung mit dem „sanften Gesetz" vereinbaren?

Weitere Aufschlüsse erteilt die Beobachtung von Stifters Stil.
Auch in seinen Ausdrucksmitteln macht sich nämlich eine fort- 5
schreitende Veränderung bemerkbar. Interessant ist deren Richtung, die auch der Entwicklung von Stifters Temperament vom
Leidenschaftlichen zum Beruhigten entspricht. Obgleich schon
an den frühesten Versuchen eine Dämpfung des Lauten und des
Grellen zu beobachten ist, so zeigt sich dennoch deutlich von 10
Schaffensperiode zu Schaffensperiode eine wachsende Strenge
des Stils. Im Wortschatz und in der Syntax wird Stifters Sprache
karger, nüchterner, einheitlicher, bis sie zum Schluß ein Gepräge erreicht, welches von seinen Freunden als klassische Reinheit bewundert, von seinen Gegnern als manierierte Pedanterie 15
abgelehnt wird. Eine bewußte, im Laufe der Jahre überhand-
nehmende Anstrengung muß am Werke gewesen sein, um auch
in der Sprache jede Spur von Leidenschaftlichkeit zu tilgen.

Diese Leidenschaft fehlt auch als Thema in den Dichtungen
nicht. Keineswegs ist alles Idyll oder Gottergebenheit in Stifters 20
Werken. Freilich ist bei seiner mikroskopischen Darstellungsweise oft eine winzige Bemerkung von größter Bedeutung für
den Sinn. Hat man sich aber einmal daran gewöhnt, so stellt
man ohne Erstaunen fest, daß die wilde Glut, das zerstörerische
Wüten des menschlichen Herzens den Untergrund fast jeder 25
einzelnen Erzählung ausmacht. Das sichtbare Geschehen ist
allerdings meist leidenschaftslos, aber es erhält seine ungeheure
Spannung aus der Bemühung, einen früheren Aufruhr zu bän-
digen oder zu sühnen. In Erinnerungen oder Bekenntnissen, die
gewöhnlich von älteren zu jüngeren Menschen gehen, öffnet sich 30
oft ein Schacht in die Vergangenheit, und es zeigt sich die ver-

derbliche Gewalt der seelischen Unbotmäßigkeit. Oft genug entfaltet aber Stifter auch in schlichter, unverschlüsselter Chrono-
logie den Wandel von frevelhafter Gepeitschtheit des Seelen-
lebens zur Milde und Abgeklärtheit im Dienste der Gemein-
5 schaft. Die friedliche Oberfläche ist nie um ihrer selbst willen
da und wird in ihrem Zeichenwert nicht voll verständlich, wenn
man nicht die vibrierende Beherrschung spürt, mit der sie der
drohenden Tiefe abgetrotzt ist. Es ist, als wäre die Wald-, Berg-
und Wiesenlandschaft Stifters mit übermenschlicher An-
10 strengung über einen grausen Abgrund gespannt.

Von diesem Abgrund spricht Stifter ganz deutlich nur in
seinen frühen Schriften. Später ist er nicht mehr zu sehen, sondern nur noch zu spüren, zu ahnen. Gewisse gestaltete Eindrücke
der Jugend genügen aber, um erkennen zu lassen, daß das Ur-
15 erlebnis Stifters ein großes Erschrecken gewesen sein muß. Eine
Sonnenfinsternis, ein Gang durch die Katakomben der Wiener
Stephanskirche, der mißlungene Aufstieg eines Fesselballons in
den Weltraum, alles Unternehmungen, die den Romantikern
zu Naturschwärmerei oder gruseligem Schwelgen Anlaß gaben,
20 gelten Stifter als Erlebnisse des Nichts, werden von ihm als
tiefes existenzielles Trauma empfunden. Er legt das menschliche
Hinausstreben über die gesetzten Grenzen als Frevel aus. Sein
ganzes Werk ist dann eine Antwort auf das Problem des Nichts
und die Frage nach dem Sinne des Lebens. Jetzt versteht man
25 auch, was Nietzsche an Stifter faszinieren konnte. Mit seinem
Spürsinn für das Verborgene, Hintergründige, in seinem Be-
sessensein von der Gefahr des Nihilismus erkannte er eine Tie-
fendimension in dem Werke des stillen Österreichers, die dem
Zeitgenossen Hebbel entgangen war. Hebbel hatte nur die Ober-
30 fläche gesehen und beschrieben, die angesichts der Gesamt-
erscheinung mit dem Gattungsbegriff „Biedermeier" nur sehr

ungenügend beschrieben ist. Obgleich Stifters Lösungen der
menschlichen Existenzialfragen von Nietzsche gewiß nicht ge-
teilt wurden, so ehrte doch der Philosoph der Dekadenz die
Schreckensvisionen des sanften Dichters, die seinen Idyllen
Würde, Spannung und Intensität verliehen. Und so geht es auch 5
uns im zwanzigsten Jahrhundert. Uns erscheint er modern in
seiner klaren Sicht des Bedrohlichen im All, in der Geschichte
und vor allem im menschlichen Herzen. Und wir bewundern
seine makellosen Werke so, weil sie uns in großartiger Einheit-
lichkeit Bild um Bild des rechten und schönen Lebens zeigen. 10
Viele, die nach dem schrecklichen Versagen der Kultur Trost
und Antrieb zum Weiterleben suchen, haben sie bei Stifter gefunden. Ein Werk, das solche Kräfte ausstrahlt, ist Dichtung.

Aufschlußreich für den „mikroskopischen" Stil Stifters wie
auch für das Walten des „sanften Gesetzes" ist die Novelle 15
Bergkristall, die zuerst 1845 unter dem Titel „Der Heilige
Abend" veröffentlicht worden war, seither aber längst ihren
bleibenden Platz unter den *Bunten Steinen* gefunden hat. Im
Guten wie im Schlechten, für Bewunderer und Verwerfer, kon-
zentrieren sich in diesem Werk sämtliche an Stifter beobachtete 20
Stilmerkmale: das Malerische der Darstellung, die Umständlich-
keit, ja Pedanterie des Berichtens, die geduldheischende Lang-
samkeit des Beginns, die beinahe übermäßige Anhäufung von
Einzelheiten, die Eintönigkeit und Formelhaftigkeit der Ausdrucksweise, und endlich das schwache, jeden Nachdruck ver- 25
meidende Ausklingen der Erzählung. Schon der Anfang ist un-
nachahmlich Stifterisch. Bis zu den Worten „Einmal war am
Heiligen Abend", mit denen die eigentliche Handlung anhebt,
sind es über zwanzig Druckseiten, also mehr als ein Drittel des
Ganzen. In diesem vorbereitenden Teil wird dem Leser eine 30

genaue Beschreibung des Gebirgsdorfes und seiner Umgebung geboten. Gemächlich ist von den Sitten der Bewohner die Rede, und zum besseren Verständnis des Kinderpaares erfährt man mit vielen Einzelheiten Lebensumstände und Vorgeschichte der 5 Eltern.

Aber auch in der nun einsetzenden Handlung tritt das Malerische und Beschreibende keineswegs in den Hintergrund, und eintönig Formelhaftes findet sich in der häufigen Wiederholung der berühmten und belächelten Worte „Ja, Konrad" aus dem 10 Munde des kleinen Mädchens wie auch in der mehrfachen Beteuerung des Erzählers, daß der Wind immer noch nicht eingetroffen sei. Der Höhepunkt selbst, das Herumirren der Kinder auf dem gefährlichen Gletscher, wurde wegen der völlig ruhigen, Abstand nehmenden Erzählhaltung gepriesen. Und gegen 15 Ende hat sich die Erregung über die Lebensgefahr und den Wiedergewinn der Kinder so sehr beruhigt, daß die Geschichte sanft ausklingen kann in der Beschwörung von Sonnenschein, Lindenduft, Bienengesumm und Himmelsbläue.

Man darf sich indes durch die leichte Handhabung des Er-20 zählstils nicht täuschen lassen. Das Vermeiden jeder Theatralik, die Scheu vor starken Akzenten bedeuten keinesfalls Sorglosigkeit oder Nachlässigkeit des Dichters. Die „mikroskopische" Darstellung erfordert bloß genaues Lesen. Ist man bereit, die Blickschärfe nach den Gesetzen dieses Stils einzustellen, so 25 findet man sich nach einiger Gewöhnung in einer sonderbaren Welt symbolischer Bedeutungen, wo freilich die Größenverhältnisse seltsam verschoben sind.

Durch die neue Sehweise enthüllt sich sofort der Funktionscharakter der langen Einleitung. Stifter hält uns in dem öster-30 reichischen Bergdorf Gschaid das Bild einer traditionsgebundenen Gesellschaftsordnung vor Augen. Christus hat darin die

höchste Autorität inne, und das Fest seiner Geburt ist der Höhepunkt des Jahres. Die Dorfbewohner stellen eine im Althergebrachten aufgehende Gemeinde dar, in deren Hierarchie der
Pfarrer Stellvertreter Christi ist. Diesem schlichten, festgegrün-
deten Gemeinwesen stellt nun Stifter die elementare, anschei- 5
nend nur ihren eigenen Gesetzen verpflichtete Natur in Gestalt
des Schneeberges gegenüber. Es wird also schon auf dieser frühen Stufe die Kernfrage des Werkes aufgeworfen, die Frage
nach den Beziehungen des menschlichen Gemeinschaftslebens
zu den Urgewalten der Natur und somit auch gleichzeitig nach 10
Sinn und Wert der sittlichen Ordnungen. Und nun erst beginnen sich auf diesem allgemeinen Hintergrund die Konturen
einer einzelnen Familie abzuzeichnen, wenn z. B. die Mutter die
Möglichkeit eines Besuchs bei den Großeltern erwägt:

> „Weil ein so angenehmer Tag ist, weil es so lange nicht 15
> geregnet hat und die Wege fest sind, und weil es auch
> der Vater gestern unter der Bedingung erlaubt hat, wenn
> der heutige Tag dazu geeignet ist, so dürft ihr zur Groß-
> mutter nach Millsdorf gehen; aber ihr muß den Vater noch
> vorher fragen."
> 20

So wird damit das Vorhandensein einer umsichtig zeremoniösen
Autorität innerhalb der Familie und Gesellschaft sprachlich aufgezeigt. Der Vater hat die letzten Entscheidungen zu treffen. In
seiner Vertretung aber ist es die Mutter, welcher die Führung
zusteht, und das einsilbige „Ich weiß es schon, Mutter", „Ja, 25
Mutter" des Knaben zu den langatmigen Ermahnungen der
Schustersfrau soll diesen Sachverhalt nur noch augenschein-
licher machen. Draußen dann ist Konrad als der Ältere der Vertreter dieser beinahe militärischen Rangordnung, und es beginnt nun das erwähnte „Ja, Konrad" des Schwesterchens zu er- 30

tönen, in Anerkennung der umständlichen Ansprüche der brü-
derlichen Autorität.

Aber der Parallelismus zwischen Gesellschaftsordnung und
Familie läßt sich noch weiter verfolgen. So wie jene in Frage
5 gestellt wird durch die bedrängende Nähe einer um das Menschliche scheinbar unbekümmerten Natur, so droht innerhalb dieser
eine nicht minder elementare Gewalt den Rahmen der hier-
archisch gesicherten Überlieferung zu sprengen und den Einzelnen aus dem Schutze der Gemeinschaft zu stoßen: die Lei-
10 denschaft. Ihr bedrohliches Vorhandensein aufzuzeigen, ist die
Funktion der Lebensgeschichte des Schusters. Jede Einzelheit,
die wir aus seinem Vorleben erfahren, dient der Sichtbar-
machung der Leidenschaft als einer Gewalt, die die sichernden
Schranken der gesunden, lebenerhaltenden Gesittung durch-
15 bricht. Dazu gehören sein grüner Hut und kurzer Rock gegenüber
den unkleidsameren, aber einem Leben in Strenge gemäßeren
Gewändern der Altvätersitte; das wilde Wesen auf den Tanz-
böden und Schützenfesten; der Hang zur Wilddieberei und
schließlich seine Verwundung. Auch bei der Wahl der Gattin
20 verstößt der Schuster gegen die Bräuche seines Tales, indem er
sich die Braut aus dem benachbarten Millsdorf holt, obwohl die
Bewohner von Gschaid „eine eigene Welt" bilden und von
jenem Dorf „durch Bergrücken und durch Sitten geschieden
sind", so daß „kein Weib oder Mädchen gern von einem Tal in
25 ein anderes auswandert außer in dem ziemlich seltenen Fall,
wenn sie der Liebe folgt und als Eheweib und zu dem Ehemann
in ein anderes Tal kommt".

Zur Zeit, da die Ereignisse sich abzuwickeln beginnen, hat
der Schuster seinem Jugendleichtsinn längst entsagt. Es wird ver-
30 sichert, er habe sich „gänzlich geändert". „So wie er früher ge-
tollt hatte, so saß er jetzt in seiner Stube und hämmerte Tag und

Nacht an seinen Sohlen", und seine sittenstrenge Frau bekommt er ja auch nur, „weil er denn nun doch besser geworden". So leicht ist es aber nicht, erst die Gesetze gesitteten Lebens zu verletzen und sich dann wieder einzufügen, als sei nichts geschehen. Man ist gezwungen, es als Folge der früheren Zügellosigkeit zu betrachten, wenn jetzt die Schustersfrau „von allen Gschaidern als Fremde angesehen" wird und auch die Kinder der Gemeinschaft fremd bleiben und von ihr ausgeschlossen sind. Ja, der ganze Bestand der Familie scheint gefährdet, da die Mutter glaubt, daß ihr Mann „die Kinder nicht so liebe, wie sie sich vorstellte, daß es sein sollte".

Es ergibt sich also, daß bereits im Laufe der unscheinbaren Einleitung, die so oft als langweilig getadelt wird, ganz wesentliche Probleme sichtbar werden. Es sind dies die Fragen nach der Wiederherstellung des Vertrauens innerhalb der Familie und der Rehabilitierung des Vaters, der Eingliederung von Mutter und Kindern in die Gemeinschaft, und schließlich die Auseinandersetzung der auf sittlichen Gesetzen beruhenden Gesellschaft selbst mit den moralischen Kräften der elementaren Natur. Der eigentliche Hauptteil der Novelle, die Wanderung der Kinder nach dem Wohnort der Großeltern, der Irrgang im Eise und die wunderbare Errettung stellt sich demnach dar als ein dichterisch gestaltetes Experiment, ein Befragen der metaphysischen Mächte nach dem Sinn des Irdischen.

Wie geben sich diese übernatürlichen Gewalten nun zu erkennen? Dieselben offenbaren sich, dem Ton einer kindlichen Weihnachtsgeschichte angemessen, im Wunder. Ganz leicht und unaufdringlich kündet sich das Eingreifen göttlicher Vorsehung in der wiederholt genannten Unglückssäule an. Wäre dieses Denkmal dem ursprünglichen Sinn gemäß in Ordnung gehalten worden, so hätten sich die Kinder nicht verirrt. Durch

245

das fromme Zeichen wären sie über ihren Standort unterrichtet gewesen und hätten den sicheren Weg hinab ins Tal betreten. Der Tod des Bäckers an dieser Stelle unterstand zweifellos seinen eigenen, vom Dichter hier nicht untersuchten Ursachen.

5 Daß aber das gerade an diesem Kreuzweg errichtete Mal einen himmlischen Fingerzeig bedeutet, wird dem Leser erst vom Ende her verständlich, wie denn jedes Detail in der Novelle nur durch einen übergreifenden Zusammenhang seinen Sinn erhält. Das erste wirkliche Wunder ist das Ausbleiben des

10 Windes. Am Ende, wo das Göttliche sich bereits ausgewiesen hat und die anfangs erschütterte Harmonie wiederhergestellt ist, darf der alte Färber die Schlußfolgerung aussprechen:

> „Knie nieder und danke Gott auf den Knien, mein Schwiegersohn . . . , daß kein Wind gegangen ist. Hundert
15 Jahre werden vergehen, daß ein so wunderbarer Schneefall niederfällt, und daß er gerade niederfällt, wie nasse Schnüre von einer Stange hängen. Wäre ein Wind gegangen, so wären die Kinder verloren gewesen."

Jetzt begreift man auch, warum immer auf das Ausbleiben des
20 Windes aufmerksam gemacht werden mußte. Eine hohe Autorität wie die der Großmutter hatte das nach menschlichem Ermessen unausbleibliche Einsetzen des Windes vorausgesagt. Daß sie sich geirrt hat und daß dieser Irrtum in Intervallen bestätigt wird, steigert das Erstaunen des Lesers und bereitet ihn
25 auf das Wunderbare, das kommen soll, vor.

Das entscheidende Eingreifen der metaphysischen Mächte in den Gang der Geschehnisse, die Sichtbarwerdung Gottes in sinnlicher Erscheinung findet aber erst nach sorgfältiger Vorbereitung statt. Zunächst erfahren wir von den Versuchen der
30 Kinder, sich mit eigener Anstrengung einen Weg in die Tiefe

zu bahnen. Daß sie ihre geringen Kräfte tatsächlich bis zur
Neige einsetzen, erfährt der Leser nicht nur aus der Bemerkung, daß Kinder und Tiere den Grad ihrer Erschöpfung nicht
innewerden, sondern auch daraus, daß hier angesichts der Vernichtung die menschliche Autorität zusammenbricht. Zum 5
erstenmal verweigert nämlich Sanna ihrem Bruder den Gehorsam und setzt seinen Anordnungen ihr erstes „Nein" entgegen. Wie wäre dieses endliche Versagen der Hierarchie ohne
die siebzehn vorbereitenden „Ja, Konrad" je zum Ausdruck
gekommen? 10

Es bietet sich ein letztes, schon ans Verbotene grenzendes
Hilfsmittel. Die Kaffee-Essenz der Großmutter erwärmt die
Kinder und verscheucht ihnen eine Zeitlang den Schlaf, der
ihr Tod geworden wäre. An dieser Stelle wird nun die Fiktion
einer am Menschlich-Moralischen unbeteiligten Natur aufge- 15
geben und die Problematik in einem großartigen Symbol aufgelöst. Es heißt jetzt:

> Wenn auch die Kinder das Fläschchen mit dem schwarzen
> Kaffee fast ausgeleert hatten, wodurch sie ihr Blut zu
> größerer Tätigkeit brachten, aber gerade dadurch eine 20
> folgende Ermattung herbeizogen: so würden sie den Schlaf
> nicht haben überwinden können, dessen verführende
> Süßigkeit alle Gründe überwiegt, wenn nicht die Natur
> in ihrer Größe ihnen beigestanden wäre und in ihrem
> Inneren eine Kraft aufgerufen hätte, welche imstande 25
> war, dem Schlafe zu widerstehen.

Was hierauf in seiner gewaltigen Schönheit beschrieben wird,
ist eine seltene, aber nicht ungewöhnliche atmosphärische
Erscheinung: ein Nordlicht, eine gegenständliche Daseinsform.
Aber im Aufbau der Geschichte ist es mehr: der Höhepunkt, 30

in dem sich eine letzte Gewalt, ein moralisches Gesetz zu erkennen gibt, dem das Weltall untersteht. Und das ist die symbolische Bedeutung. Sanna, der Jüngsten, bleibt es ganz am Schluß überlassen, den Geist des Dichters in ihre kindliche
5 Sprache zu fassen: „Mutter, ich habe heute nacht, als wir auf dem Berge saßen, den Heiligen Christ gesehen."

Die beiden winzigen Pünktchen inmitten der tödlichen Ausdehnung eines Gletschers, diese beiden Kinder, kleiner noch und hilfloser als die Menschen im allgemeinen, für die sie hier
10 stellvertretend stehen, gegenüber den wilden Elementargewalten der Natur, und doch geborgen unter dem Schutz eines Gesetzes, das dem Unschuldigen nichts zustoßen läßt — es ist hier Stifter ein Sinnbild für sein ganzes Schaffen geglückt.

Von jetzt an steht der glückliche Ausgang außer Frage und
15 ebenso die Lösung der anderen am Anfang aufgeworfenen Probleme. Daß die Eingliederung in die Gemeinschaft stattfindet, wird wörtlich gesagt:

> Die Kinder waren von dem Tage an erst recht das Eigentum des Dorfes geworden, sie wurden von nun an nicht
20 > mehr als Auswärtige, sondern als Eingeborene betrachtet, die man sich von dem Berge herabgeholt hatte.

Auch ihre Mutter Sanna war nun eine Eingeborene von Gschaid. Die intimere Frage nach dem Verhältnis des Vaters zur Familie wird diskret und unausdrücklich beantwortet. Wer
25 sieht wie das Wiederfinden der Kinder den Schuster erschüttert, dem wird über seine Liebe zu ihnen kein Zweifel bleiben.

> Er aber war stumm, zitterte und lief auf sie zu. Dann rührte er die Lippen, als wollte er etwas sagen, sagte aber nichts, riß die Kinder an sich und hielt sie lange. Dann

248

wandte er sich gegen sein Weib, schloß es an sich und rief:
„Sanna, Sanna!"
Nach einer Weile nahm er den Hut, der ihm in den Schnee
gefallen war, auf, trat unter die Männer und wollte reden.
Er sagte aber nur: „Nachbarn, Freunde, ich danke euch." 5

Es wird nichts ausgesprochen, aber alles Wesentliche wird
offenbar. In der aktiven Zusammenarbeit der Millsdorfer und
Gschaider schließlich und in den Worten „Das Ereignis hat
einen Abschnitt in die Geschichte von Gschaid gebracht . . ."
scheint sich auch der ganze Horizont des Gebirgsdorfes erweitert 10
zu haben und eine neue Epoche hereingebrochen zu sein. Denn
das Wirken des Göttlichen war ja keinem Dörfler verborgen
geblieben.

Diese Erzählung steht am Beginn von Stifters Reifezeit.
Später hat er seine Sprache noch mehr gebändigt, die Auf- 15
wallungen des Herzens noch strenger beherrscht, das göttliche
Walten in der Geschichte noch deutlicher aufgezeigt, aber die
bezeichnenden Merkmale sind schon in *Bergkristall* klar erkennbar. Wie verschieden ist das alles in Stil, Ton und Glauben
von den nur wenig älteren Erzählungen in Stifters *Studien,* 20
etwa dem berühmten, 1841 entstandenen *Hochwald.* Hier ist
noch Ungestüm in den handelnden Gestalten, noch Romantik
in der Natur, Unsicherheit in der Weltanschauung und Prunk
in der Sprache. „Es ergriff hart das Herz des alten Mannes",
„es ist ein hartes gewalttätiges Geschlecht — o wie hasse ich 25
sie, diese Männer!", „o Clarissa, ich bitte dich, denke zurück,
blicke in dein Herz, und um der Güte Gottes willen frage
nicht mehr, warum ich gekommen!!", solche Sätze wären im
Reifestil Stifters undenkbar. Überhaupt sind die vielen Oh und
Ach, das Fehlen mancher Adjektivendungen und Hilfszeit- 30

249

wörter, die Häufung der Gedankenstriche und Ausrufungszeichen, das ganze überschwengliche Vokabular nicht nur ein
Beweis für die Abhängigkeit von einem bestimmten Modestil,
sondern ebensosehr Zeichen einer noch gärenden, keineswegs
5 zur Ruhe gekommenen Lebenshaltung.

Wie in *Bergkristall* trifft man auch in *Hochwald* zwei Schauplätze: die Menschenwelt und die Natur. Diese erscheint als
der unermeßliche, geographisch als Stifters Jugendlandschaft
deutlich gekennzeichnete Böhmerwald, der auch in vielen an-
10 deren Werken nicht nur Hintergrund, sondern der wichtigste
Träger der Bedeutung wird. In diesen schier endlosen Ausdeh-
nungen wirkt der Mensch ebenso unbedeutend und klein,
ebenso rein und unschuldig wie Konrad und Sanna im Gebirge.
Hier verirrt sich der Unkundige so leicht wie sie im ewigen Eis.
15 Hier wie dort herrschen majestätische Stille, unwandelbare
Gesetze, ewiges Leben. Das Einzelwesen vergeht, aber das
Ganze besteht fort und ist ausgestattet mit jener fast schon
überirdischen Schönheit, die den Empfänglichen bestrickt und
zur rechten Lebensführung gewinnt. Gregor, der Alte des
20 Waldes mit seinem schneeweißen Haar, ist eine beinahe
mythische Verkörperung des Naturgeistes. Trotz seines bescheidenen Ursprungs hat er im Umgang mit dem Walde und
seinen Geschöpfen tiefe Weisheit und dichterische Anschauung
gelernt, so daß ihm alle, auch die sozial viel höher Stehenden,
25 mit kindlicher Ehrfurcht begegnen. Daß diese Gestalt nicht
nur der Natur verbunden, sondern als eins mit ihr anzusehen
ist, will Stifter mit dem letzten Satz andeuten. „Einen alten
Mann", so klingt die Erzählung aus, „wie einen Schemen, sah
man noch öfter durch den Wald gehen, aber kein Mensch kann
30 eine Zeit sagen, wo er noch ging, und eine wo er nicht mehr
ging."

Dem Wald entgegengestellt ist der Mensch mit seinen Begierden und Lüsten, aber auch mit seiner Furcht und Hoffnung. Der sinnbildliche Schauplatz dieses aufs Vergängliche ausgerichteten Daseins ist das Schloß. Daß ihm im Gegensatz zum ewigen Rauschen der Wälder kein Bestand gegönnt ist, daß 5 die begehrende Leidenschaft zerstörerische, ja sinnlos vernichtende Folgen nach sich zieht, hat Stifter unmißverständlich versinnbildlicht. Die Beschwörung der Schloßruine zu Anfang und am Ende der Novelle rahmt das Geschehen ein. Das Leben der reizenden, zum Glücklichsein scheinbar so befähigten 10 Mädchen ist nichts als eine bedeutungslose Episode innerhalb des Ruinösen. So wenig der Leser etwas von Gregors Tod weiß, so wenig erfährt er auch von der letzten Ruhestätte der lieblichen Zentralgestalt der Novelle. Diese Ungewißheit ist vom Dichter beabsichtigt, denn vergänglich sind wir ja alle. 15 Doch während der Alte sozusagen vom Walde zurückgenommen wird, enthüllt sich um die Mädchen ein Bild klagenden Untergangs: „Keiner kennt ihr Grab; ist es in der verfallenen Thomaskirche, oder deckt es einer der grauen Steine in der Burg, auf denen jetzt die Ziegen klettern? — Die Burg hatte 20 nach ihnen keinen Bewohner mehr." Wie sticht davon der darauffolgende Abschnitt ab: „Westlich liegen und schweigen die unermeßlichen Wälder lieblich wie ehedem. Gregor hatte das Waldhaus angezündet und Waldsamen auf die Stelle gestreut; die Ahornen, die Buchen, die Fichten und andere, 25 die auf der Waldwiese standen, hatten zahlreiche Nachkommenschaft und überwuchsen die ganze Stelle, so daß wieder die tiefe jungfräuliche Wildnis entstand, wie sonst, und wie sie noch heute ist." Im Walde triumphiert das Leben, im Schloß sinnloser Zerfall. 30

Wie in *Bergkristall* ist der Urheber aller Unruhe ein junger,

von Gerüchten umwitterter Mann, ein Wildschütz, der mit geheimnisvoll kleinen, erschreckend unfehlbaren Kugeln die Tiere des Waldes erlegt und mit seinem unerklärlichen Wesen die gesitteten Bewohner des Tales in Furcht versetzt. Auch ist
5 er als Schwede Mitglied jenes kampflustigen Volkes — die Handlung spielt im dreißigjährigen Krieg, — das Deutschland mit Krieg überzieht, ins friedliche Moldautal eindringt, die Burg zerstört, schließlich Vater und Bruder der Mädchen Clarissa und Johanna tötet und somit deren Unglück ver-
10 schuldet. Freilich kann man auch die Leidenschaft für das ganze Mißgeschick verantwortlich machen. Der Schwede Ronald ist in seiner Jugend einer jener feurigen Gesellen gewesen, von denen eine unwiderstehliche Anziehung ausgeht, die aber unbeständig sind und nur Unheil stiften. Kein Wunder, daß die
15 empfängliche, fast noch kindliche Clarissa auf das ungestüme Werben des Jünglings mit der ganzen Glut ihres liebefähigen Herzens antwortet. Ebenso vorauszusehen aber ist es, daß sein Drang ihn ins Unermeßliche wieder von ihr forttreibt und sie seelisch beinahe zugrunde richtet. Die Handlung ist so angelegt,
20 daß man die Ereignisse, die das Unglück herbeiführen, dieser frühen Maßlosigkeit Ronalds zur Last legen kann. Ist das große Mißverständnis während der Belagerung nicht eine beinahe notwendige Folge der Vergangenheit? Ist es nicht auch ohne psychologische Erläuterung, auf die Stifter hier wie überall
25 verzichtet, vollkommen einleuchtend, daß der Graf den sich im schwedischen Heere bewegenden Ronald für einen Verräter hält? Er kann ja nicht wissen, daß Ronald draußen in der Welt sein wildes Herz bemeistern lernte, daß er einer der reumütigen Rückkehrer Stifters ist, ja daß er im Waldhaus schon Clarissas
30 Verzeihung erlangt hat und jetzt als Vermittler und Friedensbote unter den Belagerern erschienen ist. Des Grafen Lanzen-

wurf, der den tödlichen Zusammenstoß der beiden Parteien auslöst, ist zwar auch ein Ausbruch jener verderblichen Leidenschaft, die der Dichter verdammt, aber er ist nur zu gut motiviert.

So weit stimmt noch alles mit den Verhältnissen in *Berg-* kristall* überein. Aber wo bleibt die Belohnung der Umkehr, die Schonung der Unschuldigen, der Sinn der Geschichte? Wo ist Gott? Hier fehlt die übergreifende Einheit, die Schloß und Wald, Gesellschaft und Natur, Mensch und All umschließt und birgt. Noch fehlt das alles ordnende Gesetz. Ohnmächtig sehen die Mädchen von ihrem Auslug in den Bergen durch das Fernrohr die Zerstörung der väterlichen Burg. Ein fühlloser Himmel, berückend in seiner stets gleichen Herrlichkeit, wölbt sich über der Szene der Vernichtung: „Sogleich trat Johanna vor das Glas, der Würfel stand darinnen, aber siehe, er hatte kein Dach, und auf dem Mauerwerke waren fremde schwarze Flecken . . . in derselben milden Luft stand dasselbe Bild, angeleuchtet von der sanften Sonne, ruhig starr, zum Entsetzen deutlich — und der glänzende, heiter funkelnde Tag stand darüber. . . ." Das Gegenteil von *Bergkristall* ist hier der Fall: die Natur begegnet menschlichem Hoffen und Leiden mit kalter Gleichgültigkeit. Gregor, der Waldgeist, will dies nicht wahrhaben: „Macht mich nicht selbst zum Toren", rief er unwillig aus, „und jagt mir nicht kindische Angst ein — ich sage euch ja, es ist nichts geschehen, weil's zu unvernünftig wäre — darum gebt eure Sorge und euer Herz in Gottes Hand. . . ." Aber er irrt. Das Furchtbare *ist* geschehen. Gottes Hand hat *nicht* geholfen. Die Geschichte ist *unvernünftig*.

Kein Wunder, daß Stifter fast zwanzig Jahre später von diesem Geschichtsbild Abstand nimmt: „Im Hochwalde habe ich die Geschichte als leichtsinniger junger Mensch über das

Knie gebrochen, und sie dann in die Schubfächer meiner Phantasie hineingepfropft. Ich schäme mich jetzt beinahe jenes kindischen Gebarens." Immer wieder versucht er daher nach dem *Hochwald* die Gesetzmäßigkeit und Gerechtigkeit, das Wirken
5 des Göttlichen in der Geschichte darzustellen. Kunst und Schönheit waren für Stifter, getreu einem Grundsatz, der ihn seit seiner Schülerzeit durchs Leben begleitete, nichts weiter als „das Göttliche im Gewande des Reizes".

Egon Schwarz

Rey, W. H. „Das kosmische Erschrecken in Stifters Frühwerk", *Sammlung*, 1953.
Schwarz, Egon. „Zur Stilistik von Stifters *Bergkristall*", *Neophilologus*, 1953.
Staiger, Emil. *Stifter als Dichter der Ehrfurcht.* Zürich, 1952.
Steffen, Konrad. *Adalbert Stifter Deutungen.* Basel und Stuttgart, 1955.

Gottfried Keller

1819-1890

Was an Kellers Werken fasziniert ist die Mischung des Absichtlichen mit dem anscheinend Willkürlichen, des realistischen Erzählens mit Phantasie und Laune. Nichts wird zufällig erwähnt, alles steht im Zusammenhang mit den Themen eines Werkes, ohne aber an Anschaulichkeit zu verlieren. Wenn 5 jemand z. B. eine andere Lebensweise annimmt, so kleidet er sich wirklich um: ein Mönch zieht weltliche Kleider an; der vornehme Schneider wirft einen „romantischen" Mantel um, als er ein romanhaftes Leben führt. Wenn jemand moralisch am Scheidewege steht, so kann es vorkommen, daß eine 10 wirkliche Straßenkreuzung da ist. Wenn Feindschaft zwischen zwei Familien ausbricht und sie ein wüstes Leben zu führen beginnen, so liegen tatsächlich Steinhaufen und wüstes Land zwischen ihren Häusern und Feldern.

Mit Recht bewundert man auch Kellers Humor, seine drollige, gutherzige Behandlung der Torheiten der Menschen und
5 der sonderbaren Fügungen des Schicksals, die etwas launenhaften, doch heiteren Auswüchse seiner Phantasie. Dies ist jedoch nur die eine Seite; bei Keller gibt es auch eine drastischere Komik, die vor dem Schrecklichen nicht haltmacht und dem Leser ein abschreckendes Beispiel vor Augen stellt. Jedenfalls
10 bleibt Humor und Komik, ob tolerant und lebensbejahend, ob drastisch karikierend und bestrafend, ein Bestandteil seines Werkes, der gelegentlich sehr ernst genommen werden muß. Wenn die deutsche Novelle gerade in dieser Zeit ihren Höhepunkt erreicht, so hat Kellers Verbindung von Humor und Symbolkunst
15 viel dazu beigetragen.

Es dauerte lange, bis Keller sich einen Namen als Schriftsteller machte, und sein Weg war nicht leicht. Er wurde in Zürich als Sohn eines Drechslermeisters geboren, der gewisse künstlerische Neigungen zeigte und Schiller verehrte. Der Vater starb, als
20 Gottfried erst fünf Jahre alt war. Unter der Hut der Mutter, später auch eines Stiefvaters, wuchs er ziemlich unbekümmert auf, bis er wegen Beteiligung an einem Schüleraufstand, einer Protestversammlung gegen einen unbeliebten Lehrer, die Schule verlassen mußte. Die Frage war nun, was aus ihm werden sollte.
25 Da er auch schon künstlerische Neigungen zeigte, wurde er in die Hände eines Zeichenlehrers gegeben, der leider kaum mehr als ein Pfuscher war. Später lernte er einige Zeit bei einem wirklich begabten aber exzentrischen Maler und wanderte dann nach der deutschen Kunststadt München, um dort sein Glück zu su-
30 chen und sich weiter auszubilden. Wie er dort viel Zeit ver-

schwendete, ohne zu irgendeinem befriedigenden Resultat zu kommen, wird in seinem autobiographischen Roman *Der grüne Heinrich* recht lebensgetreu geschildert. Am Ende mußte er zugeben, daß er nicht zum Maler berufen war und kehrte in die Schweiz zurück. Schon damals aber hatte er begonnen, sich für 5 die Dichtkunst zu interessieren und Gedichte zu schreiben. Es gelang ihm, ein Stipendium für weitere Studien zu bekommen, und er reiste nach Heidelberg und später nach Berlin, wo er seine ersten großen Werke schreiben sollte, *Der grüne Heinrich* und den ersten Teil des Novellenzyklus *Die Leute von Seldwyla*. 10 Die Zeit in Heidelberg ist insofern wichtig als er mit den Lehren des Philosophen Ludwig Feuerbach, der dort Privatvorträge hielt, in Berührung kam. Die Ideen, die Keller sich dort zu eigen machte, waren vor allem, daß es kein Jenseits als solches gibt, daß die ganze „höhere Welt" sowie der Begriff „Gott" letzten 15 Endes aus dem Menschen selbst heraus projiziert worden sind; ferner, daß diese Erkenntnis nicht zu einer nihilistischen Einstellung zu führen braucht, sondern daß im Gegenteil das diesseitige Leben dadurch veredelt und verschönert werden kann. Die Wirkung dieser Lehren auf Kellers Werk ist deutlich nach- 20 zuweisen.

Was das äußere Leben Kellers betrifft, so bemerkt man in seinen jüngeren Jahren eine gewisse Unbeholfenheit. Er verliebte sich wiederholt in schöne junge Damen, ohne auf Erwiderung seiner Gefühle hoffen zu können. Er besaß keinerlei 25 Aussichten auf eine gute Stellung oder auf gesicherte Verhältnisse. Zu Zeiten hatte er ausgesprochene Angst davor, „ein gemeines, untätiges und verdorbenes Subjekt zu werden", wie er es in einem Brief ausdrückt, vielleicht nicht ganz ohne Grund. Dazu kam, daß er ein wenig verwachsen aussah, sein Kopf war 30 im Verhältnis zu seinem übrigen Körper etwas zu groß, seine Beine zu kurz.

Keller hat nie geheiratet. Eine Verlobung ziemlich spät in seinem Leben nahm ein tragisches Ende mit dem Selbstmord des 5 Mädchens. In seinen späteren Jahren wohnte er bei seiner Schwester Regula, einer mißmutigen alten Person, wie denn der Dichter selbst recht unfreundlich sein konnte, wenn er jemand für zudringlich hielt.

Im Jahre 1861 wurde Keller, der nun einen gewissen Ruhm 10 als Dichter genoß, zum Staatsschreiber des Kantons Zürich erwählt. Dieses hohe Amt hat er fünfzehn Jahre lang innegehabt und gewissenhaft ausgeübt, bis er dann 1876 freiwillig zurücktrat, um sich ungestört der dichterischen Arbeit widmen zu können.

15 Kellers erwähnter Roman *Der grüne Heinrich* kann gewissermaßen als Zusammenfassung seines Lebens und als Auseinandersetzung mit den Problemen seiner Jugend betrachtet werden. Als Erziehungs- oder Bildungsroman führt er die Tradition von Goethes *Wilhelm Meister* weiter und nimmt einen wichtigen 20 Platz in der Geschichte des deutschen Romans ein. Dies sollte aber nicht in dem Sinne verstanden werden, als ob das Werk einen vorherbestimmten Plan der Erziehung verfolgte. Es stellt vielmehr das Umhertasten eines komplizierten und tiefsinnigen Menschen dar und scheint sich manchmal so planlos zu entfal-25 ten wie das Leben selbst. Wie in den meisten großen Romanen der Weltliteratur handelt es sich hier um die Erziehung zum Leben, um die seltsame und überraschende Entwicklung eines wirklichen Menschen.

Der junge Heinrich Lee will Maler werden, ganz wie der 30 junge Gottfried Keller, und er hat ebensowenig Erfolg wie dieser. Seine Schuld besteht darin, daß er ein ziemlich frivoles Leben führt, während die treusorgende Mutter fast buchstäblich verhungert. Auch dieser Zug bezieht sich offenbar auf Kellers eigenes Leben; im Roman geht es aber tragischer zu, indem die Mutter stirbt, als Heinrich nach langen Jahren nach Hause ⁵ kommt.

Das Werk liegt in zwei Fassungen vor. In der ersten von 1854-55 bricht der junge Held gänzlich zusammen und ist dem Tode nahe; in der zweiten von 1879-80 dagegen lebt und handelt er als Beamter weiter und findet sich mit seinem Schicksal ¹⁰ ab. Den stillen Heroismus der Entsagung haben die Menschen des neunzehnten Jahrhunderts sehr gut gekannt.

Das Werk ist wohl kaum als ‚Künstlerroman‘ zu bezeichnen, da der Held kein eigentlicher Künstler wird. Die Probleme des Künstlers (etwa im Gegensatz zum Bürger) kommen aber deut- ¹⁵ lich zum Vorschein, vor allem in Bezug auf die romantische Epoche. Selbst im Liebesleben Heinrichs pflegt man eine ‚Überwindung der Romantik‘ zu erblicken. In seiner schwärmerischen Liebe zur kränklichen Anna, die früh stirbt, ist er ein echtes Kind der Romantik, während die Begegnung mit der sehr gesunden ²⁰ Judith, die dann zur Gefährtin seiner späteren Jahre wird, eine Auffassung des Lebens zeigt, worin die Sinnlichkeit ihren gehörigen Platz findet. Die Liebe, wie die Kunst, hat als bloßes Attribut einer höheren Welt keine Gültigkeit mehr: alles Absolute muß dem irdischen Leben eingefügt werden. ²⁵

Romeo und Julia auf dem Dorfe ist das tragischste Werk Kellers. Der Titel will besagen, daß es sich hier um eine der alten, wiederkehrenden ‚Fabeln‘ menschlichen Erlebens handelt, nämlich die hoffnungslose Liebe zwischen zwei Kindern feindlicher Eltern, nur daß die Umgebung, das Dorf, weniger impo- ³⁰

sant ist, als es bei Shakespeare der Fall war. Diese Novelle ist eines der früheren Werke Kellers; sie stammt aus dem ersten Teil der *Leute von Seldwyla* (1856), einer locker zusammengefügten Novellensammlung mit dem gemeinsamen Element 5 der Stadt Seldwyla, einer fiktiven schweizerischen Stadt, deren Bewohner einen fatalen Hang zum Müßiggang haben und auch in anderer Hinsicht recht menschlich sind.

Die Anfangsszene von *Romeo und Julia auf dem Dorfe* zeigt ein Bild der schönen Ordnung, so wie sie immer aufrechterhal-10 ten werden sollte und selten aufrechterhalten wird. Alles ist ruhig und voller Glanz. Die zwei Bauern, die zur „ursprünglichen Art" der Gegend gehören, pflügen ungestört, und jede Falte ihrer Kleider scheint in Stein gemeißelt zu sein; wie zwei Gestirne gehen sie ihre Wege. Zwar sind Einzelheiten da, die 15 in diesem Bild der schönen Harmonie nicht recht stimmen wollen. Da ist vor allem der mittlere Acker, brach und wüst, mit Steinen und hohem Unkraut bedeckt. Da befremden uns ferner die bizarren Zipfel ihrer Kappen, die wie Windsäcke nach verschiedenen Richtungen weisen, sogar wie Flammen „gen Him-20 mel züngeln". Als von dem umstrittenen Besitz des mittleren Ackers und dem zu Unrecht enterbten „schwarzen Geiger" die Rede ist, als ferner die Kinder ihre Puppe systematisch zerstören, sind wir schon ziemlich sicher, daß es zu keinem guten Ende kommen wird; und je realistischer alles beschrieben wird, umso 25 eindringlicher wird die verhängnisvolle Symbolik. Nur wenige Seiten später sagt uns der Dichter selbst, daß alles tragisch enden wird: „von diesem Tag an lagen die zwei Bauern im Prozeß miteinander und ruhten nicht, ehe sie beide zugrunde gerichtet waren."

30 Die Bauern Manz und Marti gehören zur Klasse der Kellerschen Figuren, denen nicht mehr geholfen werden kann. Keller

ist und bleibt ein guter Bürger; gerade deswegen nimmt er Anstoß an einem gewissen Bürger-Typus, der seine Pflichten nicht
ernst nimmt, der glaubt, die bürgerliche Ehre bestehe bloß darin,
daß man auf unrechtem Wege nicht ertappt wird, der weder
Gutes noch besonders Schlimmes tut und der dazu noch erwartet, 5
belohnt zu werden. Manz und Marti sind solche zweifelhaften
Mitglieder der Gesellschaft, die auf ihren guten Ruf pochen,
während sie allzu bereit sind, verstohlenerweise Unrecht zu begehen, indem sie dem Nachbarn den Acker wegnehmen und den
wirklichen Besitzer desselben, den „schwarzen Geiger", als 10
nichtsnutzigen Vagabunden verleugnen.

Die Strafe bleibt nicht aus. Keller zeigt, daß die Haltung der
beiden keineswegs als Basis der Gesellschaft dienen kann, indem
er sie aneinandergeraten, sich „aufreiben und auffressen" läßt;
als Gesellschaft im Kleinen gehen sie bald zugrunde. Bei Manz 15
ist der Verfall am deutlichsten, aber die ganze Novelle stellt gewissermaßen einen Prozeß des Verfalls und der Verwilderung
dar (die „Verwilderung der Leidenschaften" wird ja in dem —
zwar ironisch zitierten — Zeitungsartikel am Ende als moderne
Gefahr ausdrücklich hervorgehoben). Manz und seine Frau 20
hocken in ihrem baufälligen, verrufenen Wirtshaus und können
weder leben noch sterben. Die Welt der törichten alten Leute ist
eine Art Fegefeuer oder Hades, wo alles verzerrt, fremdartig
und schattenhaft erscheint. Die beiden Väter sehen, als sie den
dunklen Fluß entlangeilen, tatsächlich wie Schatten aus, die sich 25
in der Unterwelt ein bequemes Plätzchen aussuchen. Trotz dieser
unheimlichen Stimmung ist es aber eine sehr bürgerlich aufge-
faßte Unterwelt, deren Bewohner sie sind: die Welt der Ehrlosen, die nicht zur bürgerlichen Ordnung gehören.

Die Frage ist, ob die Kinder Sali und Vrenchen (die sich in 30
dem Augenblick finden, wo die Feindseligkeit ihrer Väter am

handgreiflichsten wird) sich ein neues Leben aufbauen können, ob aus all dem Verfall und Chaos etwas Gesundes und Bleibendes hervorgehen kann. Zuerst scheint dies möglich zu sein. Sie sind leidenschaftliche, lebendige junge Menschen und auch
5 der gute Wille scheint nicht zu fehlen. Doch haben wir ein schwer zu erklärendes Gefühl, daß dies irgendwie unmöglich ist. Von dem Moment an, wo Sali seine Uhr verkauft und sich damit von der Welt der Ordnung lossagt, sind die jungen Leute dem Tode geweiht und dem Chaos verfallen. Ihre Fröhlichkeit
10 ist schon die der Menschen, die „aller Sorgen ledig" sind (wie es am Ende heißt), und von hier geht es zum Fluß hinab, zum dunklen Todesfluß, der auch merkwürdigerweise als Fluß des Lebens erscheinen kann.

Ein Dämon des Verfalls erscheint in der Person des „schwar-
15 zen Geigers". Es ist charakteristisch für das ganze Verfahren Kellers und seiner Zeitgenossen, daß eine solche Figur zugleich realistisch orientiert ist (als herumschweifender, enterbter Kesselflicker, der auf seinen Acker etwas wehmütig verzichtet) und doch eine ausgesprochen übernatürliche Aura um sich hat. Sein
20 schwarzes Aussehen, seine große prügelartige Nase, sein kleines „Löchelchen" von einem Munde, aus dem er unaufhörlich pfeift und zischt, sein Hut, der seine Gestalt immer zu verändern scheint, der seltsame Einfluß, den er auf Sali und Vrenchen ausübt — alles stempelt ihn zum Teufel, zum Geist der Unruhe und
25 Unordnung, der die Kinder gerne in seine Unterwelt der Heimatlosen herablocken möchte.

Das gelingt ihm fast; denn im „Paradiesgärtlein" und in dem gespenstischen, dionysischen Zug über die nächtliche Landschaft hin, der ein wahrer Hexensabbat wird, sind die Kinder nahe
30 daran, dem Geiger zu folgen und seine Lebensweise anzunehmen. Wir stehen vor der Frage: warum müssen Sali und Vren-

chen sterben? Ist das tragische Ende wirklich unabwendbar, oder
scheint es den unerfahrenen jungen Leuten nur so? Das wäre
zwar ebenso traurig, aber weniger tragisch im strengen Sinne,
denn das Tragische verlangt eine gewisse Einsicht in die eigene
Situation und in das eigene Schicksal.   5

Auf jeden Fall wird es klar, daß es eine Art bürgerliche Tragödie ist, die sich hier abspielt. Sali und Vrenchen gehen zugrunde, weil sie glauben, daß in der Gemeinschaft der anstän-
digen und angesehenen Leute kein Platz für sie übrig bleibt.
Dieser Glaube wird verstärkt, z. B. durch das sonderbare Ver- 10
halten der jungen Burschen und Mädchen aus ihrem Heimat-
dorf, die sie auf dem Jahrmarkt treffen. Sie scheinen das junge
Paar von sich zu weisen, in Wirklichkeit sind sie aber mehr verblüfft als feindlich gesinnt. Das Gefühl des Ausgestoßenseins
könnte also ein Irrtum sein; Keller scheint dies zu bestätigen, 15
wenn er in einer früheren Fassung der Novelle bemerkt, die Kinder hätten sich durch ein entsagendes Zusammenraffen, durch
ein stilles Leben voller treuer Mühe und Arbeit retten können,
daß sie aber immerhin in ihrem traurigen Schicksal eine Na-
türlichkeit und Echtheit der Gefühle zeigen, wovon mancher 20
Großstädter und Philister etwas lernen könnte.

Es wäre also für Sali und Vrenchen vielleicht möglich, sich
einen Platz in der bürgerlichen Gesellschaft mühsam zu erkämpfen. Daß es außerhalb dieser Gesellschaft keinen Platz für sie
gibt, steht fest. Der „schwarze Geiger" bietet ihnen ja einen Aus- 25
weg an. Wenn sie ihm folgen, so haben sie ein Unterkommen
unter den Heimatlosen und ein „lustiges Hochzeitbett im tiefen
Walde". Dort können sie ein sehr freies Leben führen. Vrenchen aber meint, sie möchte nicht sein, wo es so hergeht; sie
sieht wohl ein, daß es unter solchen Umständen schwierig wäre, 30
dem anderen treu zu bleiben. Keller betont ausdrücklich, daß

hier kein Ausweg ist. Er spricht von ihrem „Gefühl, in der bürgerlichen Welt nur in einer ganz ehrlichen und gewissenfreien
Ehe glücklich sein zu können"; dieses Gefühl ist ferner die letzte
Flamme der Ehre, die früher in ihren Häusern brannte. Die Tat-
5 sache, daß Sali Vrenchens Vater mit einem Stein blödsinnig geschlagen hat, macht ihr weiteres Zusammenleben unmöglich;
das würde aber wohl nicht der Fall sein, wenn die Flamme der
Ehre bei ihnen weniger hell glühte. Ferner heißt es: „Sie mochten so gern fröhlich und glücklich sein, aber nur auf einem
10 guten Grund und Boden, und dieser schien ihnen unerreichbar,
während ihr wallendes Blut am liebsten gleich zusammenge-
strömt wäre."

Außerhalb der Gesellschaft ist es also unmöglich weiterzu-
leben — so meinen Sali und Vrenchen, und man hat den Ein-
15 druck, daß der Dichter ihnen beistimmt. Innerhalb der Gesellschaft wäre es schon eher möglich, erforderte aber eine lange
Zeit der Entsagung, wozu sie in ihrer jugendlichen Leidenschaft
nicht bereit sind. An ein langes Leben denken sie überhaupt
nicht, denn sie wohnen jetzt in ihrer eigenen Welt, der Welt des
20 Gefühls, der Musik, der hinreißenden Leidenschaft, des er-
füllten Augenblicks. „Ihre Leidenschaft sah jetzt nur den Rausch
der Seligkeit, der in ihrer Vereinigung lag, und der ganze Wert
und Inhalt des übrigen Lebens drängt sich in diesem zusammen; was danach kam, Tod und Untergang, war ihnen ein
25 Hauch, ein Nichts. . . ." Sie haben also in ihrer jetzigen Gemüts-
verfassung gar kein Interesse daran, ihr Leben zu verlängern und
der Gesellschaft zu dienen. Ihre Vereinigung ist die höchste Erfüllung ihres Daseins, das größte das sie sich vorstellen können.
Soziale Verhältnisse haben sie dahin geführt; aber als sie sich
30 ihrem Ende nähern, verlieren soziale Probleme ihre Gültigkeit.
Es ist die Frage nach dem Ziel des Lebens überhaupt, die hier

gestellt wird, und die Tragik ist die des Daseins selbst, die paradoxe Tatsache, daß das Höchste im Leben nicht von Dauer ist,
daß das volle Glück ein gar flüchtiges Ding ist, dem Tode eng
verwandt. Der Standpunkt der beiden Liebenden wird mit einer
solchen Heftigkeit ausgedrückt (bei Sali ist von einer „glühen- 5
den Klarheit" die Rede, die ihm die Sinne erhellt, und Vrenchen
scheint der Sache sogar ein reifes Verständnis entgegenzubrin-
gen), daß man fast fragen möchte, ob sie denn so sehr im Unrecht sind, ob ihnen letzten Endes ein entsagendes, tüchtiges
Leben der Mühe wert sein würde, selbst wenn keine besonderen 10
Schwierigkeiten damit verbunden wären und die sozialen Be-
dingungen günstig wären. Selbst der Zweifler, der an kein Paradies glaubt, kann paradiesähnliche Augenblicke anerkennen,
Augenblicke des höchsten Wertes im Leben. Das Streben Kellers
richtet sich darauf, diesen Wert des Augenblickes auszudehnen, 15
ihn in der Zeit und in der äußeren Welt zu befestigen, also einen
Halt zu finden, von wo aus dem Leben ein bleibender Wert verliehen werden kann. In diesem Sinne ist die Haltung Salis und
Vrenchens verwerflich; aber wir können nicht bedauern, daß sie
zum Ausdruck kommt. Denn was wir an einem Kunstwerk be- 20
wundern, ist nicht immer Lebensweisheit, sondern auch jugendliche Kraft, die an einem unlösbaren Konflikt zugrunde geht.

Es ist oft bemerkt worden, daß die Novelle viel mit dem
Drama gemeinsam hat. Das trifft auch für *Kleider machen Leute*
zu, nur daß dieses Werk der Komödie näher steht als der Tra- 25
gödie. Daß die Novelle eine Probe darstellen kann, durch die
eine Hauptperson gezwungen wird, ihre beste Seite hervorzu-
kehren, ist wohlbekannt. Der Schneider Wenzel Strapinski be-
findet sich in einer solchen Probesituation. Sein Bedürfnis, etwas
Zierliches und Außerordentliches vorzustellen, sowie seine Vor- 30

liebe für feine Kleider, wären wohl harmlose Eigentümlichkei-
ten geblieben, wenn er sich nicht in einer kritischen Lage be-
fände, wo er sein eigenes falsches Dasein illusionslos anerkennen muß. Nicht nur darauf kommt es in dieser Geschichte an,
5 einem Schwindler die Maske vom Gesicht zu reißen, sondern
auch darauf, daß dieser (zum Teil unfreiwillige) Schwindler
sich selbst erkennt, seine Illusionen und Selbstüberschätzung aufgibt und sich mit der Wirklichkeit auseinandersetzt. Heutzutage
würde das vielleicht durch eine lange Unterredung geschehen;
10 bei Keller ist alles in Handlung umgesetzt. Als Strapinski und
Nettchen, die ihn liebt, nach dem verhängnisvollen Fastnachtszug den wirklichen Stand der Dinge besprechen, bleibt fast
nichts zu sagen übrig. Die bewegende Kraft der Handlung ist
der Zufall, oder besser ‚Glück‘, denn die schalkhafte Göttin
15 Fortuna, die gibt und wieder wegnimmt, glauben wir manchmal fast als handelnde Person im Hintergrund zu erblicken.
Strapinskis Hang zur Eitelkeit ist an sich harmlos. Das sonderbare Glück-Unglück der falschen Identität, das ihn verfolgt,
rückt aber diesen Fehler seines Charakters nun so sehr in den
20 Vordergrund, daß er sozusagen nicht mehr daran vorbei kann.
Er muß sich zur eigenen Eitelkeit bekennen und sich als Grafen
ausgeben, oder er muß diese Seite seiner Persönlichkeit verleugnen und die peinliche Wahrheit sagen. Seine Rolle bleibt dabei
immer passiv; jedoch Nichtstun kann auch eine Sünde sein, und
25 es ist zwar ironisch gemeint, aber nicht ganz unzutreffend, wenn
der Dichter bemerkt, Strapinski habe den abschüssigen Weg des
Bösen betreten, indem er sich zu einem gewissen Ort führen ließ
und dort ein wenig verweilte, anstatt die Freiheit der Land-
straße zu suchen, denn das war seine erste selbsttätige Lüge. Der
30 weitere Verlauf der Dinge ist unabwendbar, bis es zur De-
maskierung des falschen Grafen kommt. Mit welcher Heiterkeit

und mit wieviel mitleidsvollem Humor wird uns aber die peinliche Lage des armen Wichtes vor Augen gestellt, dessen Unglück es ist, von der Torheit der Welt überfallen zu sein, wie er
es einmal ausdrückt. Die sonderbaren Fügungen des Glückes
werden meisterhaft entwickelt, so daß man immer wieder über- 5
rascht wird. Fast unmerklich wird das Netz immer enger zu-
sammengezogen, bis es für Strapinski keinen Ausweg mehr gibt,
obgleich er dabei, wie in der Tragödie, immer noch volle Freiheit zu besitzen scheint. Da ist z. B. Melchior Böhni, der Strapinskis wunderlich zerstochene Schneiderfinger sehr früh be- 10
merkt und die Fastnachtsüberraschung im stillen plant; da sind
die etwas simplen Goldacher, die sich für große Weltmänner
halten und eigentlich ebenso schuldig sind wie Strapinski selbst,
denn sie wollen sich für mehr ausgeben, als sie wirklich sind; da
ist endlich Nettchen, deren Liebe für den fremden „Grafen" 15
auch eine Art Schwindel ist, da eine alberne „romantische" Vorliebe für das Exotische und Vornehme im Spiele ist. Es ist übrigens ein Zeichen von Kellers Meisterschaft, daß er diese Liebe
fast unbewußt heranwachsen läßt, so daß der Schneider eine
Zeitlang nicht versteht, was für eine geheimnisvolle Anziehung 20
der Ort für ihn hat. Durch einen Lotteriegewinn und andere
Seltsamkeiten wird seine neue Lebensweise gewissermaßen legi-
timiert und sein Abschied verschoben, und das „Schneiderblüt-
chen" macht wunderliche Sprünge, bis der Fastnachtszug der
spöttischen Seldwyler stattfindet. Auch sie sind nicht ganz im 25
Recht, denn ihr Spott stammt keineswegs aus wirklicher moralischer Überlegenheit, sondern aus einer bloßen Neigung zum
Spaßhaften und zur Schadenfreude. Dieser Zug, mit seiner rie-
senhaften Strohpuppe, die Göttin Fortuna darstellend, mit dem
schwarzen Ziegenbock und der großen himmelschneidenden 30
Schere, wurde von einem norddeutschen Kritiker als unmöglich

gescholten. Keller, obgleich er den Fastnachtszug „grotesk" nennt, verteidigt ihn als etwas ganz Gewöhnliches im süddeutschen und schweizerischen Leben. Diese Verteidigung ist nicht ganz befriedigend. Wenn solche volkstümlichen Bräuche in die-
5 sen Landen auch üblich sind, so bleibt doch etwas Geheimnisvolles, etwas Düster-Phantastisches, Beklemmendes an Kellers Schilderung haften. Die darauffolgenden Spiele mit dem Thema „Kleider machen Leute", „Leute machen Kleider" haben etwas Unheimliches an sich. Es ist, als ob das ganze Leben in ein spuk-
10 haftes Maskenspiel überzugehen drohte. Das wäre nichts Unerhörtes für Keller; besonders wenn es gilt, unechtes Leben zu bestrafen, greift er gerne zu phantastischen und drastisch-komischen Mitteln, worin das Volkstümliche leicht zum Mythischen und Unheimlichen wird.

15   Anstatt daß die ganze Existenz des Schneiders zerstört wird, welches der Fall zu sein scheint, als er wie ein Gespenst vom Fest wegschleicht, geschieht etwas Unerwartetes: Nettchen zeigt sich sehr resolut, indem sie den schlauen Melchior abweist und den Schneider, den sie aus dem Schnee rettet, trotz allem heira-
20 ten will (es möchte fast scheinen, als ob die Frauen bei Keller überhaupt lebenstüchtiger sind als die Männer). Sie erkennt in ihm einen guten Menschen. Für beide ist Demut sehr am Platze, aber sie zeigen auch vorwärtsschauendes Erkennen der Dinge, wie sie eben sind. Sie machen den Versuch, etwas Wert-
25 volles aus ihrer Lage zu retten, eine Lösung, zu der Sali und Vrenchen in ihrer Leidenschaft nicht gelangt sind.

Das Ende ist ironisch gefärbt. Da die Gefahr vorbei ist, kann man über den nun angesehenen Bürger Strapinski ein bißchen schmunzeln, der bescheiden, sparsam und fleißig lebt und rund
30 und stattlich wird.

Die Moral der Geschichte scheint zu sein, daß man sich mit

der eigenen Stellung im Leben zufrieden geben soll, daß man nie trachten soll, mehr zu sein, als man ist. Bei Keller liegen die Dinge aber nie so einfach. Hinter jener Moral liegt eine andere, „romantischere", begraben, daß man nämlich so leben soll, wie es das Gewissen einem vorschreibt. Wenn Keller ab und zu in 5 diesem Werk das Wort „romantisch" gebraucht, so ist es im Sinne von „romanhaft", also abenteuerlich. Jedoch die Beziehung auf die frühere literarische Epoche, unter deren Einfluß Keller seine ersten Versuche als Schriftsteller machte, fehlt nicht ganz. An einer Stelle heißt es: „Sein Mantel umschlug die 10 schlanke, stolze, schneeweiße Gestalt des Mädchens wie mit schwarzen Adlersflügeln; es war ein wahrhaft schönes Bild, das seine Berechtigung ganz allein in sich selbst zu tragen schien." Daß ein schönes Bild seine eigene Berechtigung in sich trägt, hört sich romantisch an; die ganze frühere, fal- 15 sche Haltung Strapinskis spiegelt sich darin. Nach dieser Haltung ist das Schöne wichtiger als das Praktische, das innere Wesen des Menschen, so abenteuerlich es auch sein mag, wichtiger als die Identität, die ihm von der Gesellschaft verliehen wird, die exzentrische Privatkleidung bedeutender als 20 die Uniform des Berufs. Wenn jeder sein Wesen in der äußeren Erscheinung ausdrücken darf, so ist Strapinski in einem gewissen Sinne berechtigt, sich für adlig auszugeben und feine Kleider zu tragen. Dazu kommt, daß alle Menschen mehr oder weniger Schwindler sind, wenn man es so betrachtet. Erstens gibt es über- 25 all angesehene Leute, die im Grunde Betrüger sind — ein tyrannischer Fürst, Priester und Lehrer, die von der Hoheit ihres Amtes keinen Begriff haben, Künstler, die ihr Talent preisgeben, um der Menge zu gefallen, usw. Wenn man auch von solchen extremen Fällen absieht, die der Dichter uns aufzählt, so scheint 30 zwischen den Zeilen die Erkenntnis zu stehen, daß jeder Mensch

ein Betrüger ist, welches Kleid oder welche Maske er auch tragen mag; denn das eigentliche Wesen ist nicht leicht aufzuspüren. Der feine Mantel des Schneiders ist wohl als Trug zu betrachten; wie steht es aber mit seiner normalen Bekleidung als
5 Schneider? Sie kann nämlich auch eine Art Maske sein. Strapinski fühlt, daß er irgendwie das Recht hat, Graf zu sein; die Welt ist schuld, daß er es nicht ist. Das Wirtshaus „Zur Waage" erscheint ihm wie eine wirkliche Waage, wodurch die Unebenheiten des Schicksals ausgeglichen werden. Auch das bescheidenste Glück kann unverdient und unwesentlich sein. Es besteht
10 keine Sicherheit, daß in dem bürgerlichen Beruf, in dem besonderen sozialen Stand die richtigen Ausdrucksmöglichkeiten vorhanden sind. Es ist daher keineswegs immer töricht, etwas Besseres sein zu wollen, als man „ist", d. h. als man nach den Vorschriften der Gesellschaft sein soll. Dieser eigenartige Schneider
15 hätte vielleicht etwas anderes werden können, ohne der sozialen Ordnung besonders zu schaden. Keller zieht eben die Grenzen des erlaubten Glücklichseins recht eng. Probleme werden angedeutet, für die keine leichte Lösung vorhanden ist. Das aber
20 verleiht dem Werk Tiefe, was die komische Wirkung nicht zu vermindern braucht.

Die *Sieben Legenden*, die man mit Recht zu den „größten Wunderwerken" der deutschen Literatur gerechnet hat, sind den katholischen Legenden nachgebildet, die Keller in einer etwas
25 süßlich verschönerten Fassung gelesen hatte. Es wäre vollkommen verfehlt, seine „Legenden" als religiöse Dichtungen zu bezeichnen. Ebenso verfehlt wäre es andrerseits, sie etwa als bittere Satiren gegen die christliche Religion oder gegen die katholische Kirche zu betrachten.
30 Die Nacherzählung geschieht zwar nicht ohne ein gewisses

Schmunzeln (wenn z. B. eine Abtei mit den vom Teufel stammenden Reichtümern gegründet wird), aber auch mit viel Liebe, sogar mit religiösem Gefühl. Es ist überhaupt nicht ganz klar, inwiefern man bei Keller von Religion oder Religiosität sprechen kann. Daß er an keinen letzten Sinn oder Grund der Dinge 5 glaubte, darf wohl nicht behauptet werden. Daß ihm aber das Christentum wenig bedeutete, wird in den *Legenden* deutlich. Selbstkasteiung, Askese und Erniedrigung des Menschen einem jenseitigen Leben zuliebe sind ihm verhaßt, sowie jedes überschwengliche Schwärmen für überirdische Dinge, besonders 10 wenn etwas Unechtes oder Heuchlerisches im Spiele ist. Das ist oft der Fall; denn dieser tolerante, doch strenge Menschenkenner hat ein feines Auge für das Unechte, für das raffiniert Unnatürliche, für den Vorgang, der einige Jahrzehnte später als ‚Sublimieren' allgemein bekannt wurde. Das merkt man beson- 15 ders am „schlimm-heiligen" Mönch Vitalis, dessen sonderbare Lust am Bekehren von Freudenmädchen offenbar eine krankhaft verkleidete Lüsternheit darstellt. Eine ähnliche Figur ist das „Blaustrümpfchen" Eugenia, eigentlich eine ‚emanzipierte' Frau des neunzehnten Jahrhundert. Sie erkennt ihre natürlichen 20 Neigungen nicht an, sondern bekennt sich zu einer schalen, intellektuellen Lebensweise, und ihre Rolle als „Mönch" und „Abt" stellt eine noch schlimmere Verkleidung dar. Am Ende wird ihr die Verkleidung drastisch abgestreift; wie der Mönch Vitalis muß auch sie sich „umkleiden". Beide lernen, irdische Ge- 25 wänder mit Würde zu tragen. Da beide gleich in den Ehestand treten, ist dafür gesorgt, daß die Sinnlichkeit nicht die Schranken der Gesellschaft überschreitet. Im Fall des „Schlimm-Heiligen" ist die Sinnlichkeit in der Person der rothaarigen Dirne verkörpert. Es wird der klugen, sittsamen Iole überlassen, den 30 fanatischen Bekehrer zum natürlichen Leben selbst zu „be-

kehren". Auch im extremen Fall der Nonne Beatrix (*Die Jungfrau und die Nonne*), deren Sehnsucht nach dem irdischen
Leben von einer merkwürdig toleranten heiligen Jungfrau ge-
huldigt und gefördert wird, merken wir, daß ein zartes, scham-
5 haftes Gefühl der Sittlichkeit nie verloren geht.

Ein Leben der Sinnenlust, wo alles erlaubt ist, ist nicht das
Ziel Kellerschen Strebens. Es ist ein verklärtes Erdendasein, wonach er strebt, wo Selbstüberwindung und Entsagung manchmal am Platz sind, wo natürliche Triebe zwar auf natürliche
10 Weise ausgedrückt werden, jedoch möglichst veredelt und ge-
mäßigt. Die Jungfrau selbst vertritt offenbar einen solchen Standpunkt in ihren sehr menschlichen, sogar humorvollen Erscheinungen. Dem trägen, weltfremden Ritter Zendelwald (*Die
Jungfrau als Ritter*), der Keller selbst ein wenig ähnlich ist,
15 wird Lebenstüchtigkeit empfohlen, nicht etwa weitere Welt-
fremdheit oder Entsagung, als die Jungfrau an seine Stelle tritt,
um mit den seltsamen Gestalten „Guhl der Geschwinde" und
„Maus der Zahllose" zu kämpfen. (Es ist übrigens interessant,
daß nach einer Aussage des Dichters diese etwas teuflischen
20 Erscheinungen Frankreich und Rußland sinnbildlich darstellen
sollten, wie sie mit Deutschland den Kampfplatz betreten werden.) Man könnte einwenden, daß in den *Legenden* doch
manchmal von himmlischen Freuden die Rede ist, z. B. in
Dorotheas Blumenkörbchen oder in *Tanzlegendchen*. Das
25 stimmt besonders in Bezug auf Dorothea, die eine naive, keineswegs heuchlerische Freude an himmlischen Dingen zeigt, die
aber mit aller irdischen Zierlichkeit beschrieben sind. Musa
in *Tanzlegendchen* muß dem König David versprechen, aller
irdischen Tanzlust (d. h. Lebenslust) zu entsagen, um die
30 ewige Seligkeit in einem unaufhörlichen Freudentanze zu verbringen. Wir haben jedoch ein deutliches Gefühl, daß sie

darin betrogen worden ist, daß sie eigentlich recht hatte, indem sie meinte, „dieser Erdboden schiene ihr gut und zweckdienlich, um darauf zu tanzen". Im Himmel wird allerdings getanzt und gesungen; doch muß es befremden, wenn nach dem Gesang der neun Musen alle himmlischen Zuhörer von Erdenleid 5 und Heimweh ergriffen werden und in ein allgemeines Weinen ausbrechen. Überirdische Freuden kann es vielleicht geben, aber man muß es sich sehr gut überlegen, ehe man deshalb die erlaubten, gesunden Freuden dieser Erde aufgibt; das ist die Moral dieser Geschichte. 10

Keller ist nie lebensfremd. Sein Stil ist klar, kräftig und männlich, seine Lebensauffassung human, tolerant und humorvoll. Daß er die Probleme des Tages nicht direkt behandelt, heißt nicht, daß er den Problemen des Lebens aus dem Wege geht. Daß er ein geordnetes bürgerliches Leben darstellt, be- 15 deutet nicht, daß er die Unordnung und das Chaos nicht kennt. Sein Werk ist ein ehrlicher Versuch, dem Leben Ordnung und Wert zu verleihen.

Lee B. Jennings

Ackerknecht, Erwin. *Gottfried Keller. Geschichte seines Lebens.* Leipzig, 1942.

Ermatinger, Emil. *Gottfried Kellers Leben.* Zürich, 1950.

Rehder, Helmut. „ ‚Romeo und Julia auf dem Dorfe' — an Analysis". *Monatshefte* XXXV, 1943.

Silz, Walter. *Realism and Reality: Studies in the German Novelle of Poetic Realism.* Chapel Hill, 1956.

Wiese, Benno von. *Die deutsche Novelle von Goethe bis Kafka.* Düsseldorf, 1956.

Theodor Storm

1817-1888

Theodor Storm ist im nördlichsten Winkel Deutschlands, im damaligen Herzogtum Schleswig, geboren. Seine Heimatstadt ist Husum, eine norddeutsche Kleinstadt, die zwar auf eine prächtige Vergangenheit zurückblicken konnte, aber im 19. Jahrhundert in einen wirtschaftlichen, politischen und geistigen 5 Dornröschenschlaf zurückgesunken war. In den davor liegenden Jahrhunderten war Husum eine blühende Hafenstadt gewesen. Ein selbstsicheres, stolzes Patriziertum war dort in Generationen und Jahrhunderten herangewachsen, und Storm hat sich zeit seines Lebens als Angehöriger der gesellschaftlichen Oberschicht 10 gefühlt. Die goldene Zeit des Wohlstandes war jedoch für Husum vorbei. Die Verbindungen mit der großen Welt in Europa und auch nach Übersee waren allmählich versickert. Die

Hauptströme des Lebens gingen an der kleinen Küstenstadt, nahe an der dänischen Grenze, vorbei.

Storm muß gegen den Hintergrund seiner Heimat gesehen werden, mit der er aufs engste verbunden war. Er hat ungefähr ein halbes Hundert Novellen geschrieben. Alle spielen in Schleswig-Holstein, die große Mehrzahl in Husum selbst oder in der näheren oder weiteren Umgebung der Stadt, und man hat dem Dichter daraus einen Vorwurf gemacht. Man hat ihn des Provinzlertums beschuldigt: er ziehe seine Grenzen zu eng; seine Gestalten seien eben nicht individuelle Charaktere und gleichzeitig typisch, wie man es von den Figuren großer Dichtung erwarten müsse; Storm sei ein „Heimatdichter", ein Epitheton, das im literarischen Sprachgebrauch keineswegs immer ein Kompliment ist. Berühmt ist in diesem Zusammenhang das Wort seines Freundes Theodor Fontane, des großen deutschen Romanschriftstellers im 19. Jahrhundert, geworden, der von der ewigen ‚Husumerei' im Schaffen Storms sprach.

Storm war sich der Gefahren bewußt, die diese freiwillige Selbstbeschränkung mit sich brachte. Er hat sich oft genug darüber in Briefen und anderen autobiographischen Bemerkungen ausgesprochen. So heißt es einmal: „Ich bedarf äußerlich der Enge, um innerlich ins Weite zu gehen." Sein enger Freund Wilhelm Jensen kommentiert: „Er war Schleswig-Holsteiner, und sein Heimatland umfaßte für ihn die Welt, in der er als Mensch die Bedürfnisse seines Lebens, als Dichter seine Anregungen fand."

Husum liegt an der Schleswig-Holsteinischen Westküste, die durch eine mächtige Kette von Deichen gegen die Nordsee geschützt wird. Das Küstenland ist Marschland, das heißt, es ist angeschwemmter Boden, der in jahrhundertelangem Kampf dem Meer abgewonnen wurde. Quadratmeter um Quadratmeter hat der Mensch mittels einer sich immer mehr verfeinernden und entwickelnden Technik die See zurückgeschoben. Sobald sich genug Land angesetzt hat, sobald das sogenannte ‚Vorland' vor dem alten Deich breit genug geworden ist, wird ein neuer Deich errichtet, um den neugewonnenen Ackerboden, den ‚Koog', vor dem immer drohenden Ansturm der See zu schützen. ‚Sturmflut', ‚Land unter', ‚Überschwemmungsgefahr' sind Wörter, die bis in unsere Zeit zum täglichen Vokabular der Küstenbewohner gehören.

So ist es nicht erstaunlich, daß Storm sich ungern mit dem Seemilieu befaßt. Für ihn ist das Wasser der Feind, vor dem man dauernd auf der Hut sein muß. Fast immer in seinen Werken stellt das Meer eine Bedrohung des Menschen dar. In diesem Sinne ist er ein echter Friese, Mitglied jenes Volksstamms, der seit Jahrhunderten von der Nordspitze Dänemarks bis nach Holland in fortwährendem Kampf mit der Nordsee liegt. In Storms eigener Familie erzählte man sich die Sage von dem Stammvater der Sippe, der bei einer Sturmflut im Jahre 1634 als Kind in einer Wiege ans Land geworfen worden sei.

Hinter der Marsch erhebt sich die ‚Geest', ein langgestreckter Landrücken. Der Landschaftscharakter unterscheidet sich deutlich von dem der Küstenzone. Er ist weicher, milder, lieblicher. Wälder, Hügel und Seen vermitteln den Eindruck einer großen Parklandschaft. Storm verlegt die Schauplätze seiner Novellenhandlungen in die Stadt, in die Marschlandschaft mit ihrer strengen Öde und großartigen Monotonie oder auf die mildere, reizvollere Geest. Andere topographische Erscheinungen, etwa das Hochgebirge, kannte Storm nicht, und so finden wir es nicht in seinem Werk.

Theodor Storms Vater war der bekannteste Rechtsanwalt der Gegend und jahrelang Mitglied des dänischen Parlamentes.

(Schleswig war durch Personalunion mit Dänemark verbunden, das heißt, der dänische König war auch Herzog von Schleswig.) Storms Mutter stammte aus einer der vornehmsten Familien der Stadt. Ganz selten einmal entfernt Storm sich in seinem Werk 5 von dem Bürgermilieu und im wirklichen Leben niemals. Sein Bildungsgang war der übliche: Besuch der Gymnasien in Husum und Lübeck; Studium der Rechtswissenschaft an den Universitäten Kiel und Berlin; Rückkehr nach Husum, wo er sich als junger Advokat eine Praxis aufzubauen versuchte. Selbst 10 das dramatischste Ereignis seines Lebens, sein freiwilliges Exil, um dem wachsenden Druck der Dänen zu entgehen, verlief verhältnismäßig geordnet und normal. Er wurde preußischer Beamter, zuerst in Potsdam, dann in Heiligenstadt, nicht weit von Göttingen. Im Jahre 1864, nach dem Siege Preußens und 15 Österreichs über Dänemark, kehrte er nach Husum zurück, wurde dort Landvogt und später Richter und setzte sich im Jahre 1880 zur Ruhe. Darauf zog er noch einmal um und lebte die letzten acht Jahre seines Lebens in Hademarschen, einem idyllisch gelegenen Dorf in Holstein.

20 Storm is also ein echter Bürger, was Herkunft, Lebensweise, Kunst- und Weltanschauung angeht. Er ist ein sehr typischer Vertreter einer Epoche im 19. Jahrhundert, von der sein berühmterer Landsmann Thomas Mann einmal als „der großen Zeit der deutschen Wissenschaft und Erzählung" sprach. Mann 25 denkt dabei an den sogenannten Poetischen Realismus, der in der deutschen Literatur mit Dichtern wie Keller, Meyer, Stifter und vielen anderen einen Höhepunkt der deutschen Erzählkunst darstellt. Dabei hat man gerade von Storm gesagt: „Er steht an der Grenze und ist der Letzte der großen deutschen bürger- 30 lichen Literatur." Die Jahrzehnte von 1840 bis 1890 bedeuten

eine Blütezeit der deutschen Prosa, wobei die Gattung der kürzeren, kompakteren Novelle dem weiter ausholenden Roman, wie etwa in Rußland, Frankreich und England, vorgezogen wird. Als literarische Kunstform stammt die Novelle aus Italien und Spanien, wird aber erst in Deutschland im 19. und 20. Jahrhun- 5 dert zur höchsten Vollendung geführt. Wegen des strengeren Aufbaus — kurze Exposition, klarer Wendepunkt, schnell abfallende Kurve dem Ende zu — und der Eigenartigkeit des Novellenstoffes — etwas Neues, Unerhörtes, das aber im Gegensatz zum Märchen realistisch genug ist, um möglich zu sein — 10 hat man die Novelle mehr mit dem Drama verglichen als mit dem Roman. In diesem Zusammenhang zitiert man gern Theodor Storm, der einmal von der Novelle als der „Schwester des Dramas" sprach.

Neben dem erzählenden Werk hat Storm ein starkes lyrisches 15 *œuvre* hinterlassen. In jeder Anthologie deutscher Gedichte aus dem 19. Jahrhundert wird man einige Stormgedichte finden. Um nur einige der bekanntesten zu nennen: „Meeresstrand", „Abseits", „Die Stadt", „Oktoberlied". Die stärksten Gedichte sind in der Zeit der Emigration entstanden. Sie sind Ausdruck 20 der Sehnsucht des Dichters nach der alten, aufgegebenen Heimat, Ausdruck eines Heimwehs, wie es in dieser Heftigkeit bei kaum einem anderen deutschen Dichter zu finden ist. „Meeresstrand" ist ein besonders gutes Beispiel dafür.

> Ans Haff nun fliegt die Möwe, 25
> Und Dämmrung bricht herein;
> Über die feuchten Watten
> Spiegelt der Abendschein.
>
> Graues Geflügel huschet
> Neben dem Wasser her; 30

Wie Träume liegen die Inseln
Im Nebel auf dem Meer.

Ich höre des gärenden Schlammes
Geheimnisvollen Ton.
5 Einsames Vogelrufen —
So war es immer schon.

Noch einmal schauert leise
Und schweiget dann der Wind;
Vernehmlich werden die Stimmen,
10 Die über der Tiefe sind.

Storm gibt hier mit höchster Sprachkunst optische und aku-
stische Eindrücke wieder, die Erinnerung und Phantasie vermitteln. Er geht jedoch über das einfache Beschreiben von
Sinneseindrücken hinaus. Die große Wirkung dieses knappen
15 Gedichts liegt in der Spannung zwischen gegenständlicher,
greifbarer vorderer Kulisse und dem Öffnen des Blickes in eine
weite Unendlichkeit. Diese Weite kann nicht mehr mit den
Augen wahrgenommen werden, sondern nur noch durch die
Einbildungskraft. Storm erreicht den Spannungseffekt dadurch,
20 daß er in jeder Strophe auf die ersten zwei Zeilen der Augen-
und Ohrwahrnehmung die letzten zwei Zeilen des Öffnens
einer neuen Dimension folgen läßt. In jeder Strophe findet sich
dieser Wechsel von Nähe und Ferne, Wirklichkeit und Imagination. Dabei ist es nicht nur eine geographische Fernsicht, die
25 der Dichter aufschließt, sondern er richtet den Blick auch
zeitlich zurück in die Sphäre des ‚Es war einmal', und schließlich auch in die Tiefe und kehrt damit in übernatürlich-
mythische Bereiche ein. Für jede Strophe, ja für jede Zeile
wählt der Dichter ein anderes Metrum und steigert dadurch

noch die erwähnte Spannung zwischen Wirklichkeit und Einbildungskraft. Es ist die Verbindung von genauer Beobachtungsgabe, hoher Musikalität und der Fähigkeit, plötzlich neue räumliche und zeitliche Dimensionen aufzudecken, die Storm unter die hervorragenden Lyriker im 19. Jahrhundert rückt.   5

Bei den ersten Novellen hat man dann auch vor allem die starken lyrischen Qualitäten der Erzählungen hervorgehoben und immer wieder Storm als den Stimmungsdichter gepriesen. Gerade bei einer seiner ersten Novellen, *Immensee*, aus dem Jahre 1849, ist das geschehen. Man kann die Handlung in 10 wenigen Worten zusammenfassen, wie Storms Freund Paul Heyse es in seiner berühmten „Falkentheorie" für alle Novellen gefordert hat. Ein alter Mann blickt auf seine Jugend zurück, in der er durch eigenes Verschulden, infolge der Schwäche des Mädchens und wegen des Einflusses der Mutter die Geliebte 15 an den Freund verloren hat. Wir haben es nicht mit einer durchgehenden Handlung zu tun sondern mit einer Reihe von Bildern. Storm schafft eine Anzahl von Episoden, die aneinandergereiht werden, wobei die Zusammenhänge und Übergänge nur oberflächlich gegeben werden. Er betont den lockeren 20 Aufbau noch, indem er jedem Abschnitt der Novelle eine eigene Überschrift gibt. („Der Alte", „Im Walde", „Meine Mutter hat's gewollt", usw.) Dadurch steigert er die Selbständigkeit und Unabhängigkeit der einzelnen Tableaus und nimmt große Zeitsprünge und gewisse Schwächen in der Motivierung in 25 Kauf.

Der Gebrauch des Rahmens zeigt noch den Anfänger. Die Verbindung von Rahmen und eigentlicher Handlung wirkt forciert. Storm folgt hier der Mode der Zeit, die in Prosaerzählungen sich gerne dieses literarischen Kunstgriffes bedient. 30 Diese Technik wird in wenigen Jahrzehnten verfeinert und vervollkommnet. Storm selbst gibt in seiner letzten, großen Meisternovelle *Der Schimmelreiter* einen dreifachen Rahmen; Gottfried Keller erhebt ihn in *Das Sinngedicht* zum Rang einer selbständigen Novelle; Conrad Ferdinand Meyer in *Die* 5 *Hochzeit des Mönchs* läßt die Gestalten des Rahmens als Parallelfiguren in der eigentlichen Novelle auftreten. Als Hauptursache für die Beliebtheit der Rahmenerzählung in dieser Zeit, nachdem diese Technik doch seit Jahrhunderten bekannt war (*1001 Nacht, Canterbury Tales, Dekamerone*), 10 ist vor allem die Neigung zu größerer Objektivierung zu nennen. Der Epiker sucht größeren Abstand von den erzählten Ereignissen und schaltet darum einen Mittelsmann ein. Dadurch kann er selbst noch mehr hinter sein Werk zurücktreten und gleichzeitig die Glaubwürdigkeit der berichteten Vorgänge erhöhen. 15 Auch nicht zu vergessen ist in diesem Zusammenhang das außerordentliche Anwachsen des geschichtlichen Interesses überall in Europa. Die Novellendichter sind davon beeinflußt und hängen ihren Geschichten oft ein historisches Mäntelchen um, indem sie in Form einer Chronik schreiben. Gerade Storm zeigte 20 große Vorliebe für die Chroniknovelle. Seine stärksten und gelungensten Arbeiten gehen in der Stoffwahl weit in die Vergangenheit, bis in den dreißigjährigen Krieg und sogar bis ins Mittelalter, zurück. (*Zur Chronik von Grieshuus, Renate, Der Schimmelreiter, Aquis submersus.*)

25   Das Zentralthema in *Immensee* ist die verlorene Liebe. Als Kernsätze der Novelle darf man einen Ausspruch Reinhards und den Titel eines Liedes anführen: „Elisabeth, hinter jenen blauen Bergen liegt unsere Jugend. Wo ist sie geblieben?" Und: „Meine Mutter hat's gewollt". Wer oder was Schuld an dieser 30 Entwicklung hat, wird von Storm nur angedeutet: Schwäche und Nachgiebigkeit Elisabeths, dargestellt sehr früh in der

Novelle, als das Kind seine Mutter auf die Reise nach Indien mitnehmen will und wegen der barschen Worte des Spielge-fährten fast in Tränen ausbricht, oder in dem Kapitel „Im Walde", wo der Dichter die Hilflosigkeit und Schutzbedürftig-keit seiner Heldin so beschreibt: „Er konnte sie nicht gewahr 5 werden; endlich sah er sie in einiger Entfernung mit den Sträu-chern kämpfen; ihr feines Köpfchen schwamm nur kaum über den Spitzen der Farnkräuter." Reinhards Entdeckung der größeren Welt des Universitätslebens mit seinen vielseitigen Anregungen und lockenden Abenteuern ist zweifellos ein weiterer Grund 10 dafür, daß die Liebenden sich nicht finden. Wiederum stellt Storm das nicht als Tatsache fest, sondern sagt es indirekt, indem er eine Szene in einem Studentenwirtshaus gestaltet. Das Thema der Verlockung und Verführung durch das dunkel-haarige Mädchen — südländisch aussehende Frauengestalten 15 bedeuten bei Storm fast immer Sinnenlust und Gefahr des Selbstverlustes — wird jedoch nicht durchgeführt sondern nur angeschlagen. Wir wissen nicht, ob und wie das Verhältnis der Zigeunerin und Richards sich entwickelt. Der Dichter ist ein Meister des Andeutens und Aussparens, was nur teilweise durch 20 die Ökonomie des Novellengenres begründet ist. Es ist in diesem Zusammenhang interessant zu wissen, daß Storm in der ursprünglichen Fassung der Novelle die Wirtshausszene viel drastischer gestaltet hatte. Er dämpft und mildert mit Absicht, einmal weil der derbe Ton nicht dem verhaltenen Mollklang 25 der Novelle entsprochen hätte, und zweitens, um eben die größtmögliche Wirkung in der Kunst der Andeutung zu er-reichen. Die dritte Ursache für das unerfüllte Leben Reinhards und Elisabeths ist in der Gestalt der Mutter zu suchen. Wie-derum hätte Storm hier in der Charakterisierung viel gröber 30 und deutlicher vorgehen können. Er beschränkt sich jedoch

darauf, durch verhaltene Hinweise darauf aufmerksam zu machen, daß Elisabeth der kräftigen und resoluten Zügelführung ihrer Mutter nichts entgegenzusetzen hat. Hinweise dieser Art sind z. B. die Bemerkung, daß das Schlüsselbund für
5 Haus und Hof, Keller und Küche auf dem Gut Immensee nicht am Gürtel Elisabeths sondern der Mutter hängt, oder die Tatsache, daß die Mutter mit auf die Hochzeitsreise geht.

Storm greift stellenweise zu sehr einfachen Symbolen. Die Begebenheit mit der Wasserlilie, die Reinhard vergeblich zu
10 erreichen versucht, ist überdeutlich durchgeführt. Auch das Symbolhafte im Tode des Hänflings, der durch einen kreischenden Kanarienvogel, einem Geschenk Erichs, ersetzt wird, liegt klar auf der Hand. Ähnliches gilt für den Sinnbildgehalt der vertrockneten Erikablume: die verlorene Liebe, und des braunen
15 Mantels von Erich: seine gutmütige, aber uninteressante Persönlichkeit.

Ein Freund schrieb einmal an Storm, daß dieser in der frühen Periode seines Schaffens mit Pastellfarben gemalt hätte, in den späteren Novellen dagegen in Öl. Ganz gewiß trifft diese
20 Bemerkung auf *Immensee* zu. Mit behutsamer Hand, wie ein Pastellkünstler, hat Storm mit flüchtigen Farben diese schmerzlich-wehmütige Elegie auf vergangenes Glück, auf die Unwiederbringlichkeit der Vergangenheit und das verlorene Paradies der Jugend geschaffen. Dabei erreicht der Dichter eine lyrische
25 Stimmung und Fühlbarkeit in seiner Prosa, die dieses kleine Werk haben klassisch werden lassen.

Entsagung ist auch eins der Themen der Novelle *Aquis submersus*, die 26 Jahre nach *Immensee* geschrieben wurde. Hier nun ist Storm, der Maler von Ölgemälden, an der Arbeit. Die
30 Farben sind kräftiger und härter. Die Novelle ist handlungs-

reicher. Die Tragik wird nicht nur angedeutet, sondern konsequent zum Ende hingeführt. Es ist die Geschichte von zwei Liebenden, die nicht zusammenkommen können, weil der Standesunterschied und eine Kette von schlimmen Zufällen die Verbindung verhindern. Die Zeit ist das 17. Jahrhundert, der 5 Ort Schleswig-Holstein, das Milieu die Welt des Landadels und des Bürgertums. Storm bedient sich der Form der Manuskriptnovelle. Er gibt vor, eine alte Handschrift gefunden zu haben, „einige stark vergilbte Papierblätter mit sehr alten Schriftzügen", die er nun dem Leser mitteilt. Die Glaubwürdigkeit der 10 Fiktion soll noch verstärkt werden, indem er antiquierte Sprachwendungen und altmodischen Wortschatz verwendet. So heißt es nicht „jetzt" sondern „itzt"; statt „ich . . wanderte nun fröhlich dahin", lesen wir „ich . . . wanderte nun fröhlich fürbaß". 15

Im Gegensatz zu den früheren Novellen, in denen der Aufbau oft recht locker gehandhabt wurde, ist die Struktur in *Aquis submersus* bei aller scheinbaren Kompliziertheit streng durchkomponiert. Nach einer längeren Rahmeneinführung beginnt der Held, der Maler Johannes, seine Erzählung. Er geht in seine 20 Kindheit zurück und schildert Erlebnisse, die das enge und herzliche Verhältnis zwischen ihm und Katharina veranschaulichen. Dann sind wir wieder in der Gegenwart des Erzählers. Er berichtet davon, wie aus der Kinderfreundschaft echte Liebe wird, wie die Liebenden trotz des Mißtrauens der Familie Katharinas 25 eine Liebesnacht miteinander verbringen, wobei es ironischerweise gerade der Haß des Bruders Wulf gegen den nichtadligen Johannes ist, der die Beiden zusammenführt. Es folgt der Bericht von dem Zusammenstoß mit Wulf, bei dem Johannes schwer verwundet wird. Nach langer Krankheit geht er nach 30 Holland, um sich dort als Maler eine Existenz aufzubauen.

Theodor Storm

Abermals wirft ihn langwieriges Siechtum aufs Krankenbett. Als er schließlich kommt, um seine Katharina zu sich holen, findet er sie nicht mehr. Alle seine Versuche, ihre Spur zu entdecken, schlagen fehl. Damit schließt der erste Teil der Novelle.

5 Storm unterbricht hier kurz den Fluß der Erzählung. Als er ihn wieder einsetzen läßt, ist Johannes viele Jahre älter geworden und schreibt aus der Erinnerung. Er hat Katharina nach mehreren Jahren durch Zufall wiedergefunden, aber als Frau eines harten, fanatischen Pastors. Der Bruder hatte sie zu dieser

10 Ehe gezwungen. Johannes ist jedoch der Vater ihres Kindes. Ein einziges Mal ist es Johannes vergönnt, sie wiederzusehen. Als sie sich einen Augenblick vergessen und einander umarmen, ertrinkt ihr Kind in einem Teich. Johannes kann nur noch die Leiche seines Sohnes malen. Unter das Bild schreibt er CPAS,

15 *Culpis Patris Aquis Submersus*, „Durch Vaters Schuld in der Flut versunken." Dann geht er fort. Katharina bleibt in ihrem Leid zurück, und wir verlieren Beide aus den Augen. Storm schließt den Rahmen mit einem kurzen, ernsten Schlußwort.

Stimmung und Ton des ersten Teils der Novelle unterscheiden

20 sich deutlich von denen des zweiten. In jenem beherrscht vor allem Katharina die Szene, zuerst als frisches, übermütiges Kind, dann als schöne, liebesselige Jungfrau. Über dem zweiten Teil liegt der Schatten des menschenfeindlichen, harten Pastors. Das erste Buch beginnt mit der fröhlichen Schilderung von

25 Johannes' Rückkehr in sein geliebtes, schönes Holstenland, das zweite setzt ein mit einem Spruch über die Vergänglichkeit des Menschen. Den großartigen, in leuchtenden Farben gehaltenen lyrischen Schilderungen des ersten Teils, besonders der Geschehnisse der Liebesnacht, stehen die düsteren Beschreibungen

30 der fast winterlichen Heide und der Vorbereitungen zu einer Hexenverbrennung im zweiten gegenüber; Juni gegenüber

286

Oktober, Nachtigallenschlag gegenüber dem dumpfen Brausen des Meeres in seiner „schreckenden Unendlichkeit". Der Höhepunkt des ersten Buches ist das Zueinanderfinden der Liebenden, der des zweiten der Schrei Katharinas, als man ihr totes Kind aus dem Wasser zieht. Auch in Sinn und Charakter haben die 5 beiden Teile klar getrennte Funktionen: die Handlung des ersten ist darauf gerichtet, die Gewinnung oder Errettung Katharinas zu bringen. Das ist Zielhandlung. Die Erzählung des zweiten Teils hat nur Aufhellungscharakter. Das Schicksal Katharinas wird aufgeklärt. Auch an dieser Verschiedenartig- 10 keit in der Funktion der beiden Bücher liegt der Gegensatz in der Tonart: Hoffnung, Kraft, Liebe gegenüber Entsagung, Trauer und Schmerz.

Storm hat es klar ausgesprochen, daß er an eine Schuld des Liebespaares ebenso wenig dachte wie Shakespeare, als er die 15 Romeo-und-Julia-Handlung schuf. Auch von einer Schuld im Charakter und im Verhalten des Bruders zu sprechen, ist verfehlt. Wulf ist stellvertretend für seinen Stand. Zwar hegte Storm zeit seines Lebens einen starken Adelshaß. So sagte er einmal: „Der Adel ist das Gift in den Adern der Nation wie 20 die Kirche." Gewiß macht der Dichter hier auch seiner Antipathie ein wenig Luft, aber man darf nicht vergessen, daß Katharina und der milde Herr Gerhardus, der Vater des ungleichen Geschwisterpaars, Angehörige der aristokratischen Gesellschaftsschicht sind. In der Charakterisierung der beiden 25 Junker geht es Storm viel mehr darum, das primitiv-tierisch Vormenschliche im Kampf mit dem Humanen darzustellen. Kurt von der Risch, der Kumpan des brutalen Wulf, wird mit einem Raubvogel verglichen; Katharinas Bruder trägt den Namen eines Tieres; das erste Anzeichen dafür, daß Wulf das 30 Regime übernommen hat, sind zwei „fahlgraue Bullenbeißer

mit Stachelhalsbändern", fast wilden Hunden, die sich auf
Johannes stürzen; der Tod des Bruders wird durch den Biß
eines tollwütigen Hundes verursacht.

Der Dichter will weniger die Kausalverbindung von Schuld
5 und Sühne darstellen, als vielmehr seiner eigenen dunklen
Lebens- und Weltanschauung Ausdruck verleihen. Storm
glaubte nicht an ein Leben nach dem Tode. Für ihn war der
Tod gleichbedeutend mit der Vernichtung der Existenz, und er
hatte tiefes Grauen vor diesem Augenblick. In seinen Briefen
10 spricht er immer wieder davon und wie bewußt er sich der
schwindenden Zeit ist, die ihm noch verbleibt. Besonders in
den Chroniknovellen haben wir es mit Todesproblemdichtung
zu tun. Ein kluger Stormkenner hat kategorisch erklärt: „Die
metaphysische Angst um das doch als ‚unrettbar'. . . empfundene
15 Ich ist die Hauptquelle seiner historischen Dichtung wie auch
großenteils seiner Dichtung überhaupt." Der Dichter ist sich
der tiefen Einsamkeit des Menschen bewußt. So schreibt er
schon in einer frühen Novelle: „Wenn wir uns recht besinnen,
so lebt doch die Menschenkreatur, jede für sich, in fürchter-
20 licher Einsamkeit; ein verlorener Punkt in dem unermessenen
und unverstandenen Raum." Er glaubt nicht an ein Schicksal,
ein *fatum*, das von Anfang an feststehend die Handlungsweise
des Menschen bestimmt. Der Mench löst die tragische Zu-
spitzung durch eigene Initiative aus. Durch sein eigenes Handeln
25 zerstört er sein Glück und sich selbst. Storm sagte einmal, daß
das Allertragischste für ihn in dem vergeblichen Kampf des
Individuums gegen die Unzulänglichkeit der ganzen Menschheit
liege, wovon der Held ja ein Teil sei. Gerade das Streben nach
voller Erfüllung der individuellen Existenz bringt wie im Falle
30 Katharinas und Johannes' die tragischen Folgen mit sich. Es
ist die Darstellung dieses Lebensgefühles, die Storms Spät-

novellen beherrscht, mit denen er seine eigentliche Reife und seine höchste Meisterschaft als Novellendichter erreicht.

Der Schimmelreiter gilt allgemein als der Höhepunkt in Theodor Storms Schaffen und als eine der Glanzleistungen der deutschen Novellenkunst überhaupt. In diesem Werk schildert 5 der Dichter den Kampf eines überragenden Menschen gegen einen ebenso mächtigen Gegner — das Meer. In diesem Ringen geht der Mensch unter. Er verliert sein Leben, aber dennoch ist ihm ein Teilsieg beschieden. Noch nach Jahrhunderten ist der Koog, der den Namen seines Schöpfers trägt, da. Die See hat 10 ihm nichts anhaben können. In seinem Werk hat sich der große Mensch gegenüber der feindlichen Naturmacht behauptet und so der Vergänglichkeit und der rasenden Zeit etwas Festes und Beständiges entgegengestellt.

Die Entstehungsgeschichte ist insofern interessant, als sie 15 wiederum Licht auf Storms Verhältnis zum Tode wirft. Der Dichter steckte tief in der Arbeit an der Novelle, als ihm von seinem Hausarzt auf eigenes Drängen nach einer ärztlichen Untersuchung erklärt wurde, daß er an unheilbarem Magenkrebs erkrankt sei und nur noch wenige Monate zu leben hätte. 20 Bei dieser Nachricht brach Storm zusammen. Der Dichter, der sich in seinem Werk immer wieder mit dem Todesproblem beschäftigt hatte, dessen Gedanken fast täglich um dieses Thema gekreist hatten, — in einem Brief zum Beispiel spricht er von seinen Krankheiten, die ihn „mehrmals an den schwarzen Seen 25 vorbei führten" — versank in den Zustand düsterster Melancholie, als er der Realität ins Auge sehen mußte. Erst als der Bruder, der Arzt war, mit Hilfe einiger Freunde einen medizinischen Betrug inszeniert hatte — nach einer Scheinuntersuchung wurde die erste Diagnose für falsch erklärt — richtete 30

sich Storm wieder auf und führte die Novelle in wenigen
Monaten zu Ende.

Für dieses letzte Werk ist Storm in die Welt seiner unmittelbaren Heimat zurückgekehrt. Es ist die Welt vor und hinter
5 dem Deich, diesem monumentalen Menschenwerk, das sich wie
ein grüner Ring von der Nordspitze Dänemarks bis hinunter
nach Belgien zieht und in Länge und Kunstfertigkeit der chi-
nesischen Mauer zu vergleichen ist. Der Deich schützt die
Menschen vor ihrem Erzfeind, der See. Seit Jahrhunderten hat
10 der Mensch an der Küste alle seine Fähigkeiten aufgeboten, um
den Deich absolut sicher und dauerhaft zu machen. Es ist der
hervorragende Einzelgänger, das einsame Genie, das als Schrittmacher und Führer in diesem ewigen Kampf die Sache des
Menschen entscheidend vorantreibt. Hauke Haiens ganzes
15 Denken und Fühlen kreist in monomaner Weise um den Deich
und sein Ringen nimmt mythisches Format an. Der Deichgraf
auf seinem weißen Pferd erinnert an den Typ des Heroen aus
germanischer Vorzeit und auch an die Gestalt des vorbeiziehen-
den Gottes Wotan aus der nordischen Götterwelt. Storm kon-
20 zentriert sich in außerordentlich kunstvoller Weise auf entscheidende Szenen im Leben Hauke Haiens, die alle mit dem
Deich zu tun haben. Wir sehen den Jungen am Deich sitzen,
auf die Wellen starrend, das Wasser ansprechend, wie er
über das neue Profil nachsinnt. Wir sehen ihn als Arbeiter im
25 Hause des alten Deichgrafen, wie er schon als ganz junger
Mann die Verantwortung für den Deich übernimmt. Er begegnet uns in den zähen Verhandlungen mit den Durchschnitts-
menschen, die einem großen Menschen, einem Pionier mit
Phantasie und Voraussicht, Steine in den Weg legen. Er wird
30 uns gezeigt als Aufseher bei der Arbeit an seinem Werk und
schließlich in der grandiosen Schilderung der letzten Sturm-

nacht, als er sich wie das Opfer, das die Abergläubischen
verlangen, ins Meer stürzt. Sogar noch nach seinem Tode
beherrscht ihn die Idee des Deiches. Als Spukgestalt wacht er
über ihn und warnt seine Mitmenschen bei Gefahr.

Hauke Haien bezahlt einen hohen Preis für die Verwirk- 5
lichung seiner Idee: lebenslängliche Einsamkeit und schließlich
Vernichtung seines Selbst. Niemals sehen wir ihn als Jungen
mit anderen Gefährten beim Spiel. Sogar seinem Vater wird
bei der früh sich zeigenden Besessenheit von *einer* Idee bange.
Zwar hat Hauke Haien einige Verbündete bei seinem Kampf, 10
die aber nicht mehr als Handreichung leisten können. Die
Hauptlast liegt auf ihm selbst, und er muß sie allein tragen.
Bei der Charakterisierung der wenigen Getreuen, die Hauke
Haien beistehen, läßt Storm sie so erscheinen, daß sie die Einsamkeit des Deichgrafen, sein Abseitsstehen noch verstärken: 15
der Vater, der wegen seiner grüblerischen Natur nicht ganz
zum Dorf gehört; Elke, das Mädchen „mit den Rätselbrauen",
auch sie hat nur wenig Kontakt mit anderen Menschen; Trin
Jans, in ihrer Hexenhaftigkeit befremdend; Wienke, das blöde
Kind, in ihrer Winzigkeit und Hilflosigkeit die überragende 20
Kraft ihres Vaters noch hervorhebend aber gleichzeitig wegen
ihres Gebrechens noch die Isolierung der Deichgrafenfamilie
unterstreichend. Selbst die Darstellung der Tiere dient dem
gleichen Zweck. Im Charakter des Katers finden sich die
gleichen Züge wie bei Hauke: Einzelgängertum, Riesenstärke, 25
Anlage zum Jähzorn; der Schimmel, hochintelligent, feurig,
dem Dorf unheimlich; die Spielgefährten Wienkes, das herren-
lose Hündchen und die flügellahme Möwe. Hauke Haien überragt seine Mitmenschen. Er ist ihnen „um Kopfeslänge über-
wachsen", — Storm scheut sich nicht, den Vergleich mit 30
Sokrates und Christus anzubringen — und hat aus diesem

Grunde keinen eigentlichen Gegenspieler unter ihnen. Ole Peters und die Konventikler in ihrem dumpfen Aberglauben haben nicht das nötige Format dazu. Sie sind dem aufgeklärten, intelligenten Deichgrafen nicht gewachsen. Trotzdem ist das 5 Gleichgewicht in dem Konflikt gewahrt. Was die Mitmenschen aus Mangel an Größe nicht können, tut das Wasser. Das Element ist immer gegenwärtig. Es wird dabei in den verschiedensten Formen gezeigt: als weite, weiße Eiswüste, als neblige, unheimliche Region, in der Gespenster ihr Unwesen treiben, 10 als Element, das häßliche Leichen ausstößt, als listiger Feind, der den Deichgrafen mit verführrerischer Glätte betrügt, schließlich als brüllendes Urelement, seine ganze Riesenkraft und zerstörerische Gewalt zeigend. Die Beschreibung dieser Sturmnacht ist wohl die stärkste Szene dieser Art in der gesamten 15 deutschen Literatur, wobei freilich zu bedenken ist, daß das deutsche Schrifttum binnenländisch ist und das Meer verhältnismäßig wenig Beachtung findet.

In der Novelle *Immensee* deutet Storm eine Schuld einer der Hauptgestalten nur ganz leicht an. In *Aquis submersus* will er 20 ausdrücklich von keiner Schuld wissen. In *Der Schimmelreiter* dagegen ist Schuld vorhanden. Zwar behandelt der Dichter dieses Motiv auch hier nur gedämpft, aber es ist doch klar zu erkennen. Die Schuld liegt in Hauke Haiens Brust, in seiner Veranlagung, in seinem Charakter. In seiner Besessenheit wächst 25 ein tiefer Groll gegen seine Mitmenschen in ihm. Grimmige Menschenverachtung und fressender Ehrgeiz werden seiner habhaft. Sie und die leidenschaftliche Sucht, *sein* Werk zu erhalten, führen dazu, daß er das Dorf gefährdet und es den Wassermassen preisgibt. So ist sein letztes Wort: „Herr Gott, nimm 30 mich; verschon die anderen", zu verstehen. Im Angesicht des Todes bekennt er sich vor Gott, dem Richter, schuldig.

War die Handhabung des Rahmens in *Immensee* noch allzu
einfach, so zeigt sich Storm hier als Meister. Wir haben es mit
einem dreifachen Rahmen zu tun. Der Dichter selbst beginnt
die Erzählung, spricht von einer fingierten Quelle. Dann führt
sich der zweite Erzähler ein, wobei eine detaillierte Milieu- 5
schilderung der Landschaft und Umgebung gegeben wird.
Schließlich übernimmt der dritte Erzähler, der Schulmeister,
die Fäden der Handlung und breitet den eigentlichen Novellenstoff vor uns aus. Dabei zollt Storm selbst dieser Randfigur
wieder große Aufmerksamkeit. Klar und anschaulich wird der 10
Schulmeister als Rationalist profiliert. Mit großer Geschicklich-
keit läßt Storm die Frage nach der Grenze zwischen Glaub-
würdigem und Unglaubwürdigem offen. Indem er zwei Erzähler
einsetzt, den aufgeklärten Schulmeister mit Universitätsbildung
und leiser Geringschätzung seiner weniger geistigen Mitmen- 15
schen, und den zweiten Ich-Erzähler, der die Spukerscheinung
wirklich gesehen zu haben glaubt, verwischt der Dichter absicht-
lich die scharfe Scheidung zwischen kritischem Realismus und
romantischer Phantasie, zwischen echtester Wirklichkeit und
unfaßbarer Überwirklichkeit. Auch bei der Charakterisierung 20
anderer Nebengestalten zeigt sich Storm der Meister der
Menschendarstellung: der gemütliche, gefräßige alte Deichgraf,
der nur leben und leben lassen will, durchaus mit Humor gestaltet, Ole Peters mit dem losen Mundwerk, der abergläubische,
etwas beschränkte Junge, der das Gerücht von der zweifelhaften 25
Herkunft des Schimmels in Umlauf bringt, der Schimmel-
verkäufer und das Teuflische in ihm und viele andere. Mit
großer Umsicht zeichnet der Dichter Haupt- und Nebengestalten, und mit sicherer Hand weist er ihnen ihre Rolle in
der Fabel zu. 30
Zeigt sich Storm, der Menschendarsteller, hier auf dem

Gipfel seiner Kunst, so gilt auch das Gleiche für den Landschafts- und Naturschilderer. Mit höchster Anschaulichkeit und doch sparsam in den Mitteln wird die Natur links und rechts des Deiches dem Leser nahegebracht. Es ist eine Landschaft
5 von gewaltigen Dimensionen. Wasser und Watten auf der einen Seite, die flache, endlose Marsch auf der anderen. Immer weist Storm gerade auf die Weite und Großräumigkeit hin. Zu seinen Lieblingsausdrücken bei der Beschreibung gehören: ‚Unabsehbar', ‚weit', ‚öde', ‚unermeßlich', ‚ungeheuer', ‚unerkennbar'.
10 Der Lyriker Storm ist nicht zu verkennen, wenn er etwa im Rahmen die Nähe und Allgegenwärtigkeit der See darstellen will. Der Erzähler nimmt mit allen Sinnen wahr. Die Augen sehen die öde Marsch, das endlose Meer und die wüste Dämmerung, die Ohren hören das Wutgebrüll der Wellen und
15 das häßliche Schreien der Möven und Krähen, der Tastsinn nimmt die Spritzer des schmutzigen Wassers und das nahe Vorbeistreichen der Sturmvögel wahr. Besonders für solche Stellen gilt der Ausspruch Storms: „Ich arbeite meine Prosa wie Verse".
20 Wie in *Aquis submersus* läßt der Dichter auch in dieser Novelle den blinden Zufall als Ausdruck des dunklen Verhängnisses walten. Ohne ausreichenden Grund ist Elke mit dem Kind ihrem Mann nachgefahren und wird auf ihrem Wege gerade an der Stelle des Deichbruches von den wilden Wasser-
25 massen erfaßt. Die willkürliche Hand des für die Menschen unverständlichen Schicksals greift auch hier unbarmherzig ein und vernichtet ohne Anerkennung der Person. Freilich bleibt der große und starke Hauke Haien bis zum Schluß Herr seiner Entschlüsse. Freiwillig und mit eiserner Gewalt den Willen des
30 sich sträubenden Schimmels niederzwingend, stürzt er sich in den Tod, bis zum Ende Herrschergestalt, die nicht vor Menschen

kapituliert sondern vor dem Schicksal. Die Tragik in der Gestalt des Schimmelreiters liegt darin, daß sein Werk zwar weiterlebt, daß das aber nur durch das Opfer des eigenen Lebens ermöglicht werden kann.

Storm zweifelte zuerst an der Qualität der Novelle. Als 5 dann aber urteilsfähige Leser ihre stürmische Begeisterung über das Werk ausdrückten, schrieb er an einen Freund: „Dann ist es ja auch ganz gedeihlich, daß einer aus der alten Schule einmal wieder etwas geleistet hat, was den Besten das Herz bewegt. So wäre der Zeitpunkt des Abtretens jetzt nicht un- 10 günstig." Vier Monate nach Beendigung der Novelle, am 4. Juli 1888, trat er von der Bühne des Lebens ab und wurde mit großen Ehren in seinem geliebten Husum begraben.

Willy Schumann

Böttger, Fritz. *Theodor Storm in seiner Zeit*. Berlin o.J.

Brecht, Walter. „Storm und die Geschichte", Deutsche Vierteljahrsschrift für Literaturwissenschaft III, 1925.

Mann, Thomas. *Leiden und Größe der Meister. Neue Aufsätze*. Berlin, 1935.

Silz, Walter. *Realism and Reality*. Chapel Hill, 1954.

Stuckert, Franz. *Theodor Storm. Sein Leben und seine Welt*. Bremen, 1955.

Conrad Ferdinand Meyer

1825-1898

„In jeder . . . Kunst ist ein Ziel der Vollendung verborgen, das uns ruft und lockt, ihm Tag und Nacht sehnsüchtig nachzuziehen", sagt der Erzähler Hans der Armbruster in Meyers Novelle *Der Heilige*. Was der Armbruster von seinem Handwerk sagt, gilt für Meyer selber. Er war ein bewußter Künstler 5 mit einem starken Bedürfnis nach Vollkommenheit der Form. Der Stil seiner vollendeten Gedichte und Novellen ist bewundernswert durch seine Konzentration, seine Bildlichkeit, seine feinen Nuancen. Die Gesamtstruktur der meisten Werke ist, wie bei einer Schöpfung der Architektur, sorgfältig durch- 10 dacht. Die Anordnung der *Gedichte* (1882) ist oft als ein Kunstwerk an sich gelobt worden. Meyer war aber nicht nur Formkünstler. Ein anderes Zitat aus *Der Heilige* hat ebensoviel

Geltung für ihn: „Denn jene Ereignisse . . . griffen in Tiefen seiner Seele hinunter, wo sein Empfinden zwiespältig wurde und seine Gedanken wie vor einem Abgrunde stehen blieben." Problematische Tiefen der Seele in objektiver, schöner Form
5 auszudrücken, nicht in direkter Konfession oder abstrakter Analyse, sondern durch Bild und Handlung, war Meyers Ziel als Dichter. Indem er es nach einer peinlich langsamen Entwicklung erreichte, freilich nicht in jedem Werk mit gleicher Vollkommenheit, überwand er die romantische Tradition, von
10 der seine frühen dichterischen Versuche stark beeinflußt waren, und wurde zu einem Bahnbrecher des Symbolismus in der deutschen Literatur. Am reinsten ist ihm dies in seiner besten Lyrik gelungen. Darum ist es die Meinung der meisten heutigen Forscher, daß Meyers größte Bedeutung in seiner symbolistischen
15 Lyrik liegt.

Meyer war ein Zeitgenosse der Poetischen Realisten und wird oft als solcher klassifiziert. Die Bezeichnung ist nicht ohne Sinn, wenn man dabei die stilisierenden und symbolisierenden Tendenzen in dem ‚poetischen' Aspekt dieser Bewegung
20 betont. Aber Meyer unterscheidet sich von den Realisten seiner Zeit schon dadurch, daß er nicht das Leben seiner eigenen Zeit darstellte, obwohl er als Privatmensch in seinen reifen Jahren die Zeitereignisse mit Interesse verfolgte. Sowohl in den historischen Prosaerzählungen wie in den Balladen und in seinem
25 Erstlingswerk, dem Gedichtzyklus *Huttens letzte Tage*, geht er mehr als zwei Jahrhunderte in die Vergangenheit zurück. Genau so wenig hat er sich mit der Alltagswelt beschäftigt. Für seine komplexen inneren Stimmungen und für die menschlichen Probleme, die ihn beschäftigten, suchte er Ausdrucksformen,
30 die ihm die Gegenwart nicht bot. Was in Meyers Werken am stärksten den Eindruck realistischer Darstellungsweise erweckt,

ist die starke Anschaulichkeit der Szenen und Gestalten. Er
erreichte diese Bildhaftigkeit nur mühevoll, dann freilich oft
so meisterhaft, daß er vieles von der Technik der Impressionisten
vorwegnahm, mit wenigen genau geschilderten Details ein
ganzes Bild und eine Stimmung zu erzeugen. Bei Meyer sind 5
diese Details jedoch selten nur um der Beschreibung willen da,
sondern dienen der symbolischen Andeutung.

Meyers Lebenslauf ist äußerlich arm an Ereignissen. Bei ihm
war das innere Leben viel reicher, auch viel problematischer,
als das äußere Leben — eine Diskrepanz, die übrigens bei 10
manchen anderen Dichtern der nachromantischen Periode zu
finden ist, z. B. bei Meyers älteren Zeitgenossen Mörike, Stifter
und Annette von Droste-Hülshoff. In seinen wichtigsten Entwicklungsjahren war das ganz besonders der Fall. Im Jahre
1825 in Zürich geboren, stammte Meyer väterlicher- wie mütter- 15
licherseits aus einer alten Züricher Patrizierfamilie. Eine kultivierte, fromme Atmosphäre herrschte im Elternhaus. Sein Vater
bekleidete mit großer Gewissenhaftigkeit ein öffentliches Amt
im Kanton Zürich und war auch Privathistoriker. Er starb, bevor
Conrad fünfzehn Jahre alt wurde. Die Mutter und die gut- 20
bürgerlichen Züricher Bekannten erwarteten, daß auch der Sohn
ein nützliches Mitglied der bürgerlichen Gesellschaft werden
würde. Conrad jedoch enttäuschte seine Mitmenschen, am
schmerzlichsten die Mutter, die er sehr liebte, als er gar kein
Interesse an einem bürgerlichen Beruf aufbringen konnte. Er 25
begann zwar in Zürich Jurisprudenz zu studieren, gab es aber
bald auf. Was seine Lage noch schwieriger machte als die
anderer künstlerisch veranlagter Menschen in einer praktisch
gesinnten Umgebung, war, daß seine frühen Dichtungen so
wenig zu versprechen schienen. Es folgten einsame, verträumte 30

Jahre, in denen er die menschlichen Kontakte immer mehr aufgab, sich tagsüber in sein Zimmer einschloß, abends lange einsame Spaziergänge machte und stundenlang allein im See schwamm und ruderte. Er las sehr viel, besonders Literatur in 5 mehreren Sprachen und Geschichte, und machte erfolglose Versuche, durch gültige Leistungen zu beweisen, daß seine Überzeugung von seinem Dichtertum keine bloße Verblendung sei. Seine Schwester Betsy war damals wohl der einzige Mensch, der ihn einigermaßen verstand und an ihn glaubte. Diese welt- 10 fremden Jugendjahre vertieften und bereicherten das innere Leben des jungen Dichters. Oft litt er jedoch unter dem Gefühl, eine verfehlte Existenz zu sein. Er widerstand nur mühsam der Versuchung, Selbstmord zu begehen. Am Rande eines Nervenzusammenbruchs wurde er im Jahre 1852 in eine Heilanstalt ge- 15 bracht, wo er baldige Heilung fand. Die Krise hatte ihn Resignation und Geduld gelehrt. Bis zum Tode der Mutter (1856) beschäftigte er sich hauptsächlich mit Übersetzungen aus dem Französischen, die zum Teil veröffentlicht wurden, was ihm endlich wenigstens das Gefühl einer Leistung gab. Der Tod 20 der Mutter, die zuletzt geisteskrank geworden war und sich ins Wasser gestürzt hatte, war für ihn ein schmerzlicher Verlust, aber auch eine große Befreiung von ihrer überängstlichen Behütung seines Lebens.

Bis in sein 32. Lebensjahr hinein hatte Meyer wenig von der 25 Welt gesehen. Er kannte nur die Wald- und Seenlandschaft in der Umgebung Zürichs sehr gründlich, auch Teile des schweizerischen Hochgebirges, das ihm als Mensch und Dichter sein Leben lang viel bedeutete, und war zweimal längere Zeit in der französischen Schweiz gewesen. Dagegen besaß er über- 30 durchschnittliche literarische und historische Kenntnisse, die für ihn keineswegs nur toter Bildungsstoff waren. In den folgenden Jahren, auf seinen meist kurzen Reisen nach Frankreich, Deutschland und Italien, wurden die bildenden Künste für ihn zum tiefen Erlebnis. Besonders wertvoll waren ihm die Werke der italienischen Renaissance und der Antike. Abgesehen von den Reisen blieb sein Leben so zurückgezogen wie vorher. Die 5 Schwester führte ihm den Haushalt und diente ihm als Sekretärin. Er fand einen kleinen Kreis literarisch interessierter Freunde, denen er zuweilen seine entstehenden Werke vorlas. Eine Freundschaft mit einem geistig ebenbürtigen Dichter hat er nie erlebt. Er scheute sich, die Bekanntschaft seines älteren 10 Mitbürgers Gottfried Keller zu suchen, bis er selber etwas geleistet hatte. Auch dann kam das Verhältnis zu seiner Enttäuschung wegen der allzu großen Verschiedenheit ihrer Temperamente nie über eine formelle Kordialität hinaus.

Geduldige Arbeit und das langsame innere Reifen seiner 15 Kunst trugen endlich Frucht, als der *Huttenzyklus* (1871) begeisterte Aufnahme fand. Zwei kleine Gedichtbände, die er in den sechziger Jahren veröffentlicht hatte, betrachtete der Dichter, der seinen eigenen Werken gegenüber strenge Kritik übte, nur als Vorarbeiten. Die meisten dieser Gedichte wurden 20 später in die endgültige Gedichtsammlung von 1882 aufgenommen, fast alle jedoch in sehr verwandelter Form. Der Dichter, der erst mit beinahe 46 Jahren den ersten Erfolg errungen hatte, erlebte nun eine Periode erhöhter Schaffenskraft, die zwanzig Jahre fast ohne Unterbrechung dauerte. Die Früchte 25 dieser Jahre waren, außer *Hutten* und den Gedichten, die heute fast vergessene Versidylle *Engelberg,* der kurze Roman *Jürg Jenatsch* und zehn Novellen. Nach der Arbeit an seiner letzten Novelle, *Angela Borgia,* brach Meyers niemals sehr robuste Nervenkraft zusammen. Er erholte sich nur teilweise. Mehrere 30 geplante Werke blieben unvollendete Entwürfe. Im Jahre 1898

Conrad Ferdinand Meyer

starb er in Kilchberg am Züricher See, wo er mit Frau und
Tochter wohnte. Er hatte im Alter von 50 Jahren ein spätes
Liebesglück in der Ehe mit Luise Ziegler gefunden. Trotz dieser
späten Erfüllung als Dichter und als Mensch empfand er sich
5 auch in seinen erfolgreichsten Jahren als nicht ganz dieser Welt
zugehörig, als „ein Pilgerim und Wandersmann", wie es im
Refrain des Schlußgedichts seiner *Gedichte* heißt.

Vielleicht das berühmteste Gedicht Meyers und eines seiner
vollendetsten ist „Der römische Brunnen", ein symbolisches
10 Dinggedicht über ein Kunstwerk der Renaissance:

> Aufsteigt der Strahl und fallend gießt
> Er voll der Marmorschale Rund,
> Die, sich verschleiernd, überfließt
> In einer zweiten Schale Grund;
15 > Die zweite gibt, sie wird zu reich,
> Der dritten wallend ihre Flut,
> Und jede nimmt und gibt zugleich
> Und strömt und ruht.

In äußerst konzentrierter Sprache, in der sich das klassische
20 Ideal der edlen Einfalt mit impressionistischer Subtilität
vereinigt, läßt der Dichter die Gestalt des Brunnens vor unserem
inneren Auge entstehen, indem er uns zwingt, der Bewegung
des Wassers zu folgen. Auch der Rhythmus folgt dieser Bewegung mit seinen Akzenten und Pausen. Das Gedicht ist nicht
25 so sehr eine Beschreibung als eine Neuschöpfung des Brunnens
in Wort und Klang. Das Bild ist aber auch Sinnbild, ein echtes
Symbol, dessen Sinn ganz im Wesen des Dinges enthalten ist
und doch geheimnisvolle Tiefe hat. Man kann das Symbol nicht
wie ein Rätsel mit einem Begriff „lösen". Ein idealer Zustand,
30 in dem Gegensätze in schöner Harmonie miteinander verbunden

302

sind: Ruhe und lebendige Bewegung, Nehmen und Geben, Kunst (der Brunnen) und Natur (das Wasser); wo jeder Teil dem Ganzen dient und dabei selber Erfüllung findet — das alles ist im Bild enthalten. Im Ton des Gedichts spürt man ein andächtiges Staunen und eine stille Freude. „Der römische 5 Brunnen" ist kein religiöses Gedicht im eigentlichen Sinn. Man fühlt aber, daß es darin um mehr als den Kunstgenuß geht, nämlich um das Erlebnis einer vollendeten Harmonie, die mit dem Göttlichen verwandt ist.

Eine ähnliche Stimmung erfüllt andere Gedichte Meyers, 10 z. B. das herrliche Berggedicht „Himmelsnähe". Anders als das Brunnengedicht ist es in der Ich-Form geschrieben, aber auch hier drückt sich die Stimmung nur indirekt durch die Beschreibung aus, bis auf die letzte Zeile: „Und ich empfinde, daß Gott bei mir sei." Meyer blieb nicht unbeeinflußt von der 15 religiösen Skepsis seines Jahrhunderts. Gegen den orthodoxen kalvinistischen Glauben seines Elternhauses hat er während der Jugendkrise rebelliert. Obwohl er sein Leben lang die großen protestantischen Reformatoren bewunderte und täglich seine Bibel las, war sein persönlicher Glaube eher mystisch als ortho- 20 dox. In kontemplativen Stunden spürte er in der Natur, in großen Kunstwerken, in der Geschichte, im eigenen inneren Leben das Wirken einer immanenten Gottheit. In der Geschichte glaubte er eine immanente Gerechtigkeit zu erkennen: „Etwas wie Gerechtigkeit webt und wirkt in Mord und Grauen", heißt 25 es in dem Gedicht „Friede auf Erden". Das zaghafte „etwas wie" ist symptomatisch. Die Idee ist verwandt mit Schillers Wort: „Die Weltgeschichte ist das Weltgericht", aber wie viel sicherer klingt es bei dem Klassiker! Gerade hinsichtlich des Menschenlebens fiel es Meyer nicht immer leicht, an seinem 30 Glauben festzuhalten. Es gibt Stellen in den Novellen und

Gedichten, wo Lebensangst und Ekel durch die objektive Oberfläche hindurch sichtbar werden. Dies ist bei Meyer zum Teil
psychologisch begründet, aber es betrifft mehr als seine eigene
Existenz. „Ich habe unsagbar dunkle Stunden, wo mir die Ver-
5 derbtheit, die maßlose Ungerechtigkeit der Menschen und ihr
Weh vor Augen tritt", sagte er einmal zu seinem Biographen
Adolf Frey.

Meyers persönliche Einstellung zum aktiven Leben war genau
so ambivalent wie seine philosophische. Man findet in seinen
10 Gedichten manchmal die Sehnsucht nach dem leidenschaftlichen
aktiven Leben, an dem er in der Wirklichkeit so wenig Anteil
hatte, aber im Gegensatz dazu auch die Sehnsucht nach Reinheit,
nach Harmonie, nach Ruhe, die für ihn nur in der *vita contem-
plativa* und zuletzt im Tode zu finden waren. Todessehnsucht ist
15 die Grundstimmung vieler Gedichte und ein häufiges Motiv
auch in den Novellen. Das komplexe Lebensgefühl, das sich in
Meyers Werken ausdrückt, spricht noch den heutigen Leser an,
wenn auch manche seiner spezifischen Themen für den modernen Menschen an Interesse verloren haben mögen.

20 *Der Heilige* (1880) ist die längste von Meyers Novellen und
eine seiner bedeutendsten. Ein ganzes Zeitalter spiegelt sich
darin. Die weitverzweigten religiösen und politischen Probleme
sind dabei ganz auf das zentrale menschliche Problem bezogen.
Das oft zitierte Wort Theodor Storms, die Novelle habe sich zur
25 Schwester des Dramas entwickelt, läßt sich mit besonderem
Recht auf diese Novelle anwenden.

Meyers historische Quelle war Augustin Thierrys *Histoire de la
conquête de l'Angleterre par les Normands*. Das wichtigste Rohmaterial daraus waren das Problem der geheimnisvollen Ver-
30 wandlung im Charakter des Kanzlers Thomas Becket, nach-

dem er vom englischen König Heinrich II. zum Erzbischof von
Canterbury ernannt worden war, die daraus resultierende Ent-
fremdung vom König, seine Ermordung durch Anhänger des
Königs vor dem Altar der Kathedrale und schließlich seine baldige Heiligsprechung als Märtyrer. Mit künstlerischer Frei- 5
heit unterlegte Meyer den Handlungen des Kanzlers menschliche Motivierungen, die zum großen Teil nicht in der Geschichte
gegeben sind. Das Geheimnis wird aber trotz der vertieften
Motivierung im Halbdunkel gelassen. Es gibt kein einfaches
Ja oder Nein auf die Frage, ob der Titel ironisch oder ernst 10
gemeint ist.

Der Hintergrund der Motive ist wesentlich für die Gesamt-
wirkung der Novelle. Vielleicht das wichtigste stilistische Mittel
dazu, wie auch zur Konzentration des historischen Stoffes, ist die
Verwendung des Rahmens. *Der Heilige* ist Meyers erste Rah- 15
mennovelle in der Form der mündlichen Erzählung. Der Rahmen ist hier eine meisterhafte Synthese des Kunstvollen und des
Natürlichen. Das Gespräch des Armbrusters mit dem Züricher
Chorherrn entfaltet sich lebhaft und ungezwungen, doch ist es
organisch mit der inneren Handlung verknüpft. Die Skepsis des 20
Chorherrn in Hinsicht auf die Echtheit des neuen Heiligen führt
zum Bericht des Armbrusters und deutet zugleich auf das zentrale Problem der inneren Handlung. Der Armbruster berichtet
als Augenzeuge, der selbst eine Nebenrolle in den berichteten
Ereignissen gespielt hat. (Das Ganze kann als seine eigene Le- 25
bensgeschichte betrachtet werden; der Anfang und der viel kürzere Schluß der privaten Lebenserzählung bilden gewissermaßen
einen zweiten Rahmen innerhalb des Rahmens.) Er ist also in
der Lage, die Ereignisse aus der Nähe zu berichten. Das Vergangene entsteht vor seinem inneren Auge, zuweilen mit über- 30
wältigender Macht. Weil er aber nur ein bescheidener Diener

des Königs war und trotz seiner Welterfahrenheit im Grunde ein
schlichter Mensch ist, kein tiefblickender Psychologe, so bleibt
ihm auch im Rückblick vieles dunkel. Stilelemente, die für
Meyers erzählende Werke im allgemeinen charakteristisch sind
5 — der Verzicht auf den Standpunkt des allwissenden Autors,
die Andeutung innerer Vorgänge durch Handlungen, Gebärden
und Worte der handelnden Personen selbst mit einem Minimum
an abstrakter Interpretation — sind hier auf die natürlichste
Weise im Charakter des Erzählers begründet.

10 Schon der Titel deutet an, daß der innere Kern der Novelle
in der Gestalt Beckets und zwar besonders in seiner Charakter-
wandlung zu suchen ist. Oberflächlich betrachtet scheint der
Kanzler am Anfang der Handlung ganz mit seiner Rolle als kluger Staatsmann, eleganter Höfling und Vertrauter eines mäch-
15 tigen Königs identisch zu sein. Es wird aber schon früh angedeutet, daß in dem Menschen, der die sichtbare Rolle spielt,
rätselhafte seelische Tiefen verborgen sind. Schon durch seine
Herkunft und seine Jugenderlebnisse ist er doppelt fremd in der
Welt der herrschenden Normannen. Als Sohn eines Sachsen und
20 einer getauften Sarazenin, der überdies entscheidende Jugendjahre im sarazenischen Spanien verbracht hat, ist er einerseits
ein Angehöriger des von den Normannen unterdrückten Volkes,
andrerseits der Erbe einer ganz fremden, alten und hochent-
wickelten Kultur. Fremd ist er auch wegen seines subtilen,
25 analytischen Geistes und seiner verfeinerten Sensibilität in einer
Welt von Macht- und Tatmenschen. Sein Freund, König Heinrich, ist in fast jeder Hinsicht sein Gegenteil, ein Mann von
starken und einfachen Leidenschaften, denen er in seinem Pri-
vatleben freien Lauf läßt, während er in öffentlichen und reli-
30 giösen Fragen die Ideen seiner Zeit kritiklos annimmt.

Bis zum Wendepunkt der Handlung stellt der Kanzler seinen

überlegenen Geist ganz in den Dienst des Königs. Nach seinem eigenen Zeugnis ist es ihm ein Bedürfnis, dem Mächtigsten zu dienen. Dieser Dienst hat ihm hohe Ehren eingebracht, vermutlich auch ein Gefühl persönlicher Erfüllung. Im Gespräch mit seiner Tochter wird jedoch offenbar, daß er den König als Men- 5 schen im Grunde verabscheut. Er scheint sowohl ästhetische als auch moralische Abneigung gegen ihn zu empfinden, was auf seine Reaktion des Ekels in der viel späteren großen Szene vorausdeutet, wo er als Erzbischof es nicht über sich bringen kann, den König zu küssen. 10

Beckets Tochter Grace oder Gnade ist eine Erfindung Meyers. Ihre Verführung und ihr Tod werden ausdrücklich als die eigentliche Ursache der tragischen Entwicklung bezeichnet: „Ein Geheimnis der Ungerechtigkeit, das zwar in keiner Chronik wird verzeichnet stehen, aber doch die Grabschaufel 15 ist, die Herrn Thomas und Herrn Heinrich, einem nach dem andern, seine Grube gemacht hat." Grace hat eine wichtige symbolische Funktion. Mit ihrem Namen, in der doppelten Bedeutung von Gnade und Anmut, ist ein ganzes leitmotivisches Netz verknüpft. Ihre Erscheinung, besonders durch die sehr langen 20 Haare und großen, dunklen Augen, hat etwas Exotisches und Märchenhaftes. Der Vater hält sie in einem märchenhaften, orientalischen Schloß in einem seiner Wälder verborgen, wo die Tiere „wie im Paradiese" weiden. Der Kanzler selbst ist in ihrer Sphäre wie verwandelt. Er sieht aus, wie „ein andächtiger 25 Ritter und Pilger nach dem heiligen Grale", während er zu ihr reitet. In seinem Abschiedsgespräch mit ihr ist immer wieder von Reinheit und (in Bezug auf den Hof) von Unreinheit die Rede. Man erkennt, daß sich nicht nur die Liebe eines Vaters zu seinem Kind hier ausdrückt, sondern auch die Freude eines in 30 der unreinen Welt lebenden reifen Mannes an dem Bild jugend-

licher Unschuld. Ähnliche Freude zeigt der sonst verschlossene
Kanzler auch immer, wenn er an den Schauplatz seiner eigenen
Jugend, das maurische Spanien, erinnert wird. In diesen Erinnerungen und in der jungen Tochter besitzt er eine innere Zu-
5 flucht vor der Welt des Hofes und der Realpolitik, die ihm in
seinem tieferen Wesen zuwider ist, trotz seiner glänzenden Erfolge. Es ist grausame Ironie, daß ohne sein Wissen die rohe
Wirklichkeit schon in die ängstlich behütete Märchenwelt ein-
gedrungen ist und das Heiligtum entweiht hat.

10 Von dem Moment an, wo der Armbruster den Kanzler neben
Gnades Sarg ausgestreckt findet, sein Antlitz „lebloser und ge-
storbener als das der Leiche", wird immer wieder auf diesen
Todeszug hingewiesen. Einmal scheint es dem Armbruster, ein
Toter sitze bei dem König zu Tisch, was auch symbolisch ge-
15 deutet werden darf. Beckets Erfahrung vom Leiden und Tod
spielt auch eine wesentliche Rolle in seiner Annäherung an das
Christentum, sowohl im ethischen wie im religiösen Sinn. Beides
entfaltet sich zwar erst nach der Ernennung zum Primas voll und
offen, beginnt aber schon früher. Soweit es ihm als Kanzler mög-
20 lich ist, ohne Spott und Argwohn zu erwecken, will er anscheinend, „selbst ein friedloser und herzkranker Mann, Übel heilen
und Frieden bringen". Das Bild des leidenden Christus am
Kruzifix, das er früher als etwas Häßliches und Grausames ge-
mieden hatte, redet er „innig und schmerzvoll" an, jedoch in
25 arabischer Sprache und „wie zu seinesgleichen". Von einer völligen Bekehrung des ehrgeizigen und skeptischen Kanzlers, der
„arabische Philosophie eingesogen" hat, zum demütigen, orthodoxen Christen kann kaum die Rede sein, ebensowenig aber von
bloßer Heuchelei. Er weiß ja nicht, daß sein seltsames Gebet be-
30 lauscht wird: „Siehe, ich gehöre zu dir und kann nicht von dir
lassen, du geduldiger König der verhöhnten und gekreuzigten

Menschheit." Auch in der Szene, wo er widerstrebend in seine
Ernennung zum Primas einwilligt, merkt man, daß ein schmerzlicher Seelenkampf in ihm vorgeht.

Die plötzliche Wandlung in seiner Lebensweise ist also schon
lange innerlich vorbereitet. Die neue Rolle gibt ihm die Mög- 5
lichkeit, ja die Pflicht, die innere Wandlung äußerlich auszudrücken. Man kann aber nicht annehmen, er fasse die Rolle rein
äußerlich auf und nütze sein geistliches Amt aus, um den Tod
Gnades zu rächen und vielleicht auch um seinen Ehrgeiz zu be-
friedigen durch einen geistigen Sieg über seinen früheren Herrn, 10
der ihm ironischerweise selbst den neuen, höheren Dienst auf-
erlegt hat. Dies wird erst recht klar durch den Kontrast mit dem
eindeutig nur politischen Zweck, den der König bei der Ernennung Beckets zum Primas im Sinne hatte. Auch nach dem
Wendepunkt spricht vieles für die Echtheit der inneren Hin- 15
gabe Beckets an den neuen Dienst, z. B. unwillkürliche Mani-
festationen des inneren Lebens, wie das überirdische Licht, das
seine Stirn umglänzt, als er zum König von seinem neuen Herrn
spricht.

Becket bringt mit seiner Verwandlung in einen wahren 20
Bischof dem König Verderben, ob aus Rachlust oder nicht. Er
vollbringt Taten christlicher Barmherzigkeit als geistlicher Vater
der unterdrückten Sachsen und macht diese gerade dadurch
rebellisch gegen den König. Er findet den ersehnten Frieden im
Märtyrertod und häuft dadurch eine unerträgliche Last auf das 25
Gewissen des Königs. Man könnte sagen, Becket habe zwar nicht
im primitiven Sinne die Sache der Religion mit seiner persönlichen Sache identifiziert, in einem höheren Sinne sei das aber
doch der Fall, indem er das Instrument der göttlichen Gerechtigkeit geworden sei. Er selber sagt, als einer der Mörder ihn fragt, 30
woher er die Macht seines erzbischöflichen Stuhles habe: „Aus

den Händen meines Königs zu seinem Gericht." Ist er ganz frei
von rein persönlichen Motiven dabei? Vermutlich nicht. Wenigstens zeigt sich deutlich in der Szene des verweigerten Friedens-
kusses, daß er dem König in seinem innersten Gefühl nicht
5 vergeben kann. Gerade diese Fähigkeit, seinen Feinden zu vergeben, kann er an Christus schwer verstehen. Mit einer einfachen Entweder-Oder-Frage nach Wahrhaftigkeit oder Heuchelei kann man aber einer so komplexen Persönlichkeit nicht
gerecht werden. Vom Allzumenschlichen bleibt wohl bis zuletzt
10 noch etwas an ihm haften, seine Gestalt wächst aber gegen das
Ende hin immer mehr über das Persönliche hinaus.

Auch die allgemeinere Problemstellung geht über den persönlichen Streit zwischen Becket und dem König hinaus. Alle Kata-
strophen, die den König befallen und die ihm aus der Untreue
15 und der Feindschaft Beckets zu erwachsen scheinen, können
auch als direktes Resultat ungerechter Taten des Königs selbst
angesehen werden, ein Beispiel für das Wirken der immanenten
Gerechtigkeit. Diese manifestiert sich auch im inneren Leben
des Königs durch die zerrüttende Macht des Gewissens. Durch
20 seine Gewissensqualen erhält Heinrich eine gewisse innere
Würde, die ihn in seiner Erniedrigung doch zu einer tragischen
Gestalt macht, ja tragischer als der Heilige selbst, dessen Tod ein
Triumph und eine Verklärung ist.

Um Tod und Verklärung geht es auch am Schluß der in vieler
25 Hinsicht ganz andersartigen Novelle *Gustav Adolfs Page*
(1882). In diesem viel kürzeren Werk sind sowohl die äußere
Form wie die Motivierung einfacher als in *Der Heilige*. Dennoch ist das Verhältnis zwischen Sein und Schein, Innenwelt und
Außenwelt auch hier problematisch. Der Autor erzählt hier
30 selbst, nicht durch eine Rahmenfigur. Er gibt dem Leser zuwei-

len direkte Einblicke in die Gedanken und Träume seiner Gestalten, jedoch ohne psychologische Analyse oder irgendwelche
interpolierten eigenen Reflexionen. Dialog, Gebärden und
Handlungen der Charaktere und symbolische Hinweise sind
auch hier die wichtigsten Darstellungsmittel.   5

Für den Hintergrund der Novelle borgte Meyer viel historisches Material, die Handlung ist aber zum großen Teil fiktiv.
Die Zeit der Handlung umfaßt die letzten Lebensmonate des
schwedischen Königs Gustav Adolf, der 1630-32 im Dreißigjährigen Krieg auf der protestantischen Seite mitkämpfte und 10
in der Schlacht bei Lützen fiel. Nach einer Volkssage, der Meyer
folgte, wurde der König von einem seiner deutschen Offiziere,
dem Grafen von Lauenburg, meuchlerisch ermordet.

Viel größere Freiheit gestattet sich der Dichter in der Gestalt
des Pagen. Den historischen Pagen August Leubelfing, der an 15
der Seite Gustav Adolfs tödlich verwundet wurde, verwandelte
er in ein als Page verkleidetes Mädchen. So gewann eine Idee
Gestalt, die ihm bei der Lektüre von Goethes *Egmont* eingefallen war: „. . . es lohnte wohl, ein Weib zu zeichnen, das ohne
Hingabe, ja ohne daß der auch nur eine Ahnung von ihrem Ge- 20
schlecht hat, einem hohen Helden in verschwiegener Liebe folgt
und für ihn in den Tod geht." Meyers Heldin erlebt, als Rolle
wenigstens, was für Goethes Klärchen nur Wunschtraum ist:
‚Wär’ ich nur ein Bube und könnte immer mit ihm gehen. . . .’
Im Gegensatz zu Klärchen aber lernt sie die Liebe nur als in- 25
neres Erlebnis kennen. Die Traumerfüllung ist selbst fast ein
Traum, im doppelten Sinne der Unwirklichkeit und einer besonders intensiven, erhöhten Erlebnisform.

Am Anfang der Novelle wohnt Auguste Leubelfing als
Pflegetochter im Haus ihres Onkels, eines reichen Nürnberger 30
Patriziers und Geschäftsmannes. Von der Kindheit her, als sie

311

Conrad Ferdinand Meyer

bis in ihr vierzehntes Jahr mit Vater und Mutter im Gefolge
Gustav Adolfs herumzog, hat die Offizierstochter bubenhafte
Manieren beibehalten, doch ist sie auch ein guterzogenes, an-
mutiges Mädchen. ,Lieblich wild' könnte man sie nennen. So
5 beschreibt Meyer im Gedicht „Die Jungfrau" die Augen eines
Mädchens, das voll Spannung an der Schwelle des Lebens steht.
Auch Gustel besitzt zugleich Unschuld und Lebensdrang.

   Der äußere Anlaß zur Pagenverkleidung ist ein Brief Gustav
Adolfs, der dem Vater Leubelfing am Anfang der Novelle über-
10 reicht wird: „Wissend und wohl uns erinnernd, daß der Sohn
des Herrn den Wunsch nährt, als Page bei uns einzutreten,
melden hiermit, daß dieses heute geschehen und völlig werden
mag. . . ." Das Schicksal des neuen Pagen läßt sich leicht voraus-
sehen, denn drei der Edelknaben sind kurz hintereinander im
15 Krieg gefallen. Dieser Brief ist ein ganz unverhofftes Resultat
einer Prahlerei des Vaters Leubelfing bei einem Bankett, das er
für den König gegeben hatte. In Wirklichkeit hat der Sohn
August keine soldatische Ader. Die beiden vorsichtigen Rech-
nernaturen, Vater und Sohn, erbeben vor dem Schicksalsruf. Es
20 stellt sich heraus, daß die Kusine Gustel indirekt mitschuldig am
Dilemma ist. Aus vielerlei Gründen geht sie auf Augusts
nur halb ernst gemeinten Vorschlag ein, sie sollte ihn als Pagen
vertreten. Der tiefste Grund aber ist: „. . . ein kindlicher Traum
hatte Gestalt gewonnen als ein dreistes aber nicht unmögliches
25 Abenteuer." Der kindliche Traum deutet auf die unbewußten
Quellen der Entscheidung.

   Schon lange betet Gustel in jugendlicher Heldenverehrung
den König an. Nachts träumt sie davon, ihm zu dienen. Ihr Gefühl ist fast unbemerkt zur Liebe gereift, ohne jedoch das Ele-
30 ment ehrfurchtsvoller Anbetung jemals zu verlieren. Es scheint
mit derjenigen Liebe verwandt zu sein, die ein Mädchen in einer

gewissen psychologischen Entwicklungsphase für ihren Vater
empfindet. Der König, der seinen Pagen natürlich für einen
Jüngling hält, nennt diesen oft „mein Sohn".

Die gefährlichen Umstände des Abenteuers steigern die Intensität des ganz verinnerlichten Liebeserlebnisses: „So fristete ₅
er [der Page] sich und genoß das höchste Leben mit der Hilfe
des Todes." Dieser Satz berührt eines der wichtigsten Motive
der Novelle. Auch der König lebt „mit dem Tode auf vertrautem Fuße", jedoch auf einer reiferen Lebensstufe. Beide bilden
einen deutlichen Kontrast zum Kaufmann Leubelfing und sei- ₁₀
nem Sohn, denen „das liebe Leben" und das Geschäft die höchsten Werte sind. Während aber der Page sich ein genußvolles
Leben und einen frühen Tod wünscht, nach dem Motto ,courte
et bonne', ist die Haltung des Königs zugleich christlicher und
nüchterner. Freilich soll man sich ein gutes Leben wünschen, ₁₅
aber nicht eines „voll Rausches und Taumels". Länge oder
Kürze des Lebens liegt in Gottes Hand. Die resolute, unfanati-
sche Gottesgläubigkeit und der ethische Ernst, die Gustav Adolf
hier ausdrückt und im Leben manifestiert, sind für Meyer die
wesentlichsten Merkmale des Reformationsgeistes. ₂₀

Diese beiden Hauptgestalten sind im vollen Sinne des Wortes
Held und Heldin der Novelle. Es gibt auch einen Bösewicht,
Lauenburg, den Meuchelmörder des Königs, der vorher eine
Reihe anderer Untaten verübt hat. Die Gestaltung der drei
Charaktere ist insofern sehr traditionell. Merkwürdig ist es aber, ₂₅
daß Heldin und Bösewicht identisch klingende Stimmen haben
und daß der Handschuh des Bösewichts der Heldin wie ange-
gossen paßt. Vielleicht soll es darauf hindeuten, daß Gut und
Böse letzten Endes keine absoluten Gegensätze sind, sondern
beide dem göttlichen Willen untertan sind. Einen ähnlichen Ge- ₃₀
danken drückt ganz deutlich das Gedicht „Ja" aus. Auf die spe-

zifische Situation der Novelle angewendet, würde das unter anderem auf den Fall passen, daß der Mord des Königs zwar eine böse Tat an sich ist, für den König aber eine Wohltat, da er Gott um den baldigen Tod gebeten hat, aus Angst, er könne nach
5 Vollendung seiner Lebensarbeit ein unnützer Mensch werden.

Auch für den Pagen ist der Tod eine freundliche Macht. Sein Opfertod ist die einzige mögliche Erfüllung der Liebe zum König. In dieser Erfüllung durch Opfer berührt sich das Erotische mit dem Religiösen. Sogar das Geschlecht des Pagen ist
10 hier fast gleichgültig. Wie in *Der Heilige* wird das nur Private am Schluß transzendiert.

Die Renaissancenovelle *Die Hochzeit des Mönchs* (1884) ist Meyers virtuoseste Leistung in der Rahmentechnik und eine seiner eindrucksvollsten tragischen Handlungen. Sie unter-
15 scheidet sich wesentlich von Meyers früheren Rahmenerzählungen, indem hier eine Geschichte vor unseren Augen erfunden wird, während sonst, wie in *Der Heilige*, der Erzähler Geschehnisse berichtet, die er miterlebt oder gesehen hat. Es ist eine hohe künstlerische Leistung, daß trotz der an sich faszinierenden
20 Vorweisung der Erzähltechnik im Rahmen und trotz der häufigen Unterbrechungen durch die Zuhörer, wodurch wir dauernd daran erinnert werden, daß es sich um eine erfundene Geschichte handelt, wir dennoch immer wieder von der Macht der tragischen Handlung hingerissen werden. Unterbrechungen kommen
25 allerdings in dem spannungsreichsten Teil der Innenhandlung nicht mehr vor.

Der Erzähler ist der große Dichter Dante zur Zeit, als er in Verona am Hofe Cangrandes Gast war. Dieser selbst und seine Hofleute sind um den Herd versammelt. Die Zeit der
30 Rahmenerzählung ist der Anfang des vierzehnten Jahrhunderts,

314

die der inneren Handlung fast ein Jahrhundert früher unter dem noch jugendlichen Ezzelin da Romano in Padua. Die Erzähl- situation im Rahmen ist eine sicherlich beabsichtigte Parallele zu derjenigen in der Tradition der Renaissancenovelle, deren exemplarischstes Beispiel Boccaccios *Decamerone* ist. Der indi- 5 viduelle Rahmen, der in der deutschen Novelle eine wichtige Rolle spielt, stammt bekanntlich von dem Rahmen in dieser Zyklustradition, wo verschiedene Mitglieder einer Gruppe von kultivierten Menschen Geschichten als eine Form des höheren Zeitvertreibs vortragen. Meyer selbst, ein Meister des indivi- 10 duellen Rahmens, hat nie einen Novellenzyklus geschrieben. Hier aber deutet er einen solchen an. Die Handlungen von zwei Geschichten, die angeblich vor dem Anfang der Novelle erzählt wurden, werden kurz rekapituliert, um den eben angekommenen Dante über das schon Erzählte aufzuklären. Auch sonst wird im 15 Rahmen vieles von der Novellentechnik im allgemeinen und von Meyers eigener Erzähltechnik in lebendiger, dramatisierter Form dargelegt. Zum Beispiel weiht Dante seine Hörer im vor- aus in das Grundmotiv seiner Geschichte ein: „Wenn nämlich ein Mönch nicht aus eigenem Triebe, nicht aus erwachter Welt- 20 lust oder Weltkraft ... sondern einem anderen zuliebe ... un- treu an sich wird ... und eine Kutte abwirft, die ihm auf dem Leibe saß und ihn nicht drückte". — Er lädt Cangrande dazu ein, das Ende zu erraten: „Notwendig schlimm." Solche Vorausdeu- tung, in knapper, direkter Formulierung und durch vorauswei- 25 sende Symbole, kommt in der deutschen Novelle oft vor und wird von Meyer selbst besonders systematisch und kunstvoll ver- wendet. Sie schafft eine subtilere Spannung als die der Über- raschung und regt den Leser dazu an, das Wie mehr als das Was der Erzählung zu bedenken. 30

Ein anderer Aspekt von Dantes Methode ist für Meyers Stil

charakteristisch, nur daß er hier offener als sonst zutage tritt: er erzählt, als ob der Vorgang sich bildhaft vor seinem inneren Auge abspielte. Das geht zuweilen so weit, daß Dante etwas verschweigt, weil er es nicht „sehen" kann, zum Beispiel die ge-
5 nauen Vorgänge bei der Vermählung Astorres und Antiopes. Dabei wird wohl oft mit bewußter künstlerischer Absicht, um der Konzentration oder des geheimnisvollen Effektes willen, ein Vorgang im Halbdunkel gelassen. Die lakonische Methode soll gewiß auch auf wirklich nur halb erforschbare Geheimnisse der
10 individuellen Menschenseele und des menschlichen Schicksals überhaupt hindeuten. Aber das Auffälligste an seiner Erzählung ist, daß er den Namen und die äußere Erscheinung seiner Charaktere dem Kreis der Zuhörer entnimmt. Es entsteht auf diese Weise eine außergewöhnlich enge Verflechtung des Rahmens
15 mit der Innenhandlung, eine vielfältige Wechselwirkung zwischen Kunst und Leben. Es ist, als ob jeder Anwesende sich und die anderen im Spiegel doppelt sähe.

Während in *Der Heilige* der Erzähler ein viel einfacherer Mensch ist als der Held seiner Erzählung, überragt Meyers
20 Dante an geistiger Größe alle übrigen Gestalten der Novelle. Man hat den Eindruck, daß dieser große Urtyp des epischen Dichters nur ein flüchtiger Gast in der Hofgesellschaft, ja im irdischen Leben überhaupt ist. Als Heimatloser erweckt er Mitleid, zugleich aber Ehrfurcht und Scheu, als ob er aus dem Jen-
25 seits käme, das er in *Die göttliche Komödie* beschreibt. Diese Wirkung erzielt Meyer hauptsächlich durch bildhafte Eindrücke, etwa durch das grandiose Schlußbild des treppensteigenden Dichters, das seine einsame Größe noch einmal beschwört, während er wieder in seine eigene geistige Sphäre
30 emporsteigt.

Der Kern der inneren Handlung ist das Motiv des entkutteten

Mönchs, das auch in anderen Werken Meyers vorkommt. Die beiden kurz skizzierten Geschichten, die vor der Ankunft Dantes erzählt worden waren, lösen das Problem ganz im Sinne der lebensfreudigen Renaissance: die Flucht aus dem Kloster bringt Freiheit und Erfüllung. In der inneren Handlung der Erzählung 5 Dantes dagegen hat Astorres Flucht ins Leben tragische Folgen, da sie nicht „aus der Überzeugung und Wahrheit [seiner] Natur" hervorgeht. Er wird an sich selbst irre, als er die Geborgenheit seiner gewohnten Existenz verläßt. Der „entmönchte Mönch", der seiner Identität nicht mehr sicher ist, taumelt halt- 10 los und gesetzlos dem tragischen Untergang entgegen. Dieser wird durch ein komplexes Netz schicksalhafter Ereignisse beschleunigt, aber die eigentliche Ursache liegt in Astorres fundamentaler Unfähigkeit, sich in der aktiven Welt zurechtzufinden. 15

Das Schicksal spielt eine sehr große Rolle in der Novelle. Es hat ein lebendiges Sinnbild in dem Tyrannen Ezzelin, der als absoluter Herrscher das Schicksal seiner Untertanen in hohem Grade beeinflussen kann. Er selbst wird indessen immer wieder zum unfreiwilligen Werkzeug einer höheren Schicksalsmacht. 20 Er schickt zum Beispiel zufällig seine Leibwache über die Brücke gerade in dem Augenblick, als Astorre seine zwei Brautringe gekauft hat. Das führt dazu, daß dieser, von einem Pferd angestoßen, den kleineren Ring fallen läßt, der zufällig der schönen Antiope zurollt. Der Ring ist der erste äußere Anlaß zur 25 tragischen Liebeshandlung. Es ist eine besondere Tücke des Schicksals, daß gerade das Symbol der Treue zum Treubruch Astorres an seiner Braut Diana führt.

Der innere Anlaß ist schon vor dem Anfang der Handlung gegeben. Ein rührendes Erinnerungsbild, das der Mönch seit 30 drei Jahren aus seinem Bewußtsein zu bannen versucht hatte, ist

der unbewußte Keim seiner Liebe zu Antiope, die damals als kaum erwachsenes Mädchen bei der Hinrichtung ihres Vaters versucht hatte, den Kopf neben den seinen auf den Henkersblock zu legen. Inneres und äußeres Schicksal verketten sich hier
5 und in zahllosen anderen Beispielen.

Gerade seine heiligste Pflicht als Mönch, die Barmherzigkeit, ist also mitschuldig an Astorres tragischem Fall. Darin liegt aber auch die Größe dieser Tragik, daß sie sich mit unheimlicher innerer Notwendigkeit aus edlen und schönen Impulsen entwickelt.
10 Die christliche Tugend des Mitleids entfacht eine dämonische Leidenschaft, die beide Liebenden wehrlos mitreißt und die im dionysischen Rausch des Gefühls immer eine starke Verwandtschaft mit religiöser Mystik bewährt. Das wird sehr schön in der Werbungsszene versinnbildlicht, wo Antiopes Kopf auf dem
15 Hintergrund des Abendhimmels auf Goldgrund wie auf einem mittelalterlichen Heiligenbild erscheint.

Das dionysische Element erscheint in roher Verzerrung ohne den christlichen Bestandteil und ohne den edleren Bestandteil des Dionysischen selbst in der wilden Straßenszene, die als grelle
20 Parodie die Hochzeitsfeier Astorres und Antiopes begleitet. Es ist eine der stärksten Kontrastwirkungen in Meyers Werken. Das Groteske hebt die hohe Tragik durch Kontrast hervor. Andrerseits — bei Meyer gibt es fast immer eine geheime Verwandtschaft zwischen polaren Gegensätzen — fühlt man, daß
25 das Schicksal des tragischen Helden selbst seine groteske Seite hat. Erst im Tode sind Astorre und Antiope ganz über den rohen Hohn der Menge erhaben. Nur noch aus der Ferne hört man das höhnische Wort: „Jetzt schlummert der Mönch Astorre neben seiner Gattin Antiope", das vor dem Bild der beiden
30 Toten zur tragischen Ironie veredelt wird.

Bei der Besprechung der Novellen haben wir auf Beispiele
der bewußten Formkunst Meyers und auf menschliche Problematik hingewiesen. Die beiden Elemente sind eng miteinander verbunden. Meyer führt uns Gestalten, Handlungen und Szenen
vor, die einen starken visuellen Effekt erzeugen und zugleich auf 5
Verborgenes und Geheimnisvolles, auf das bewußte und unbewußte innere Leben der Charaktere und auf metaphysische
Fragen hinweisen. Es bleibt dabei immer etwas Unenträtsel-
bares, das der Leser ahnt, aber nicht begrifflich erfassen kann.
Sowohl in diesem allgemeinen Sinn wie durch den häufigen Ge- 10
brauch einzelner Symbole und symbolischer Leitmotive ist
Meyer auch in seiner Novellenkunst Symbolist.

Zum Schluß soll der Lyriker Meyer noch einmal in einem
Spruchgedicht zu Wort kommen, das als Motto über den Novellen stehen könnte, als eine knappe, eindrucksvolle Formulierung 15
der Ambivalenz zwischen Bejahung des Lebens und Todessehnsucht, zwischen dem leidenschaftlichen Streben nach persönlichen Zielen und der Kontemplation des Lebens unter dem
Aspekt der Ewigkeit, die für Meyers Einstellung zum Leben so
wesentlich ist. Die Situation des antiken Wagenrennens wird 20
als Metapher für das Leben verwendet.

Unter den Sternen

Wer in der Sonne kämpft, ein Sohn der Erde,
Und feurig geißelt das Gespann der Pferde,
Wer brünstig ringt nach eines Zieles Ferne,   25
Von Staub umwölkt — wie glaubte der die Sterne?

Doch das Gespann erlahmt, die Pfade dunkeln,
Die ewgen Lichter fangen an zu funkeln,

Conrad Ferdinand Meyer

> Die heiligen Gesetze werden sichtbar.
> Das Kampfgeschrei verstummt. Der Tag ist richtbar.

Mary C. Crichton

Burkhard, Arthur. *Conrad Ferdinand Meyer: The Style and the Man.* Cambridge, 1932.

Frey, Adolf. *Conrad Ferdinand Meyer. Sein Leben und seine Werke.* Stuttgart und Berlin, 1919.

Henel, Heinrich. *The Poetry of Conrad Ferdinand Meyer.* Madison, 1954.

Meyer, Betsy. *Conrad Ferdinand Meyer in der Erinnerung seiner Schwester.* Berlin, 1903.

Silz, Walter. „Meyer, *Der Heilige.*" in *Realism and Reality. Studies in the German Novelle of Poetic Realism.* Chapel Hill, 1956.

Gerhart Hauptmann

1862-1946

Der 20. Oktober 1889 ist eins der denkwürdigsten Daten in der Geschichte des deutschen Dramas und Theaters. Am Nachmittag dieses Tages ging *Vor Sonnenaufgang*, die Arme-Leute-Tragödie des noch nicht siebenundzwanzigjährigen Gerhart Hauptmann, über die Bretter der „Freien Bühne" in Berlin; und 5 an diesem Stück schieden sich die Geister. Kaum je ist eine Uraufführung so umkämpft gewesen. Über das Chaos im Zuschauerraum hat ein Augenzeuge, Hauptmanns erster Biograph Adalbert von Hanstein, ganz amüsant berichtet: man begrüßte das Stück mit „Klatschen und Trampeln, Zischen und Pfeifen". 10 Ebenso hoch ging es in der Presse her. Während der Dichter Theodor Fontane, damals noch Theaterkritiker der „Vossischen Zeitung", in heller Begeisterung die ‚Erfüllung Ibsens' zu er-

kennen glaubte und ein denkbar hohes Maß von Kunstverstand
am Werk sah, ereiferte sich ein anderer Kritiker wortreich über
die ‚Gedankenleere' des Dramas. Für das eine Lager war Gerhart
Hauptmann der ‚Reformer der Kunst' und ‚Erlöser der Dich-
5 tung', für das andere ‚der unsittlichste Bühnenschriftsteller des
Jahrhunderts'. Auf jeden Fall aber war der junge Hotelierssohn
aus der schlesischen Kleinstadt Salzbrunn durch diesen Skandal-
rummel buchstäblich über Nacht weltberühmt geworden.

Doch nicht nur darum ist der 20. Oktober 1889 ein denk-
10 würdiger Tag. Die sensationelle Uraufführung von *Vor Sonnenaufgang* markiert auch den ersten und einzigen großen Erfolg
des deutschen Naturalismus auf der Bühne. Zeitgenössisch hat
man das sofort gesehen, wenn auch natürlich nicht immer mit
Genugtuung. So erschien z. B. bald nach der Premiere in dem
15 Berliner Witzblatt *Kladderadatsch* eine Karikatur, die *Vor
Sonnenaufgang* als exemplarisches Produkt des modernen
‚Naturalismus' verulkte. Aber auch heute noch verbinden wir
Vor Sonnenaufgang gern mit dem literarhistorischen Begriff
„Naturalismus". Ja: es hat sich eingebürgert, dem Verfasser
20 den Ruhm zuzubilligen, ein neues Kapitel in der Geschichte
des deutschen Dramas und Theaters eröffnet zu haben, nämlich das Kapitel „Naturalismus", das — man denke an die
amerikanische Dramatik der Gegenwart — noch heute nicht abgeschlossen ist.

25 In gewissem Sinn hat es damit seine Richtigkeit. Gerhart
Hauptmann lebte seit der Mitte der achtziger Jahre im Kreise
der Berliner „Naturalisten" Bruno Wille, Wilhelm Bölsche,
Arno Holz, Johannes Schlaf, Julius und Heinrich Hart. Er traf
sich mit ihnen in einem regen wissenschaftlich-literarischen
30 Verein, in dem Gegenwartsfragen diskutiert wurden und in dem
er selbst einen Vortrag über Georg Büchner hielt. Durch seinen

Bruder Carl war ihm schon einige Jahre vorher, während der Studentenzeit in Jena, das Geistesgut der neuen Naturwissenschaften nahegebracht worden. Auch der gesellschaftsreformerische Utopismus der Zeit hat Hauptmann schon früh in seinen Bann gezogen. Als junger Mann hatte er die sozialistischen 5 Programmatiker Marx, Engels und Kautsky gelesen; er hatte Ernst Haeckel in Jena gehört und auch an den Universitäten Berlin und Zürich studiert. Der Verfasser von *Vor Sonnenaufgang* stand also im Strom der „modernen" Richtung seiner Zeit. Diese "moderne" Richtung aber gab sich als „Naturalismus" 10 aus.

Manche Züge dieser Richtung teilt Gerhart Hauptmanns dramatischer Erstling durchaus. Bevor man den jungen Autor aber in Bausch und Bogen dem Naturalismus zuweist, empfiehlt es sich, zweierlei im Auge zu behalten. Einmal hat der Dichter 15 selbst mit Nachdruck seine dichterische Eigenständigkeit und Unabhängigkeit vom Naturalismus betont, und schon sein früher Entwicklungsgang bietet eine Fülle von Anhaltspunkten für die Auffassung, daß er darin recht hatte: So interessierte er sich z. B. gerade in der Zeit, als der rationalistische Geist der natura- 20 listischen Wissenschaft seinen Einfluß auf ihn ausübte, für ein Buch wie Schleiermachers *Reden über die Religion* wie auch für die Lehren Buddhas, und vor dem Versanden in bloßer Thesendichtung und Programmdramatik bewahrte ihn schon sein ursprünglicher Sinn für das individuell Menschengestalterische, 25 Bildnerische, der ihn denn auch ganz folgerichtig zuerst zur Bildhauerei gewiesen hatte. (Hauptmann studierte an der Breslauer Kunstakademie und verbrachte den Winter 1883/4 als ‚scultore' in Rom.) Das ist das eine.

Das andere ist, daß das Schlagwort „Naturalismus" ein in sich 30 so unterschiedliches Phänomen, ja eine solche Vielfalt von Er-

scheinungen bezeichnet, daß es in Gefahr ist, verschwommen
und sinnlos zu werden. Und das trotz aller Programmatik, die
die Naturalisten entfalten. Manche von ihnen bekämpfen sich
sogar in aller Offenheit. Mit dem Übereifer der Zuspätgekom-
5 menen greifen sie fast wahllos alle Tendenzen des Auslandes
auf, die ihnen irgendwie zukunftsträchtig scheinen, besonders
Zola, Ibsen und Dostojewski werden ihnen wegweisend. Sie
können sich aber kaum über mehr als das einigen, daß das kul-
turelle Deutschland ihrer Zeit in ein Stadium der Erschöpfung
10 getreten sei. Was sie vorzufinden glauben, ist Konvention, pathe-
tisches und geblümtes Epigonentum, billige Unterhaltungs-
literatur und dekadente Raffinesse. Man glaubt die Literatur von
der „Tyrannei der ‚höheren Töchter‘ " und vom „Verlegenheits-
Idealismus des Philistertums" befreien zu müssen, wie *Die Ge-*
15 *sellschaft*, die Zeitschrift der Münchner Naturalisten, in ihrem
Programm verkündet. Man nimmt den Mund zwar sehr voll,
wenn es gilt, neue Ideale an die Stelle der alten zu setzen. „Alles
wahrhaft Große, Schöne und Gute" oder auch „Intime, Wahre,
Natürliche, Ursprüngliche, Große und Begeisternde". Das ver-
20 heißen etwa die Herausgeber der Lyriksammlung *Moderne
Dichtercharaktere* mit „grandiosem Protestgefühl" und zu-
kunftsgewisser Rhetorik. Aber auch hier zeichnet sich keine
klare Linie ab. Diese Unbestimmtheit wächst noch, wenn man
die verschiedenen Gruppen des Naturalismus auf ihr Credo hin
25 befragt. Karl Bleibtreus byronisierendes Weltschmerzlertum
steht da neben der Deutschtümelei der Münchner (M. G. Conrad besonders) und der naturwissenschaftlich-positivistischen
Philosophie der Berliner. Will man das Geschichtsmächtige der
verworrenen Bewegung trotzdem auf einen Nenner bringen,
30 ohne sich — wie Hermann Conradi — mit einer Pauschal-
formel wie „psychologisch-romantisch-imperatorischem Not-

wehr-Realismus" zufrieden zu geben, so ist dies zu sagen: Der
Wahrheit, die der Zeit angemessen ist, Bahn zu brechen, ist
„der Bannerspruch" des Naturalismus. So heißt es 1889 im Programm der *Freien Bühne*, des Organs der Berliner Naturalisten.
Die Wahrheit finden die Naturalisten aber in den Lehren der 5
Naturwissenschaft und des Sozialismus aller Schattierungen, die
damals beide gleichzeitig einen ungeheuren Aufschwung nehmen. Das Wahrheitspathos verbindet sich, wie zu erwarten, mit
einem verantwortungsbewußten reformerischen Aktivismus, der
sich der konkreten Wirklichkeit der Gegenwart zuwendet, vor 10
allem den Mißständen in der Gesellschaft. In diese Richtung
schienen gerade die Ergebnisse der positivistischen Naturwissenschaft zu weisen. Denn ihre, für den Naturalismus ausschlaggebende Lehre war die von der totalen Kausaldetermination des
Menschen durch Vererbungs- und Umweltfaktoren, und die 15
Umwelt ließ sich ändern und planen (wenn auch der Wille für
unfrei erklärt wurde!). So entfaltet sich ein rational aufgeklär-
tes, entschieden untragisches Weltbild. Im Gegensatz zu dem
Weltbild der Aufklärung des 17. und 18. Jahrhunderts ist es jedoch im allgemeinen nicht auf die Transzendenz bezogen. Es 20
bleibt wesentlich weltimmanent, geradezu anti-metaphysisch
orientiert, wie sich ja auch das soziale Reformstreben in nüchtern-
ster Zweckhaftigkeit vor allem auf die Besserung der wirtschaftlichen Verhältnisse richtet. Und während das „Zeitalter der
Vernunft" noch mit Stolz an der Macht der freien, geistbestimm- 25
ten Persönlichkeit festhielt, wird der Mensch im „jüngsten
Deutschland" zum Produkt und Schauplatz der Auswirkung
vitaler und mechanischer Kräfte degradiert.

In das naturalistische Programm wird auch die Dichtung ein-
gespannt. Naturalistische Dichtung ist *littérature engagée*. Statt 30
Schmuck, Unterhaltung und Spielerei zu sein, soll sie dem Sie-

geszug der naturalistischen Geistigkeit selbst die Wege bereiten. Und zwar soll sie nicht nur die Ideen der „Moderne" propagieren, sondern sich auch selbst an der Forschung beteiligen. Das kann sie, indem sie ‚documents humains' liefert. Das aber heißt

5 Zolas tonangebenden Forderungen in *Le Roman expérimental* zufolge: Der Dichter soll durch seine Menschenstudien in Roman und Drama aus Beobachtung und kombinierender Überlegung immer neue Beispielsfälle liefern für das gesetzmäßige Wirken von Vererbung und Umwelt, dem alles menschliche

10 Leben untersteht. „Erst so können wir hoffen, jemals zu einer wahren mathematischen Durchdringung der ganzen Handlungsweise eines Menschen zu gelangen und Gestalten vor unsrem Auge aufwachsen zu lassen, die logisch sind wie die Natur", heißt es in Bölsches *Naturwissenschaftliche Grundlagen der*

15 *Poesie.* Zola setzt dabei noch voraus, daß absolute Objektivität der Darstellung nicht zu erreichen sei: „l'art est un coin de la nature vu à travers un tempérament." Arno Holz, der bedeutendste deutsche Programmatiker des Naturalismus, geht, jedenfalls in einigen Formulierungen, darüber hinaus. Er fordert in

20 seiner Theorie des „Sekundenstils" die möglichst photographische bzw. phonographische Fixierung eines Milieus, eines Vorgangs, eines Menschen im jeweiligen Moment.

Ungeheures an kultureller Leistung verspricht man sich von solcher Dichtung strikt naturalistischer Observanz. Der Histo-

25 riker stellt aber fest, daß diese Hoffnungen radikal enttäuscht wurden. Die naturalistische Literatur ist mit Recht vergessen. Fast ist man versucht, den bekannten Witz über die viktorianische Literatur aufzugreifen: ‚it is remembered because of those who didn't like it.' Denn lebendig geblieben sind aus dem Kreis

30 des Naturalismus nur die Werke des frühen Hauptmann, und die entsprechen bei aller Ähnlichkeit kaum voll und ganz der

naturalistischen Programmatik. Sie sind mehr als Einkleidung naturalistischer Weltanschauung, mehr als wissenschaftliche Experimente, auch mehr als bloße „objektiv" vorgestellte Wirklichkeitsausschnitte (die ja überhaupt unmöglich wären). Bestärkt werden wir in diesem Eindruck durch den Umstand, daß 5 schon Hauptmanns frühste Formulierung seiner Kunsttheorie, in den „Gedanken über das Bemalen der Statuen" (1887), eher an der deutschen Klassik orientiert ist als am Naturalismus irgendwelcher Schattierung. Aufschlußreich ist ferner, daß Arno Holzens Buch über *Die Kunst, ihr Wesen und ihre Gesetze* 10 (1890) Hauptmann mehr als Kuriosität galt denn als ernst zu nehmende Leistung, wie aus den Randbemerkungen in seinem Handexemplar zu entnehmen ist. Daß bereits die frühen, meistens als typisch naturalistisch bezeichneten Werke Gerhart Hauptmanns u. a. auch eine entsprechende nicht-naturalistische 15 Einstellung bestätigen, soll im folgenden kurz angedeutet werden. Bei den späteren Werken ist diese Fragestellung dann natürlich nicht mehr in diesem Sinne akut.

Freilich meinen wir mit den frühen Werken weniger die eigentlichen Jugendwerke und Gelegenheitspoesien der acht- 20 ziger Jahre als die Novellen *Fasching* (1887) und *Bahnwärter Thiel* (1888) sowie die Dramen *Vor Sonnenaufgang* (1889), *Das Friedensfest* (1890), *Einsame Menschen* (1890–91) und vor allem *Die Weber* (1892). Wir deuten einiges an.

Schon in *Fasching* war die Natur, die Welt, nicht so vorge- 25 führt worden, wie die wissenschaftlich orientierten Berliner Naturalisten sie sich vorstellten: nämlich nicht als berechenbarer und beherrschbarer gesetzlicher Zusammenhang. Vielmehr enthüllte sich an dem an sich banalen Ertrinkungstod einer einfachen Segelmacherfamilie gerade die dämonische Unheimlich- 30

keit und Ungeheuerlichkeit der wirkenden Kräfte der Natur. Ähnlich ist es in der bekannteren Novelle *Bahnwärter Thiel*, die gleich nach *Fasching* entstand und 1888 in der Münchner *Gesellschaft* erschien. Sie spielt ebenfalls in der märkischen Ge-
5 gend bei Berlin, wo Hauptmann seit 1885 mit seiner jungen Frau als freiberuflicher Schriftsteller lebte. Doch wird der Mensch in dieser zweiten Erzählung nicht allein von den Mächten des Natürlichen überwältigt, sondern zugleich auch von denen der Technik. Diese ist hier nämlich nicht als tote und
10 durch den intellektuellen Kalkül des Menschen geschaffene und berechenbare Mechanik gefaßt, sondern als Steigerung des Vitalen und Dämonischen der Natur, so daß sie mit dem Natürlichen einen merkwürdigen Bund eingehen kann. Noch deutlicher als in *Fasching* wird hier demonstriert, wie alle
15 menschliche Ordnung, die das Leben regelt und der Kontrolle unterwirft, zerbricht vor der geballten Kraft dieser inkommensurablen Mächte. Wie in *Fasching* aber sind sie paradoxerweise auch als kommensurabel dargestellt. Denn beim ersten Hinsehen ist es gewiß etwas Alltägliches, was hier geschildert wird: eine
20 schlechte Ehe und ein Zugunglück, und beides verkettet sich logisch. Seit zehn Jahren versieht Thiel mit größter Regelmäßigkeit und Genauigkeit seinen monotonen Dienst an einer Bahnstrecke bei Berlin. Seine erste Lebensgefährtin, mit der ihn eine tiefe geistige Gemeinschaft verband, ist vor längerer Zeit ge-
25 storben. Seine zweite Frau, Lene, dagegen hat — wie Hanne Schäl in *Fuhrmann Henschel* — etwas animalisch Triebhaftes. Trotz des Todes der ersten Frau ist Thiel in die Spannung zwischen Vergeistigung und Sinnlichkeit hineingestellt, da ihn mit seiner ersten Frau noch eine Art mystische Nähe verbindet. Seine
30 Bahnstrecke weiht er „den Manen der Toten", und indem sich sein Leben zwischen Haus und Arbeitsstätte teilt, teilt er also

auch „die ihm zu Gebote stehende Zeit . . . gewissenhaft zwischen die Lebende und die Tote". Doch in diesem Konflikt darf man kaum den Kern der Sinnstruktur der Erzählung sehen.

Bedeutender ist, wie Thiels Dasein, in dem alles „regelmäßig", „mechanisch", bis auf den kleinsten Handgriff „ge- 5 regelt" vor sich geht und auch durch die Kraft seiner christlichen Innerlichkeit an das Maß gebunden ist, unterwühlt wird von transsubjektiven Gewalten. Diese sprechen sich einmal in der Sinnlichkeit der Frau aus: „Eine Kraft schien von diesem Weibe auszugehen, unbezwingbar, unentrinnbar, der Thiel sich nicht 10 gewachsen fühlte." Er verfällt der dämonischen Triebexistenz seiner Frau immer willenloser. Zugleich aber gewinnt die noch viel unberechenbarere Dämonie Gewalt über ihn, der er im Berufsleben Tag für Tag ausgesetzt ist. Die Züge, die täglich an ihm vorüberdonnern und an deren Zeitgesetz sein Tageslauf an 15 der Strecke gebunden ist, sind nicht nur Maschinen. Sie erscheinen im mythischen Bild als „schwarze, schnaubende Ungetüme". Sie sind Dämonen, Chiffren eines Unfaßlichen, das sich aller Berechnung zum Trotz nicht beherrschen läßt. Daß dies aber das gleiche Unfaßliche ist wie das des Naturhaften, deutet 20 die Bildersprache eindeutig genug an. Die Technik ist etwas Lebendiges, Vitales: Die Telegraphendrähte erscheinen als Riesenspinne, die Geleise als „feurige Schlangen", der Zug erscheint als „heranbrausendes Reitergeschwader" und „kranker Riese". Umgekehrt wirkt das Naturhafte wie Bestandteile der 25 technisierten Welt: Sonnenbeschienene Kiefernstämme sind glühendes Eisen, Lene ist eine „Maschine". Während Thiel nun spürt, wie er diesen vereinten Kräften des Elementaren immer höriger wird, sucht er in Vision und Denktraum mystische Zwiesprache mit seiner ersten Frau. Aber der Kontakt wird immer 30 schwächer. Er glaubt sich sogar zurückgewiesen von ihr, weil er

es unter dem Bann Lenes nicht verhindern kann, daß sein Söhn-
chen aus erster Ehe, Tobias, von der Stiefmutter mißhandelt
wird. So bricht denn das Dämonische unaufhaltsam auf ihn
herein.

5 Als den Thiels an der Bahnstrecke ein Stück Ackerland zur
Verfügung gestellt wird, dringt Lene zum erstenmal in Thiels
geheiligten Bezirk ein, um — was könnte natürlicher sein — das
Feld zu bearbeiten. Während sie aber damit beschäftigt ist, gerät
in einem Augenblick der Unachtsamkeit der kleine Tobias unter
10 die Räder des Zuges. Eigentlich ist es jedoch Thiel, den dieses
Ereignis trifft. Es wirft ihn nieder. „Es war, als hielte ihn eine
eiserne Faust im Nacken gepackt, so fest, daß er sich nicht bewegen konnte, so sehr er auch unter Ächzen und Stöhnen sich
frei zu machen suchte." Darunter zerbricht seine ganze Welt.
15 Vergebens kämpft er mit Phantomen, verfolgt er ein „unsicht-
bares Etwas". In einem kurzen Lichtmoment, bevor die Nacht
des Wahnsinns sich über ihn senkt, schaudert er zusammen „im
Bewußtsein seiner Machtlosigkeit". Doch zum Schluß noch,
schon im Zwielicht der Geistesverwirrung, zwingt er mit lal-
20 lender Stimme ein mythisches Wissen ins Bild, das ihm in diesem Zusammenbruch Erlebniswirklichkeit geworden ist: Er
erinnert sich an die kindliche Frage seines Sohnes beim Anblick
eines Eichhörnchens: ob das der liebe Gott sei. Gerade jetzt
aber huscht das gleiche Tier zum zweitenmal über die Strecke,
25 und Thiel stellen sich ganz unvermittelt die Worte ein: „Der
liebe Gott springt über den Weg", Worte, die er öfters wiederholt und deren Bedeutung ihm jetzt, meint er, aufgegangen ist.

Verstehen wir diese ebenso absichtsvolle wie mysteriöse An-
spielung ganz falsch, wenn wir darin den letzten Hinweis spüren
30 auf die vitalen Kräfte im Menschlichen wie im Technischen, die
hier die Tragödie heraufbeschworen haben? Entscheidend ist

330

dabei die völlige Unberechenbarkeit dieser Kräfte, denen der Mensch rettungslos ausgeliefert ist. Es ist offensichtlich, daß das nicht im Sinne des Naturalismus gedacht ist.

In anderer Weise hat Hauptmann sich in *Vor Sonnenaufgang* vom Naturalismus abgewandt. Das Stück ist zwar in der ersten 5 Auflage Holz und Schlaf, den Verfassern des naturalistischen Experiments *Papa Hamlet* gewidmet, und manche Züge berühren naturalistisch: die exakte Fixierung der Menschen, die getreue Wiedergabe ihrer Sprache (obwohl Holz an einem andern Stück bemängelte, alle Figuren sprächen im gleichen Rhythmus), die 10 genaue Bestimmung des Milieus, das Aufgreifen dringlicher Probleme der wirtschaftlich-gesellschaftlichen Situation der achtziger Jahre usw. Aber das Abweichen vom naturalistischen Schema ist unverkennbar. Holz verlangt im Drama Menschendarstellung und episches Zustandsbild. Er verwirft alles Arrangieren, alle 15 Komposition, mit einem Wort: alle Handlung. Hauptmann hat sich in seinen Tagebuchnotizen ähnlich geäußert. Aber weder in *Vor Sonnenaufgang* noch sonst hat er sich streng an dieses Prinzip gehalten. Das ist schon Theodor Fontane aufgefallen. Nach der Uraufführung von *Vor Sonnenaufgang* schrieb er: 20 „in dem, was dem Laien einfach als abgeschriebenes Leben" erscheine, spräche sich „ein Maß von Kunst . . . , wie's größer nicht gedacht werden kann" aus; genauer: „ein stupendes Maß von Kunst, von Urteil und Einsicht in alles, was zur Technik und zum Aufbau eines Dramas gehört". In den frühen Dramen 25 Hauptmanns tritt kein „neues Kunstprinzip" auf, so sehr Hauptmann auch — mit den Naturalisten — von dem traditionellen Spiel- und Gegenspiel-Schema und seiner dramatischen Zielstrebigkeit abweicht. Als gegliederte Ganzheiten gehen seine Stücke jedenfalls weit über die naturalistische Zustandsbild- 30

331

dramatik, wie sie uns in Holzens und Schlafs Milieutragödie
Die Familie Selicke vorliegt, hinaus. Besonders gilt das für
seinen scheinbar exemplarisch naturalistischen Erstling *Vor
Sonnenaufgang*. Mit einem Spannungsmoment setzt das Stück
5 gleich ein, und das wird bis zum Schluß hin durchgehalten.
Dadurch wird das Ganze nicht nur dramatisch, sondern bekommt auch eine feste Kontur.

Hauptmann beginnt nicht in Holzscher Manier mit der
breiten Ausmalung des Milieus, wodurch schon gleich zu Beginn
10 eine dramatische Flaute einträte. Vielmehr gelingt es ihm, die
nötige Exponierung des Geschehensraums in der Form der Entfaltung eines Konflikts zu geben, der das ganze Stück trägt.
In einem schlesischen Bergbaudistrikt, wo die Kleinbauern durch
Kohlefunde plötzlich schwerreich geworden sind, treffen sich
15 im Hause des Kohlenbauern Krause unerwartet zwei ehemalige
Freunde nach vielen Jahren wieder zusammen. Der eine, Hoffmann, Krauses Schwiegersohn, ist durch gerissene Ausbeutung
der Situation ein vermögender Industriekapitän geworden. Der
andere, Loth, entpuppt sich als mittelloser idealistischer Gesell
20 schaftsreformer mit sozialistischen Neigungen. Dies wird dem
Zuschauer aus den lebhaften Wiedersehensgesprächen der
beiden klar. Zugleich spürt er aber, wie dynamisch geladen die
Atmosphäre durch die Umstände wird. Denn daß die beiden
in bezug auf die wirtschaftliche Lage der Gegend entgegenge
25 setzte Interessenpositionen einnehmen, und zwar beide mit
gleich zäher Entschiedenheit, darüber herrscht kein Zweifel.
Rasch stellt sich heraus, daß Loth in diese Gegend gekommen
ist, um Material für eine volkswirtschaftliche Untersuchung der
Notlage der ausgebeuteten Bergwerksarbeiter zu sammeln, was
30 verständlicherweise an Hoffmanns Lebensnerv rührt.

Aber kaum hat der Dramatiker dieses Spannungsmoment in

Gang gebracht, da verbindet er ein zweites damit: Die Tochter des Hauses, Helene, die mit ihren, wenn auch bescheidenen geistigen Interessen nicht in dieses Milieu paßt (in dem „moderner Luxus auf bäuerische Dürftigkeit gepfropft" ist), fühlt sich sofort zu Loth hingezogen. Sie lebt in seiner Nähe 5 förmlich auf, geht auch eifrig auf sein Volksbeglückertum ein und hofft offensichtlich, durch Loth die letzte Chance zu gewinnen, aus ihrer für sie tödlichen Umwelt herauszukommen. Und sehr geschickt sind diese beiden dramatischen Momente so ineinander verschränkt, daß ein neues Spannungsgefüge daraus 10 resultiert: Ebenso unauffällig und eifrig, wie Hoffmann sich bemüht, Loth seinen Aufenthalt zu verleiden und ihn von seinem Zweck abzubringen, bemüht sich Helene darum, ihn dazubehalten. Das bringt nicht nur beide in Gegensatz; es verändert auch ihr Verhältnis zu der industriell-bäuerlichen Situation in 15 entgegengesetzter Weise: Helene löst sich immer mehr daraus; Hoffmann muß sich, in die Defensive getrieben, mehr damit identifizieren, als ihm lieb ist.

Doch lenkt Hauptmann das Interesse vornehmlich auf das Verhältnis Loth-Helene. Schon im ersten Akt, in der großen 20 Dinerszene, die, oberflächlich gesehen, der Darstellung des Milieus dient, wird eine starke Spannung erregt: Loth gibt sich als Abstinenzler zu erkennen und erwähnt als Begründung, er wolle die Übel des Alkoholismus nicht auf seine Nachkommen vererben. Inzwischen hat Hauptmann es mit dra- 25 matischer Ironie jedoch so eingerichtet, daß zwar nicht Loth, wohl aber der Zuschauer weiß, daß die Krauses in schwerster Form durch erbliche Trunksucht belastet sind. Und gerade während dieses Abendessens fallen zur Verlegenheit oder geheimen Belustigung der Wissenden allerlei Anspielungen auf 30 den im Suff vertierenden Vater Helenes. Die ganze Familie ist

dem Laster verfallen, und es hat bereits die Schrecken seiner
Erblichkeit zutage treten lassen. Da Loth dies alles nicht weiß,
muß man die Zuneigung der beiden jungen Menschen zueinander, die rasch in heimlicher Verlobung gipfelt, mit steigender
5 Besorgnis verfolgen. Das um so mehr, als Hauptmann alle
Theaterraffinesse aufbietet, Helenes spätere Versuche, Loth
über ihre Familie aufzuklären, nicht zum Ziel gelangen zu
lassen. Loth gibt er andrerseits mehrmals Gelegenheit, auf
sein Bestehen auf „leibliche und geistige Gesundheit der Braut"
10 zurückzukommen. Von Szene zu Szene wird uns mittlerweile
das ganze Ausmaß der moralischen Verdorbenheit im Hause
des Kohlenbauern bekannt. Dadurch wird die auf dem Spiel
stehende Rettung der mädchenhaft reinen Helene aus dem
sicheren Verderben um so gewichtiger und spannungswürdiger.
15 Bis zum Ende des 5. Aktes aber, der kaum 24 Stunden später
spielt als der erste, hält Hauptmann den Zuschauer hin. Dann
überstürzen sich jedoch die Ereignisse: Loth erfährt von dem
Dorfarzt, daß die Krauses eine Trinkerfamilie sind. Ohne
Überlegung entschließt er sich, das Liebesverhältnis aufzulösen,
20 und verläßt das Haus. Helene findet gleich darauf Loths
Abschiedsbrief, durchfliegt ihn und ersticht sich wortlos,
während man von draußen — ein kompositorisch überaus geschickter Griff — wieder einmal das Gröhlen ihres betrunken
nach Hause torkelnden Vaters hört, der auf seine hübschen
25 Töchter stolz ist: „Dohie hä! Hoa iich nee a poar hibsche
Tächter?"

Man sieht: die zentrale Bedeutung für die Interpretation von
Vor Sonnenaufgang kommt Loth zu. Aber seit der Uraufführung
gehen die Meinungen der Kritiker gerade über ihn auseinander.
30 Wer auf die Psychologie des Reformfanatikers eingeschworen
ist, muß Loths Handlungsweise als vorbildlich preisen, sein

Programm als die These des Stücks auffassen. Andrerseits hat schon Fontane gespürt, daß man es hier ebensowenig wie mit einem naturalistischen Zuständlichkeitsbild mit dem anderen Typus des „jüngstdeutschen" Dramas zu tun hat: mit dem Thesenstück. Immer wieder ist es den Beurteilern schwerge- 5 fallen, über die menschliche Gemeinheit des angeblich vorbildlichen Programmatikers hinwegzusehen. Aber man braucht deswegen nicht zu bedauern, daß dadurch „die klare Lehre des Stücks" beeinträchtigt werde. Hauptmann selbst hat übrigens betont, daß er die Ansichten Loths keineswegs teile. Er hat 10 weiterhin bemerkt, daß Fanatiker im Drama eigentlich nur episodisch verwendet werden könnten, weil sie mit ihrem „unbeweglichen Wahnsystem" zum „Leben des Dramas" wenig beitrügen. Trotzdem stellt er in *Vor Sonnenaufgang* einen Fanatiker ins Zentrum eines Dramas. Daher dürfte es mit Loth 15 doch wohl mehr auf sich haben als bloße Programmverkündung. Zu verstehen ist diese Gestalt nur so, daß Hauptmann das menschlich Problematische des Fanatikers aufdeckt und damit gewisse Schwächen des Weltbeglückertums entlarvt. Da Loth nun aber konsequent als Verkünder der sozial-ethischen Re- 20 formidee des Naturalismus dargestellt ist, als Vertreter der naturalistischen Humanität, so dürfen wir schließen, daß der Dichter hier implicite auch am Reformertum des Naturalismus Kritik übt. Gewiß geschieht das nicht mit propagandistischer Bewußtheit, aber doch im Medium der dramatischen Menschen- 25 gestaltung. Hauptmann zeigt auf diese Weise eine Ironie auf: Loth ist mit Liebe und Aufopferungsbereitschaft den Unterdrückten und Entrechteten zugewandt, an die er seine Energie schon jahrelang verausgabt hat; aber in der konkreten Situation der Bewährung kann er nicht einmal das normale Maß solcher 30 Humanität aufbringen. Und das ausgerechnet im Namen der

Humanität, seiner „Lebensaufgabe", seines „Kampfes um das
Glück aller"! Wenn aber Humanität nur durch empörende
Inhumanität zu erreichen ist, wird das ganze Programm dann
nicht problematisch? Das ist die Frage, die *Vor Sonnenaufgang*
5 an den Naturalismus richtet. Das sollte sich vielleicht auch in
dem ursprünglich vorgesehenen Titel „Der Säemann" andeuten:
Über der ausschließlichen Bemühung um das Glück der Zukunft
versagt Loth in der Gegenwart. Er lebt für die Idealmenschen,
die er mit einer gesunden Frau in die Welt setzen möchte,
10 überhört aber die Forderung nach konkretem persönlichen
Einsatz. Diese Forderung ergibt sich jedoch für Hauptmann aus
der Leidverfallenheit alles Lebendigen und der allgemeinen
Gebrochenheit des Menschen. Gerade die Liebe im Schopen-
hauerschen Sinne des Mit-Leidens, die der junge Dichter sich
15 zu eigen gemacht hatte, besitzt Loth nicht. Daran scheitert nicht
nur er, sondern — und das ist die letzte tragische Ironie — auch
seine reformerische Mission. Jedenfalls gibt er seine kaum begonnene volkswirtschaftliche Untersuchung Hals über Kopf auf.

Die realistische Gegenwartsdramatik hat Hauptmann berühmt
20 gemacht. Trotzdem hat er sich schon bald davon abgewandt.
Bereits in den neunziger Jahren schrieb er ein Traumspiel,
Hanneles Himmelfahrt; ein Märchendrama in Versen, *Die Ver-
sunkene Glocke*; eine historische Tragödie, *Florian Geyer*.
Charakteristisch ist aber, daß er den frühen Ton auch später,
25 noch in den dreißiger Jahren, immer wieder noch einmal an-
schlägt. Am deutlichsten ist das vielleicht in *Rose Bernd*
geschehen.

Die Tragödie erschien 1903. Im Jahr zuvor hatte Hauptmann
Der arme Heinrich veröffentlicht: ein Drama, das in verhaltener,

inniger Daseinsfreude ausklingt. Aber dieses ruhig vertrauende Lebensgefühl, das der Dichter im „Rinascimento" seines „vierten Jahrzehnts" gewann, erweist sich als nicht beständig. In der Tat: in *Rose Bernd* vernehmen wir den grellen Diskant des drohenden Nihilismus. Durch die Düsternis seiner Tragik 5 nimmt dieses Drama geradezu eine Sonderstellung im weiten Panorama des Lebenswerks des Dichters ein. Denn während sich sonst, seit den frühen neunziger Jahren, in der Tragödie Hauptmanns in der Tiefe des Leids die mystische Erfahrung der Gottnähe einstellt, wird hier der Tiefpunkt nicht überwunden. 10

Und darauf hat Hauptmann im Laufe der Arbeit seine Tragödie ganz offensichtlich zugespitzt. Die Vorstufe war noch als genrehafte „breite Schilderung schlesischen Lebens" gedacht. In der Letztfassung ist dagegen alles ausgeschieden, was nicht direkt in Beziehung zu dem tragischen Schicksal Rose Bernds 15 steht, so daß eine ungewöhnlich zügige, geschlossene Tragödie entstand. Und zwar ist der Gefügecharakter des Werks darauf angelegt, daß Rose Bernd, das junge schlesische Bauernmädchen, im Zentrum einer Personenkonstellation erscheint, die ihr mit Notwendigkeit zum Verhängnis wird. „Schön und kräftig" und 20 der Lebensfreude nicht abgeneigt, ist sie ganz natürlich von draufgängerischen Liebhabern umringt. An ihr entfacht sich geradezu der Vitaltrieb, der schon in *Fuhrmann Henschel* das Verhängnis in Gang setzte. Das aus dem Sturm und Drang bekannte Motiv des verführten Mädchens, das zum Äußersten 25 getrieben wird, ergibt hier daher nicht mehr ein soziales Drama, sondern ein Bild der Determination des Menschen durch die Triebe und Süchte, die das Leben zu einer unaufhörlichen Kampfszene machen: Der „lebenslustige" Flamm hat ein Verhältnis mit Rose, das Rose abbrechen möchte, da sie einem 30

frommen Buchbinder von trauriger Gestalt namens August Keil
versprochen ist. Weiter ist da der Maschinist Streckmann, der
droht, Roses Schande ans Licht zu bringen, so daß das uner-
fahrene Mädchen keine andere Wahl hat, als auch ihm weiterhin
5 hörig zu sein. Keiner läßt ab von Rose. „Wie de Klett'n" hängen
sie sich an sie, und so nimmt das Verhängnis seinen Lauf:
August Keil, Streckmann und Flamm geraten in einem Rose
betreffenden Verleumdungsprozeß aneinander. Und noch ist
das Verfahren nicht beendet, als Rose ihr Kind zur Welt bringt
10 und erwürgt. Sobald die Tat ans Tageslicht kommt, bestätigt
sich, was bisher Ahnung war: „Ma is halt zu sehr ei d'r Welt
verlass'n! Ma is eemal zu sehr alleene dahier!"

Wie schon in früheren Dramen Hauptmanns versagt vor
einer solchen Notlage die konventionell wohlanständige Re-
15 ligiosität. Roses Vater kehrt sich von der Ehrlosen ab und sucht
seine Zuflucht in der Bibel. Kein Lichtblick am Ende. Die
letzten Worte sind das berühmte „Das Mädel . . . was muß
die gelitten han!" Nicht nur fehlt das Transzendieren des
Leids: Durch tragische Ironien wird es vielmehr noch schmerz-
20 haft gesteigert, und die gottvertrauende Haltung, zu der Rose
sich kurz aufschwingt, wird durch den Gang der Ereignisse
widerlegt und desillusioniert. Denn jenes geduldige „Wart'n uf
a Himmel" im Wissen darum, daß „uff Erden halt bloß Jammer
und Not" herrscht, verkehrt sich am Schluß gerade ins Gegen-
25 teil: in die bittere Lache der totalen Weltverzweiflung: „Kee
himmlischer Vater hat sich geriehrt."

Ein Weltbild, das nur die Hölle kennt, aber keinen Himmel,
scheint sich da zu entfalten. Zwar droht Rose ihrem Verführer
mit der Wiederbegegnung beim Jüngsten Gericht, wo sie ihn
30 zur Rede stellen werde. Aber das hat, wenn man es nicht überhaupt als Redewendung abtut, in diesem Zusammenhang zu

wenig Gewicht. Es ändert nichts. Wenn es in der Welt der
Rose Bernd dennoch einen Gott gäbe, dann wäre er so grenzenlos fern und menschlichem Bezug auch in der Tragik so unzu-
gänglich, daß sich das Weltbild ebenso verdüstert, wie wenn es
ihn überhaupt nicht gäbe. Ganz leicht aufgehellt wird es 5
nur durch die aus Enttäuschung gewachsene Humanität der
Menschenkennerin Frau Flamm. Seit Jahren gelähmt, beobachtet
sie aus ihrem Rollstuhl das menschliche Treiben und nimmt
aus tiefem Verstehen eine Haltung des Verzeihens ein, die jedoch
auch das sittliche Urteil nicht von vornherein als absurd ver- 10
wirft. Das ist freilich eine Humanität, die sich gerade unter
Ausschluß jeglichen Bezugs zum Übermenschlichen herstellt
und somit kaum noch Humanität in Hauptmanns Sinn zu
nennen ist, denn für Hauptmann gehört der religiöse Bezug
zum Wesen der Humanität. Daneben kennt zwar noch August 15
Keil eine verstehende Verzeihensbereitschaft aus pietistischer
Herzensfrömmigkeit. Aber in ihm verkörpert sich auch ein
Gutteil des Muckertums der Stillen im Lande, so daß man auch
über diesen Eindruck im Zweifel bleiben muß. Der Strahl des
göttlichen Lichts in der Finsternis, wo sie am tiefsten ist (um 20
es mit Hauptmanns am liebsten gebrauchtem Bild zu sagen),
will sich also in Rose Bernd schließlich doch nicht einstellen.

Doch enthält Rose Bernd, wie gesagt, nicht Hauptmanns
letztes Wort über das Tragische. Es ist aber verständlich, daß
gerade ein düsteres Werk wie dieses den Dichter in seiner 25
Beschäftigung mit dem Tragischen nicht hat zur Ruhe kommen
lassen. Eine lange Reihe von Tragödien zieht sich bis in die
vierziger Jahre hin. Auch in ihnen gellt der Schrei der totalen
Welt-Verzweiflung, aber er ist kaum ihr Leitmotiv. Ganz am
Ende des Hauptmannschen Schaffens steht denn auch die Be- 30
schäftigung mit dem Bildungsroman Der Neue Christophorus,

der von der Hoffnung und vom Vertrauen auf den Menschen getragen ist. Über diesem Werk ist der Dichter im Sommer 1946 in Agnetendorf in Schlesien gestorben.

Karl S. Guthke

Garten, H. F. *Gerhart Hauptmann*. Cambridge, 1954.

Guthke, Karl S. *Gerhart Hauptmann: Weltbild im Werk*. Göttingen, 1961.

Kayser, Wolfgang. „Zur Dramaturgie des naturalistischen Dramas" in *Die Vortragsreise*. Bern, 1958.

Requadt, Paul. „Die Bilderwelt in Gerhart Hauptmanns *Bahnwärter Thiel"* in *Minotaurus*. Wiesbaden, 1953.

Schrimpf, H. J. „Rose Bernd", in *Das deutsche Drama*, ed. Benno v. Wiese, Wiesbaden, 1958.

Arthur Schnitzler
1862-1931

„In Schwaben", so sagt ein alter deutscher Spruch, „geschieht alles zehn Jahre später." Und in Österreich, könnte man fast sagen, geht es noch langsamer, wenigstens in Bezug auf die Aufklärung durch die Philosophie und die Erschütterung der Gesellschaft, die Frankreich schon im späten 18. Jahrhundert [5] und Deutschland im frühen 19. Jahrhundert erlebten. Denn erst hundert Jahre später war diese große Wandlung in Österreich spürbar. In beiden Fällen aber, Österreich und Westeuropa, standen ein großer Krieg und eine durchgreifende Umgestaltung des sozialen Lebens am Ende einer langen, anscheinend stabilen [10] Glanzperiode einer nationalen oder auch übernationalen Kultur. Und in beiden Fällen stehen Ironiker da, müd lächelnd, skeptisch oder sogar verzweifelt.

So einer ist Arthur Schnitzler. In Wien geboren, wo sein
Vater ein wohlbekannter Arzt war, und in Wien auch als Arzt
erst geschult und nachher tätig, begann Schnitzler früh in seinem
ironischen Stil zu schreiben. Innerhalb der letzten sechsund-
5 vierzig Jahre seines Lebens schrieb er, oft nach jahrelanger
Umarbeitung, mehrere Romane, zehn Einakter sowie auch
gegen zwanzig längere Dramen und mehr als fünfzig Skizzen
und Novellen, die sich fast alle um dieselbe Achse drehen:
nämlich die Spannung zwischen der scheinbar freien, emp-
10 findenden Persönlichkeit, die durch Dämmerung, Wärme,
Musik und Liebe gekennzeichnet wird, und der objektiven
Welt, als deren Ausdruck die helle Sonne und frische Luft
oder sogar schlechtes Wetter, Kälte und der Tod vorkommen.
Die Liebe und der Tod machen schon einen großen Teil der
15 Schnitzlerschen Thematik aus. Dazu kommt aber auch das
Spiel, dieses scharfe Sichbegegnen unserer Hoffnungen und
unserer Notwendigkeiten. Und dieser ganze Nexus von Liebe,
Tod und Spiel wird in einem leichten, aber doch genial wirk-
samen Ton erzählt, der zwischen Scherz und Ernst sein gepfleg-
20 tes Gleichgewicht hält.

Die Liebe, die warme musikalische Innenwelt, wird oft durch
matte Lampen, Zwielicht und Phantasie symbolisiert. Anatol
mit seinem dämmerigen Zimmer zu Hause ist das bekannteste
Beispiel des empfindlichen Schnitzlerschen ‚Helden'. Der Tod
25 oder, allgemeiner genommen, die objektive Welt des Verstandes — das, was geschehen wird, ob wir es wollen oder
nicht — wird gewöhnlich durch einen ruhigen „Aufgeklärten"
dargestellt: solide Bürger, Bauherren, Advokaten, Ärzte, selbst
Bäckermeister. Sie wissen, woran sie sind und machen keine zu
30 großen Ansprüche ans Leben. Und das Spiel, dieses Treffen
unserer Träume mit den Notwendigkeiten der Außenwelt,

erscheint entweder als einfaches Kartenspiel, oft um größere Mengen Geld, als Fechten, also ums Leben, oder selbst als direkte Fragen ans Geschick. Denn in allen Werken Schnitzlers wird die leise, lächelnde Frage gestellt, worauf es keine menschliche Antwort gibt noch geben kann: Wie hängt denn eine 5 Welt zusammen, in der wir uns frei f ü h l e n , obwohl wir gleichzeitig w i s s e n , daß alles in einem eisernen Zusammenhang verbunden steht?

So beginnt *Anatol*, Schnitzlers frühstes (1890-91) Meisterwerk, mit einer buchstäblichen ‚Frage an das Schicksal‘, genau 10 wie eine viel spätere Fabel, *Die dreifache Warnung*, damit endet. In *Anatol* stellt die erste der acht nur lose miteinander verbundenen Szenen, durch die wir unseren sentimentalen ‚Helden‘ wandern sehen, den ruhigen, verständnisvollen Max und die leichtfertige, offenherzige Cora Anatol gegenüber, der 15 es nicht fertigbringen kann, dem wirklichen Leben, der Außenwelt, direkt ins Gesicht zu schauen. Denn vielleicht ist die Außenwelt, an deren Festigkeit er glauben muß, wenn er sie subjektiv genießen soll, genau so wankelmütig wie seine Innenwelt, in deren Ungebundensein er so völlig schwelgt. 20 Und wenn Cora auch so frei und leicht beweglich wäre? Wenn sie nicht so einfach wie andere Frauen wäre? Wenn sie nicht das Leben einfach liebte, ohne nachzudenken? Anatol ‚ahnt‘ und ‚fühlt‘, daß seine Cora ihn betrügt.

Aber dann liefert ihm der ruhige Max die geniale Lösung: 25 „Du schläferst sie ein und sprichst: Du mußt mir die Wahrheit sagen.“ Anatol hält den vorgeschlagenen Schritt für sehr bedenklich; so eine nackte, übermenschliche Wahrheit glaubt er nicht ertragen zu können. Aber gerade in diesem Moment kommt die niedliche Cora selbst herein, bemerkt das Dunkel 30 (das Anatol so liebt), grüßt ihren ‚kleinen Dichter‘ und zündet

Kerzen an. Bald zeigt es sich, daß Cora gar keine Angst vor
der Hypnose empfindet, bald schläft sie also fest, und bald ist
Anatol in der Lage, sich volle Klarheit zu verschaffen.

Ein solcher Augenblick ist schon fast heilig. Max drückt
5 Anatol die Hand und verläßt das Zimmer. Aber indem Anatol
die hypnotisierte Cora anschaut, sieht er auch die Möglichkeit,
die Spannung und damit die menschliche Schönheit seines
Lebens zu zerstören. Er betrachtet Cora also lange, schüttelt
den Kopf, geht herum, kniet vor ihr, steht auf und spricht:
10 „Meine süße Cora! . . . Wach auf . . . und küsse mich."
Anders gesagt: Komm mit mir wieder in die Welt der Illusionen, der Liebe und der Ironie zurück!

In einer anderen Szene, „Denksteine", erfährt Anatol, daß
seine Geliebte, die diesmal Emilie heißt, schon vor ihm geliebt
15 habe:

> EMILIE: . . . Ach . . . ich war ein dummes Ding . . .
> sechzehn Jahre!
> ANATOL: Und er zwanzig — und groß und schwarz! . . .
> Und du verfluchst diesen Tag nicht, der dich
> 20   mir nahm, bevor ich dich kannte?

Denn selbstverständlich kann Anatol es nicht ertragen, daß
Emilie, ein Bestandteil seiner Innenwelt, an eine selbständige
Existenz vor und vielleicht auch nach ihm denken kann. Wie
ein Kind verlangt er nichts als die unmittelbare, aufrichtige
25 Wahrheit, das reine Gefühl, und kann doch nichts als schöne
Lügen ertragen.

Emilie aber hat dies alles nicht verstanden. Ja, wie sollte sie
auch, die Anatol so großzügig aus dem Schlamm des Lebens
heraufholte? Aber Annie, die Anatol in der fünften Szene
30 gegenübersteht, versteht es mit der Lüge und dem Leben. Mit

ihr, wie mit Emilie, hat Anatol einen Wahrheitsbund geschlossen: In der Zeit, wo sie einander ewige Liebe schwuren,
versprachen sie auch, wie der nüchterne Max bemerkt, ruhig
auseinander zu gehen, so bald ihre Zeit um sein sollte.

Bald jedoch stellt es sich heraus, daß Anatol schon eine neue 5
Geliebte zu sich genommen hat, ohne Annie ein Wort darüber
gesagt zu haben. Aber auch Annie hat sich von neuem verliebt,
und sie will es Anatol berichten, damit sie „ruhig auseinander
gehen können". Sie kommt also Anatol zuvor, und er wird bitter
ernst. Denn sie, ein Stück seiner Innenwelt der Empfindung und 10
der Liebe, hat sich frei erklärt und ihn dadurch „betrogen".
Wütend kann er ihr nur noch ihr eigenes Betrogensein „rück-
sichtlos" ins Gesicht werfen. „Das", sagt Annie, „hab ich dir
nicht gesagt . . . Nie hätte ich es dir gesagt . . . nie!"

Und während dies „Das" in der Luft schwebt, als Anatols 15
Privatwelt mit der großen Welt verständnisvoller, schonender
Aufrichtigkeit wieder in schärfsten Konflikt gerät, kommt der
Kellner mit einer Crême, die Annie schnell hinunterschluckt,
ehe sie geht — mit einer Handvoll Zigaretten für „ihn".

In „Agonie", der sechsten Szene, steht Anatol wieder vor 20
der Qual einer erlöschenden Liebe. Natürlich rät ihm Max, er
solle ihr einfach sagen, es sei zu Ende. In diesem Ausweg aber
sieht Anatol „nur die brutale Aufrichtigkeit ermüdeter Lügner".
Und nun wird es klar, wie fest für Anatol Liebe und Leben
miteinander verbunden sind. Er spricht von den Tagen einer 25
Liebschaft, als ob es um das Sterben ginge. Er redet von
„Laune", „Rausch", und „Süßigkeiten", und sagt, daß solche
Gefühle immer wieder auftauchen, etwa wie die besseren
Tage eines schon Sterbenden, während die tötende Kälte die
Liebenden-Lebenden voneinander trennt. „Man ist so ermattet 30

345

von der Angst des Sterbens — und nun ist plötzlich das Leben
wieder da — heißer, glühender als je — und trügerischer
als je! —"

Denn so ist die verzweifelte Lage des Liebenden-Lebenden:
5 seine innere Empfindung ruft nach Freisein und Dauer, indem
sein ruhigerer Verstand anders urteilt. Leben heißt empfinden
und Betrogensein — und das Ganze nicht zu ernst nehmen.
Else wird vernünftig, zerstört dadurch die Illusion ihrer reinen,
unbedachtsamen Hingabe und wird damit „zu einer mehr".
10 Ilona aber, mit der Anatol die Nacht vor seiner Hochzeit
verbringt, weiß gut zu leben. Sie läßt sich anbeten und an-
lügen, denn, wie Max sagt, sie hält sich für einen Dämon
und ist doch eigentlich „nur" ein Weib. Aber bei Schnitzler
will das schon viel heißen. Und so bleibt Ilona das stets zu
15 liebende Weib, das Leben selbst, das wir auch lieben und
betrügen, genau so wie es das mit uns auch macht.

Wechselseitiges Lieben und Betrügen machen also das inner-
menschliche Leben und die große Welt aus. Dies zu lernen
heißt erwachen. Dies zu wissen heißt ein Aufgeklärter sein.
20 Und so ist es, daß in der letzen Szene, „Anatols Größenwahn",
viel später gedruckt, Anatol ganz anders, fast objektiv, wenn
auch immer noch ironisch auftritt. Er spricht ruhig und aufgeklärt mit Max, er braucht keinen stimmungsvollen Hintergrund
mehr, sondern liebt die Dinge als Dinge. Denn er weiß, daß
25 er ein Künstler der Liebe, das heißt des Lebens, geworden ist,
und er schaut kühl und herablassend auf die „Dilettanten"
herab. Er ist ein Meister der Liebe, der Empfindungen, der
Innenwelt. Er ist aber einfach — zu alt.

Vergebens sucht er die junge Annette zu verführen. Und mit
30 Grauen erfährt er, wie vor zwanzig Jahren Berta ihn und das
Leben gut verstanden hat und ihn eben darum anlog. Denn

noch immer „schleppt er seine Erinnerungen mit", weil sie ihm
jetzt das Leben bedeuten, genau wie Empfindung ihm einst die
Liebe, also auch das Leben, war. Die kettenartige Struktur des
ganzen Dramas wird im kleinen ganz am Ende schnell wiederholt, indem Annette, genau wie Berta ihrem Anatol vor zwanzig 5
Jahren, ihrem jungen Geliebten versichert, sie könne gar kein
Interesse für „so einen Alten" hegen. In *Casanovas Heimfahrt*
ist das Urteil ähnlich brutal: „Alter Mann".

Diese ironische Mischung von Sich-sicher-fühlen und genau so
sicherem Betrogensein liegt auch einem anderen Drama Schnitz- 10
lers zugrunde. *Der grüne Kakadu* (1898), eine „Groteske in
einem Akt", spielt in Paris am Abend des 14. Juli 1789, während
die Bastille fällt, also im Augenblick, wo die Aufklärung sich
selbst verzehrt und die Wahrheit keine feste Bedeutung mehr
hat. Statt aufgeklärt zu werden, wird der Zuschauer, wie eine 15
Anzahl der Personen des Dramas selbst, vollkommen verwirrt.
Statt „erwachte" Philosophen aus Phantasten zu machen, macht
dieses Drama Phantasten aus Philosophen. Und als Zeichen
des Verstandes, der nichts versteht, erscheint Grasset, der sogar
„Philosoph" genannt wird, am Anfang wie am Ende des Spiels. 20
Die ganze Problematik des Stückes dreht sich, wieder wie bei
Anatol, um die ironische Verbindung zwischen Liebe, Tod und
Spiel. „Für Sie", sagt der Vicomte dem Herzog, „ist doch jeder
Tag verloren, an dem Sie nicht eine Frau erobert oder einen
Mann totgestochen haben." Und der Herzog erwidert: „Das 25
Unglück ist nur, daß man beinah nie die richtige erobert — und
immer den unrichtigen totsticht."

Der „grüne Kakadu" ist ein ganz eigentümliches Lokal, worin
Schauspieler sich als Verbrecher benehmen und die Adligen

sich an diesem Scheinleben ergötzen. Hier kommt sich also ein wirklicher Verbrecher wie Grain erbärmlich vor, und ein begabter Fälscher ist eben darum ein Held. In dieser verkehrten Welt, wo Spiel zur höchsten Wirklichkeit und Wirklichkeit
5 zum schlechten Spiel geworden ist, kann keiner die wahre Lage der Dinge richtig erkennen. Ein jeder kennt nur den eigenen Standpunkt und den Lauf seiner eigenen Erfahrungen.

So ist es mit dem Schauspieler Henri, als er dem Publikum von seiner „falschen" Leocadie erzählt und wie er ihren neuen
10 Liebhaber, den Herzog, ermordet habe. Denn der Wirt weiß schon, wie es mit Leocadie und dem Herzog wirklich steht, also daß die Geschichte nicht ganz erlogen zu sein braucht. Wenn dann Spiel und Wirklichkeit durch Zufall identisch werden oder zu werden scheinen, schreit der Wirt laut auf: „Wahn-
15 sinniger!" und Henri, der große „Spieler", schaut ihn verständnislos an. Für die Adligen scheint Henri, wie die Anderen in dem „grotesken" Spiel, nur Spaß mit seinem Verbrechertum zu treiben. Allmählich aber haben wir das Gefühl, daß das scheinbare Spiel doch allzu wirklich ist: der Herzog, ein Symbol des
20 Lebens selbst, das liebt und irrt und tötet, soll durch den eifersüchtigen Henri umgebracht worden sein. „Henri steht stieren Blicks da", „der Spaß ist zu Ende", und der Wirt versichert uns, es sei alles nur allzu wahr.

Großes Spiel oder grausame Wirklichkeit? Wir wissen es
25 einfach nicht. Nur Henri weiß, daß es nicht wahr ist. In diese Stille fragt die Marquise, die Wissenwollende, die auch gut spielen kann, wo denn die Wahrheit sei. Und die volle, lebendige, fragwürdige Wahrheit drängt sich durch die Masse: Der Herzog kommt, schön wie das Leben selbst, und Henri stößt
30 ihm den Dolch in den Hals.

348

Der nüchtern-blinde Kommissär findet, das gehe doch zu
weit; die Marquise fühlt sich „wunderbar getroffen" und
„angenehm angeregt"; Henris Geliebte bedauert die Tat, die
sie nicht wert war; und das Volk in seiner phantastischen,
nichtzufassenden Welt, wo weder Wissen noch Wollen eine 5
Bedeutung mehr haben, ruft: „Es lebe die Freiheit!" Die Ironien
werden immer dichter, und das Spiel ist aus.

Der höchst subjektive Stil, worin die isolierte Persönlichkeit in einem ununterbrochenen Bewußtseinsstrom einfach
vor sich hin zu reden oder selbst zu empfinden scheint, macht 10
einen wesentlichen Bestandteil von Schnitzlers Technik aus.
Die Ironie des menschlischen Lebens wird anders ausgedrückt,
der leichte Scherz und Witz ist nicht mehr da, und die
elegant gewählte Sprache wird, wie in *Leutnant Gustl* (1900),
zum echten Wiener Dialekt.   15
Die ganze Novelle wird durch die unmittelbaren Wahrneh-
mungen, Empfindungen und Gedanken des Hauptcharakters
getragen. Statt Drama haben wir Monolog oder sogar eine
Art Lyrik. Die Novelle fängt, wie so viele seiner Werke, recht
packend an: „Wie lange wird das noch dauern? Ich muß auf 20
die Uhr schauen . . . schickt sich wahrscheinlich nicht in einem
so ernsten Konzert." Sogleich empfinden wir eine warme Sympathie mit dem armen, ungeduldigen Leutnant, der ein Spielball
seiner Umwelt ist, der sich hat überreden lassen, ins Konzert
zu gehen, weil die Schwester eines Kameraden mitsingt. All- 25
mählich aber — denn wieder zeigt uns Schnitzler Wandlungen
statt Handlungen — bemerken wir, daß dieser Leutnant doch
kein so einfaches Leben führt: „Ja, übermorgen bin ich vielleicht

schon eine tote Leiche!" So werden Liebe, Tod und Spiel wieder aneinander gerückt.

Leutnant Gustl, so erfahren wir, liebt die Steffi, verliert zu viel beim Spiel und hat am nächsten Tag ein Duell mit einem
5 gewissen ‚Doktor', dessen Namen er nicht einmal weiß. Seine Gedanken drehen sich in immer engeren Kreisen, und dann, ganz auf einmal, wird er durch einen Zwischenfall von außen unterbrochen. Ein Bäckermeister beleidigt ihn, als sie alle im Gewühl vor der Garderobe stehen, und damit wird Gustls Leben
10 völlig umgewandelt. Der Bäckermeister könnte es allen seinen Freunden erzählen, wie er den Leutnant so erniedrigt hat. Also hat Gustl keine Ehre mehr; also darf das Duell nicht stattfinden; also muß Gustl sich sogleich erschießen. Auf einmal fühlt er, wie er „jetzt wer anderer ist, als vor einer Stunde". „Nachmittag
15 war noch alles gut und schön, und jetzt bin ich ein verlorener Mensch und muß mich totschießen." Und dies alles, weil ein ruhiger, aufgeklärter Bürger einem jungen Leutnant ein bißchen Geduld empfohlen hat.

Damit ist die Novelle schon in vollem Gang. Jetzt folgt der
20 Leser Gustl, als er seinen einsamen Weg durch Wien geht. Der Held spricht von „einschlafen" und „nimmer aufwachen". Aber morgen früh, nicht einmal morgen nachmittag, wird es schon aus sein. In dem einen Augenblick lastet dieser Todesgedanke schwer auf Gustls Gemüt; im nächsten aber denkt er
25 wieder an die Liebe — und damit ans Leben —, die er mit der hübschen, blonden Frau bei Mannheimers vielleicht hätte genießen können. Sein bisheriges Leben rollt jetzt vor seinen Augen ab, eine Liebschaft nach der anderen. Dann denkt er an die Schwester Klara, an die Eltern, an seine Schulden, selbst
30 an Amerika, wo „kein Mensch davon weiß, was hier heut' abend

gescheh'n ist". Er fängt schon an, sich vor dem Wahnsinn zu fürchten. Denn für ihn gibt es kein Amerika, keinen Ausweg aus dem, was eben passiert ist, aus seinem Leben. Bald wiederholt er sich den ganzen Zwischenfall: „Alle die Sachen, die da zusammengekommen sind . . . das Pech im Spiel und die ewige Absagerei von Steffi — und das Duell morgen nachmittag" — also noch einmal Schicksal, Liebe und Tod. Die Problematik der menschlichen Existenz in einer objektiven Welt, die wir nicht anders als subjektiv erleben können, drückt den armen, einst so heiteren Leutnant allmählich nieder. Und so, indem er an seinen herannahenden Tod denkt, seinen Tod wegen einer Sache, die ihm letzten Endes völlig gleichgültig ist, schläft er endlich ein.

Um drei Uhr wacht Gustl wieder auf und bedenkt, daß er sich totschießen soll. Schnell erinnert er sich an des Lebens warme Freuden: an Frühling und Steffi und Blumen . . . und an die Adel', „die einzige, die ihn gern gehabt hat" . . . Er denkt, wie dumm es doch eigentlich ist, daß der Bäckermeister ihn, Gustl, tötet: „Ja, Gustl, merkst d'was? — der ist es, der dich umbringt!"

Dies ist es eben, was den armen Leutnant so rasend macht. Sein Tod ist nicht mehr fraglich wie bei den Karten oder einem Duell oder sogar dem gewöhnlichen Leben selbst. Auf einmal verlangt die Außenwelt durch den verwünschten Bäckermeister und die Offiziersethik, daß er, der junge, lebensfrohe Gustl sich freiwillig totschieße: „Ich möcht noch manches gern sehen, wird nur leider nicht möglich sein — aus is! —"

Er denkt an seinen Burschen, bemerkt eine vorbeimarschierende Truppe, erinnert sich an sein letztes Liebesabenteuer — „Ach Gott, das ist doch das einzige reelle Vergnügen" — und

fühlt jetzt wahre Angst vor dem Morgen, an dem er aufhören
muß zu sein.

Er faßt sich aber wieder, bemerkt die jungen Frauen, die schon
ins Geschäft gehen müssen, denkt wieder an die Steffi und den
5 Tod, und dann kommt er an eine Kirche und geht hinein. Hier,
wie in der Novelle *Die Fremde* (1902), sucht wieder eine
isolierte Persönlichkeit vergebens irgendeine Verbindung mit
der Welt in einer dunklen Kirche: „Orgel — Gesang — hm!
— was ist denn das? — Mir ist ganz schwindlig . . . O Gott,
10 o Gott, o Gott! ich möcht' einen Menschen haben, mit dem ich
ein Wort reden könnt' vorher!" Aber für ihn gibt es einen
solchen Menschen nicht. Er verläßt also die Kirche, fühlt wieder
seinen Hunger, denkt noch einmal an seinen bevorstehenden
Tod, an sein Leben beim Militär, an das Duell mit dem Doktor,
15 an Steffi, an alles, was er noch zu bestellen hat, ehe er stirbt:
„Totsein, ja, so heißt's — da kann man nichts machen."

Damit aber sieht er auch ein, daß er sich eine weitere Stunde
Leben leicht gönnen kann. Er sucht also sein Kaffeehaus auf,
nimmt Platz, bestellt seinen letzten Kaffee . . . und hört, der
20 Bäckermeister sei tot! Noch besser, sein Geheimnis sei mit ihm
gestorben. Und jetzt, indem er des Bäckers Semmeln ißt, versucht er seine Freude statt seiner Angst zu verbergen. Wie ein
wildes Raubtier, das sich nur durch den Tod anderer erhält,
jauchzt der befreite Gustl vor sich hin:

25   Ich glaub', so froh bin ich in meinem ganzen Leben nicht
        gewesen . . . Tot ist er — tot ist er! . . . Ah, warum, ist
        mir ganz egal! Die Hauptsach' ist: er ist tot, und ich darf
        leben, und alles g'hört wieder mein! . . . In einer Viertel-
        stund' geh ich hinüber in die Kasern' und laß mich vom
30   Johann kalt abreiben . . . um halb acht sind die Gewehr-

griff', und um halb zehn ist Exerzieren. — Und der Steffi
schreib' ich, sie muß sich für heut abend frei machen . . .
Und nachmittag um vier . . . na wart', mein Lieber, wart',
mein Lieber! Ich bin grad' gut aufgelegt . . . Dich hau'
ich zu Krenfleisch!   5

Und damit ist Gustl wieder das geworden, was er vorher war:
jung und unbedenklich, kampflustig, liebes- und lebensfroh, zum
Spiel bereit, selbst wenn es um den Tod geht. Denn mit einem
bestimmten Maß Ungewißheit läßt es sich wohl leben. Nur die
grausige Gewißheit, daß er keine anderen Chancen hatte, war es, 10
was ihn so einsam-rasend machte.

    Diese Last der Einsamkeit, die Gustl so ganz besonders in
der Kirche spürte, und die eigenartige Freude, die Schnitzlers
Helden durch innige Verbindung mit anderen Menschen empfinden, bilden den Kern einer weiteren bekannten Novelle 15
Schnitzlers: *Der blinde Geronimo und sein Bruder* (1900).
Hier aber ist das Problem, und damit der Stil, ganz anders.
Zwei einsame Charaktere werden uns episch vorgestellt: der
blinde Geronimo, der in seinem Dunkel nur singen und
betteln kann, und sein Bruder Carlo, der an Geronimo und 20
sein eigenes Schuldbewußtsein festgekettet ist. Denn Carlo
war es, der die Blindheit des Bruders unabsichtlich verschuldet
hat; und die beiden denken immer noch daran. Innen wie
außen ist ihnen die Welt also kalt, kahl und naß. Der Winter
läßt sich schon spüren, denn der Herbst ist allzufrüh gekommen, 25
und die Brüder wollen bald fort vom alten Wirtshaus in den
Bergen, wo sie den ganzen Sommer lang Vorüberreisenden ihre
Lieder vorgesungen und ein wenig Geld abgebettelt haben.
    Aber ehe sie gehen, kommt ihnen das Schicksal zuvor. Ein
junger Reisender aus der großen, unbekannten Welt gibt Carlo 30

einen Franken, sagt Geronimo aber, es sei ein Zwanzig-Frankenstück gewesen. „Schicksal, nimm deinen Lauf", spricht der Reisende leise vor sich hin, steigt ein und verschwindet. Das Ironische ist, daß Carlo schließlich zwanzig Franken stehlen
5 muß, um Geronimo zu überzeugen, er sei kein Dieb und habe das Geld nicht zu sich genommen. Oder jedenfalls *scheint* dies das Hochironische zu sein.

Aber bald, wie in *Der grüne Kakadu*, stellt sich heraus, daß die Sache nicht so einfach ist. Carlo führt den blinden Bruder fort,
10 damit sie der Polizei entkommen. Doch bald werden sie von einem gemütlichen Gendarm aufgehalten und auf den Polizeiposten geführt.

> Und plötzlich blieb Geronimo stehen . . . erhob seine Arme und tastete mit beiden Händen nach den Wangen
> 15 des Bruders. Dann näherte er seine Lippen dem Munde Carlos, der zuerst nicht wußte, wie ihm geschah, und küßte ihn.

Denn jetzt weiß Geronimo, daß Carlo die zwanzig Franken für ihn — statt von ihm — gestohlen hat, daß Carlo ihn also doch
20 liebt und daß er daher nicht mehr allein in der Welt steht.

Der wohlmeinende Bäckermeister hat Gustl beinah getötet, und der leichtsinnige Reisende hat die zwei einsamen Brüder wieder zusammengebracht. Die ironische Lösung ist also wieder da, und jetzt wird die Sprache auf einmal leichter, wärmer,
25 empfindsamer. Schnitzler war Psychologe und wußte die Sprache wohl zu gebrauchen.

Ganz am Ende der Novelle, wie bei Gustl, sehen wir eine Art neuen Menschen, liebes- und lebensfroh und zufrieden in einer unbestimmten Welt:

Und Carlo, mit festem Druck den Arm des Blinden
leitend, ging wieder vorwärts. Er schlug einen viel ra-
scheren Schritt ein als früher. Denn er sah Geronimo
lächeln in einer milden glückseligen Art wie er es seit den
Kinderjahren nicht mehr an ihm gesehen hatte. Und ⁵
Carlo lächelte auch. Ihm war, als könnte ihm jetzt nichts
Schlimmes mehr geschehen, — weder vor Gericht, noch
sonst irgendwo auf der Welt. — Er hatte seinen Bruder
wieder. . . . Nein, er hatte ihn zum erstenmal.

Schnitzlers Helden leiden weder an ihrem Milieu noch an ¹⁰
unzulänglicher Erziehung, weder an Gott noch an der Geschichte, sondern, wieder wie im späten 18. Jahrhundert, an
den Grundbedingungen der menschlichen Existenz überhaupt,
an dem tragisch-komischen Streit zwischen Wollen und Erfahren, zwischen der Innen- und der Außenwelt. Bei ihm gibt ¹⁵
es also keine große, allumfassende Philosophie, wonach der
Leser sein Leben zu richten hat. Denn solche Programme passen
besser in ruhigere Zeiten, wo man weiß, woran man ist, und wo
man den Unterschied zwischen Natur und Kunst, zwischen Sein
und Schein, kennt . . . oder zu kennen glaubt. Ja, solche stabilen ²⁰
Systeme müssen in sich einig sein, denn sie wollen das Menschenleben ideologisch zwingen und ordnen, und der kleinste Selbst-
zweifel zerstörte sonst das ganze Werk. Das Lächeln der Ironie
würde wohl die Vernichtung des großen Komplexes bedeuten.

Es ist aber eben dieses Lächeln, dieses leise Zweifeln an den ²⁵
Prätentionen jedes Systems und jedes Ichs, das Arthur Schnitzlers Werke kennzeichnet und ihnen ihren ästhetischen Wert
verleiht. Und es mag wohl sein, daß diese köstliche Ironie
wieder die letzte Frucht einer aussterbenden Kultur ist, die nicht
mehr unbedenklich, selbstbewußt und lebensfroh Programme ³⁰

Arthur Schnitzler

macht, noch einfach unterhalten will. Ein Gustl schreibt keine Novellen.

Harlan P. Hanson

Fuchs, Albert. *Arthur Schnitzler.* Wien, 1946.
Kapp, Julius. *Arthur Schnitzler.* Leipzig, 1912.
Neuse, Werner. „ ‚Erlebte Rede' und ‚Innerer Monolog' in den erzählenden Schriften Schnitzlers", *Publication of the Modern Language Association* XLIX, 1934.
Plant, Richard. "Notes on Arthur Schnitzler's Literary Technique", *Germanic Review* XXV 1950.
Schinnerer, Otto. "The Early Works of Schnitzler", *Germanic Review* IV 1929.

Rainer Maria Rilke

1875-1926

„**D**u mußt dein Leben ändern." Zu dieser schwerwiegenden Erkenntnis kommt der Dichter Rilke bei der Betrachtung einer antiken Skulptur, die noch im Torso den großen Meister verrät. Der Satz bildet den Abschluß des Gedichtes „Archaischer Torso Apollos" aus dem Jahre 1908. „Du mußt dein Leben ändern" 5 bedeutet hier den Willen zu kompromißloser Hingabe an die Kunst, den Entschluß, um der großen künstlerischen Leistung willen das Dichterleben dem Dichtertum unterzuordnen, und das heißt bei Rilke: zu opfern. Wenn man unter den deutschen Dichtern des zwanzigsten Jahrhunderts nach einem ‚reinen 10 Künstler" sucht, so wird man keinen eindrucksvolleren Repräsentanten dieses Typs finden können als Rainer Maria Rilke.

Sein Körper ist schwächlich, sein Empfindungs- und Ge-

fühlsvermögen von zerbrechlicher, seltener Feinheit. Aber dennoch und teilweise gerade deswegen zwingt er sein Leben unter ein ungewöhnlich hartes Arbeitsethos. Alles wird auf die „große Arbeit" ausgerichtet: sein Verhältnis zur Welt, zu den
5 Freunden und Frauen. Die harmonische Verschmelzung von Kunst und Leben, zu der es Goethe — nicht ohne Kämpfe und Krisen freilich — brachte, bleibt ihm versagt. Rilkes Leben ist erschwert und beunruhigt durch eine dauernde, wenigstens einmal katastrophennahe Spannung zwischen den Forderungen
10 der künstlerischen Arbeit und den Ansprüchen der menschlichen Existenz. Er sieht diese Ansprüche als Feinde seiner großen dichterischen Aufgabe. Er leidet an der typischen Intellektuellen- und Ästhetenproblematik seiner Zeit: dem Konflikt zwischen der Sehnsucht nach Bindung und dem Bedürfnis nach
15 Unabhängigkeit (und auch an einem Mangel an Bindungsfähigkeit). „Schicksal vermeidend, sich sehnen nach Schicksal", sind die Worte, die er dafür in seinem monumentalen Spätwerk *Duineser Elegien* findet. Sein Mangel an wirtschaftlichem Talent macht ihn von Mäzenen abhängig, und stets findet er einfluß-
20 reiche, wohlhabende Menschen, die ihm helfen. Auffällig oft sind es Prinzen, Fürsten, Grafen oder Barone, vor allem edle Damen, die ihm ihre Schlösser zur Verfügung stellen. Und auch von diesen großzügigen Gönnern macht sich Rilke immer wieder frei, oft zum Mißvergnügen seiner Gastgeber. Kein deutscher
25 Dichter ist jahraus, jahrein so ruhelos wie er von Land zu Land, von Mäzen zu Mäzen gereist, von Mäzen zu Mäzen geflohen. Er führt eine immer abreisebewußte Gast- und Hotelzimmerexistenz. Die Vertiefung und Vollendung seiner Kunst und seines geistigen, seelischen Lebens gehen ihm über alles. Er braucht
30 dazu ein Höchstmaß an Konzentration und Alleinsein. Oft

schließt er sich wochenlang in der Einsamkeit eines stillen Zimmers von der Außenwelt ab.

Der Begriff „Einsamkeit" ist von grundsätzlicher Bedeutung bei Rilke. Wohlwollend-spöttisch hat W. H. Auden ihn ‚the Santa Claus of loneliness' genannt. Aber für Rilke ist Einsam- 5 keit im wahren Sinn des Wortes eine todernste und lebenswichtige Angelegenheit. Er macht daraus ein Lebensprinzip. Rilkesche Einsamkeit ist Freisein von den Ablenkungen und Zerstreuungen des modernen Lebens und Freiwerden für das Aufnehmen und innere Verarbeiten der stillen Werte, Geheim- 10 nisse und Botschaften der Welt. Einsamkeit ist also zugleich ein Zustand und ein Prozeß, woraus Erkenntnis und schöpferische Kraft kommen. Rilke ist ein Verächter der großen Städte, des Maschinellen, des lauten Betriebs, des gesellschaftlichen Lebens. Er ist ein zeitfremder Individualist und Sonderling. Und doch 15 ist er ein „Moderner": eine charakteristische Erscheinung des von Nietzsche angekündigten „nihilistischen Zeitalters", ein Mensch verstrickt in der Problematik der nach-christlichen, nach-bürgerlichen und nach-klassischen Epoche. Er bricht mit den alten Werten: mit Christus und der Kirche, mit den Idolen 20 des Bürgertums, mit den Harmonie-Vorstellungen des deutschen Idealismus und baut sich ringend und leidend eine neue, kühne Welt und eine neue, kühne Sprache.

Es begann aber sehr bescheiden. Als fünfzehnjähriger Schüler veröffentlichte Rilke 1890 seine ersten dichterischen 25 Gehversuche, als Abiturient bereits seine erste Gedichtsammlung. Dann folgten Novellen, Erzählungen, weitere Jünglingsgedichte und sogar ein paar Dramen. Doch diese Anfänge verraten wenig von dem späteren Dichtergenie. Es sind lyrische

Ergüsse voller Träume, Gärten, Mädchen und Engel, die
Erzeugnisse eines übereilten Geltungsstrebens und eines jungen
sehnsüchtigen Gemüts. Rilkes frühe Jugend war unerfüllt. Bei
seinen Eltern fand er wenig Verständnis für sein künstlerisches
5 Wesen. Seine oberflächliche Mutter lernte er mehr und mehr
verachten. Die ersten elf Jahre verbrachte er in seiner Geburts-
stadt Prag. Als die Ehe der Eltern zerbrach, schickte ihn der
Vater im Jahre 1886 auf die Dauer von fünf Jahren auf eine
Militärakademie in Österreich. Diese Kadettenjahre nannte
10 Rilke noch als reifer Mann „eine Fibel des Entsetzens", eine Zeit,
„wo keine Stunde ohne den Nachklang einer Befehlsstimme
war." Es waren die seinem zarten, empfindsamen Wesen unge-
mäßesten Jahre seines Lebens. Ihr Schatten fällt weit in sein
Werk. Zeit seines Lebens hat er die Unerfülltheit seiner Kind-
15 heit beklagt. In seinem Werk nimmt der Begriff „Kindheit"
einen bedeutsamen Platz ein, denn er hielt den seelischen Reifeprozeß dieser Entwicklungszeit für wichtig, besonders für einen
Dichter.

Dem jungen Rilke fehlte der große Lehrer, die literarische
20 Bildung. Die Entwicklung seines Geschmacks vollzog sich
langsam und mühsam. Aber der Rilkesche Schwung, der charakteristische schmelzende Ton und die technische Geschicklich-
keit bildeten sich bereits aus, wie man an Versen wie diesen
erkennen kann, die von den Liedern sagen:

25
　　　　Wie Fontänen sind sie, und sie fallen
　　　　leiser und in Liederintervallen
　　　　ihren Schalen wieder in den Schoß . . .

Und gerade in der Periode des noch unausgereiften Schaffens,
im Jahre 1899, gelang dem vierundzwanzigjährigen Dichter die
30 Arbeit, die — erst Jahre später herausgegeben — sein größter

360

Publikumserfolg geworden ist: *Die Weise von Liebe und Tod
des Cornets Christoph Rilke*, eine feurige Ballade in lyrischer
Prosa. Er hat sie, vom Hinziehen der Wolken über den Mond
inspiriert, in einer windigen Herbstnacht bei flackerndem Ker-
zenlicht geschrieben. Das kleine Werk hat eine hinreißende 5
Sprache und ein engagierendes lyrisches Tempo. Es ist halb
rhythmische Prosa, halb gereimtes Gedicht. Ein mutiger, jugendlicher Reiter fliegt in den Krieg gegen die Türken: „Reiten,
reiten, reiten, durch den Tag, durch die Nacht. Reiten, reiten,
reiten." Da ist der Reiz der Gefahr, das schäumende, kraftvolle 10
Leben im Angesicht des Todes. „Aus dunklem Wein und
tausend Rosen rinnt die Stunde in den Traum der Nacht." Da
klirren Waffen, rauschen Feste, locken viele Frauen. Und durch
eine wird er zum Mann. Nach einer Nacht des aufgehobenen
Gesetzes braust der Held in die Schlacht, in den süßen Tod, 15
„und die sechzehn runden Säbel, die auf ihn zuspringen, Strahl
um Strahl, sind ein Fest. Eine lachende Wasserkunst."
In diesem Jahre 1899 hatte Rilke ein Erlebnis, das auf seine
weitere Dichtung einen bleibenden Einfluß ausüben sollte. Er
hatte 1891 vorzeitig die Militärakademie verlassen, hatte dann 20
mit ausgezeichnetem Erfolg in Prag sein Abitur gemacht, war
Student an der Prager Universität und, endlich frei vom Elternhaus an der Universität München geworden. Dort hatte er —
es war eine der Glücksstunden seines Lebens — eine der bedeutendsten Frauen der Zeit kennengelernt: Lou Andreas- 25
Salomé, die geistreiche Frau eines Berliner Professors und Tochter eines russischen Generals. Lou war eine Schülerin und
Bekannte Freuds, Nietzsche hatte vergeblich um ihre Hand
geworben, und Rilke, der aufsteigende Stern am Dichterhimmel,
sollte nun ihr jüngster Anbeter werden. Im Frühjahr 1899 traten 30
nun beide mit Lous Gatten eine Rußlandreise an. Diese Reise

hinterließ in dem außerordentlich empfänglichen Dichter einige
der tiefsten Eindrücke seines ganzen Lebens. Das Land war ungewöhnlich groß und schön, ein Gespräch im Hause Tolstois
unvergeßlich, am unvergeßlichsten aber eine nächtliche Oster-
5 messe im Kreml. Als beim Erheben der Monstranz die Massen
in die Knie sanken und beim tausendstimmigen Chor des
„Wahrlich, er ist auferstanden!" plötzlich die Kremlglocken
ein gewaltiges Geläut anstimmten und die Menschen sich um-
armten und küßten, da war Rilke zutiefst erschüttert und ergrif-
10 fen von „diesem weiten, heiligen Land" und dieser starken,
bodenverwurzelten Religiosität, die ihm selber fehlte.

Die bedeutendste dichterische Frucht des Rußland- und des
Lou-Erlebnisses ist sein erst 1905 veröffentlichtes *Stundenbuch*,
ein dreiteiliger Gedichtzyklus. Auch hier noch herrscht das Ge-
15 fühl. Aber es beginnt, die Selbstbespiegelung zu überwinden.
Es hat jetzt äußere Gegenstände: Gott und — im dritten, auf
spätere Paris-Erlebnisse gegründeten Teil — den Tod, die
Angst, die Armut (die er preist als „großer Glanz aus Innen",
d. h. aus innerem Reichtum). Ein junger Mönch betet die Ge-
20 dichte zu Gott, einem Gott, der unter anderem als ‚Dom',
‚Turm', ‚Baum' und ‚dunkelnder Grund' erscheint. Das ist kein
christlicher, sondern ein pantheistisch-gnostischer Gott, der von
den Menschen abhängig ist, an dem sie arbeiten müssen. Er ist
ein Unvollendeter: „Was wirst du tun, Gott, wenn ich sterbe?/
25 Ich bin dein Krug (wenn ich zerscherbe?)." Hier wird die religiöse Sehnsucht plastisch gestaltet, der unsichtbare, unbegreif-
liche Gott umkreist, die Frage nach dem Lebenssinn gestellt:

> Ich kreise um Gott, um den uralten Turm,
> und ich kreise jahrtausendelang,
> 30 und ich weiß nicht: bin ich ein Falke, ein Sturm
> oder ein großer Gesang.

Der Mensch, der den christlichen Gott verlor, hat noch sein metaphysisches Verlangen, seine undogmatische Frömmigkeit. Er sucht nun eine neue Wahrheit. Einen Christus gibt es dabei nicht. Rilke hielt Christus für ein Hindernis, einen „Verdecker Gottes", des großen Un-Menschlichen. Er nannte ihn später in einer rabiat antichristlichen Stunde „das Telefon ‚Christus', in das fortwährend hineingerufen wird: Hallo, wer dort? — und niemand antwortet." In seinem von Hindemith vertonten Gedichtzyklus *Marienleben* (1913) erschien Christus als der Mann, der die Frau ins Unglück stürzt. Auch in den mit dem *Stunden-* *buch* thematisch verwandten dreizehn *Geschichten vom lieben Gott* geht es nicht um den christlichen Erlöser, sondern wieder um den Gott, der den Menschen braucht. Die Geschichten zeigen Gott in allen Dingen, zum Beispiel in dem Stein, den Michelangelo bearbeitet, in einem Fingerhut und in einem blinden Sänger.

Das Buch der Bilder (1902, 1906), das parallel zu dem *Stundenbuch* entstand, weist bereits auf die Entwicklung zu Rilkes reiferer Periode hin. Hier ist das Objekt seiner Frömmigkeit nicht mehr nur Gott, sondern die Welt der „Dinge", d. h. der Gegenstände und der Erscheinungen, zu denen auch Gott und die Menschen gehören. Der Dichter wird jetzt Augenmensch, intensiver Beobachter seiner irdischen Umgebung: „Immer verwandter werden mir die Dinge/ und alle Bilder immer angeschauter." Er umkreist nun die Dinge wie *Das Stundenbuch* den Gott, er besingt und heiligt sie: Landschaften, Abende, Nächte, einen Herbsttag („Herr: es ist Zeit. Der Sommer war sehr groß."), die Kindheit und einsame, arme, gefährdete Menschen.

Im Sommer des Jahres 1900 unternahmen Rilke und Lou eine

zweite russische Reise, nach welcher sich Lou von ihm distanzierte. Im Jahre darauf heiratete der Dichter in der nordwestdeutschen Künstlerkolonie Worpswede die Malerin und Bildhauerin Clara Westhoff, eine tatkräftige, energische Frau. Es
5 sollte eine mehr getrennt als gemeinsam verbrachte Ehe werden, in der das individuelle künstlerische Wachstum über alles ging, auch über die Ehe selber. Als sich nach der Geburt einer Tochter materielle Not einstellte, gelang es Rilke 1902, einen Auftrag zur Abfassung einer Monographie über den französischen Bild-
10 hauer Auguste Rodin zu erhalten. Paris wurde ein neuer Höhepunkt seines Lebens, eine erst verhaßte, dann geliebte Stadt, der Ort der höchsten künstlerischen Herausforderung. Anfangs war Rilke nur Besucher bei Rodin, später wurde er auf einige Monate dessen Privatsekretär. Fasziniert beobachtete er Persönlichkeit,
15 Arbeitsweise und Werk des Meisters, vor allem dessen außergewöhnliche Hingabe an seine schöpferische Tätigkeit. Rilke kam zu der Erkenntnis, daß große Kunst die Aufopferung des außerkünstlerischen Lebens verlangt, daß man sich entscheiden muß: „Entweder Glück oder Kunst." Er fragte Rodin: „Comment
20 faut-il vivre?" und erhielt die berühmt gewordene Antwort: „Il faut travailler, rien que travailler. Et il faut avoir patience." Für Rilke, der Rodin wie einen Heiligen verehrte, hatte das große Folgen: er lernte, die harte Arbeit über die Inspiration zu stellen, das Sehen- und Darstellenkönnen über die maßlosen
25 Ergüsse des Gefühls. Er lernte nun das sachliche Erfassen eines Gegenstandes. Er sah bei Rodin, wie im Kunstwerk — er nannte es jetzt oft „Kunst-Ding" — ein Ding aus der Dimension der Zeit herausgerissen und in den Raum hineinverwandelt werden muß, in dem es dann zeitlos wird. Er sah, daß und wie es ideal
30 werden muß, nämlich ewig gültig und in sich geschlossen. Auch

an der Malerei Cézannes konnte er diese große Kunst der Ding-
Gestaltung, der Erfassung des Wesentlichen studieren.

Es ging also jetzt zum erstenmal um eine „objektive" Kunst,
in der das Ich des Dichters zurücktritt. Nach dem zart-melodi-
schen *à peu près*, dem ‚lyrischen Ungefähr' des Frühwerks kam 5
jetzt eine härtere Kunst der Präzision, an der man, nach den
Worten des österreichischen Dichters Robert Musil, sehen kann,
„wie aus Porzellan Marmor wird". Es war die Hoch-Zeit der
‚Dingdichtung', eines lyrischen Genres, als dessen Schöpfer
Rilke vor allem durch seine Sammlung *Neue Gedichte* in die 10
Literaturgeschichte eingegangen ist.

Das berühmteste und vielleicht charakteristischste Dinggedicht ist zugleich eines der frühesten: „Der Panther". Ein
Raubtier, dazu geschaffen, seine Kräfte in der Freiheit zu üben,
ist schon seit langem im Käfig.   15

> Sein Blick ist vom Vorübergehn der Stäbe
> so müd geworden, daß er nichts mehr hält.
> Ihm ist, als ob es tausend Stäbe gäbe
> und hinter tausend Stäben keine Welt.

Sein Gefangenenleben ist betäubend monoton, mechanisch und 20
passiv geworden. Die Stäbe gehen schon mehr an ihm vorüber
als er an ihnen. Durch die Anhäufung der schwerfälligen Um-
laute „ü" und „ä" (sieben in vier Versen!) wird das auch im
Klang deutlich gemacht. Die unaufhörliche Kreisbewegung des
Panthers und seine Unfähigkeit, auf matt noch manchmal in 25
seine Augen fallende Bilder der Außenwelt zu reagieren, ver-
dichten mit wenig Aufwand den Zustand der Gefangenschaft:

> Der weiche Gang geschmeidig starker Schritte,
> der sich im allerkleinsten Kreise dreht,

ist wie ein Tanz von Kraft um eine Mitte,
in der betäubt ein großer Wille steht.

Nur manchmal schiebt der Vorhang der Pupille
sich lautlos auf —. Dann geht ein Bild hinein,
5   geht durch der Glieder angespannte Stille —
und hört im Herzen auf zu sein.

„Der Panther" ist eines der „objektivsten" Gedichte, die Rilke jemals geschrieben hat. Sein dichterisches Wesen neigte stark zum subjektiven Ausdruck, weshalb er später wieder von dieser 10 Sachlichkeit abrückte. Aber die nüchterne Konzentration auf Reales war für ihn, den Gefühlsexzentriker, eine äußerst wertvolle Schule. Er versuchte sich an Tieren, Menschen, Blumen, Kunstwerken, Orten und an biblischen und legendären Themen. Schon die Gedichttitel drücken die Absicht aus, ein ‚Ding' zu 15 erfassen, zu verstehen: „Die Gazelle", „Der Schwan", „Die Kathedrale", „Das Portal", „Der Gefangene", „Das Kind", „Der Ball", „Das Jüngste Gericht". Rilke wollte das Wesentliche eines Gegenstandes aussagen, das Ineinandergreifen von Gestalt und Wesen, von Außen und Innen. Bezeichnend dafür 20 ist zum Beispiel das Gedicht „Das Rosen-Innere". Rosen geben ihren inneren Reichtum an Blütenblättern sorglos dem Dasein hin, sie „fließen / über von Innenraum".

Welche Himmel spiegeln sich drinnen
in dem Binnensee
25   dieser offenen Rosen,
dieser sorglosen, sieh:
wie sie lose im Losen
liegen, als könnte nie
eine zitternde Hand sie verschütten.

Man kann viele Dinggedichte dieser Periode auf wenigstens zweierlei Weise sehen: als unmittelbare Darstellung des Gegenstands und als Träger tiefer, verborgener Bedeutungen. Dafür ist das bekannte Gedicht „Das Karussell" ein Beispiel. Rilke schildert, was er beim Drehen eines Karussells im Pariser *Jardin* 5 *du Luxembourg* sieht: die Nachbildungen von Wagen und Tieren und die Kinder, die auf ihnen sitzen und „eine kleine Weile" sich im Kreise drehen, eine Bewegung, die „kein Ziel" hat. Es ist nicht schwer, in diesem Bild die bunte Ziellosigkeit des Lebens zu sehen oder die seines Frühstadiums, der Kindheit. 10 Die Kinder — das ist der letzte Gedanke des Gedichts — verschwenden ein seliges Lächeln an „dieses atemlose blinde Spiel". Die Pferde, auf denen sie reiten, kommen „aus dem Land,/ das lange zögert, eh es untergeht", aus der Zeit des alten, naturverwurzelten Lebens, aus einem guten, magischen Märchenland. 15 Mit den Kindern läuft ein „böser roter Löwe" im Kreis; er ist hier offensichtlich das Sinnbild der Gefahr, die dem Kind oder dem Menschen überhaupt begegnet. Und dann und wann erscheint ein weißer Elefant, das Seltene, Große, Geheimnisvolle. Ein Hirsch, auf dem ein kleines blaues Mädchen sitzt, wird zum 20 Träger natürlicher Unschuld und träumerischer Hoffnung. Und über allem dreht sich das Dach dieser Kindheit, dieses Lebens, und sein Schatten:

> Mit einem Dach und seinem Schatten dreht
> sich eine kleine Weile der Bestand 25
> von bunten Pferden, alle aus dem Land,
> das lange zögert, eh es untergeht.
> Zwar manche sind an Wagen angespannt,
> doch alle haben Mut in ihren Mienen;
> ein böser roter Löwe geht mit ihnen 30
> und dann und wann ein weißer Elefant.

Sogar ein Hirsch ist da, ganz wie im Wald,
nur daß er einen Sattel trägt und drüber
ein kleines blaues Mädchen aufgeschnallt.

Und auf dem Löwen reitet weiß ein Junge
5 und hält sich mit der kleinen heißen Hand,
dieweil der Löwe Zähne zeigt und Zunge.
Und dann und wann ein weißer Elefant.

Und auf den Pferden kommen sie vorüber,
auch Mädchen, helle, diesem Pferdesprunge
10 fast schon entwachsen; mitten in dem Schwunge
schauen sie auf, irgendwohin, herüber —
Und dann und wann ein weißer Elefant.

Und das geht hin und eilt sich, daß es endet,
und kreist und dreht sich nur und hat kein Ziel.
15 Ein Rot, ein Grün, ein Grau vorbeigesendet,
ein kleines kaum begonnenes Profil —.
Und manchesmal ein Lächeln, hergewendet,
ein seliges, das blendet und verschwendet
an dieses atemlose Spiel . . .

20 Viele Dinggedichte zeigen den Einfluß des Künstlerateliers,
das Interesse am Räumlichen, Geometrischen, Plastischen. Die
Worte ‚Kreis' und ‚Mitte' (siehe das Panther-Gedicht) oder
die Ausdrücke ‚Rand' und ‚Stelle' sind dafür bezeichnend. Die
Front des Apollo-Torsos ist ‚zurückgeschraubt', ein Lächeln
25 liegt im leisen ‚Drehen der Lenden'. Im Gedicht „Die Fla-
mingos" stehen die exotischen Vögel „auf rosa Stielen leicht
gedreht". Physikalische Begriffe wie ‚Gewicht', ‚Last' und
‚Masse' treten in den Vordergrund (etwa in „Gott im Mittelalter"). Das Ding wird wichtig als Ding im Raum. In dem

Ringen um räumliche Gestaltung bildet sich hier der charakteristische Rilke-Stil heraus. Formen, Haltungen, Bewegungen, Gebärden und Farben werden nicht einfach beschrieben, sondern durch Bilder illustriert, die der Dichter zum Vergleich herbeiholt. Er will zum Beispiel die Zartheit, die stete Sprungbereit- 5
schaft und das vorsichtige Horchen einer Gazelle aussagen. Er tut es durch Vergleiche: die Zartheit des Tieres (in dem Gedicht „Die Gazelle") erinnert ihn an Liebeslieder, die sich einem Menschen „weich wie Rosenblätter" auf die Augen legen. Die Gazelle sieht aus, „als/ wäre mit Sprüngen jeder Lauf ge- 10
laden". Sie horcht, „wie wenn beim Baden/ im Wald die Badende sich unterbricht . . ." Das vergleichende „wie" und der „als ob"-Konjunktiv sind auffällig häufig gebrauchte Ausdrucksmittel in diesen Gedichten. Im Spätwerk werden sie befreiende Schlüssel zum Sagenkönnen des „Unsäglichen". In Rilkes Dich- 15
tung feiert die Metaphorik Triumphe.

Die Erklärung dafür gibt der Dichter selber in seinem Roman *Die Aufzeichnungen des Malte Laurids Brigge* (1910). Er spricht dort von dem Dichter Malte, der „unter dem Sichtbaren nach den Äquivalenten suchte für das innen Gesehene". Rilke 20
begann dieses Werk 1904 nach seinen ersten Erlebnissen als mittelloser Schriftsteller in den Armenvierteln und Studentenhotels von Paris. Seine überempfindliche Natur reagierte seismographenhaft auf die täglichen Eindrücke. Kunstwerke konnten ihn erschüttern, während ihm die große, laute und extra- 25
vertierte Stadt „unendlich fremd und feindlich" war, gefüllt „bis an den Rand voll Traurigkeit". Er sah lauter Hospitäler, Kranke, Krüppel, Sterbende, Leidtragende, die „Trümmer von Karyatiden" glichen, „Stücke von Menschen, . . . Überreste von gewesenen Dingen". Sein Klageruf: „O was ist das für eine 30

369

Welt!" könnte das Motto der Aufzeichnungen Maltes sein, die diese Erlebnisse widerspiegeln.

Malte ist ein dänischer Schriftsteller, träumerisch, jung und noch in den Anfängen seiner Kunst. Er ist eine der für diese
5 Epoche so charakteristischen Ästhetengestalten, die keine Harmonie zwischen den Wunschträumen ihres feinen Gefühls und der harten Wirklichkeit des Lebens finden können. Als er nach dem Tode seiner Eltern nach Paris kommt, geschieht ihm das, was Rilke geschah — Autobiographisches mischt sich hier be-
10 ständig mit Fiktivem —: er leidet entsetzlich an der Wirklichkeit seiner Umwelt. Er beobachtet den Zusammenbruch eines Menschen, einen eben Gestorbenen an einem Wirtshaustisch, die konvulsiven Bewegungen eines Epileptikers, die „fabrikmäßige Produktion" von Toten in einem Hospital, die häßliche Mauer
15 eines abgebrochenen Hauses. Maltes reizbare Phantasie entzündet sich an diesen Eindrücken. Der Verkehr geht nicht an ihm vorbei, sondern: „die Wagen fuhren durch mich durch . . . und rannten voll Verachtung über mich hin wie über eine schlechte Stelle, in der altes Wasser sich gesammelt hat". Ihn
20 überkommt Ekel, ein Gefühl des Entsetzens darüber, daß es alles das gibt, daß alles das zu den Möglichkeiten und Realitäten des Lebens gehört. Er wird erinnert an seine Kindheit in der skandinavischen Heimat. Diese eingeschobenen Erinnerungen nehmen einen breiten Raum innerhalb des Romans ein. Sie sind Parallel-
25 Illustrationen zum apokalyptischen Pariser Verfallsthema. Wir erleben das allmähliche Absterben einer feinen, aber dekadenten Familie: ein Onkel des Helden betreibt Alchimie und Leichensektion als Hobby, eine Tante ist Spiritistin. Der Geist einer längst verstorbenen Verwandten erscheint mehrfach. Maltes
30 Vater ordnet aus Angst, lebendig begraben zu werden, die posthume Verwundung seines Herzens an. Die Mutter hat eine

neurotische Angst vor Nadeln. Erik, der einzige Freund des Knaben Malte, ist schwächlich und schielt. Als verständigste Unterhaltungspartner bleiben Malte die Hunde (sie dienen in Rilkes Werk oft als Ruhepunkte, als Beispiel eines, im Gegensatz zum menschlichen, maskenlosen und naturreinen Lebens: 5 „Hunde haben Natur"). Die Frau, die Malte verehrt, ist seine Tante Abelone. In seiner Liebe zu ihr erweist er sich als ein bindungsunfähiger Narziß, der die Verliebtheit in die Kompliziertheit seines Ich mit seinem Ungenügen im Lieben und Leben bezahlt (das ist Rilkesche Selbsterkenntnis!). Malte schildert 10 seine ersten Schreckerlebnisse als Kind: als er einmal unter einem Tisch einen Rotstift suchte, empfand er im Halbdunkel seine Hand als ein selbständiges, fremdes Objekt. Zu seinem Schrecken erschien plötzlich eine andere, fremde Hand unter dem Tisch und berührte die seine. Als er sich einmal Erwach- 15 senenkleider überzog und sich nun erwachsen im Spiegel sah, da packte ihn panische Angst vor dem Verlust der Kindheit, dem Einbruch der großen Welt der Existenz in die Scheinsicherheit der Kindheit (Rilke nennt das „die Invasion des Großen"). Ein früher Höhepunkt des Romans ist der Tod des 20 Großvaters Brigge, der einen „eigenen Tod" stirbt, d. h. nicht „den Tod, der zu der Krankheit gehört, die man hat", sondern den Tod, der die Persönlichkeit des Sterbenden ausdrückt. Rilke nennt das einen „gut ausgearbeiteten Tod", womit also das Sterben als letzte Arbeit und künstlerische Leistung verstanden 25 ist. Der alte Brigge stirbt als wochenlang kommandierender und schreiender Hausterror. (Rilke selbst war der erwünschte „eigene Tod" nicht beschieden, er starb — den Namen seiner Krankheit wollte er nicht wissen — an einer schmerzhaften Leukämie.) 30

Die Malte-Welt ist also eine makabre Welt. Es dominiert in

ihr „das Gespenst des Vergänglichen": die Angst vor dem Tode,
eine Angst, die aus Rilkes eigenem Leben kommt. Auch Maltes
Erinnerungen an Bücher, an Leid und Tod historischer Gestalten, z. B. der Päpste von Avignon, sind nur „Vokabeln seiner
5 Not", die er in allen möglichen Formeln dekliniert. Um die
Realität des Sterbenmüssens erträglich zu machen, schließt er
den Tod in den Bereich des Lebens mit ein. Großvater Brigge
unterscheidet nicht zwischen Lebenden und Toten, zwischen
Vergangenheit, Gegenwart und Zukunft. Für ihn hat der Geist
10 der verstorbenen Christine Brahe „das Recht . . ., hier zu sein".
Alles, was war, ist und sein wird, ist einfach „vorhanden". Alles
hat Präsenz. Diese unorthodoxe Aufhebung der Zeit wird in
Rilkes Spätwerk noch wichtiger, wo sie ganz in das Räumlich-
Ewige verwandelt wird.

15 Einen letzten Höhepunkt und eine Art Zusammenfassung des
Malte-Romans bildet Rilkes Version der biblischen Legende
vom Verlorenen Sohn. Im Neuen Testament kehrt der ausge-
wanderte Sohn reuevoll zur Familie zurück, der Vater vergibt
ihm. Rilke deutet die Legende radikal um. Er macht aus ihr „die
20 Legende dessen . . ., der nicht geliebt werden wollte". Der
Sohn — er könnte auch Malte oder Rainer heißen — sieht seine
Einsamkeit, den Raum seiner Innerlichkeit, bedroht durch das
Geliebtwerden. Er kehrt heim, um den ungestörten Reifeprozeß
einer guten Kindheit nachzuholen. Seine Gebärde dem Vater
25 gegenüber ist nicht eine Bitte um Gnade und liebevolle Aufnahme ins Elternhaus, sondern die Bitte, ihn nicht wieder „in
die entsetzliche Lage zu bringen, geliebt zu sein". Er versucht,
Gott zu lieben, denn Gott, meint Malte/Rilke, liebt nicht zurück. Die schwere Kunst der richtigen Liebe besteht nach Rilke
30 darin, die Freiheit des geliebten Partners nicht einzuengen, sondern zu vermehren. Liebe ist also nicht ein romantisches Ver-

schmelzen zweier Individualitäten, sondern im Gegenteil ein
schwer zu lebendes Nebeneinander zweier wachsender Einsamkeiten, ist nicht Lösung sondern Aufgabe. In einem seiner *Briefe
an einen jungen Dichter* empfahl er 1904 eine Liebe, „die darin
besteht, daß zwei Einsamkeiten einander schützen, grenzen und 5
grüßen". Besonders das besitzenwollende Lieben des Mannes
hält Rilke für schlechtes Lieben, weil es das viel zartere Wesen
der Frau zerstört. Männer sind, wie es später in einem Gedicht
heißt, „Stücke Gesteins,/ über Blumen gestürzt". In Maltes
Parabel vom Verlorenen Sohn erscheint das Motiv des schlecht 10
liebenden Mannes wieder. Dem Ruf nach der „besitzlosen
Liebe" liegt hier aber vor allem ein narzißhaftes Bedürfnis nach
Einsamkeit zugrunde, das heißt nach menschlicher und künstlerischer Selbsterkenntnis abseits der Bindungen und Gefahren
des Lebens. 15

Damit ist ein entscheidender Punkt der *Aufzeichnungen* berührt: Malte kann eine Harmonie von Kunst und Leben, von
Imagination und Wirklichkeit nicht finden. Er scheitert an diesem Konflikt. Seine Erzählung vom Sohn, der sich zuletzt auf das
Lieben Gottes beschränkt, ist ein Ausdruck der Resignation über 20
sein Versagen an Abelone, aber auch an Paris und am Leben
überhaupt. Gegenübergestellt sind die innere Welt des Dichters und die äußere Welt der menschlichen Existenz. Malte/Rilke
ist von Anfang an für die innere disponiert. Als er verwundbar
dem „Großen" gegenübersteht, flieht er in seine Welt der 25
Innerlichkeit. Sein Schicksal ist Niederlage im Leben und Flucht
in die Kunst. Er ist nun, wie Rilke 1914 in einem Gedicht seine
Situation beschreibt, „ausgesetzt auf den Bergen des Herzens".
Malte Laurids Brigge ist der Roman eines Rückzuges von der
Weltwirklichkeit in die Elfenbeinturmexistenz des reinen 30
Ästhetentums, und zwar eines weltängstlichen Ästhetentums.

„Angst" ist der Begriff, der dieses scheinbar lose zusammengesetzte Werk innerlich zusammenhält. Es ist die Angst vor der „Existenz des Entsetzlichen in jedem Bestandteil der Luft".

Die Gestalt des Nikolaj Kusmitsch ist bezeichnend für diesen
5 dichterischen Ausbruch einer Zivilisationsneurose, an dem so viele Zeitgenossen des *fin de siècle* gelitten haben. Kusmitsch gerät in einen Zustand, in dem er den pausenlosen Ablauf der Zeit Sekunde für Sekunde spürt und auch die Bewegung der Erde auf einer schiefen Achse unter sich. Er fühlt sich krank
10 und kann die Realität der Existenz nur noch aushalten, indem er liegen bleibt und Poesie liest, „mit gleichmäßiger Betonung der Endreime, dann war gewissermaßen etwas Stabiles da . . ." Genau das ist auch Maltes Situation, und sie ist bezeichnend für eine Neigung Rilkes und seiner kompaßlos auf hoher See
15 treibenden Generation. Wie weit entfernt ist das von der marmorfesten Sicherheit der deutschen Klassik! Es genügt nicht, solche Literatur als das Erzeugnis eines überreizten Nervensystems zu bewerten. Rilke nannte seine *Aufzeichnungen* „dieses schwere, schwere Buch". Für ihn war es eine Aufgabe: nämlich
20 seiner Situation und seiner Zeit mutig ins Auge zu sehen, sie auszuhalten („eben weil es schwer ist"), sie dadurch zu überwinden und vielleicht danach einen Ausweg zu finden. Der Malte-Roman bildet eine literarische Brücke von Kierkegaard, den Rilke während dieser Jahre las, zu Heidegger, der später
25 das Los des Menschen zwischen unfreiwilligem Geborenwerden und sicherem Tod philosophisch formulieren sollte. Das Werk ist Rilkes erster verzweifelter Durchbruchsversuch, „geschrieben gewissermaßen, um mir den Untergang zu sparen". (Das erinnert an den *Werther* Goethes.) „Gegen den Strom gelesen",
30 wie der Dichter empfahl, ist es ein Buch mit einer Hoffnung.

„Wer spricht von Siegen? Überstehn ist alles", heißt es an anderer Stelle. Rilke glaubte, daß Überstehen auch Überwinden heiße und daß da, wo so viel „Großes" existiert, auch große Möglichkeiten verborgen sein müssen. Der Weg zu den gewaltigen Visionen der *Duineser Elegien* war damit vorbereitet. 5

Aber *Die Aufzeichnungen* war doch ein aus Verzweiflung geschriebenes Werk gewesen. Der Schatten des Malte-Erlebnisses lag noch jahrelang drohend über Rilkes Leben. Er fühlte sich als „gelähmter Überlebender" seines Werkes. Dazu kam der Krieg. Rilke konnte ihn nicht begreifen. Seine *Fünf Gesänge* aus 10 dem Jahre 1914 waren ein hymnischer Aufruf zum inneren Wachstum an dem Leid-Erlebnis, aber bald sehnte er sich völlig disillusioniert nach einem „Abstieg von diesem Schmerz-Gebirg". Seine Produktivität erlahmte im Kriege fast völlig . Erst 1920 fand er sich nach glücklichen Besuchen in Venedig und 15 Paris innerlich wieder. Er sprach nun von einem „Anheilen" an die „Bruchstellen" der Malte- und der Kriegszeit. In der Schweiz fand er durch die großzügige Hilfe von Freunden eine Heimat für die letzten, bedeutendsten Jahre seines Lebens. Im Sommer 1921 zog er in den jahrhundertealten Turm des Schlosses Muzot 20 in der prächtigen Berglandschaft des oberen Rhônetals. Nach einem halben Jahr bangen Wartens brach plötzlich im Februar 1922 ein „Sturm" der Inspiration über den Dichter herein, eine „äußerste Begnadung". In ein paar Wochen exaltierter Stimmung empfing er, unter einem übermenschlichen „Diktat" 25 stehend, „Signale aus dem Weltraum": die *Sonette an Orpheus* und den Rest der *Duineser Elegien*, die er 1912 auf dem Schloß Duino am Adriatischen Meer als Gast der Fürstin Marie von Thurn und Taxis begonnen hatte. Am 11. Februar meldete er

375

der Fürstin triumphierend den Abschluß der *Elegien*: „Endlich, Fürstin, endlich, der gesegnete, wie gesegnete Tag . . . Alles in ein paar Tagen, es war ein namenloser Sturm, ein Orkan im Geist (wie damals of Duino), an Essen war nie zu denken, 5 Gott weiß, wer mich genährt hat./ Aber nun ists. Ist. Ist./ Amen."

Die *Duineser Elegien* sind eines der esoterischsten Werke der Weltliteratur. Ihre hymnische Sprache reicht weit über das literarische Erbe hinaus in semantisches Neuland. Wörter er-
10 halten neue Bedeutungen, neue Vokabeln entwachsen alten Stämmen. Aus der Not des vom ersten Weltkrieg erschütterten Menschen kommend, spricht aus den Elegien halb Verzweiflung, halb ekstatischer Glaube. Sie sind eine bittere Klage über die Welt der modernen Zivilisation, über das oberflächliche,
15 naturfremde Leben, Lieben und Sterben des unzulänglichen Menschen. Das Werk ist auch eine Klage über die furchtbare Verlassenheit des modernen Menschen. Gott existiert nicht in der Welt der *Duineser Elegien*, noch weniger ein Christus. Und Rilkes ‚Engel', dem diese Klage gilt, diese Verkörperung der
20 Vollkommenheit, die dem Menschen fehlt, ist dem Menschen zu überlegen, groß und unnahbar, um ihn zu hören: „Wer, wenn ich schriee, hörte mich denn aus der Engel/ Ordnungen?" Der Mensch ist furchtbar allein, er lebt „ohne Bild". In dieser Existenznot findet nun der Dichter für ihn „ein neues Maß" in der
25 Bejahung und Preisung dieser Welt der Dinge und des Lebens zum Tode. Der Mensch muß lernen, die in den Dingen verborgenen geistigen Inhalte zu sehen. Sie zu sehen und zu „rühmen" heißt, sie in einen Weltraum des Gefühls zu verwandeln. Rilke nennt das den „Weltinnenraum". Die Verwandlung der Dinge
30 in den „Weltinnenraum" ist ein künstlerischer Akt des menschlichen Gefühls und ein Dienst an der Schöpfung:

Erde, ist es nicht dies, was du willst: *unsichtbar*
in uns erstehn? — Ist es dein Traum nicht,
einmal unsichtbar zu sein? — Erde! unsichtbar!
Was, wenn Verwandlung nicht, ist dein drängender Auftrag?
Erde, du liebe, ich will . . .   5
Namenlos bin ich zu dir entschlossen, von weit her.

(Die Neunte Elegie)

Rilke sieht diesen Dienst der Verwandlung des Äußerlichen in
Innerliches, der Materie in Geist und Gefühl, als *raison d'être*
des Menschen und zugleich als seine Rettung. Es gibt nun wieder
ein Anbetungsobjekt und eine Aufgabe. Die Existenzangst ist 10
überwunden. Der „unbehauste Mensch" bekommt wieder ein
Haus, den „Weltinnenraum", in dem sich sogar der Tod auf-
löst, denn Zeit und Verfall gibt es in diesem Raum nicht. Rilke
hat in den Elegien ein Gedankengebäude für sein unchristlich-
frommes Weltgefühl gefunden.   15
    Die *Sonette an Orpheus* drücken den Jubel des Dichters über
diese Erleuchtung aus: „O trotz Schicksal: die herrlichen Über-
flüsse/ unseres Daseins . . ." Orpheus erscheint hier als ein heid-
nischer Heiland, der die Welt erlöst, indem er sie durch seinen
rühmenden Gesang in Gefühl verwandelt. In Orpheus trium- 20
phiert die Kunst über Leben und Tod. Diese neue, positive Bewertung der Welt zeigt sich auch in den vielen schönen Gedichten, die Rilke in seinen letzten Lebensjahren geschrieben hat.
Nun, da er befreit war von seiner „unsäglichen" Botschaft,
schrieb er ohne den Ballast einer kryptischen Privat-Mythologie. 25
Die meisten dieser späten Gedichte haben wenig von der schweren Irrationalität der beiden Muzot-Kompositionen. Sie sind
Natur-, Stimmungs- und Erinnerungsbilder, in denen Wörter
wie ‚Frühling', ‚heiter' und ‚Überfluß' an Bedeutung gewinnen. Auch viele der in französischen Sprache geschriebenen 30

377

Spätgedichte atmen diesen Frühlingsgeist. Dabei bleiben die alten Motive, aber die Sprache ist nun des Ekstatischen entkleidet und erscheint im fast klassischen Gewand harmonischen Maßes. Die Naturprinzipien der Schwerkraft, des Steigens und
5 Fallens (so im Bild der Fontäne und des Balles), und kosmische Phänomene wie Licht und Nacht beschäftigen jetzt den Dichter besonders. Man kann nicht umhin, an den Klassiker Goethe zu denken. Das alles erscheint jetzt als große geistige Zusammenschau, als die Ernte eines reifen, wissenden Menschen.
10   Und doch ist Rilke ein voll ausgereiftes Mannesalter mehr noch als eine glückliche Kindheit versagt geblieben. In Frankreich konnte er noch kurz die Früchte seines Ruhmes ernten. Paul Valéry, den er übersetzt hatte, und Romain Rolland zählten zu seinen Freunden und Bewunderern. Dann kam der gefürch-
15 tete Tod. Am 29. Dezember 1926 starb Rilke, kaum einundfünfzig Jahre alt geworden, nach schmerzhaftem Leiden in Val-Mont in der französischen Schweiz. Sein ungewöhnlicher Grabspruch ist noch eine letzte, resigniert verstehende und doch nicht verstehende Klage über einen Widerspruch der Schöpfung. Die
20 Schöpfung zeigt dem Menschen verschwenderischen Überfluß; Schutz aber zum ewigen Leben- und Rühmenkönnen gibt sie ihm nicht. Rilke macht die von „Lidern" überquellende Rose zum Träger dieser Einsicht:

> Rose, oh reiner Widerspruch, Lust,
25   Niemandes Schlaf zu sein unter soviel
> Lidern.

Wir leben in einem Kosmos von Überfluß und hilflosem Sterben.
    Man könnte Rilkes Wesen und Weg so umreißen: Ihn gefährdet ein Zuviel an Empfindung neben der Erkenntnis eines
30 Zuwenig an existentieller Geborgenheit. Ihn rettet sein from-

mer Mut und Wille. Er besitzt den Gefühlsüberfluß eines Romantikers und zugleich die illusionslose Daseinserkenntnis eines modernen Existenzphilosophen. Einsam, abgefallen von den alten Vorstellungen, sucht und findet er in konsequenter Unabhängigkeit seinen eigenen Weg als unfaustischer, nach innen 5 gekehrter Mensch, als „Knieender" und orphischer Verwandler. Rilkes Weltbild ist idealistisch: es geht ihm um das Geistige im Materiellen. Aber der Mensch ist bei ihm nicht mehr das Maß aller Dinge, sondern die Allheit der Dinge das Maß für den Menschen. 10

Horst Günther Weise

Holthusen, Hans Egon. *Rainer Maria Rilke in Selbstzeugnissen und Bilddokumenten.* Reinbek bei Hamburg, 1958.
Schnack, Ingeborg. *Rilkes Leben und Werk im Bild.* Mit einem biographischen Essay von J. R. von Salis. Wiesbaden, 1956.
Angelloz, Joseph François. *Rilke.* Paris, 1952 — Deutsch: Zürich, 1955.
Peters, H. F. *Rainer Maria Rilke. Masks and the Man.* Seattle, 1960.
Wood, Frank. *Rainer Maria Rilke. The Ring of Forms.* Minneapolis, 1958.

Thomas Mann

1875-1955

Zur 700-Jahrfeier der Stadt Lübeck im Jahre 1926 kehrte Thomas Mann in seine Vaterstadt zurück und hielt dort eine Rede, die den bezeichnenden Titel „Lübeck als geistige Lebensform" trug. In ihr erzählt er die reizende Anekdote von einer alten Frau, die am Todestag Emanuel Geibels, eines Lübecker [5] Dichters (1884), auf der Straße ratlos fragte: „Wer kriegt nu de Stell? Wer ward nu Dichter?" Nun, Thomas Mann „bekam die Stelle" und wurde Dichter, aber es dauerte lange, bis die Bürger der Freien und Hansestadt Lübeck auf ihren Mitbürger stolz wurden. Denn Thomas Mann, der geistig von Lübeck nie [10] losgekommen ist, verließ es mit 18 Jahren, hat nie wieder dort gelebt und stellte es später oft als eine enge, würdige Stadt von Patriziern und Kaufleuten dar, die nach außen hin eine ehrenfeste Fassade darstellten und allem Künstlertum mit großem Mißtrauen begegneten.

Das Jahr 1875, in dem Thomas Mann geboren wurde, steht unter dem Zeichen der „Gründerzeit", in der man in Deutsch-
5 land nach dem Abschluß von drei siegreichen Kriegen gegen alle Rivalen im Norden, Süden und Westen und mit einer Bluttransfusion von 5 Milliarden Franken, dem französischen Sühnegeld nach dem Kriege 1870/71 in den Adern, die industrielle Revolution nachholte und versuchte, noch nachträglich einen
10 Platz an der Sonne zu bekommen, an der sich schon so viele andere Nationen breitgemacht hatten. Es wurden also gegründet: ein neues Reich, Kolonien, Fabriken, Aktiengesellschaften, Kartells, ganz neue Industrien, aber auch eine neue Gesellschaft, in der der Beamte, der Kommerzienrat und der Reserveleutnant
15 eine tonangebende Rolle spielten. In 43jähriger Friedenszeit bereitete man sich auf einen Krieg vor, den niemand wollte und der doch unvermeidlich schien.

Thomas Mann hat oft und gern von der Verschiedenheit seiner Eltern gesprochen — dem würdigen Haupt der Getreide-
20 firma, dem Senator Thomas Johann Heinrich Mann und der träumerischen Brasilianerin Julia da Silva-Bruhns. Für den Dichter bedeutete der Vater dasselbe, was Lübeck für ihn war: bürgerliche Pflichterfüllung. Schon 1891 starb der Vater, die Firma wurde liquidiert und die Senatorin Mann zog mit ihren fünf
25 Kindern nach München, wo aus dem Gymnasiasten Thomas ein Lehrling in einer Feuerversicherungsgesellschaft wurde. Aber schon 1895 fährt der 20jährige mit seinem älteren Bruder Heinrich auf fast zwei Jahre nach Italien, und hier entsteht der große Roman, mit dem Thomas Mann Weltruf erlangt: *Die Budden-*
30 *brooks.* Obgleich ein Band Novellen vorangegangen war, der Aufsehen erregt hatte, sah sich der Verleger S. Fischer doch ge-

nötigt, dem jungen Dichter vorzuschlagen, er möchte das Riesen-
manuskript des Romans um etwa die Hälfte kürzen, ein Vorschlag, den der 24jährige energisch zurückwies. Und so erschien
im Jahre 1900 dieser Roman, der dreißig Jahre lang in jeder
deutschen Familienbibliothek stand und einen beispiellosen Er- 5
folg hatte.

In diesem Roman, der sich zeitlich von 1835 bis 1878 er-
streckt, schildert Thomas Mann den Untergang einer Lübecker
Familie, die übrigens in zahllosen Einzelheiten der seinen
ähnelt. Die erste Generation lebt behaglich und sorglos in ihren 10
Biedermeiersalons, steht der Religion aufklärerisch aber keinesfalls aufrührerisch gegenüber, und macht Geschäfte, bei denen
man des Nachts schlafen kann. Zeichen des Verfalls erscheinen
in der nächsten, aber vor allem in der dritten Generation, der
das Buch eigentlich gewidmet ist. Die festen Familienbande 15
lockern sich, und es kommt zu unheilbaren Zerwürfnissen; lieb-
los geschlossene Ehen enden in Scheidung; geschäftliche Rück-
schläge zwingen zu unbedachten Spekulationen, und neue kräf-
tigere Firmen rauben der Firma Buddenbrook den Vorrang. Der
Verlust der Vitalität äußert sich auch in der zarteren Gesundheit 20
dieser Generation. Thomas Buddenbrook, ein tatkräftiger, ner-
vöser, auch geistig hochentwickelter Mensch, versucht noch einmal, das Ruder herumzureißen, aber trotz einiger Scheinerfolge
— einer glänzenden Heirat, der Wahl zum Senator, einem neuen
Haus — sieht er bald, daß er nur noch „repräsentiert", nur noch 25
einen Schein vertritt, hinter dem kein Sein mehr steht.

Der Untertitel des Buches „Der Verfall einer Familie" ist
zweifellos ironisch gemeint. Thomas Mann deutet an, daß der
Verfall äußerlich ist und begleitet — ja, eigentlich ausgelöst —
wird von einem geistigen und künstlerischen Aufstieg dieser 30
Familie. Während der erste Buddenbrook noch simple Melodien

auf seiner Flöte blies und Kunst höchstens als eine Dekoration
seines Salons ansah, phantasiert der letzte Sproß der Familie,
der zarte, todgeweihte Hanno, nach Wagnerschen Themen auf
einem Harmonium. Thomas, sein Vater, starb, nachdem ihm die
5 Bekanntschaft mit Schopenhauers *Die Welt als Wille und Vorstellung* den letzten Lebenswillen geraubt hatte. Der Konflikt
zwischen Natur und Geist, die Aushöhlung und Minderung der
Lebenstüchtigkeit durch die geistige und künstlerische Erkenntnis — dies wird von nun an ein Hauptthema im Schaffen des
10 Dichters.

Obgleich die Hauptfigur des nächsten Romans *Königliche
Hoheit* (1909), der Prinz Klaus Heinrich, kein Künstler ist,
führt auch er an der Spitze seines Zwergstaats das einsame Dasein des Gezeichneten. Seine Untertanen verlangen von ihm, daß
15 er ihnen als Symbol einer höheren Existenz dient. Seine Uni-
formen dienen dem Schein, seine Funktionen sind leer und ent-
behren jeder Realität, und die wachsenden wirtschaftlichen
Probleme seines Landes können von ihm nicht gelöst werden.
Man hat diesen Roman ein „didaktisches Märchen" genannt,
20 und wie in einem Märchen kommt die Erlösung Klaus Heinrichs und die Rettung des Landes von einer Prinzessin, einer
bürgerlichen, fest auf beiden Beinen stehenden, amerikanischen
Dollarprinzessin, die Mathematik studiert und den Prinzen zum
Leben bekehrt. Durch die Millionen des amerikanischen Schwie-
25 gervaters gerettet, jubelt die winzige Nation ihrem Prinzen zu,
der seiner Frau verspricht: „Das soll fortan unsere Sache sein:
beides, Hoheit und Liebe — ein strenges Glück."

Im Jahre 1905 hatte Mann geheiratet; von seinen sechs Kindern wurden Klaus und Erika als Schriftsteller bekannt, Golo
30 Mann ist heute ein bedeutender Historiker. Bis 1933 lebte die
Familie außerhalb von München, wo Thomas Mann sich mit

großem Ernst und zähem Fleiß seinen vielen selbstgestellten
Aufgaben widmete, die neben seinem dichterischen Werk zahlreiche literarische und kulturpolitische Essays und Reden ein-
schlossen. Als der Dichter vom aktiven Kriegsdienst im Jahre
1914 zurückgewiesen wurde, versuchte er in den *Betrachtungen* 5
eines Unpolitischen Deutschlands Haltung vor und während
dem Ersten Weltkrieg aus der Sicht eines Konservativen zu erklären. Nach dem Krieg entwickelte sich Mann zu einem tap-
feren und beredten Verfechter demokratischer Ideale, denen er
bis zu seinem Tode treu blieb.   10

Seinen Roman *Der Zauberberg* (1924) nennt Thomas Mann
eine Wiederholung der *Buddenbrooks* auf anderer Lebensstufe,
„eine recht bedenkliche Geschichte, in der eine junge Seele sich
gefährlich tief über geistige und sittliche Abgründe neigt. . . ."
Die „junge Seele" ist der 24jährige, einfache Ingenieur Hans 15
Castorp, der auf drei Wochen zu seinem kranken Vetter ins
Sanatorium Berghof in Davos fährt. Innerhalb weniger Tage
fasziniert ihn die Atmosphäre der Ungebundenheit, die er hier
oben vorfindet; eine Freiheit, die die meisten Patienten mißbrau-
chen, um alle moralischen Beschränkungen des Flachlandes ab- 20
zuwerfen. Als sich das Ende seines Besuches nähert, ergibt sich
Hans mit Freude der Krankheit, für die er „aufnahmebereit"
war und bleibt sieben Jahre.

Während seines Lebens auf dem Zauberberg beschäftigt sich
Hans mit Anatomie, Astronomie, Botanik, Psychologie, Medi- 25
zin, Musik, dem Problem der Zeit, der Natur des Todes. Eine
sich katzenartig durch die Gänge des Sanatoriums bewegende,
höchst anziehende Russin bezaubert Hans einige Monate lang.
Zwei Erzieher streiten sich in endlosen erbitterten Gesprächen
um seine Seele: der westliche Humanist, Freimaurer und Welt- 30
verbesserer Settembrini, dessen Ideale Menschenwürde, Vernunft

385

und Schönheit der Form sind und dessen Motto Petrarchs *Placet experiri* ist, und der vom russischen Judentum zum Katholizismus bekehrte Jesuit Naphta, der die Wiederherstellung eines mittelalterlichen Gottesstaates mit allen Mitteln, einschließlich
5 der Anarchie und einer neuen Inquisition, befürwortet.

Schließlich aber erkennt Hans, daß es sich hier um pädagogische Extreme handelt, die er getrost verwerfen kann, weil sein Interesse für die Krankheit an sich und seine Sympathie mit dem Tode ihn eine echte Menschlichkeit gelehrt haben, die alle
10 radikalen Lösungen zurückweist. Am Schluß des Romans verschwindet unser Held auf einem Schlachtfeld des ersten Weltkrieges, aber Mann spricht die Hoffnung aus, daß aus „dem Weltfest des Todes" einmal die Liebe steigen wird.

Als Bildungsroman steht *Der Zauberberg* am Ende eines
15 Weges, dessen Meilensteine Goethes *Wilhelm Meister*, Stifters *Nachsommer* und Kellers *Der grüne Heinrich* sind. Die Idee, die dem jungen Abenteurer in seiner Schneewüste aufgeht, ist die Idee der Mitte, von der Mann sagt, sie sei eine deutsche Idee. Weil Thomas Mann mit Leidenschaft an die vermittelnde Mis-
20 sion Deutschlands glaubte, mußte er umso mehr leiden, als der Nationalsozialismus in Deutschland Fuß faßte. Er verließ seine Heimat im Februar 1933, und nun begann ein langes Exil, das er zum größten Teil in Amerika verbrachte.

Hier erschien 1943 der letzte Band des groß angelegten Ro-
25 mans *Joseph und seine Brüder*, in dem der Dichter uns in der Gestalt des biblischen Joseph einen Götterliebling zeigt, der zuerst durch Hochmut und später durch Anmut zu Fall kommt, bis er sich durch Klugheit und Entsagung zum höchsten Beamten Ägyptens und zum reinen Menschentum entwickelt. Das Leben
30 Josephs steht aber nur am Ende einer Entwicklung, in der uns Mann das Wachstum einer Gesellschaft und einer Kultur mit

ihren Größen und Gefahren vorführt. Das Werk ist erfüllt von
einer wohlwollenden Ironie, mit der der Verfasser den biblischen Mythos „erklärt" und ihn auf diese Weise liebenswert und
menschlich macht.

Bei seinem ersten Besuch im Nachkriegsdeutschland vertei- 5
digte sich der nunmehr 74jährige Dichter gegen den „Vorwurf",
daß er den Krieg außerhalb Deutschlands mitgemacht habe,
indem er ausrief: „Wie einer das Schmerzensbuch vom Doktor
Faustus gelesen haben und dann noch sagen kann, ich sei nicht
dabei gewesen!" In diesem Roman, der außerordentlich viel 10
Realität enthält, schildert Mann das Schicksal Deutschlands
symbolisch am Leben des Tonsetzers Adrian Leverkühn, dessen
Lebensfakten äußerlich eine Ähnlichkeit mit Nietzsches aufweisen. Während vor seinen Fenstern das Deutschland Hitlers
unter den Bomben zerbricht, schreibt der klassisch gebildete 15
Humanist und Lateinlehrer Serenus Zeitblom die Biographie
seines genialen und von Anbeginn dämonischen Freundes,
der mit ihm in Kaisersaschern, einer mittelalterlichen Stadt
in Thüringen, aufwächst. Schon früh zeigt Leverkühn außergewöhnliche Begabung für Musiktheorie, der er aber zunächst 20
zu entfliehen sucht, indem er Theologie studiert. In der
Musik wie im Leben erscheint ihm die absolute Freiheit eine
Gefahr, der sich der Mensch kraft einer selbstgewählten Ordnung erwehren muß. Als er schließlich doch zur Musik hinüber-
wechselt, „erfindet" er eine Kompositionsmethode, in welcher 25
der Komponist in ein strenges System verwiesen wird, das ihm
dennoch unzählige Möglichkeiten zur Entfaltung seines Genies
gibt. Unzufrieden mit aller Konvention trachtet Leverkühn nach
dem Durchbruch zu einer radikal neuen Musik, in der eine
rein intellektuelle, streng gebundene Kunst alle gefühlvolle 30
„Stallwärme" ausschließt. Auch aus seinem eigenen Leben ver-

schwindet fast alle Wärme, nachdem die Beziehung zu einer Prostituierten bei ihm eine Infektion hinterläßt, die allmählich seine körperliche und geistige Gesundheit untergräbt. Mit der widerwillig angenommenen Hilfe des Teufels schafft Lever-
5 kühn seine größten Werke, die weit über die frühen, rein persiflierenden Kompositionen hinausgehen. Sein letztes großes Tongedicht „*Dr. Fausti Wehklag*" nennt der Komponist selbst „die Zurücknahme von Beethovens Neunter Symphonie", eine Absage an den Idealismus der Goethezeit und Hegels und
10 eine Rückkehr zum Primitiven. Beim Vorspielen des Werks erleidet Leverkühn einen Nervenzusammenbruch und verlebt den Rest seines Lebens — 12 Jahre — in geistiger Umnachtung. Die Lebensbeschreibung des Helden ist umrahmt von einer reichhaltigen Nebenhandlung, die die fragwürdigen gesell-
15 schaftlichen Zustände in Deutschland vor dem Weltkrieg und zwischen den Kriegen darstellt. In *Doktor Faustus* setzt sich Mann ein letztes Mal mit der Frage auseinander, wie Natur und Geist, Leben und Kunst zueinander stehen und kommt (ganz ähnlich wie sein Freund Hermann Hesse in seinem Alterswerk
20 *Das Glasperlenspiel*) zu dem Schluß, daß eine rein geistige, formkonzentrierte Kunst unmöglich ist, weil ihr das wesentliche Element der Liebe fehlt.

Im Jahre 1953 kehrte Thomas Mann in das von ihm so geliebte Europa zurück und nahm seinen Wohnsitz in Kilchberg
25 über dem Zürcher See. Hier erweiterte er die Novelle *Bekennt-nisse des Hochstaplers Felix Krull*, die vierzig Jahre vorher entstanden war, zu einem Roman, von dem aber nur der erste Band erschien. Im Juni 1955 feierte die gesamte Welt Manns achtzigsten Geburtstag, und der Dichter richtete in beiden
30 Teilen des gespaltenen Deutschland mahnende Worte an seine

Nation. Wenige Wochen später erkrankte er und starb am 12. August.

Schon in der Novelle *Tonio Kröger* (1903) hatte sich Thomas Mann grundlegend mit dem Verhältnis des Künstlers zu seiner Umwelt, seiner Kunst und sich selbst beschäftigt. 5 Obgleich es immer gefährlich ist, einen Dichter mit einem seiner Helden zu identifizieren, darf man doch sagen, daß Mann in dieser Novelle über höchst persönliche Probleme spricht und eigene Lösungen andeutet, nicht nur in seiner Eigenschaft als Künstler sondern als kompromißlos geistiger Mensch überhaupt. 10 Für Tonio Kröger besteht die Welt aus zwei Lagern. In dem einen, ungleich größeren, wohnen die Menschen, „die den Geist nicht nötig haben", normale, wohlanständige Menschen, die in innerem Frieden mit sich selbst und in Übereinstimmung mit Gott und ihren Mitmenschen leben. Sie sind fähig, die ein- 15 fachen Freuden des Lebens, wie z.B. den Tanz, zu genießen, weil ihre kraftvollen und gewandten Körper voll „bei der Sache" sind. In ihren stahlblauen Augen liegt eine gewiße Unerbittlichkeit gegenüber allen, die ihnen fremd sind. Am anderen Pol dieser Welt liegt das Reich der Kunst, des 20 Geistes und des Wortes, an dessen äußeren Grenzen Tonio Kröger beheimatet ist. Der Preis, den man zahlen muß, um diese Provinz zu betreten, ist das Leben, d.h. die Möglichkeit, jemals wieder „die Wonnen der Gewöhnlichkeit" zu genießen, wie es die Blonden und Blauäugigen tun. Man kann nicht, um 25 es mit Thomas Mann auszudrücken, ein einziges Blättchen vom Lorbeerbaum der Kunst pflücken, ohne dafür mit dem Leben zu zahlen. Warum nun ist es so unmöglich für den geistigen Künstler,

glücklich zu sein? Die Antwort liegt in dem Wort und Begriff: Erkenntnis. Erkenntnis bedeutet, die innersten Zusammenhänge dieser Welt und die Motive menschlichen Handelns zu durchschauen, und Thomas Mann deutet an, daß eine solche
5 „psychologische Hellsicht" unfehlbar dazu führt, daß sich der Glaube, die Bewunderung oder der Respekt, die man vorher einem Ideal oder Helden entgegenbrachte, auflösen. Der Geistige hat keine Helden, weil er ihre Motive bezweifelt und alle ungeteilte Bewunderung ihm dumm und kritiklos erscheint. Er
10 hat keine Ideale und kämpft für keine Ideen, weil ihm sofort ein Dutzend Gegenargumente einfallen. Weil er alles schon gesehen, gehört, geschmeckt und gefühlt hat, ist ihm nichts neu, und er erscheint müde und blasiert. Das Gesetz des Handelns ist ihm entrissen, weil es für ihn keine eindeutige Marschrich-
15 tung gibt. Wahre Freundschaft oder Liebe gibt es für den Künstler nicht, weil sein Gefühl sich nie der ewig-gegenwärtigen, analysierend-zersetzenden Kontrolle des künstlerischen Bewußtseins enthalten kann. Es ist gleichsam, als ob in den gefühlvollsten Momenten des Lebens ein *alter ego* mit gezücktem
20 Notizbuch neben ihm stünde und wartete, ob hier vielleicht etwas literarisch Verwertbares geschehe.

Der reife Tonio Kröger, den wir in seinem Monolog in Gegenwart seiner Freundin, der Malerin Lisaweta Iwanowna, belauschen, hat längst gelernt, daß das menschliche Gefühl,
25 die menschliche Erfahrung als solche literarisch unverwertbar sind oder höchstens ein Rohmaterial darstellen können, das ein künstlerischer Prozeß dann bis zur Unkenntlichkeit verändern, formen und veredeln muß. „Man muß gestorben sein, um ganz ein Schaffender zu sein", erklärt Tonio, und es kann daher
30 kaum Wunder nehmen, daß der Künstler, der nicht mehr am Leben teilhat, sich auf „die Gereiztheiten und kalten Ekstasen

unseres verdorbenen, unseres artistischen Nervensystems" verlassen muß, um es dann „wirksam und geschmackvoll darzustellen". Tonio hat diese Erfahrung am eigenen Leibe gemacht,
denn bei jenen Gelegenheiten seines Lebens, wo „sein Herz lebt"
(ein wichtiges Leitmotiv), ist er künstlerisch unproduktiv.   5

Über Form und Gehalt von Tonio Krögers Werken erfahren
wir weniger als später über die Produktion des Schriftstellers
Gustav von Aschenbach in *Der Tod in Venedig*. Durch ein
anderes Leitmotiv wissen wir nur, daß es notwendig für den
Künstler ist, „in Gelassenheit etwas Ganzes zu schmieden", 10
zäh und fleißig zu arbeiten, die Kenntnis des Leidens so mit
Ironie zu würzen, daß das Resultat voller Humor ist, erlesene
und klangvolle Worte zu wählen und an Stil, Form und Ausdruck zu arbeiten, bis sie der Vollkommenheit nahekommen.
Man ist versucht, hier an Zeitgenossen Manns, wie George, 15
Hofmannsthal und Rilke, als literarische Vorbilder zu denken,
denen der Dichter allerdings ziemlich kühl gegenüberstand.

Tonios Problem nun ist, daß er in keiner dieser beiden Welten
zu Hause ist. Von Geburt aus ein Bürger, verbindet ihn nichts
mehr mit der Vaterstadt und ihren Einwohnern, und der 20
tragikomische Zwischenfall in seiner Heimatstadt, wo man den
Künstler fast mit dem Verbrecher verwechselt, drückt dieser
Entwicklung nur einen endgültigen Stempel auf. Es ist unwahr-
scheinlich, daß er je wieder seine Heimat — dies ist das Wort,
dessen Tonio sich vor Lisaweta schämt und durch das Wort 25
„Ausgangspunkt" ersetzt — besuchen wird. Die Gleichgültigkeit, fast Verachtung, mit der der dänische Hans und die
dänische Inge ihn ansehen (selbstverständlich sind es nicht
wirklich die Genossen seiner Jugend), zeigen ihm, daß sich in
diesem Verhältnis nichts geändert hat. Und dennoch liebt er 30
sie und sucht sie und nicht die Magdalena Vermehrens, jene

Jünger und Jüngerinnen der Kunst, die — verständnisvoll aber total unschöpferisch — nun wieder in den Randprovinzen **i h r e r** Welt beheimatet, d.h. Tonio Kröger am nächsten sind.

Man muß sich die Frage stellen, warum Tonio von Jugend
5 auf um die Blonden und Blauäugigen wirbt, obgleich er ahnt, daß diese Liebe vergeblich ist. Sein Freund Adalbert hat jeglichen Kontakt mit dem Leben längst aufgegeben, und ist er je versucht, es von neuem zu wagen, so entflieht er dieser Versuchung, indem er sich in die unberührte Sphäre des Cafés
10 (den Elfenbeinturm des Künstlers) zurückzieht. Die Antwort auf obige Frage ist, daß Kunst (von Natur aus) immer verführerisch sein will und muß. Der Mensch ist von Natur aus ein geselliges Wesen. Wäre er es nicht, hätte es nie einen Sündenfall gegeben. Er heischt Anerkennung und Bewunderung,
15 und nichts, was er tut, schließt den Mitmenschen völlig aus. Bei dem deutschen Künstler kommt noch ein ausgesprochen pädagogisches Element hinzu, das in der spezifisch philosophischen Richtung der deutschen Literatur wie auch im Bildungsroman seinen Niederschlag findet. Tonio Kröger steht am Ende einer
20 langen Reihe von Lehrern, Führern und Verführern. Auf dem Höhepunkt seiner Reife, d.h. in dem Brief an Lisaweta, sieht er ein, daß ihm ein voller Erfolg nie beschieden sein kann. Und dennoch glaubt der Führer und Verführer immer an die Möglichkeit eines Erfolgs; besteht doch das Glück, wie sich
25 schon der junge Tonio Kröger innerlich aufschreibt, darin, ,,zu lieben und vielleicht kleine, trügerische Annäherungen an den geliebten Gegenstand zu erhaschen''. Die Spannung, die aus diesem ewig-unbefriedigten, ewig-hoffnungsvollen Verhältnis entsteht, ist das eigentlich produktive Element, aus dem Tonios
30 zukünftige Werke erwachsen werden. Der ,,verirrte Bürger'' wird nicht versuchen, den Weg zurückzufinden, weil er weiß,

daß der Staub der Zeit ihn längst zugedeckt hat, sondern er wird versuchen, seine Sehnsucht in Liebe zu verwandeln, die fortan die Triebfeder seiner Kunst sein wird.

Tonio Kröger ist der zwiespältige Künstler der deutschen Literatur, ein Tasso des zwanzigsten Jahrhunderts, dessen Trost 5 darin besteht, daß ihm ein Gott gab zu sagen, was er leidet, wo der Mensch (auch bei Goethe in bewußtem Gegensatz zum Künstler) in seiner Qual verstummt. Sehen wir etwa den im Leben stehenden Jugendfreund Hans Hansen und den sich vom Leben zurückziehenden Novellisten Adalbert als These 10 und Antithese, so bildet der Briefschreiber Tonio Kröger eine Synthese der Entsagung, die aber keinesfalls einem verflachenden Kompromiß oder einer befriedigenden Lösung des Gegensatzes Leben-Kunst gleichkommt.

Der Einfall des fremden Gottes, die Vernichtung eines 15 mühsam gefestigten Lebens durch die Leidenschaft oder einfach durch das rohe, gesunde Leben ist das Thema in einer Anzahl von Thomas Manns Erzählungen. So gehört z.B. *Der kleine Herr Friedemann* zu den Menschen, die vom Leben schlecht behandelt worden sind. Der bucklige kleine Mann, der ohne 20 Freundschaft und Liebe aufgewachsen ist, hat auf das größte Glück des Lebens verzichtet, genießt aber seine kleinen Freuden, bis ihn, der sich schon längst gesichert wähnte, noch einmal die Leidenschaft erfaßt zu einer Frau, die ihm seelisch verwandt ist, seine körperlichen Annäherungen aber mit Ekel zurückweist 25 und ihn in den Tod treibt. In der Novelle *Tristan* handelt es sich um die Ehe zwischen dem robusten und erfolgreichen Geschäftsmann Anton Klöterjahn und seiner zarten, empfindlichen Frau Gabriele, die sich zu einem längeren Aufenthalt in ein Sanatorium für Lungenkranke begeben muß. Hier lernt 30

sie den Schriftsteller Detlev Spinell kennen, einen unernsten Dilettanten, der sie nun systematisch und in raffinierter Weise geistig verführt, indem er sie mehr und mehr dazu verleitet, sich selbst und ihr Verhältnis zum Leben psychologisch zu
5 analysieren und sich durch wachsende Hellsicht aufzureiben. Während einer stillen Stunde im Musikzimmer bringt Spinell sie dazu, den Klavierauszug von Wagners *Tristan und Isolde* zu spielen, jenes Werk, das Tonio Kröger „ein so morbides und tief zweideutiges Werk" nannte. Die Erregung bewirkt den
10 Zusammenbruch ihrer Gesundheit, und sie stirbt bald darauf.

Auch in der Novelle *Mario und der Zauberer* handelt es sich um einen Zusammenstoß zwischen Natur und Geist, wobei der letztere hier auftritt in der Gestalt eines dämonischen Hypnoti-seurs (da die Geschichte im faschistischen Italien spielt, hat
15 man ihn oft mit Mussolini verglichen), dem es gelingt, seinen Objekten den Willen zur Handlung zu rauben und dem einfachen Kellnerburschen Mario die Gefühle zu verwirren. Als Mario den eklen Zauberer küßt, in dem Wahn, es handele sich um ein Mädchen, hat die Verführung ihren Höhepunkt erreicht,
20 wird aber Sekunden später durch zwei tödliche Schüsse gesühnt, die der erwachte Mario auf seinen Beleidiger abgibt.

„Glück des Schriftstellers ist der Gedanke, der ganz Gefühl, ist das Gefühl, das ganz Gedanke zu werden vermag," schreibt Thomas Mann im *Tod in Venedig*, und die Größe seiner Novelle
25 liegt darin, daß ihm hier dieses Glück zuteil geworden ist. Wie in nur wenigen Werken der Literatur verkörpern die beiden Hauptpersonen dieser Novelle zwei Ideen, und ihr Verhältnis zueinander oder vielmehr das Vergehen des einen angesichts des anderen versinnbildlicht einen geistigen Vorgang von großer
30 Tragweite. Man muß diese Novelle auf zwei Ebenen lesen,

einmal als die Geschichte der Liebe eines alternden Mannes, dessen mühsam zusammengefügte und heroisch durchgehaltene Lebensdisziplin innerhalb von wenigen Wochen zusammenbricht, wobei das Objekt, aber keinesfalls der Auslöser, ein schöner Knabe von vierzehn Jahren ist; auf der anderen Seite 5 setzt sich der Dichter hier mit dem Verhältnis von Schönheit und Kunst oder Anmut und Würde auseinander.

Von Gustav von Aschenbach wird berichtet, daß sein ganzes Leben ein einziges „Trotzdem" gewesen sei, ein Zügeln und Erkälten seiner Gefühle, seines Hangs zum Müßiggang, zum 10 Maßlosen, ein Kampf gegen Laster und Leidenschaft, aber auch schon gegen die Sorglosigkeit und den Genuß. Von Anbeginn waren seine Ideale Zucht, Fleiß, und Dienst, sein Lieblingswort „Durchhalten". Auf diese Weise, die dem kalten Wassersturz ähnelt, mit dem er den Tag beginnt, erreicht er die Würde, 15 eine klassische, entsagend-vorbildliche Haltung, die die Nation an ihm bewundert, ohne zu wissen, wie sie entstand. „Würde" bedeutet aber auch — und hier finden wir einen entscheidenden Unterschied zwischen Aschenbach und Kröger — eine Absage an Zweifel, Spott und Ironie, ja ein bewußtes Durchschreiten der 20 Erkenntnis bis zu einem Punkt, an dem man das Wissen hinter sich gelassen hat und nur noch auf einem streng moralischen Pfade vorwärts gehen kann. Dies ist die Entscheidung, die der Dichter schon früh gefällt hat, teils weil er der Versuchung zum Zigeunertum entsagen, teils weil er dem stark empfundenen 25 europäischen Verantwortungsbewußtsein in sich entsprechen will. Aschenbach fügt sich in die Rolle des Erziehers und Führers der Jugend, der aus seinem Leben wie aus seinem Werk und seiner Sprache nicht nur alles Gemeine, sondern auch alles Experimentell-Subtile verbannt und nur noch das 30 Mustergültige und Beispielhafte wählt, so daß er, gleichsam

395

als Belohnung (ein kleines Kabinettstück Mannscher Ironie),
den Adelstitel erhält und in Schullesebüchern abgedruckt wird.
Sein Hauptwerk ist ein Roman über Friedrich den Großen (man
vergleiche Thomas Manns Essay *Friedrich und die große Koali-*
5 *tion*, 1915), dessen Entwicklung vom flötenspielenden Rebellen
zum verantwortungsbewußten Staatsmann beispielhaft auf den
Dichter eingewirkt zu haben scheint. In Aschenbachs Strenge
gegen sich selbst, in dem Sieg einer Haltung über das Wissen
liegt aber auch etwas Widernatürliches, „ein Erstarken zum
10 Bösen, Verbotenen, zum sittlich Unmöglichen". Künstlerische
Form, so sagt Thomas Mann, ist sittlich, wenn sie Ergebnis und
Ausdruck der Zucht ist, kann aber gleichzeitig unsittlich sein,
wenn sie die Natur verneint und versteckt. Ausgehöhlt, geschwächt und ermüdet von der gewaltigen Willensanstrengung
15 der Selbstzucht wird der 50-jährige an der Schwelle des Alters
von der Lust ergriffen und in wenigen Wochen besiegt.

Dem Urheber der Zerstörung gibt Thomas Mann den Namen
„der fremde Gott", aber erst spät, in einem qualvoll-erotischen
Traum kurz vor dem Tode, erkennt und nennt Aschenbach ihn,
20 dessen mephistophelische Diener ihn auf einigen Umwegen die
abschüssige Bahn von der Höhe der Kultur und Gesittung bis
ins Chaos hinunter begleiten. Die Wegbereiter sind ohne Ausnahme anonyme Männer von unsympathischem Aussehen mit
auffallenden Zahnpartien: der Fremde an der Münchener
25 Straßenbahnhaltestelle vor dem Friedhof, der die unheilvolle
Reiselust in Aschenbach entfacht; der geschminkte Geck auf
dem Ausflugsschiff, dessen krampfhafter Versuch, es mit der
Jugend zu halten, Aschenbachs Abscheu erregt; der Gondoliere,
dessen sargähnliches aber bequemes Gefährt Aschenbach gegen
30 seinen Willen an seinen Bestimmungsort bringt; schließlich
der Gitarrenspieler und Bänkelsänger, der triumphierend-frech

den Sieg des Dämons über die menschliche Würde und Vernunft feiert. Hinzu kommt der verhängnisvolle Einfluß Venedigs und seiner dumpfig-schwülen, schönheits- und krankheitsgeschwängerten Atmosphäre. Es ist kein Zufall, daß Tonio Kröger im Norden sich zu einer mehr oder weniger positiven Lebens- 5 haltung entschließt, während der allerdings beträchtlich ältere Aschenbach im Süden dem Verfall seines Willens untätig zusieht.

Das eigentliche Werkzeug des fremden Gottes aber ist Tadzio, in dem Aschenbach, wie der Dichter Stefan George in 10 seinem Freund Maximin, die vollkommene Schönheit und mühelose Unschuld verehrt. In dem berühmten Gedicht „Tristan" von August von Platen (in dessen Leben Venedig und die Männerliebe eine bedeutende Rolle spielten), heißt es:

> Wer die Schönheit angeschaut mit Augen, 15
> Ist dem Tode schon anheim gegeben,
> Wird für keinen Dienst auf Erden taugen,
> Und doch wird er vor dem Tode beben,
> Wer die Schönheit angeschaut mit Augen!

Platens Gedicht symbolisiert das Verhältnis des Künstlers zur 20 Schönheit, das sich — ähnlich wie das Verhältnis zum Leben — auf Anschauen, Beschreiben, Wägen beschränken muß, im übrigen aber eine gewisse kühle Distanz zur Bedingung hat, deren Durchbrechung nur die Katastrophe zur Folge haben kann. Obgleich Aschenbach bei dem ersten Anblick des schönen 25 Knaben erschrickt und als „sonderbar ergriffen" dargestellt wird, versucht er dennoch, den so herrlich geratenen Gegenstand mit „jener fachmännisch kühlen Billigung, in welche Künstler zuweilen einem Meisterwerk gegenüber ihr Entzücken, ihre Hingerissenheit kleiden" zu behandeln. Allein die Entwicklung, 30

die ja schon in München begann, läßt sich nicht mehr aufhalten, und der alternde, einsame Dichter durchläuft schnell die Stadien zunehmender Leidenschaft und Entwürdigung, versengt von der Sonne der Schönheit, der er sich zu sehr genähert hat. Obgleich
5 er sich der Absurdität seiner Liebe voll bewußt ist, zugleich auch die Gefahr der Krankheit, die Venedig in ihren Krallen hält, klar erkennt, kann und will er sich nicht mehr losreißen, läuft der Krankheit in die Arme, indem er seinen Durst mit offenbar verdorbenen Früchten löscht und stirbt einige Tage später
10 willig, als er glaubt, daß der liebliche Seelenführer Tadzio ihm zuwinkt, er möge ihm in die Unterwelt folgen.

Gustav von Aschenbachs Tod ist dem des Sokrates nicht unähnlich, wie er sich ja auch schon bei früheren Gelegenheiten in der Rolle des Führers und Verführers des Jünglings Phaidras
15 sieht. „Die Schönheit" — hier handelt es sich bei Aschenbach um eine freie Übersetzung Platos — „ist . . . die einzige Form des Geistigen, welche wir sinnlich empfangen, sinnlich ertragen können." „Und dann sprach er das Feinste aus, der verschlagene Hofmacher: Dies, daß der Liebende göttlicher sei als der Ge-
20 liebte, weil in jenem der Gott sei, nicht aber im andern." Ob Aschenbach es hier schon weiß, daß es sich um den f r e m d e n Gott handelt, den rauschbringenden Dämon, der sich zu seinem Führer gemacht hat in der Richtung zum Abgrund?

Vergleicht man die Welt von 1955 mit der von 1875, so
25 nimmt es wunder, wie sehr Thomas Mann in achtzig Jahren seinem Ursprunge treu blieb, wie wenig er sich als Mensch, als Schriftsteller oder als Stilist veränderte. Seine frühe Begeisterung für „das Dreigestirn" — Schopenhauer, Wagner, Nietzsche — weicht schon bald einer mit Reserve durchsetzten
30 Bewunderung für die geistige Leistung dieser Männer. Nie

verlassen dagegen hat ihn die Liebe zu Goethes Persönlichkeit und Werk, die er in einigen seiner feinsten Essays (*Goethe und Tolstoi,* 1923, *Goethe als Repräsentant des bürgerlichen Zeitalters,* 1932) und in seinem Roman *Lotte in Weimar* (1940) feierte. Was Mann an Goethe faszinierte, war das aristokratische Element in seinem Wesen, die Bereitschaft, als Dichter zugleich Götterliebling und Opferlamm zu sein. Goethe und der biblische Joseph sind beide noch einmal große Entsagende, die das Glück hintanstellen, um einen Auftrag von oben auszuführen.

Zeit seines Lebens hat sich Mann davor gefürchtet und dagegen gewehrt, als ‚tief', ‚philosophisch', oder ‚schwer' gewertet zu werden. Der Humor, der in jedem seiner Werke, selbst den ernstesten und schmerzerfüllten, gegenwärtig ist, wird manchmal vom Leser nicht gesehen, weil er sich unter der Maske der Ironie oder Parodie, des metaphysischen oder sprachlichen Scherzes verbirgt. So imitiert der Hochstapler Felix Krull in seiner in der Gefängniszelle geschriebenen Lebensbeschreibung den Dichter Goethe und seine Autobiographie; in dem Roman *Der Erwählte* (1949) schafft Mann eine neue, eine absolute Sprache, in der es von beabsichtigten Anglizismen wimmelt. Die berühmten und oft kritisierten Abschweifungen und Weitschweifigkeiten Manns sind in Wirklichkeit ohne Ausnahme organisch notwendige Teile des Gesamtwerks, wenn auch oft Spiele, die der Dichter vor oder mit dem Leser ausführt. In diesen Zusammenhang gehört auch der Gebrauch des Leitmotivs, des „raunenden Beschwörers des Imperfekts", das der Dichter meisterhaft benutzt, um körperliche und geistige Eigenschaften, Ideen und ganze Gedankenkomplexe hervorzuheben und das Vergangene mit dem Gegenwärtigen und Zukünftigen zu einer Einheit zu verknüpfen.

In einer Rede vor Professoren und Studenten der Yale-Universität zitierte Mann die Stelle aus Mozarts *Zauberflöte*, in der von Tamino gesagt wird: „Er ist ein Prinz!" worauf ein anderer hinzufügt: „Er ist mehr als das, er ist ein Mensch!"
5 Auf den Künstler bezogen, meint Mann, daß man auch von ihm sagen muß, daß er nicht nur Künstler, sondern Mensch sei und fährt fort: „Das Vertrauen, das er sich als Künstler erwarb, ist nicht nur ästhetisches, sondern auch menschliches Vertrauen. Wie sollte und müßte er es nicht nützen, um im Leben zum
10 Guten zu wirken, wie er es in der Kunst versuchte!" Aufgewachsen in der Schule des Naturalismus hat Thomas Mann seine eigene Zeit und ihre Stilgesetze nie verlassen, sondern hat immer versucht, den Geistigen seiner Generation ein Beispiel zu sein.

Frank D. Hirschbach

Hatfield, Henry. *Thomas Mann.* Norfolk, Connecticut, 1951.

Heller, Erich. *The Ironic German. A Study of Thomas Mann.* Boston, 1958.

Mayer, Hans. *Thomas Mann. Werk und Entwicklung.* Berlin, 1950.

Altenberg, Paul. *Die Romane Thomas Manns.* Bad Homburg vor der Höhe, 1961.

Eichner, Hans. *Thomas Mann. Eine Einführung in sein Werk.* Bern, 1953.

Franz Kafka
1883-1924

Die bekanntesten modernen Dichter der deutschen Sprache, die der Weltliteratur angehören, sind in chronologischer Reihenfolge: Thomas Mann, Rainer Maria Rilke, Franz Kafka und Bert Brecht. Ihre Werke wurden in alle Kultursprachen übersetzt und sind noch immer Gegenstand historischer und kri- 5 tischer Betrachtung. Eine 1961 erschienene Bibliographie über Kafka enthält 5000 Titel, und selbst bei dieser großen Anzahl mußte vieles ausgelassen werden. Die angeführten Veröffentlichungen stammen nicht nur aus den westlichen Ländern, die mit Ausnahme Rußlands und einiger seiner Satelliten alle ver- 10 treten sind, sondern auch aus dem nahen und fernen Osten. In Japan besonders wird ‚Kafuka', wie er dort heißt, viel gelesen und ist der Gegenstand akademischer Studien.

Dieser Ruhm kam nicht über Nacht und nicht nach den ersten Werken. Zwar wurde Kafka schon zu seinen Lebzeiten von seinen Prager Freunden als dichterische Kraft erkannt und propagiert. Die angesehensten Verlage und Zeitschriften stan-
5 den ihm offen. Die Großen seiner Zeit kannten und schätzten ihn. Thomas Mann interessierte sich für seine Werke, und Rilke schrieb an Kafkas ersten Verleger, Kurt Wolff: „Merken Sie mich bitte immer ganz besonders für alles vor, was von Franz Kafka an den Tag kommt." Dabei beliefen sich seine veröffent-
10 lichten Werke in seinem Todesjahre auf nur etwa 200 Druck-seiten. Sein Freund Max Brod veröffentlichte aus dem Nachlaß die großen Romanfragmente *Der Prozeß*, *Das Schloß* und *Ame-rika*. Es fanden sich in diesem Nachlaß auch zwei Zettel, auf denen der Dichter verfügt hatte, daß seine Manuskripte nach
15 seinem Tode verbrannt werden sollten, aber Brod handelte glücklicherweise nicht im Sinne dieses ‚Testaments'. Kafka selber hatte schon bei Lebzeiten seinen eigenen Weisungen nicht gehorcht und Neues veröffentlicht.

In den Jahren zwischen seinem Tod und der Machtergreifung
20 Hitlers wuchs sein Ruhm ständig. Deutsche Literaturgeschichten besprachen ihn, die germanistischen Fachschaften schlossen sein Werk in ihren Arbeitsbereich ein. Mit Hitlers Sieg hatte all das ein Ende, und der damals aufwachsenden Generation war Kafka, der jüdischer Abstammung war, ein Unbekannter. Nun
25 begann das Ausland, namentlich England und Amerika, aber bald auch Frankreich, sich intensiv mit Kafka zu beschäftigen. Um die Mitte der vierziger Jahre hatte die Kafka-Welle ihren Höhepunkt erreicht. Eine Anthologie von über 400 Seiten trug den vielsagenden Titel *The Kafka Problem*. Die einzelnen
30 Kritiken in diesem Buch widersprachen sich. Der eine be-hauptete, Kafka sei ein brutaler Faschist gewesen, ein anderer

nannte ihn einen „Pre-Fascist Exile". Den Theologen war er ein
Kommentator Kierkegaards, den Kommunisten ein Kommunist
und den Psychoanalytikern ein höchst ergiebiger, wenn auch
postumer Patient. Diese erste Generation von Kritikern ließ
ihrer Phantasie freies Spiel, als ob die Werke dieses großen, 5
stilbewußten Dichters die zufallgeformten Tintenkleckse in
einem Rohrschach-Test wären.

Doch das ist nun schon lange her, und seitdem hat eine
verantwortungsbewußte und wohlinformierte Kafkakritik eingesetzt. Viele dieser Kritiker sind von dem stark autobiographi- 10
schen Charakter dieses Dichters überzeugt. Kafkas Tagebücher,
die er von 1911 an geführt hat, geben immer wieder davon
Kunde, was er mit seinem Dichten sagen will und was nicht.
So läßt sich gegen die Schule der theologischen Allegorisierer
das folgende Kafkabekenntnis anführen, das durchaus nicht 15
das einzige seiner Art ist:

> Ich bin nicht von der allerdings schon schwer sinkenden
> Hand des Christentums ins Leben geführt worden wie
> Kierkegaard und habe nicht den letzen Zipfel des davon-
> fliegenden jüdischen Gebetmantels noch gefangen wie die 20
> Zionisten. Ich bin Ende oder Anfang.

Ein andermal schreibt er, als ob er sich dagegen wehren wollte,
als Sozialkritiker angesehen zu werden:

> Ich habe das Negative meiner Zeit, die mir ja sehr nahe
> ist, die ich nie zu bekämpfen, sondern gewissermaßen zu 25
> vertreten das Recht habe, kräftig aufgenommen. . . . Von
> einem allgemeinen Aburteil über die Generation ist bei
> mir keine Spur.

In einem 70 Seiten langen Brief an seinen Vater wirft er
diesem vor, er sei zum großen Teil an dem verfehlten Leben 30

seines Sohnes schuld. In diesem Zusammenhang drückt er den autobiographischen Charakter seiner Schriften in der überspitzten Form aus: „Mein Schreiben handelte von Dir, ich klagte dort ja nur, was ich an Deiner Brust nicht klagen
5 konnte."

Kafka hatte Grund zum Klagen, denn seine Lebensgeschichte war eine Leidensgeschichte. Das Jahrzehnt, in dem Kafka geboren wurde, sah auch ein verstärktes Aufleben des Antisemitismus nicht nur in Deutschland, sondern in ganz Europa. Um
10 diese Zeit kommt das Wort Antisemitismus auf, zur Kennzeichnung gewisser neuer politischer und religiöser Parteien, die die Bekämpfung des Judentums zum Ziele haben. In Prag, der Heimatstadt Kafkas, verstärkt sich der immer schon vorhandene Judenhaß. Dort erscheint 1871 ein Buch mit dem Titel *Der*
15 *Talmudjude*, in dem die ekelhafte Anschuldigung erhoben wird, die Juden schlachteten zu rituellen Zwecken Christenkinder. Frankreich hatte später seine berüchtigte Dreyfuss-Affäre. Für die Verhetzung der Gebildeten in Deutschland sorgte der populärste Hochschullehrer seiner Zeit, der Berliner Historiker
20 Heinrich von Treitschke. Kafka lebte als Deutschösterreicher in Prag, das heißt, er gehörte einer kleinen, deutsch sprechenden Kulturinsel an, die durch ihr bloßes Dasein den Deutschenhaß der Tschechen lebendig hielt. Die meisten dieser Deutschösterreicher waren wohlhabende Kaufleute, Ärzte, Juristen, Bank-
25 direktoren, Gelehrte, Künstler und erregten den Klassenhaß der unteren, also der tschechischen Schicht. Politischer Haß, Klassenhaß und Rassenhaß, das gehörte zur Atmosphäre der Heimatstadt Prag. Ist es verwunderlich, daß Kafka einmal das Wort „Heimat" in Anführungsstrichen gebrauchte, als er von
30 Prag sprach? Das Bewußtsein dieser Anführungsstriche mußte

für einen sensiblen Juden von Anfang an da sein und konnte sich nur verstärken, denn der Juden- und Deutschenhaß Prags wuchs zu Kafkas Lebzeiten.

Kafkas Vater war, obgleich religiös indifferent, ein jüdischer Familienpatriarch. Außerdem hatte er alle guten und schlechten Eigenschaften des ‚Selfmademan': unbegrenzte Zuversicht in seine eigene Leistungsfähigkeit, ungeduldiges und oft ungerechtes Abwerten anderer aus Hochmut. Vater und Sohn mußten sich gegenseitig tief enttäuschen. Zwar sah Kafka in seinem Vater all das verkörpert, was er so sehnlich erstrebte, aber zu leisten nicht imstande war, den erfolgreichen Menschen, den Gründer und Erhalter einer Familie. Andrerseits fühlte er sich von seinem Vater unterdrückt, mißverstanden und beiseite geschoben. Allein die Stimmkraft und die breitschultrige Erscheinung dieses Familienpatriarchen genügten, das Kind und den jungen, werdenden Menschen vollkommen einzuschüchtern. Aber schon das Kind sah als scharfer Beobachter das tyrannische und unbeherrschte Wesen, die Ungerechtigkeit und unnötige Härte dieses Mannes. Kurzerhand mit dem Vater zu brechen und auf eigene Faust in die Welt zu ziehen, um sich mit seiner Schriftstellerei Geld und Ruhm zu erwerben, das war dem Sohn unmöglich, der an einem gewissen Infantilismus litt und außerdem in der straffgefügten jüdischen Familientradition stand. Außergewöhnliche Einsamkeit umgab das Kind und den Gymnasiasten. Auch als Student blieb er im Elternhaus, von dem er sich erst im 41. Lebensjahr, das auch sein Todesjahr sein sollte, losreißen konnte. Im Jahre 1906 erwarb er sich den Doktortitel in einem Fach, das schon Dichter vor ihm, wie Goethe und Heine, ohne Enthusiasmus studiert hatten, in der Jurisprudenz.

Der Dr. jur. Kafka fand seinen Lebensberuf, das heißt, den

405

Beruf, dem er die beste Zeit seiner gesunden Jahre mit Widerwillen opferte, in der „Arbeiter-Unfall-Versicherungs-Anstalt für das Königreich Böhmen in Prag". Die Klagen, daß er der verhaßten Berufsarbeit die Zeit und Energie opfern muß, die
5 er zu seinem wahren Lebensberuf, zum Schreiben, braucht, reißen nicht ab. Trotzdem tat er ausgezeichnete Arbeit im Büro, wie seine Kollegen und Vorgesetzten viele Jahre nach seinem Tode bezeugten, ohne daß sie wußten, daß dieser stille ehemalige Beamte inzwischen ein weltberühmter Dichter ge-
10 worden war.

Von all diesen beruflichen Qualen befreite ihn die Krankheit, die Tuberkulose, die bei dem Vierunddreißigjährigen festgestellt wurde. Nun änderte sich Kafkas Leben. Lange Krankenurlaube, von vorübergehenden Versuchen, die Büroarbeit wieder
15 aufzunehmen, unterbrochen, gaben ihm die gewünschte Freizeit. Allerdings dürfen wir nicht annehmen, daß es sich bei Kafka um eine bewußte Flucht in die Krankheit handelt. Er sorgte, wenn auch oft auf falschem Wege, für seinen Körper und war, solange das seine Gesundheit erlaubte, ein ausdauernder
20 Schwimmer und Wanderer, ein guter Ruderer und Reiter.

Sein ganzes Leben suchte Kafka Erlösung durch die Frau. Das sagt er immer wieder in seinen Tagebüchern und drückt es immer wieder in seinem Werk aus. Nach seinen ersten Erfolgen als Schriftsteller, im Jahre 1915, schreibt er einmal:

25   So wenig ich sein mag, niemand ist hier, der Verständnis
     für mich im ganzen hat. Einen haben, der dieses Ver-
     ständnis hat, etwa eine Frau, das hieße Halt auf allen
     Seiten haben, Gott haben.

Und doch blieb Kafka sein ganzes Leben Junggeselle, er, der

das Junggesellentum haßte und verachtete. Im Jahre seines dichterischen Durchbruchs, 1912, lernte er ein Berliner Mädchen, Felice Bauer, kennen, das ihn aufrichtig liebte, aber trotz aller Liebe nicht verstand. Zweimal verlobte sich Kafka mit ihr und zweimal entlobte er sich auch im Laufe von fünf Jahren, die 5 für ihn und das Mädchen schwere Leidensjahre waren. Daß ein anderer Mensch durch ihn so leiden mußte, hat Kafka sich nie verziehen. Immer wieder hat er sich in seinen Werken in der Gestalt des Helden mißhandelt, gedemütigt und zum Tode verurteilt. Zweimal haben Freunde den sonst so beherrschten 10 Dichter weinen sehen, einmal im Gedenken an seine unglückliche Braut und das zweite Mal auf dem Totenbett. Was ihm die Bindung an eine Frau so schwer machte, war sein Bedürfnis nach Freiheit, das er durch die Ehe gefährdet sah. Er brauchte diese Freiheit, um zu schreiben. Flaubert sagte einst beim An- 15 blick einer jungen, glücklichen Verwandten, die mit ihren hübschen Kindern spielte: ,,Ils sont dans le vrai'' — ,Sie leben in der Wahrheit'. In der Sprache des Existentialismus hieße das etwa: Hier haben wir heilige (authentische) Existenz. Kafka zitierte das Flaubert-Wort oft und aus schmerzlich erlebter Überzeu- 20 gung. Andere, wenn auch nicht so große Schwierigkeiten mit Frauen folgten, bis er im letzten Jahre seines Lebens in der neunzehnjährigen Dora Dymant das fand, was er sein ganzes Leben vergeblich gesucht hatte, volles Verständnis und liebevolles Eingehen auf seine schwierige Persönlichkeit. Nun, da er 25 nur noch Monate zu leben hatte, was er freilich nicht wußte, änderte Kafka seine ganze Lebensführung. Nun arbeitete er ernsthaft für ,,die große männliche Zukunft''. Er riß sich endgültig von Prag und vom Elternhaus los, und als er zum letzten Mal ins Krankenhaus mußte, gehorchte er den sonst mit Miß- 30

407

trauen betrachteten Ärzten aufs Wort. Bis zur letzten Nacht auf seine Rettung hoffend, erlag er schließlich dem Tode, den er sich früher als Erlöser so oft herbeigewünscht hatte.

In seinem Werk hat Kafka meist nur das Groteske und die
5 Leiden seines Lebens dargestellt. Die Zartheit und Güte seines Wesens zeigen sich nur ganz selten und dann auch nur flüchtig, aber weil die Dunkelheit in seinem Werk so tief ist, leuchten diese kleinen Hoffnungsschimmer umso stärker.

Der Dichter fand seinen Stil in der kurzen Erzählung *Das*
10 *Urteil*, die er in einer Septembernacht des Jahres 1912 in einem Zuge niederschrieb. Die Geschichte beginnt an einem Sonntagvormittag in einem Häuschen der Großstadt am Flusse und endet einige Zeit später mit dem Selbstmord des Helden, Georg Bendemann, in diesem Flusse. Georg ist ein junger Geschäfts-
15 mann auf der Höhe des Daseins. Der Umsatz im Geschäft hat sich in letzter Zeit verfünffacht und außerdem hat er sich vor kurzem mit einem Mädchen aus wohlhabender Familie verlobt. Am Ende der Erzählung ist er der vom Vater überführte Schuldbewußte, der des Vaters Todesurteil, „Tod durch Er-
20 trinken", selber vollstreckt. Diese Inhaltsangabe läßt einen Romanstoff vermuten, der die Entwicklung von einem Extrem zum anderen zeigt. Als Novellenstoff scheint diese Geschichte einen dramatischen Wendepunkt zu verlangen, etwa die Aufdeckung eines Verbrechens, das der Sohn begangen hat. Es ge-
25 lingt Kafka aber, ohne psychologische Analysen und ohne dramatische Wendepunkte diese Geschichte glaubhaft zu machen. Wie immer in seinen Werken haben wir es nicht mit einem in der Außenwelt möglichen Geschehen, sondern mit einem inneren Vorgang zu tun. Hier liegt das Geheimnis von Kafkas
30 Stil, was noch im einzelnen zu zeigen sein wird.

Georg hat einen langen Brief an seinen Freund in Rußland geschrieben, dessen Geschäftsunternehmungen dort gescheitert sind. In herablassender, gönnerhafter Weise sinnt er dem Geschick dieses Freundes nach. Einige Zeit vorher hatte Georg seiner Verlobten von diesem Freund erzählt, dem er seine Verlo- 5 bung nicht mitteilen könne, da es den Unglücklichen womöglich noch unglücklicher machen würde. Das hatte zu einer Verstimmung geführt und Georg versprach, dem Freund auch über die Verlobung zu berichten. Der Brief ist geschrieben und Georg tritt in das Zimmer seines Vaters, um mit ihm über den Freund 10 zu sprechen. Um den nun folgenden Kampf auf Leben und Tod zwischen Vater und Sohn zu verstehen, muß man sich klarmachen, daß alles bisher Erzählte in einem facettenreichen, aber realistischen Stil geschrieben ist. In dem nun folgenden Zwiegespräch, das bald zu einer Art Gerichtssitzung mit Urteilsver- 15 kündung wird, erscheint der Vater in vielfacher Gestalt. Zunächst kommt er ganz realistisch dem Sohn im schweren Schlafrock entgegen. „Mein Vater ist noch immer ein Riese", denkt Georg, wie das auch Kafka oft von seinem Vater dachte. Der Vater beginnt ein Katz-und-Maus-Spiel, indem er vorgibt, den 20 Freund in Rußland nicht zu kennen, obgleich er ihn eigentlich kennen sollte. Georg, immer noch als liebender Sohn, zieht den Vater aus, damit er noch ein wenig im Bett ruhen kann. Das ist sonderbar genug, aber nun setzt die sogenannte Verfremdung ein. Er trägt den Alten auf seinen Armen ins Bett, der dabei wie 25 ein Kind oder ein schwachsinniger Greis mit der Uhrkette des Sohnes spielt. Der Vater, der vor einem Augenblick noch ein Riese war, ist also plötzlich ein schwachsinniger Zwerg geworden. Der Streit flammt von neuem auf, als der Vater dem Sohn hohnlachend erklärt, daß er noch immer der Stärkere im Leben 30 und im Geschäft ist. Während dieses Streites erscheint der Vater

in seiner dritten Gestalt. Wie ein hämischer Dämon steht er auf-
recht im Bett und läßt seine Beleidigungen und Anklagen auf
den Sohn niederprasseln. Sogar die Verlobung wirft er ihm als
Verrat an der toten Mutter vor. Schließlich faßt er alles in einen
5 Satz zusammen: „Ein unschuldiges Kind warst du ja eigentlich,
aber noch eigentlicher warst du ein teuflischer Mensch." Darauf
folgt das Todesurteil. Während der Vater-Dämon den Sohn
verhöhnt und anklagt, wünscht dieser, daß er fallen und sich
den Kopf zerschmettern solle. Nach der Urteilsverkündung
10 stürzt der Sohn todesgierig aus dem Hause, läuft auf die Brücke
und packt das Geländer „wie ein Hungriger die Nahrung". So
sehr also hat sich Georg nach Erlösung aus einem verfehlten
Leben, einer *vie manquée*, gesehnt. Ehe er sich fallen läßt, ge-
denkt er in Liebe der Eltern. Sein Aufschlagen auf das Wasser
15 wird von einem Autobus übertönt. Im Augenblick seines Todes
„ging über die Brücke ein geradezu unendlicher Verkehr". Was
kümmert es das starke Leben, daß hier ein kleiner, besiegter
Mensch gefallen ist!

Der Leser, der an Kafkas Stil nicht gewöhnt ist, wird psycho-
20 logische Erklärungen vermissen und die drei widerspruchs-
vollen Vatergestalten nicht ganz verstehen. Was wir hier als
Handlung in einer Wirklichkeitswelt sehen, spielt sich dort gar
nicht ab. Der Vater erscheint nicht in diesen unmöglichen
„Schreckbildern", wie Kafka es selber nennt. Was wir sehen,
25 ist das Innenleben der Charaktere. In den halb unbewußten Gedanken des Sohnes, in seinem innersten Gefühl ist der Vater
der riesige Patriarch, aber auch der verblödete, zwerghafte Greis
und dann wieder der gehässige Dämon. Den Todeswunsch
gegen den Vater hegt er tief in seinem Innern, vielleicht ohne es
30 sich selber einzugestehen. Auch was der Vater sagt, sind Gedanken und Gefühle, die der Sohn zum Teil ihm unterlegt, zum

Teil erahnt. Wir haben es also mit einer metarealen Handlung zu tun, die die innere Wirklichkeit aufdeckt. Die Wirklichkeit der Außenwelt ist dieser inneren Wirklichkeit an Wahrheitsgehalt immer unterlegen.

Es gibt eine ganz kurze Geschichte von Kafka, *Auf der* 5 *Galerie*, in der er einmal die reale und metareale Handlung nebeneinander geschildert hat. Im ersten Absatz dieser Geschichte beschreibt er eine hinfällige, lungensüchtige Kunstreiterin, die von einem erbarmungslosen, peitschenschwingenden Zirkusdirektor monatelang um die Manege zu reiten gezwungen 10 wird, sozusagen in eine „immerfort weiter sich öffnende graue Zukunft". Dieser unwirkliche Zirkusakt wird vielleicht von dem jungen Mann auf der Galerie abgebrochen werden, diesem Perseus, der in die Manege läuft und sein donnerndes Halt ruft. Diesem Absatz folgt ein zweiter, der den Akt der Kunstreiterin 15 realistisch schildert mit allem falschen Zirkusgepränge, dem Lächeln des Direktors und der Kunstreiterin. Der Perseus, der die Tragik, die hinter dieser falschen Wirklichkeit der Sinne liegt, so gefühlt hat, wie es der metareale Akt zeigte, kann natürlich nicht protestieren. Er legt das Gesicht auf die Brüstung und 20 weint, da er diese unheile Existenz nicht ins Reine und Wahre verwandeln kann.

Man kann sich sehr wohl einen realen Verlauf der Handlung für die Geschichte *Das Urteil* ausdenken, Vater und Sohn würden sich dann nur aussprechen mit etwas geheuchelter Freund- 25 lichkeit auf Seiten des Sohnes, mit wahrnehmbarer Unzufriedenheit auf Seiten des Vaters. Es könnte auch sein, daß der Sohn hinterher gebrochen und mit Selbstmordgedanken am Schreibtisch säße, dann aber mit einem Seufzer den nächsten Geschäftsbrief anfinge. 30
Fast zwei Jahre nach Abschluß dieser Geschichte traf Kafka

die Eltern seiner Verlobten, um ihnen wieder einmal die Gründe
aufzuzählen, weshalb er nicht heiraten könne. Die Mutter weint,
aber der Vater des Mädchens folgt verständnisvoll den klaren,
logischen Auseinandersetzungen des Dichters. Kafka hat uns
5 die Szene in seinem Tagebuch beschrieben. Sie endet mit den
Sätzen: „Sie geben mir recht, es läßt sich nichts oder nicht viel
gegen mich sagen. Teuflisch in aller Unschuld."

„Teuflisch in aller Unschuld" hatte auch der alte Bendemann
seinen Sohn genannt, als er ihn in den Tod schickte. Um einen
10 treffenden Ausdruck für sein Schuldgefühl zu finden, zitiert
Kafka sich selbst. Einen stärkeren Beweis für den autobiographischen Charakter der Erzählung *Das Urteil* gibt es nicht.

Die dichterische Wirkung dieser Erzählung ist nun aber nicht
gerecht dargestellt, wenn man sagt: sie zeigt uns, wie sich Kafka
15 um diese Zeit fühlte. In dieser spezifischen Darstellung des
Vater-Sohn-Konfliktes fühlen wir die Atmosphäre dieser Zeit,
in der ein Gegensatz zwischen den Generationen herrschte, wie
er nur in Krisenzeiten bestehen kann. Vergleicht man Kafkas
Werk mit anderen Dichtungen gleicher Thematik aus dem Jahr-
20 zehnt vor dem ersten Weltkrieg, so sieht man, wie repräsentativ
sein Werk trotz aller persönlichen Bezüge ist. Da haben wir den
Konflikt als hysterisches Familiengezänk, wie man ihn zum
Beispiel bei Hauptmann findet; der patriarchische Anspruch
erhebt sich, aber er wirkt schon grotesk; Georg ist der weltge-
25 wandte, geistig überlegene Sohn, der Intellektuelle, der den pri-
mitiveren Vater nicht besiegen kann, und schließlich fühlen wir
die Problematik der Autorität in moderner Zeit: ein Stück alter
Weltordnung löst sich auf, und die Verwirrung wächst.

Mit dem Zusammenbrechen der alten Ordnung ist auch der
30 Verlust an Menschenwürde verbunden. Kafka fühlte diese Be-

drohung tief. Er ist aber nicht der erste, der seiner Angst über diesen Verlust Ausdruck gab. Wie Kafka fühlten schon Dostojewski und Nietzsche, und auch sie gebrauchten die Insektenmetapher, die durch Kafka berühmt geworden ist. In Dostojewskis erstem großen Werk, *Aus dem Dunkel der Großstadt*, 5 finden wir die Einsicht, daß der intelligente Mensch des neunzehnten Jahrhunderts zur Charakterlosigkeit verdammt ist, und der kleine Beamte, der diese Aufzeichnungen macht, klagt darüber, daß er weder Held noch Insekt sein konnte. Die anderen Menschen in diesem Roman behandeln den gebrochenen Helden 10 wie eine Fliege. Das muß er selbst immer wieder feststellen, er merkt aber auch, daß er nicht das schlimmste Insekt ist. Unter den wohlsituierten Schulkameraden, die in stolzer Sicherheit auf den intelligenten, aber in jedem Sinne des Worts unbehausten ,Helden' herabsehen, gibt es schlimmeres Ungeziefer als ihn. 15 Der große und in gewissem Sinne rettende Unterschied zwischen ihm und den anderen ist deren Unwissenheit über ihre Ungeziefernatur, ihre Unfähigkeit, sich zu schämen. Das tragische Schicksal des Mannes im Kellerloch bleibt immer dasselbe: jede Laus kann ihn unbestraft beleidigen. Nietzsche gebraucht den Insek- 20 tenvergleich für den „letzten Menschen": „Wehe! Es kommt die Zeit des verächtlichsten Menschen, der sich selber nicht mehr verachten kann. . . . Die Erde ist dann klein geworden, und auf ihr hüpft der letzte Mensch, der alles klein macht. Sein Geschlecht ist unaustilgbar wie der Erdfloh; der letzte Mensch lebt 25 am längsten." In Malraux' Roman *La Condition humaine* werden die Menschen einmal „das Ungeziefer der Erde" genannt.

In *Die Verwandlung* stellt Kafka wieder etwas dar, was ihn ganz persönlich angeht, aber trotzdem, wie oben angedeutet, für den Menschen der modernen Zeit genau so gilt. Wieder 30 gehört der Held dem Geschäftsleben an. Er ist Handlungs-

reisender, bewohnt ein kleines Zimmer in der Wohnung seiner
Eltern und unterhält sie und seine Schwester durch seine Arbeit. Im Unterschied zur vorigen Geschichte beginnt Kafka
nicht mit einer Schilderung der äußerlichen Wirklichkeit im Zu-
5 sammenleben dieser Familie, er führt die Innenwelt schon im
ersten Satz ein: „Als Gregor Samsa eines Morgens aus unruhi-
gen Träumen erwachte, fand er sich in seinem Bett zu einem
ungeheuren Ungeziefer verwandelt." Nach dieser Verschie-
bung der Wirklichkeitsebene geht wieder alles seinen „nor-
10 malen" Gang. Die Menschen reagieren mit Ekel, Angst, Verzweiflung auf ihn, nur nicht mit Unglauben. Sie alle sind überzeugt, daß dieses Riesenungeziefer einmal Gregor war, und
manche glauben, daß er es noch ist. Die Frage, wer Gregor dies
angetan hat, wird nicht gestellt und ist auch für das Verständ-
15 nis der Geschichte nicht wichtig. In mancher Hinsicht verkörpert Gregor eine Seite von Kafkas Lebensgefühl, von der der
Dichter in seinen Tagebüchern immer wieder spricht und für
die er auch oft die Insektenmetapher gebraucht. Wenn Kafka
sich vom Schicksal gedemütigt, vom Vater besiegt und in seiner
20 Dichterarbeit behindert fühlte, schimpfte er sich ein Insekt:

> Es ist nicht Trägheit, böser Wille, Ungeschicklichkeit —
> wenn auch von alledem etwas dabei ist, weil „das Unge-
> ziefer aus dem Nichts geboren wird" — welche mir alles
> mißlingen oder nicht einmal mißlingen lassen: Familien-
> 25 leben, Freundschaft, Ehe, Beruf, Literatur, sondern es ist
> der Mangel des Bodens, der Luft, des Gebotes.

Synonyme für dieses ‚Gebot' sind: das Absolute, das Gesetz, die
Wertordnung, kurz alles, was der Kulturwelt, aber auch dem
Leben des Einzelnen Sinn und Richtung gibt. Nietzsche ge-

brauchte für die Auflösung des Gebotes das grausige Wort:
„Gott ist tot".

Gregor ist zur Zeit seiner Verwandlung dreißig Jahre alt wie
sein Autor. Auch für ihn kommt der große Wendepunkt in seinem Leben wie bei Dante „Inmitten unsres Wegs im Leben". 5
Wer aber nur die Verwandlung Kafkas und seines Helden in
das Ungeziefer sieht, mißversteht den Sinn der Geschichte. Es
wimmelt von Ungeziefern in Gregors näherer und weiterer Umgebung. Außer der oben zitierten Tagebuchstelle gibt es einen
Schlüssel zum Verständnis dieses Werkes im Werke selber. Selten 10
findet man in Kafkas Erzählungen Angriffe auf die Zeit oder
verächtliche Zeitgenossen, aber in den Szenen, in denen der
Prokurist eine Rolle spielt, fühlen wir Kafkas Groll. Der Prokurist ist ein aufgeblasener Menschenschinder, der gekommen ist,
um den vermutlich kranken Gregor wie ein zusammengebro- 15
chenes Arbeitspferd mit Peitschenhieben auf die Beine zu bringen. Diese Peitschenhiebe sind gemeine und vollkommen un-
verdiente Anspielungen auf den mangelnden Fleiß und die
zweifelhafte Ehrlichkeit des Angestellten. Kafka kannte diesen
Menschentyp als Jurist und Beamter in einer Versicherungs- 20
gesellschaft nur zu gut. Seine erste Anstellung bei einer italienischen Versicherungsgesellschaft hatte er aufgeben müssen, weil
er das dauernde Anschnauzen des Personals nicht ertragen
konnte. Gregor denkt darüber nach:

> . . . ob nicht auch einmal dem Prokuristen etwas Ähn- 25
> liches passieren könnte, wie heute ihm; die Möglichkeit
> dessen mußte man doch eigentlich zugeben. Aber wie zur
> rohen Antwort auf diese Frage machte jetzt der Prokurist
> im Nebenzimmer ein paar bestimmte Schritte und ließ
> seine Lackstiefel knarren. 30

Also die Selbstsicherheit bewahrt den Prokuristen davor, sich je wie ein Ungeziefer vorzukommen. Eine Selbstsicherheit, die sich in solchen grandiosen Herrschergebärden zeigt, wie dem Knarren seiner Lackschuhe. An dieser Stelle eröffnet uns die Ge-
5 schichte einen gesellschaftskritischen Ausblick auf die abendländische Kultur. Fügen wir zu den knarrenden Lackstiefeln noch die klirrenden Säbel hinzu, so sind wir wieder bei Dostojewskis kleinem Beamten im Kellerloch, der sich an seine verhaßten Schulkameraden erinnert, die ihn wie ein Ungeziefer
10 behandeln:

> Sie hatten schon gelernt, nur den Erfolg zu verehren. Sie verlachten alles, das gut aber unterdrückt und in niedriger Stellung war, in ihrer Grausamkeit und Schamlosigkeit. Gesellschaftliche Stellung war für sie das gleiche wie
> 15 Intelligenz. Schon mit sechzehn sprachen sie von ihren zukünftigen prima Berufsaussichten.

Der Prokurist ist nicht das einzige Insekt in der Geschichte, das wegen mangelnden inneren Schamgefühls der Welt nie als Insekt erscheint. Da ist der Geschäftsdiener, „eine Kreatur des
20 Chefs ohne Rückgrat und Verstand", da ist der Vater, eine verächtliche Wanze, der sich von Gregors Arbeit ernährt, ohne es nötig zu haben und dessen Lügen Gregor bei dieser Fronarbeit festhielten, obwohl sein Sohn schwer darunter litt. Die Liebe der Mutter versagt vollkommen. Sie möchte zwar Gregor helfen,
25 kann aber nicht aus dem Machtbereich des Vaters herauskommen, der seinen erniedrigten und arbeitsunfähigen Sohn haßt. Nur die Liebe der Schwester erhält Gregor eine Weile am Leben, aber auch diese Liebe versagt, und im giftigen Zorn auf den verwandelten Bruder läßt sie ihn verhungern. Am Ende der Ge-
30 schichte erscheinen drei lustige kleine Käfer, die aber durchaus

nicht harmlos sind, die drei chaplinesken vollbärtigen Zimmerherren, die sich als Einheit bewegen und als Einheit in ihrer bös-
artigen Dummheit handeln.

Einen faulenden Apfel im Rücken, den sein wütender Vater
einst hineingeschleudert hatte, ohne Nahrung seit langer Zeit, 5
legt sich Gregor eines Nachts zum Sterben in seinem Zimmer
nieder. „An seine Familie dachte er mit Liebe und Rührung zurück", wie der zum Tode verdammte Georg in *Das Urteil.*

Der Käfermann verhungert nicht nur, weil die Schwester ihn
vernachlässigt, sondern auch weil er die Speise nicht finden 10
kann, die ihn ernährt. Der Appetit der Zimmerherren aber ist
ausgezeichnet. Gregor hört im Nebenzimmer das Geräusch ihrer
kauenden Zähne, als ob ihm damit gezeigt werden sollte:

> daß man Zähne brauche, um zu essen, und daß man auch
> mit den schönsten zahnlosen Kiefern nichts ausrichten 15
> könne.... „Ich habe ja Appetit", sagte sich Gregor sorgen-
> voll, „aber nicht auf diese Dinge. Wie sich diese Zimmer-
> herren nähren, und ich komme um!"

Die Eßmetapher kehrt in Kafkas Tagebüchern, Briefen und
Werken immer wieder. Sie bedeutet dort geistig-seelische Nah- 20
rungsaufnahme, sie bedeutet aber auch herzhafte Teilnahme am
Leben, wobei Kafka sich aber immer wieder fragt: an welchem
Leben? Für die vulgären Zimmerherren bietet das Leben immer
nährende Speise, denn sie können die unheile Existenz vertragen.
Sie genießen „laut kauend" das korrupte, verfälschte, flach und 25
schal gewordene Leben ihrer Zeit, in der der geistig und seelisch
anspruchsvollere Mensch hungrig bleiben muß. Nietzsche drückt
seine Lebenskritik genau so aus wie Kafka. Nietzsche spricht
davon, daß mancher Mensch heute die gemeinsame Tafel des
Lebens verläßt, um abseits zu verhungern: 30

Wer die Begierden einer hohen wählerischen Seele hat
und nur selten seinen Tisch gedeckt, seine Nahrung bereit
findet, dessen Gefahr wird zu allen Zeiten groß sein: heute
aber ist sie außerordentlich. In ein lärmendes und pöbel-
haftes Zeitalter hineingeworfen, mit dem er nicht aus einer
Schüssel essen mag, kann er leicht vor Hunger und Durst,
oder, falls er endlich dennoch „zugreift" — vor plötz-
lichem Ekel zugrunde gehn . . . und gerade die Geistig-
sten von uns, die am schwersten zu ernähren sind, kennen
jene gefährliche Dyspepsie, welche aus einer plötzlichen
Einsicht und Enttäuschung über unsere Kost und Tisch-
nachbarschaft entsteht.

Nur einmal scheint für Gregor die Möglichkeit sich zu sät-
tigen in Reichweite zu sein. Seine junge Schwester spielt zur
Unterhaltung der Zimmerherren die Geige. Die drei Bärtigen
langweilen sich bald, aber Gregor, der sich herbeigeschlichen
hat, hört ergriffen zu: „ihm war, als zeige sich ihm der Weg
zu der ersehnten unbekannten Nahrung". Es ist nicht nur die
Musik, es ist auch der Anblick der Schwester, der diese Hoffnung in ihm erregt. Die geigenspielende Schwester steht auf
einer höheren Ebene des Daseins. Sie hat sich über die dumpfige
Kleinbürgeratmosphäre erhoben. Vergessen ist der lügende,
heuchlerische Vater, die schwache Mutter, das Familientöchter-
chen. Versunken in ihr Spiel ist sie jetzt ‚une jeune fille en fleur',
eine junge Mädchenblüte wie Proust und Rilke sie zu feiern
wußten. Hier erscheint die Poesie des Lebens nicht als Daseins-
fälschung, sondern als Lebenserhöhung. So lange Gregor den
Tönen lauscht, zeigt sich ihm der Weg zu der ersehnten Nahrung, die wir näher bezeichnen dürfen als das Leben, das durch
Schönheit, Geistesadel, Phantasie über das Gemeine erhoben ist,
den widrigen „abgeschmackten" Gemeinplatz.

Die Suche nach der rechten „Nahrung" war des Dichters Lebensproblem. Er nannte sein letztes Buch, eine Geschichtensammlung, nach der ihm wichtigsten Geschichte *Ein Hungerkünstler*. Der Inhalt dieser Geschichte läßt sich leicht nacherzählen. — Ein Hungerkünstler, dem die Welt zujubelt, fühlt 5 sich trotzdem beruflich unzufrieden. Weder sein Impresario noch die Zuschauer wissen ihn seinem Verdienst nach zu würdigen. Der Impresario erlaubt ihm aus Geschäftsgründen nicht, seinen eigenen Hungerrekord zu brechen; die Zuschauer vermuten manchmal unerlaubte Tricks bei der Ausübung seines 10 Berufs, und viele glauben ihm nicht, wenn er sagt, daß Hungern leicht für ihn sei und daß er unbegrenzt forthungern könnte. Nach vielen Galavorführungen verliert das Publikum plötzlich Interesse an diesem Akt. Er muß sich von seinem Impresario verabschieden und vermietet sich an einen Zirkus, der seinen Käfig 15 außerhalb des Hauptzeltes bei der Tierschau aufstellt. Vom Zirkuspublikum kaum bemerkt, kann er jetzt hungern so viel er will, aber niemand kümmert sich mehr darum. Nach einer gewissen Zeit werden die Hungertage nicht mehr verzeichnet. Wie bei vielen anderen Erzählungen Kafkas ist der Tod des 20 Helden das Ende und der Höhepunkt der Geschichte. In *Ein Hungerkünstler* wird die ganze Geschichte erst durch die Todesszene verständlich. Die Zirkusaufseher haben den Hungerkünstler vergessen, bis sie eines Tages den sterbenden Artisten im Stroh seines Käfigs entdecken. Er will noch etwas sagen, der 25 Aufseher horcht angespannt hin, und da hört er zu seinem Erstaunen, daß der Hungerkünstler hungern mußte, weil er nicht die Speise finden konnte, die ihm schmeckte. Seine letzten Worte sind: „Hätte ich [die Speise] gefunden, glaube mir, ich hätte kein Aufsehen gemacht und mich vollgegessen wie du und alle." 30 Der Hungerkünstler wird wie Gregor, der Käfermann, gleich

419

Abfall verscharrt, und in den leeren Käfig kommt ein junger
Panther. Die Schönheit und Wildheit des herumspringenden
Tieres entzückt die Zuschauer, die Leser und den Dichter selber.
Der Panther geisterte noch durch die Erinnerungsvisionen des
5 todkranken Kafka als ein Abschiedsgruß des ungebrochenen
starken Lebens, das dieser immer geliebt hatte. Es war allerdings kein richtiger Panther, der dem sterbenden Dichter
erschien, sondern ein Advokat mittleren Alters, der aber zur
Familie des symbolischen Panthers gehörte. Da Kafka wegen
10 der Kehlkopftuberkulose nicht reden durfte, beschrieb er Dora
Dymant auf einem seiner vielen Gesprächszettel die Erinnerung,
die ihn erfrischt hatte:

> Mein Cousin, dieser herrliche Mensch. Wenn dieser
> Robert . . . auf die Sophienschwimmschule kam, die
15 Kleider mit ein paar Griffen abwarf, ins Wasser sprang
> und sich dort herumwälzte mit der Kraft eines schönen
> wilden Tieres, glänzend von Wasser, mit strahlenden
> Augen und gleich weit fort war gegen das Wehr zu — das
> war herrlich.

20 Trotz aller Liebe, mit der Kafka den Panther gestaltet hat,
wollte er ihn am Ende der Geschichte doch nicht als Sieger erscheinen lassen. Das edle Raubtier dient als Kontrastfigur dazu,
die Tragik des toten Artisten noch zu vertiefen. Es hat die Funktion der jungen, spielenden Löwen in Hemingways bekannter
25 Geschichte *Der alte Mann und das Meer*, die dem gebrochenen
alten Mann im Traum erscheinen, nachdem ihn das Meer so
furchtbar besiegt hat. Der Panther als Kontrastfigur zeigt uns
noch einmal, wie benachteiligt der Hungerkünstler im Lebens-
kampfe gewesen war. Nie wieder in seinem Werk hat Kafka
30 eine Kreatur so gefeiert, so sehr mit den Augen der Poesie ge-

sehen, die, mit Hofmannsthals Worten, „jedes Ding jedesmal
zum ersten Mal sieht, die jedes Ding mit den Wundern seines
Daseins umgibt". Nirgends sonst hat er aber auch gezeigt, wie
schwer der Mensch, besser der geistige Mensch es hat, seine
Würde vor dem Adel der Natur zu behaupten. Kafka sagt vom ₅
Panther:

> Ihm fehlte nichts. Die Nahrung, die ihm schmeckte, brach-
> ten ihm ohne langes Nachdenken die Wächter; nicht ein-
> mal die Freiheit schien er zu vermissen; dieser edle, mit
> allem Nötigen bis knapp zum Zerreißen ausgestattete ₁₀
> Körper schien auch die Freiheit mit sich herumzutragen;
> irgendwo im Gebiß schien sie zu stecken. . . .

Wir wissen, was Kafka mit der in allen Lebensperioden ersehnten Nahrung meinte, und ganz besonders galt für ihn, was
Nietzsche von der „hohen und wählerischen Seele" und ihrem ₁₅
Hunger gesagt hatte. Dem Hungerkünstler fehlt auch die Freiheit, er lebt in einem Käfig und erst im Tode „bricht er aus".
Kafka waren nur einige Monate der Freiheit beschieden, und er
hoffte bis zuletzt, die volle Freiheit in Palästina zu finden. Auch
der Gegensatz zwischen dem zum Skelett abgemagerten Hun- ₂₀
gerkünstler und dem vollkommenen und edlen Körper des
Panthers ist wichtig. Auch Kafkas Magerkeit war einer seiner
Lebenskummer. Aber wie bei den meisten seiner Dichtungen
war auch dieser Lebensstoff Metapher und schließlich Dichtung
geworden. Zehn Jahre vor Abfassung des *Hungerkünstler* ₂₅
schrieb er eine Selbstanalyse in sein Tagebuch, die sich zu diesem
Werk wie die Skizze zum ausgeführten Gemälde verhält:

> Als es in meinem Organismus klar geworden war, daß das
> Schreiben die ergiebigste Richtung meines Wesens sei,
> drängte sich alles hin und ließ alle Fähigkeiten leer stehn, ₃₀

die sich auf die Freuden des Geschlechtes, des Essens, des Trinkens, des philosophischen Nachdenkens, der Musik zuallererst, richteten. Ich *magerte* nach allen diesen Richtungen *ab*. — — — Jedenfalls aber darf ich dem nicht
5 nachweinen, daß ich keine Geliebte ertragen kann, daß ich von Liebe fast genau so viel wie von Musik verstehe und mit den oberflächlichsten angeflogenen Wirkungen mich begnügen muß, daß ich zum Silvester Schwarzwurzeln mit Spinat genachtmahlt und ein Viertel Ceres dazu getrunken
10 habe und daß ich Sonntag bei Maxens Vorlesung seiner philosophischen Arbeit nicht teilnehmen konnte.

Der metaphorische Gebrauch von „abmagern" ist nun aber nicht der einzige Grund, dies Zitat zu *Ein Hungerkünstler* in Beziehung zu setzen. Wichtiger noch ist, daß zwischen der höchsten
15 geistigen Nahrung, Musik und Philosophie, und dem unmetaphorischen und unpoetischen Schwarzwurzeln mit Spinat kein Wesensunterschied gemacht wird, denn diese Eigentümlichkeit finden wir auch in der Geschichte wieder. Das Ineinander von Nahrung im körperlichen und geistig metaphorischem Sinne ist
20 das Strukturgesetz der Erzählung. Dem Hungerkünstler hat es zeitlebens an allem gefehlt, was zur heilen Existenz nötig ist, wie sie der Panther darstellt, dem weder Fraß noch Freiheit fehlen, oder besser, dem sie sogar im naturwidrigen Zustand der Gefangenschaft nicht zum Problem werden. Die Gefühle, die in
25 uns beim Lesen entstehen, mögen über den Artisten und den Panther hinauswachsen. Die problematische Elendsgestalt und das herrliche Raubtier bleiben der Kern unseres ästhetischen Erlebnisses. Aus diesem Grunde sind allegorische Erklärungen dieser und anderer Geschichten Kafkas irreführend, denn sie zer-
30 stören die innere Struktur dieser Geschichten, in denen immer wieder Musik und Schwarzwurzeln auf einer Ebene erscheinen.

Die drei großen Romane Kafkas bilden mit den kürzeren
Erzählungen eine thematische Einheit, was sich auch vom
Werke anderer Dichter, wie z. B. dem Thomas Manns, sagen
läßt. Als Kafka das erste Kapitel seines Romans *Amerika* veröffentlichte, hat er selbst diesen Roman im engen Zusammen- 5
hang mit den kleineren Werken gesehen. Er schrieb an seinen
Verleger:

> „Der Heizer" (Titel des ersten Kapitels), „Die Ver-
> wandlung" und „Das Urteil" gehören äußerlich und inner-
> lich zusammen, es besteht zwischen ihnen eine offenbare 10
> und noch mehr eine geheime Verbindung, auf deren Dar-
> stellung durch Zusammenfassung in einem etwa „Die
> Söhne" betitelten Buch ich nicht verzichten möchte.

In dem Roman *Amerika* wird ein halbwüchsiger Sohn vom Vater
zur Auswanderung nach Amerika gezwungen, da ein Dienst- 15
mädchen, das ihn verführt hatte, von ihm ein Kind bekommen
hatte. Der arme Junge hat in dem fremden Lande viel Ungerechtigkeit zu erleiden, wie Kafkas Vorbild, Oliver Twist.
Manche Abenteuer des Helden haben trotz dem Grauen, das
auch in komischen Szenen noch spürbar ist, einen chaplinesken 20
Einschlag. Kafka kannte Amerika nur aus Reisebeschreibungen,
und auch eins seiner Lieblingsbücher, die Autobiographie Ben-
jamin Franklins, hat ihn stark beeinflußt. Er behauptete, „das
allermodernste New York" dargestellt zu haben, aber sein
Amerika ist doch zum großen Teil ein Phantasieamerika, was 25
übrigens dem Buch nicht schadet. Manchmal hat aber der Dichter in ihm trotz mangelnder Erfahrung doch das richtige getroffen.
Er spricht vom New Yorker Straßenlärm:

> Obwohl er am Abend noch niemals durch die New
> Yorker Straßen gefahren war, und über Trottoir und Fahr- 30

423

bahn, alle Augenblicke die Richtung wechselnd, wie in
einem Wirbelwind der Lärm jagte, nicht wie von Menschen verursacht, sondern wie ein fremdes Element, küm-
merte sich Karl. . . .

5 Das Romanfragment *Amerika* endet mit einem Kapitel „Das
Naturtheater von Oklahoma". Dies Theater hat für alle eine
Anstellung, es ist ein Märchentraum vom Glück, was bei Kafka
immer gleichbedeutend ist mit heiler Existenz. Max Brod berichtet über das geplante Ende des Romans: „Mit rätselhaften Wor-
10 ten deutete Kafka lächelnd an, daß sein junger Held in diesem
‚fast grenzenlosen' Theater Beruf, Freiheit, Rückhalt, ja sogar
die Heimat und die Eltern wie durch paradiesischen Zauber wiederfinden werde."

Der nächste Roman in chronologischer Reihenfolge, *Der*
15 *Prozeß*, gehört zu einem Novellenkreis, den Kafka unter dem
gemeinsamen Titel „Strafen" veröffentlicht wissen wollte. Es
sind die Novellen *Das Urteil, Die Verwandlung* und *In der*
Strafkolonie. Der Erlebnisgrund des Romans sind die qualvollen
Verlobungsjahre des Dichters, diese Folge von Verlobungen und
20 Entlobungen, unter der auch das Mädchen und seine Eltern
schwer litten. Damals war Kafka Anfang dreißig, im kritischen
Alter seines Romanhelden. Er fühlte, daß ihm alles mißlungen
war, Beruf, Liebe, Dichtung, und außerdem hielt er sich für
einen unschuldigen, aber auch teuflischen Menschen, der sich
25 mit seiner geistigen Überlegenheit immer wieder vor seiner
Braut und deren Eltern ins Recht setzte. In seinen Tagebüchern
klingen jetzt Seufzer auf nach dem „unsichtbaren Gericht" und
grausige Hinrichtungsphantasien. Wo ist aber dies zuständige
innere Gericht? Kann überhaupt der moderne Mensch den Zu-
30 gang zum Gesetz, zum Absoluten gewinnen? Wieder versetzt

Kafka sein Innenleben in die Außenwelt, aber der Prozeß, den er sich macht, findet nicht im Prager Justizpalast statt, sondern auf stickigen Dachböden der Vorstadt. Es gibt in diesem Roman kein Paradies mehr, kein „Naturtheater von Oklahoma", das den Verirrten oder Schuldigen ins reine Leben aufnimmt. Der 5 Schuldige dieses Romans stirbt unter den Messerstichen widerlicher Henker in einem verlassenen Steinbruch „wie ein Hund".

In seinen letzten Jahren schuf Kafka den Roman *Das Schloß.* Ein Landvermesser namens K. ist angeblich von der Verwaltung 10 eines Schlosses angestellt worden, das bei dem herrschenden Winterwetter nie klar erkenntlich über einem eingeschneiten Dorf liegt. Die Schloßverwaltung verweigert ihm mit unklaren Absagen den Zutritt, aber K. nimmt den Kampf mit dem Schloß auf, der auch zum großen Teil ein Kampf mit dem Dorfe 15 ist. Es gibt kleine Scheinsiege und große Niederlagen für den Eindringling. K. sucht Bundesgenossen, erwartet Hilfe von Frauen in einem Kampf, von dem der Leser nie recht weiß, ob dieser Kampf aus einem rechten Anspruch kommt. Kafka wußte dies selber nicht. Er fühlte sich nicht dazu berechtigt, in einer 20 feindseligen Welt festen Fuß zu fassen, Heimat und festen Beruf zu haben, und dies nicht nur, weil er Jude war. Obgleich der Roman Fragment geblieben ist, ist er ein erschütterndes dichterisches Symbol der Einsamkeit, des Kampfes um Zugehörigkeit. Auch hier erkennen wir wieder Kafkas Lebensnöte, aber 25 auch dieses Werk weist wie die anderen Werke des Dichters über alles Persönliche weit hinaus. Bei Kafka ist der Mensch überhaupt in seiner eigenen Welt ein Fremder geworden, ein Unbehauster ohne Heimatrecht.

Meno Spann

Brod, Max. *Franz Kafka. A Biography.* New York, 1960.
Emrich, Wilhelm. *Franz Kafka.* Bonn, 1958.
Heller, Erich. *The Disinherited Mind.* Harmondsworth, 1961.
Politzer, Heinz. *Franz Kafka. Parable and Paradox.* Ithaca, 1962.
Wagenbach, Klaus. *Franz Kafka. Eine Biographie seiner Jugend.*
   Bern, 1958.

Bertolt Brecht

1898-1956

Noch heute, mehrere Jahre nach seinem Tode, sind Werk und Gestalt Bertolt Brecht von einer merkwürdigen, erregenden und doch oft beunruhigenden Spannung umgeben. Die verschiedensten Impulse künstlerischer, politischer und auch persönlicher Art tragen zu dieser Atmosphäre bei. Selbst ein flüch-⁵ tiger Blick auf die berühmteste photographische Aufnahme von Brecht entdeckt in dem Porträt eine eigentümliche Mischung widerspruchsvoller Kraft und kräftiger Widersprüche. Das kurzgeschorene Sträflingshaar, die abgetragene Lederjacke eines Arbeiters, die aber oft genug über einem eleganten, seidenen ¹⁰ Hemd getragen wurde, die dicke Zigarre, zu der Brecht selbst in dem Gedicht „Vom armen Bert Brecht" den Kommentar liefert:

Bei den Erdbeben, die kommen werden, werde ich hoffentlich
Meine Virginia nicht ausgehen lassen durch Bitterkeit
Ich, Bertolt Brecht, in die Asphaltstädte verschlagen
Aus den schwarzen Wäldern in meiner Mutter in früher Zeit.

5 — sie alle sind gewissermaßen Erkennungszeichen eines Dichters geworden, der paradoxerweise der Dichtung ein tiefes Mißtrauen entgegenbrachte. So weit ging diese skeptische Haltung
der Dichtung gegenüber, daß Brecht für sich selbst nicht etwa
den Titel eines „Dichters", sondern nur den weit bescheideneren
10 eines „Stückschreibers" in Anspruch nahm. Keineswegs aber
sind Bescheidenheit und Demut die Eigenschaften, die im Mythos
des „armen" Bert Brecht besonders hervortreten. Vielmehr spürt
man eine ungeheure Vitalität: die Liebe zum bunten Getriebe
des Welttheaters, obwohl es in seiner ganzen Schäbigkeit, in
15 seiner gottlosen Fäulnis durchschaut wird. Zynismus gehört zu
dieser Vitalität sowohl wie Intelligenz und Phantasie. Tiefster
Pessimismus gehört dazu und ein nicht zu besiegender, schlauer
Optimismus. „Mißtrauisch und faul und zufrieden am End",
nennt sich Brecht selbst in dem Gedicht; er ist sich selbst, und
20 die Menschen sind ihm „ganz besonders riechende Tiere". Es
sind die Züge des schlauen, undurchsichtigen Bauerngesichts,
die in solchen Worten Ausdruck finden: Kraft, Wissen, Skepsis
und Ausdauer . . . vor allem Ausdauer.

Im Jahre 1955, ein Jahr vor seinem Tode, beteiligte sich
25 Brecht an einer schriftlichen Diskussion über Probleme des modernen Theaters. Hierbei kam es zwischen Brecht und dem jüngeren schweizer Dramatiker Friedrich Dürrenmatt zur Erörte-
rung einer Frage von grundlegender Bedeutung. Man unter-
suchte, ob es überhaupt möglich sei, die gegenwärtige, kom-
30 plexe Welt innerhalb der relativ engen Grenzen der drama-

tischen Form und der Bühne darzustellen. Brecht bejahte zwar vollkommen die Möglichkeit einer solchen Darstellung, aber nur solange eine Hauptbedingung erfüllt wird: „Die heutige Welt ist den heutigen Menschen nur beschreibbar, wenn sie als eine veränderbare Welt beschrieben wird". Diese Betonung der Ver- 5 änderbarkeit weist darauf hin, daß die jetzige Welt zwar fehlerhaft und schlecht ist, immerhin aber verbessert werden kann. So gibt Brecht auch hierin dem Doppelkomplex von zynischer Entwertung und optimistischem Zukunftsglauben, der schon als Bestandteil seiner eigentümlichen Vitalität erkannt wurde, Aus- 10 druck.

Obgleich Brecht den eigentlichen Begriff der Veränderbarkeit erst relativ spät prägt, als er sich Anfang der dreißiger Jahre dem Marxismus zuwendet, gehört die Kritik an der bestehenden Gesellschaft und am Leben überhaupt schon zu sei- 15 nen frühesten künstlerischen Versuchen. Der erste Weltkrieg ist für ihn, wie für so viele seiner Zeitgenossen, das ausschlaggebende Erlebnis. Von 1916 bis 1918 dient der Medizinstudent als Sanitäter; durch Tod und Leiden, grausame Verstümmelung und die Schreie der von Gott und Mensch Verlassenen offenbart 20 sich ihm die Welt als tragische Groteske. Unter solchen Eindrücken werden sämtliche Werte angezweifelt. Kirche und Staat, Freundschaft und Liebe, — ja, selbst die Sprache, die so oft dazu dient, das Unmenschliche zu verschönern, werden fragwürdig. Um solche Verzweiflung zu ertragen, muß der Mensch 25 lachen können, aber das Gelächter, das ein Gedicht wie die „Legende vom toten Soldaten" begleitet, ist böse und nicht befreiend. So erzählt Brecht, wie der Gefallene nicht einmal im Grab Ruhe hat. Er wird ausgegraben und noch einmal kriegsverwendungsfähig gefunden. Man gießt ihm einen feurigen 30

Schnaps in den Leib und hängt ihm „sein halb entblößtes Weib"
in den Arm. Dann befiehlt man dem Vaterlandshörigen noch
einmal in den Heldentod zu ziehen:

> Voran die Musik mit Tschindrara
> 5 Spielt einen flotten Marsch.
> Und der Soldat, wie er's gelernt
> Schmeißt seine Beine vom Arsch.

In diesen Jahren wird Brecht einer der Neinsager. Er entscheidet sich für die Kraft an Stelle der Schönheit, für den Pro-
10 test als Ersatz einer verlorenen klassischen Harmonie. Die
Tragik von Schillers *Don Carlos* scheint ihm nichtssagend im
Vergleich zu den Leiden, die in Upton Sinclairs gesellschafts-
kritischem Roman *Sumpf* geschildert werden. Dieses Werturteil
mag naiv wirken; es ist dennoch ein leicht faßbares Symbol
15 einer alles durchdringenden Haltung.

Brechts erstes Drama *Baal* (1918) ist ganz visionär, ohne jeglichen Anspruch auf Wahrscheinlichkeit oder psychologische
Einheit. Von einer Handlung im traditionellen Sinne läßt sich
kaum sprechen, hingegen von Stimmung, von einem endlosen
20 Rausch der Verzweiflung und Freude am Leben. Stärkste Vitalität kennzeichnet die Dichtung, ein „weiter, immer weiter", getragen von einer Art Heißhunger nach dem Leben, vor allem in
seinen erotischen Aspekten. Zugleich aber wird alles, auch diese
Erotik, entwertet. Der Mensch ist allein und seelenlos in einer
25 großen, mythisch empfundenen Leere. Die einzige wirkliche
Macht ist die Zeit: die nicht aufzuhaltende Veränderung, der
Wechsel von der Blüte zur Fäulnis, vom Leben zum Tod. Zwei
Hymnen, oder vielmehr eine Hymne und eine anti-Hymne deu-

ten die extremen Spannungen des Werks an: der feierliche „Baal-Choral" —

> Als im weißen Mutterschoße aufwuchs Baal
> War der Himmel schon so groß und still und fahl
> Jung und nackt und ungeheuer wundersam   5
> Wie ihn Baal dann liebte, als Baal kam.

und der skurrile „Gesang auf dem Abort" —

> Dies sei ein Ort, wo man zufrieden ist
> Daß drüber Sterne sind und drunter Mist.
> Ein Ort der Demut, dort erkennst du scharf: 10
> Daß du ein Mensch nur bist, der nichts behalten darf.

Auf den völlig subjektiven Rausch des ersten Stücks folgen Versuche einer mehr objektiven Gestaltung. Zeit und Raum hatten in *Baal* mythisch allgemeine Bedeutung. *Trommeln in der Nacht* (1922) hingegen bedient sich eines bestimmten 15 Schauplatzes (Berlin), einer bestimmten Epoche (Ende des ersten Weltkriegs) und eines wirklichen Ereignisses (die Erstürmung des Zeitungsviertels durch unzufriedene Arbeiter im Jahre 1918).

Ein scheinbar unüberbrückbarer Abgrund trennt den zurück- 20 gekehrten Soldaten Andreas Kragler von der wohlhabenden, national-sentimentalen Familie seiner früheren Braut Anna. Er empfindet sich selbst und erscheint auch den Andern als Neger, als Wolf, als Außenseiter. Mit brennenden Augen starrt er in ihr bequemes Leben hinein, bis sie ängstlich die Gardinen zu- 25 ziehen. Dabei fordert er nicht etwa ihren Kriegsgewinn, sondern nur die Geliebte. Als er erfährt, daß sie sich wieder verlobt hat, will er die Konsequenzen seiner Außenseiterstellung ziehen. Er geht zu den Rebellen, um sich am Stürmen des Zeitungsviertels zu beteiligen. Als Anna aber trotz ihrer Schwangerschaft zu ihm zurückkommt, tauscht er die revolutionäre Hoffnung auf das Paradies der Zukunft gegen das sinnliche, materielle Jetzt ein:

5   Ich hab's bis zum Hals! Es ist gewöhnliches Theater. Es sind Bretter und ein Papiermond und dahinter die Fleischbank, die allein ist leibhaftig. . . . Der Dudelsack pfeift, die armen Leute sterben im Zeitungsviertel, die Häuser fallen auf sie, der Morgen graut, sie liegen wie ersäufte 10   Katzen auf dem Asphalt, ich bin ein Schwein und das Schwein geht heim . . . Das Geschrei ist alles vorbei morgen früh, aber ich liege im Bett morgen früh und vervielfältige mich, daß ich nicht aussterbe . . . Besoffenheit und Kinderei. Jetzt kommt das Bett, das große, weiße, breite 15   Bett, komm!

Über dieses Stück urteilt Brecht dreißig Jahre später: „Ich gebe zu (und warne): dem Stück fehlt Weisheit."

Auch das nächste Werk *Im Dickicht der Städte* (1924) weist noch viele visionäre Züge auf. In einer pseudo-amerikanischen 20 „Asphaltstadt" wird ein Kampf zwischen einem Weißen und einem Malaien dargestellt. Brecht erklärt uns, daß die Handlung des Stücks nicht logisch zu fassen sei, daß wir nicht zu wissen brauchen, warum der Kampf stattfindet. Wie bei einem richtigen Boxkampf soll der Zuschauer einzig auf die Form achten. Viel-25 leicht ist diese Anweisung des Autors ernstzunehmen, vielleicht aber auch nicht. Shlink, der Malaie, erklärt einmal auf scheinbar überzeugende Weise, warum er kämpft. Er erzählt von seiner Jugend auf dem Yang-Tse, wo den ausgebeuteten Menschen die Haut immer dicker wurde, bis sie endlich völlig stumpf war. 30 Natürlich schützt solche Abstumpfung den Menschen, aber zugleich macht sie ihn einsam. Er leidet unter seiner Abgeschlos-

senheit und kämpft, um sie irgendwie — wenn auch auf negative Art — zu überwinden. Die Worte des Malaien enthalten
viel Überzeugendes und sind, als Deutung des Ganzen, doch nur
halbrichtig. Ähnlich ist es mit jeder Deutung des Stücks, die
versucht, die vielen Einzelheiten in ein logisches Bezugssystem 5
zu bringen. Wie in *Baal* fehlen hier psychologische Einheit und
Wahrscheinlichkeit. Vielleicht könnte man das Stück als eine
moderne Allegorie ansehen, die nicht mehr, wie die Allegorie
früherer Epochen über sich hinaus auf ein Dahinterliegendes
weist. Sie ist, was sie bedeutet; in diesem Falle — Darstellung 10
einer Welt, von der Brecht hier einmal Folgendes sagen läßt:
„Hier wird ein Mann nicht auf einmal erledigt, sondern auf min-
destens hundertmal. Jeder hat zuviel Möglichkeiten."

Radikale Skepsis, beißender Zynismus und ein Nihilismus,
der, zwischen Ekstase und Verzweiflung schwankend, auch das 15
„nackte Leben" noch dankbar umklammert, kennzeichnen die
Werke Brechts vor seiner Bekehrung zum Kommunismus. Auf
dem Gebiet der Theatertheorie aber hatte Brecht schon vor seiner Flucht in die relative Sicherheit des klar umrissenen kom-
munistischen Gesetzes Positives und Richtungweisendes gelei- 20
stet. Am deutlichsten tritt diese Leistung in den „Anmerkun-
gen zur Oper *Aufstieg und Fall der Stadt Mahagonny*" hervor.
Brecht geht von der Überzeugung aus, daß das gesamte bürgerliche Theater — und besonders die Oper als dessen charakteristischste Erscheinungsform — ein Gewebe von Lügen ist, das 25
dazu dient, die in Wirklichkeit fürchterlichen Verhältnisse zu
verschleiern. Das Theater schadet also dem gesellschaftlichen
Fortschritt, indem es Illusionen einer glücklichen und gerech-
ten Welt schafft und erhält. Es ist aber auch weiterhin auf eine
subtilere Art schädlich, da es gerade die Kräfte im Publikum 30

433

aufbraucht und ablenkt, die zur Änderung der Gesellschaft beitragen könnten. Der potentiell revolutionäre Ärger, der jedem
gesellschaftlichen Umschwung vorausgehen muß, wird im sentimentalen Theatererlebnis entwaffnet. Der Zuschauer wird
5 „eingeschmolzen", d. h., er wird seiner Urteilskraft beraubt
und existiert nur noch als Teil einer passiven, willenlosen Masse.

Die Tradition, gegen die sich Brecht wehrt, ist vor allem die
Richard Wagners: die Tradition des Gesamtkunstwerks, dessen
hypnotisch bezwingende Kraft eine so vollständige Illusion her-
10 vorzaubert, daß der Zuschauer zuletzt die Ereignisse auf der
Bühne für Bilder seiner eigenen Phantasie hält. Im Gegensatz
zu diesem „dramatischen" Theater will Brecht sein eigenes
„episches" Theater erschaffen.

Dieses moderne Theater soll erzählend anstatt handelnd sein.
15 Alle Aspekte der Bühne — Musik, Filmprojektionen, Bilder,
Titel, Bühnenbau, usw. — sollen an dieser erzählenden Funktion
teilnehmen. Sie alle sollen die Handlung kommentieren, so wie
es auch der Schauspieler selbst tut, indem er sich nicht völlig mit
der dargestellten Figur identifiziert. Das episch-moderne Thea-
20 ter darf weder sentimentale noch lyrische Stimmung erzeugen;
es darf auch keine Spannung hervorrufen, die das Bewußtsein
des Zuschauers ausschließlich auf den Ausgang der Handlung
lenkt. Nach Brecht muß der Zuschauer unbedingt zum disku-
tierenden, rauchenden Betrachter gemacht werden. Er soll Ent-
25 scheidungen treffen, soll sehen, daß Mensch und Gesellschaft
veränderbar sind. Damit er über solche etwaigen Veränderungen
nachdenken kann, wird er dem Dargestellten gegenübergesetzt.
Die Illusionswelt des bürgerlichen Theaters wird aufgelöst, und
die Ansprüche der Wirklichkeit werden wieder geltend ge-
30 macht.

Diese theoretischen Bemerkungen beziehen sich nicht nur auf

Aufstieg und Fall der Stadt Mahagonny, sondern auch auf die bei weitem berühmtere Oper Brechts, *Die Dreigroschenoper* (1928, Musik von Kurt Weill). Diese „Oper" soll die bürgerliche Welt provozieren, indem sie deren Ethik an den Pranger stellt und karikiert. Ähnliches hatte auch John Gay im 18. Jahr-5 hundert in seiner *Beggars' Opera* beabsichtigt, aber während das ältere Werk tatsächlich mit beißender Schärfe die gesellschaftlichen Mißstände geißelt, bleibt Brechts Werk letzten Endes ein musikalischer Scherz: ein amüsantes Räuberspiel zwischen Prostituierten und ‚Outlaws', das, trotz aller gegenteiligen Absich-10 ten, aus Bordell, Gefängnis und Bettlergeschäft eine eigentümliche Romantik gestaltet. Die beabsichtigte Ähnlichkeit zwischen dem notorischen Mackie Messer und einem typischen deutschen Bankdirektor wurde einfach übersehen, und Brechts wohlhabendes Berliner Publikum fühlte sich durchaus nicht ange-15 griffen.

Dennoch enthält die *Dreigroschenoper* Themen, die bald immer häufiger in Brechts Werken erscheinen werden. Mit Wucht beweist Brecht z. B., daß menschliche Güte und Tugend ein Luxus sind, zwar angenehm, aber in der harten Realität kaum 20 zu verwirklichen. Unter den vielen berühmten *Songs* sind die folgenden, die gerade dies betonen, wohl die allgemein bekanntesten:

Ein guter Mensch sein? Ja, wer wär's nicht gern?
Doch leider sind auf diesem Sterne eben 25
Die Mittel kärglich und die Menschen roh.
Wer möchte nicht in Fried und Eintracht leben?
Doch die Verhältnisse, die sind nicht so!

Ihr, die ihr euren Wanst und unsre Bravheit liebt
Das eine wisset ein für allemal: 30

> Wie ihr es immer dreht und wie ihr's immer schiebt
> Erst kommt das Fressen, dann kommt die Moral.

Die *Dreigroschenoper* war hingegen nicht nur als direkter Angriff auf die bürgerliche Gesellschaft gedacht, sondern sollte
5 auch gleichzeitig die Lügenhaftigkeit ihres Illusionstheaters entlarven. Schon in *Trommeln in der Nacht* hatte Brecht Ähnliches unternommen: Andreas Kragler „torkelt herum, schmeißt die Trommel nach dem Mond, der ein Lampion war, und die Trommel und der Mond fallen in den Fluß, der kein Wasser hat". Er
10 tat dies, um „die Fleischbank dahinter" als die letzte und einzige Wirklichkeit zu zeigen. In der *Dreigroschenoper* läßt Brecht den Schurken Mackie Messer durch einen Gnadenakt der Königin vom Galgen retten. Brecht besteht darauf, daß der Bote, der diese Nachricht bringt, tatsächlich auf die Bühne *reiten* muß;
15 nur eine so auffallende Übertreibung erinnert daran, daß solch ein glücklicher Schluß zwar im bürgerlichen Theater, nicht aber in der Wirklichkeit möglich ist.

Gegen Ende der zwanziger Jahre, also ungefähr um die Zeit der Opern, beginnt Brecht auf der Arbeiter-Hochschule in Berlin
20 das Studium des Marxismus. Diese Lehre bedeutet ihm die ersehnte Möglichkeit einer Wiederherstellung der Gerechtigkeit, ein Kredo, das Schutz bietet gegen den eigenen trostlos-bitteren Nihilismus und dabei seinen vitalen und schriftstellerischen Trieben Ziel und Rechtfertigung zugleich sein kann. Unter den
25 immer stärker werdenden Einflüssen kommunistischer Art verschiebt Brecht das Schwergewicht seines Theaters deutlicher vom Unterhaltenden zum Didaktischen. Die ersten Ergebnisse dieser neuen Richtung sind die sogenannten „Lehrstücke". Diese Stücke, die von Arbeiterchören mit musikalischer Be-

gleitung aufzuführen sind, dienen der Analyse und Demonstration gewisser sozialpolitischer Prinzipien mehr oder weniger marxistischer Art. Sie sind durch eine gewisse Dürre, durch einen skelettartigen Bau gekennzeichnet und verlassen vollkommen die Ebene des naturalistischen oder auch nur wirklichkeits- 5 nahen Theaters. Nicht die alltägliche Wirklichkeit wird behandelt, sondern deren Wesen, wobei „Wesen" nicht im Sinne einer poetischen Abstraktion zu verstehen ist, sondern als das *Typische*: das charakteristische Problem einer bestimmten gesellschaftlichen Ordnung. Die Menschen, die in diesen Stük- 10 ken auftreten, sind dementsprechend Typen und nicht Individuen. Ihre einzige Bedeutung liegt in ihrer Funktion innerhalb des zu untersuchenden Problems.

Charakteristische Beispiele sind *Das Badener Lehrstück vom Einverständnis* und *Die Maßnahme*. Das erste dieser Lehr- 15 stücke predigt die Einwilligung in die stete Wandelbarkeit der Welt. Das Gebot, das immer wieder ertönt, ist: Du sollst nicht festhalten! So versucht der angehende Kommunist Brecht die pessimistische Einsicht in die rasche Vergänglichkeit alles Irdischen im Sinne des Marxismus positiv zu bewerten. Ge- 20 rade die Umstände, die den modernen, ungläubigen Menschen leicht zur Verzweiflung treiben, sollen jetzt einen kräftigen Zukunftsoptimismus gebären. Typisch für das Ganze ist die Ermahnung des gelernten Chors:

> Habt ihr die Welt verbessert, so 25
> Verbessert die verbesserte Welt.
> Gebt sie auf!

Um ein solches „Einverständnis" zustande zu bringen, muß viel geopfert werden, u. a. auch die Identität des einzelnen Individuums. Erst nachdem sich die gestürzten Flieger im *Lehrstück* 30

vom Einverständnis nur noch als „Niemand" bezeichnen, können sie gerettet werden. Eine noch wichtigere Rolle spielt diese
Selbstaufgabe in der *Maßnahme.* Der junge Genosse, der die
geschändeten Kulis für die kommunistische Partei zu gewinnen
5 hat, muß sich „mit der Auslöschung seines Gesichts" einverstanden zeigen. Als Zeichen seiner Entpersönlichung, seiner Auflösung in die Partei, bedeckt er sein Gesicht mit einer Maske.
Als er aber vom Mitleid überwältigt wird und menschlich für
sofortige Besserung der schrecklichen Lage der Arbeiter sorgen
10 will, reißt er die Maske ab. In diesem Augenblick, da sein offenes und argloses Antlitz wieder kenntlich wird, wird er selbst
untauglich für die Absichten der Partei, die auch auf Kosten des
Einzelnen ihre Ziele verwirklichen muß. „Der Einzelne hat seine
Stunde/ Aber die Partei hat viele Stunden." Bald bereut der
15 junge Genosse seine impulsive Menschlichkeit. Er geht in den
Tod

> Im Interesse des Kommunismus
> Einverstanden mit dem Vormarsch der proletarischen Massen
> Aller Länder
> 20 Ja sagend zur Revolutionierung der Welt.

Nach der Mitte der dreißiger Jahre befaßt sich Brecht immer
intensiver mit der Theorie seines epischen Theaters. Vom fernen
Osten und den primitivsten Vorstellungen des deutschen Jahr-
markts erhält er weitere Anregungen zu einem Theater, das
25 weder Nachahmung der Wirklichkeit noch Stimmungstheater
im Sinne Wagners, Strindbergs oder deren Nachfolger sein darf.
Jetzt nennt Brecht seine Dramatik „nichtaristotelisch", um anzu-
deuten, daß er nur mittelbare Wirkungen erzeugen will, die
nicht auf Einfühlung beruhen dürfen. Keine in-sich-geschlos-

sene, bloß ästhetische Welt soll auf die Bretter gezaubert werden. Um Zauber und Einfühlung zu verhindern, wird diesem Theater ein bestimmtes Gepräge gegeben, das den sogenannten Verfremdungseffekt (V-effekt) auslösen soll, d. h. das Publikum wird derart von der Vorstellung distanziert, daß es imstande 5 bleibt, die Bezüge zwischen dem Geschauten und dem wirklichen Leben außerhalb des Theaters herzustellen. „Bei allem ‚Selbst-verständlichem' wird auf das Verstehen einfach verzichtet", schreibt Brecht. Wenn der Mensch der Gesellschaft skeptisch gegenüberstehen soll, darf sie ihm nicht zu vertraut erscheinen. 10 Was dargestellt wird, muß zwar kenntlich sein, aber doch zu-gleich überraschend und fremdartig wirken. Erst wenn das Ge-wohnte und Natürliche so auffällig gemacht wird, daß der Be-obachter sagt oder zumindest denkt: So? Das wußte ich nicht, das hätte ich gar nicht für möglich gehalten, usw., erscheint ihm 15 die Wirklichkeit als veränderbar, und erst dadurch wird ein eventuelles Eingreifen seinerseits möglich.

In diesem verfremdenden Theater muß alles aus der Perspek-tive des Historikers oder Sittenschilderers vorgeführt werden. Nichts darf als schlechthin notwendig, schicksalsbedingt oder 20 zeitlos erscheinen. Immer muß der Zuschauer merken, daß jeder Entschluß, jede Handlung nur *eine* Möglichkeit unter vielen dar-stellt. Was man nicht tut, aber hätte tun können, muß sichtbar gemacht werden. Alle Aspekte der Aufführung müssen hierbei so gehandhabt werden, daß der Zuschauer sich ständig dessen 25 bewußt bleibt, daß dies eine einstudierte Vorstellung und nicht spontane Wirklichkeit sei. Die Wahrscheinlichkeit des Lebens wird aufgegeben, wodurch vor allem Deutlichkeit gewonnen wird, die Möglichkeit einer kräftigen Aussage und die Unter-streichung des für die Gesellschaft Wichtigen. Die schwierigste 30 Leistung im Dienste dieser „Historisierung" fällt dem Schau-

Bertolt Brecht

spieler zu, der seine Rolle spielen muß und gleichzeitig anzu-
deuten hat, was er von dem Verhalten der gespielten Figur hält.
Anders ausgedrückt, der Schauspieler darf sich nicht völlig mit
dem von ihm dargestellten Charakter identifizieren, sondern
5 muß durch seinen eigenen ausgesprochenen oder auch nur an-
gedeuteten Kommentar dem Zuschauer eine bestimmte Perspektive dem Gespielten gegenüber vermitteln.

Der Aufsatz „Die Straßenszene als Grundmodell einer Szene
des epischen Theaters" (1940) zeigt Brechts Auffassungen am
10 deutlichsten. Ein beliebiger Fußgänger wird Zeuge eines Straßen-
unfalls. Andere Menschen, die den Unfall nicht gesehen haben,
verlangen einen Bericht über das Geschehene. Sie wollen oder
müssen sich ein Urteil über den Unfall bilden, wodurch die Aussage des Zeugen gesellschaftliche und praktische Bedeutung ge-
15 winnt. Dieser demonstriert also den Unfall. Er *zeigt*, was passiert ist, wobei er mimisch sowohl wie erzählend vorgeht. Er
kann z. B. einige Minuten lang den Chauffeur des verunglückten
Autos tatsächlich spielen, dann aber, ohne Übergang, sich direkt
an seine Zuhörer wenden und weitererzählen.
20   Natürlich kann bei einer solchen Demonstration genau wie
im Theater nicht alles vorgeführt werden. Der Zeuge wählt die
Elemente, die die Urteilsbildung erleichtern. Er interessiert sich
nicht für die Menschen, von denen er berichtet, als Menschen,
sondern ihn beschäftigen ihre „unfallerzeugenden und unfall-
25 verhindernden Eigenschaften". Nicht der Charakter ist wichtig,
sondern das Ereignis in seinen gesellschaftlichen Zusammen-
hängen. Nach ähnlichen Richtlinien beabsichtigt der Stück-
schreiber Brecht sein ganzes Theater zu stilisieren.

Kurz nachdem die Nationalsozialisten die Macht ergreifen,
30 muß der Kommunist Brecht Deutschland verlassen. Mit seiner
Frau, der berühmten Schauspielerin Helene Weigel, und seinem

440

Sohn sucht er erst in Finnland und dann in den Vereinigten
Staaten Asyl. In der kurzen Zeitspanne zwischen 1938 und dem
Beginn des zweiten Weltkrieges werden seine weltberühmten
Meisterwerke, *Mutter Courage und ihre Kinder, Der gute
Mensch von Sezuan, Leben des Galilei, Herr Puntila und sein* 5
Knecht Matti und *Der kaukasische Kreidekreis* konzipiert. Nach
1940 wird nichts vollkommen Neues mehr von dem Dramatiker
Brecht unternommen. Er befaßt sich mit der weiteren Aus-
arbeitung seiner Theorien, die er in der Arbeit „Kleines
Organon für das Theater" (1948) noch einmal zusammenfaßt. 10
Hauptsächlich aber beschäftigt er sich nach der Rückkehr in den
Ost-Sektor Berlins (1947) mit praktischer Theaterarbeit und
der Leitung seiner eigenen Schauspielertruppe, des „Berliner
Ensembles", im bekannten „Theater am Schiffbauerdamm".
Brechts Leistungen auf diesem Gebiet werden nach wie vor von 15
den Theaterfachleuten aller Länder hoch geschätzt. Das „Berliner Ensemble" gilt auch nach Brechts Tod im Jahre 1956 als
eine der ersten Schauspielergruppen unserer Zeit.

Unter den „klassischen" Dramen Brechts wird *Mutter
Courage und ihre Kinder* meistens als das ergreifendste ange- 20
sehen. Der Tradition des epischen Theaters gemäß besteht es
aus einer Reihe von zwölf Szenen, die mehr oder wenig unabhängig voneinander sind, indem sie nicht durch eine stets
intensiver werdende Spannung verbunden werden. Es wäre
theoretisch möglich, die Reihenfolge der Szenen zu verändern, 25
ohne dadurch den Kern des Stücks anzutasten. Bei jeder einzelnen Szene wird die Spannung noch weiter vermindert durch
Überschriften und Titel, die schon im voraus das Wesentliche
über ihren Inhalt berichten. Eine typisch lakonische Inhaltsangabe enthält der Titel der dritten Szene: 30

Bertolt Brecht

> *Weitere drei Jahre später gerät Mutter Courage mit Teilen*
> *eines finnischen Regiments in die Gefangenschaft. Ihre*
> *Tochter ist zu retten, ebenso ihr Planwagen, aber ihr red-*
> *licher Sohn stirbt.*

5 Dadurch soll verhindert werden, daß der Zuschauer sich zu
sehr in das Geschehen selbst hineinfühlt. Seine Konzentration
auf das, *was* geschieht, darf die Bereitschaft zur Frage, *warum*
es geschieht, nicht schwächen.

Gleichzeitig wird durch Titel dieser Art das persönliche
10 Schicksal der Händlerin Courage und ihrer Kinder als Teil
eines historischen Prozesses dargestellt. Durch häufige Angabe
von Daten und auch von bekannten geschichtlichen Ereignissen
betont Brecht, daß diese Handlung nicht zeitlos, auf klassische
Art allgemein-menschlich ist, sondern sich in einem klar um-
15 rissenen sozial-politischen Zusammenhang entfaltet. Hierbei
handelt es sich nicht etwa um den Gebrauch einer Stimmung,
etwa „Atmosphäre des dreißigjährigen Krieges." Vielmehr wird
das Persönliche und Individuelle in seiner ganzen Abhängigkeit von den wirklichen Mächten, Zeit und Krieg, geschildert.
20 Natürlich wird diese Tendenz auch in den eigentlichen Szenen
selbst weitergeführt. Paradoxerweise betont Brecht gleichzeitig,
daß die sogenannten „großen" Ereignisse der Geschichte als
solche die kleinen Leute nichts angehen. So weiß Mutter
Courage z.B. wochenlang nicht, daß Frieden ist; sie hört davon,
25 nachdem der Krieg drei Tage vorher wieder begonnen hatte.
Andrerseits weiß sie aus Erfahrung, daß der Sieg der „eigenen"
Seite leicht mehr kosten kann als der Sieg der Feinde:

> Ich erinnre mich, einmal im Livländischen hat unser Feld-
> hauptmann solche Dresche vom Feind eingesteckt, daß
> 30 ich in der Verwirrung sogar einen Schimmel aus der Ba-

442

gage gekriegt habe, der hat mir den Wagen sieben Monat lang gezogen, bis wir gesiegt und Revision war. Im allgemeinen kann man sagen, daß uns gemeinen Leuten Sieg und Niederlag teuer zu stehn kommen.

Am typischsten aber ist ihre verbitterte Zurechtweisung des [5] Feldpredigers, als dieser das Begräbnis des Feldhauptmanns Tilly einen „historischen Augenblick" nennt: „Mir ist ein historischer Augenblick, daß sie meiner Tochter übers Aug geschlagen haben . . .".

Der höchste Grad der Verfremdung in Brechts Dramen wird [10] durch die sprachliche Struktur selbst erreicht. Der Verfremdungseffekt an sich wird durch eine Verbindung von Vertrautem und Überraschendem hervorgerufen, und diese Formel gilt auch auf dem Gebiet der Sprache, wo das Erwartete und Bekannte immer wieder ganz plötzlich mit Fremdem gepaart wird. Hier-[15] durch kommt eine Schockwirkung zustande, die eng mit der Tradition des komischen Schocks überhaupt verbunden ist. Zahllose Beispiele dieser Technik lassen sich aus *Mutter Courage* anführen, wie z. B. folgende:

Der Werber preist dem Sohn der Courage die Vorteile des [20] Krieges. Mutter Courage entgegnet: „Komm geh mit angeln, sagte der Fischer zum Wurm." (1. *Szene*)

Soldat: „ . . . ich vertrag keine Ungerechtigkeit."
Mutter Courage: „Da haben Sie recht, aber wie lang? . . . Eine Stunde oder zwei?" (4. *Szene*) [25]

Die schon erwähnten Elemente sowohl wie die Lieder, bei deren Vortrag sich der Schauspieler direkt zum Publikum wendet, und eine in allen Aspekten stilisiert-verfremdende Aufführung steigern die Schärfe und Wucht, mit der das eigent-
5 liche Problem des Stücks herausgearbeitet wird. Mutter Courage lebt vom Krieg, d.h., ihr Handel kann nur existieren, solange es feindliche Armen, Warenknappheit und Kriegsspekulation gibt. Sie ist nicht ungewöhnlich geldgierig und will sich auch nicht mit Luxusartikeln umgeben. Ihr Ziel ist einfach, sich
10 und ihre Kinder durchzubringen durch die Not und das Elend, die ihrerseits wieder Folgen des Krieges sind. Wenn sie nicht eine so tüchtige und gerissene Geschäftsfrau wäre, wäre sie längst umgekommen. Nun hat aber der Krieg seine eigenen „Rechte". Er verschlingt Menschenleben, um zu existieren; er
15 verlangt die Kinder aller Mütter, auch die der Courage. Immer wieder wird auf diesen tragischen Widerspruch hingewiesen. In der ersten Szene will die Courage verhindern, daß ihr Sohn Eilif Soldat wird. Sie versucht, sich zu wehren, aber der Feldwebel mahnt: „Vorher hast du eingestanden, du lebst vom
20 Krieg, denn wie willst du sonst leben, von was? Aber wie soll Krieg sein, wenn es keine Soldaten gibt?"

Trotzdem glaubt die Mutter an die eigene Kraft, den Sohn zu beschützen. In einem gefährlichen Augenblick läßt sie sich in einen Handel verwickeln. Während sie mit dem Feldwebel um
25 den Preis einer silbernen Schnalle handelt, beachtet sie nicht das warnende Stöhnen der stummen Kattrin. „Gleich Kattrin, gleich!", ruft sie. „Der Herr Feldwebel zahlt noch." Währenddessen geht Eilif ihr verloren. Das letzte Reimpaar dieser ersten Szene betont noch einmal die Lehre: „Will vom Krieg leben.
30 Wird ihm wohl müssen auch was geben".

Ähnliches ereignet sich in der dritten Szene. Der jüngere

Sohn, Schweizerkas, muß aus der Gefangenschaft losgekauft werden. Verzweifelt versucht die Courage die Bestechungssumme von dreihundert Talern herunterzuhandeln; „Ich kanns nicht geben. Dreißig Jahr hab ich gearbeitet. Die [Kattrin] is schon 25 und hat noch kein Mann. Ich hab die auch noch. Dring 5 nicht in mich, ich weiß, was ich tu. Sag hundertzwanzig, oder es wird nix draus."

Nicht aus Geiz oder Lieblosigkeit handelt die Courage so, sondern aus bloßer Vorsicht. Als sie dann doch bereit ist, alles zu opfern, ist es zu spät. Die ganze Grausamkeit der Lage ist in 10 ihren nüchternen Worten enthalten: „Mir scheint, ich hab zu lang gehandelt".

Im Grunde geht es hier um einen Riß durch die Welt oder, wie es Brecht ausdrücken würde, durch die vom Kapitalismus geprägte Welt. Nicht nur Mutterliebe und wirtschaftliches 15 Durchkommen sind in dieser Gesellschaft unvereinbar, sondern die menschlichen Tugenden überhaupt werden dem Tugendhaften in dieser Gesellschaft tödlich. Dieses Hauptthema der *Mutter Courage* wird immer wieder berührt, am deutlichsten und eindeutigsten in der neunten Szene des Stücks. Nach vielen 20 schweren Jahren bietet sich der Mutter Courage die Möglichkeit einer friedlichen, vom Kriege unberührten Existenz. Mitten im bitteren Winter erklärt sich der Koch bereit, sie nach Utrecht mitzunehmen, wo er eine kleine Wirtschaft geerbt hat. Erst nachdem sie das Angebot beglückt angenommen hat, erfährt sie, 25 daß der Koch beabsichtigt, die stumme Kattrin zurückzulassen: „Ich bin kein Unmensch, nur das Wirtshaus ist ein kleines". Das „Lied von Salomon, Julius Cäsar und andere große Geister, denens nicht genützt hat" ist der Kern der Szene. Die Strophen berichten typische Einzelschicksale, Beispiele einer Lehre, die 30 der Koch und die Courage durch ihren dazwischenfahrenden

Kommentar noch einmal präzise zusammenfassen. Charakteristisch z. B. ist das traurige Ende des heiligen Martin:

> Der heilige Martin, wie ihr wißt
> Ertrug nicht fremde Not.
> 5 Er sah im Schnee ein armen Mann
> Und er bot seinen halben Mantel ihm an
> Da frorn sie alle beid zu Tod.

Hierzu bemerken die beiden kriegsmüden Wanderer: „Alle Tugenden sind nämlich gefährlich auf dieser Welt, wie das 10 schöne Lied beweist, man hat sie besser nicht und hat ein angenehmes Leben und Frühstück, sagen wir, eine warme Supp." Gerade da sie dies einsieht, wirkt der Entschluß der Courage, bei ihrer hilflosen Tochter zu bleiben, besonders erschütternd. Der Zuschauer ahnt, welche Leiden diesem tugend-15 haften Impuls noch folgen werden.

Auch die stumme Kattrin kommt durch die Schwäche einer Tugend, des Mitleids, ums Leben. Die elfte und vorletzte Szene des Stücks, in der dies geschieht, ist die eigentliche theologische Szene: die Abrechnung mit Gott. Der Titel deutet auf ein 20 Wunder, das geschehen wird: „Der Stein beginnt zu reden." Man sieht Kattrin, die bei Bauersleuten ihre Mutter erwartet, die fort ist, um Waren einzukaufen. Es kommen einige Soldaten und verlangen Führung in die Stadt, die angegriffen werden soll. Der Bauer und die Bäuerin wissen, welch furchtbares 25 Schicksal der Stadt droht, aber sie überzeugen sich gegenseitig von ihrer völligen Machtlosigkeit, etwas dagegen zu unternehmen:

BÄUERIN: Wenn wir mehr wären . . .
BAUER: Mit dem Krüppel allein hier oben . . .

BÄUERIN: Wir können nix machen, meinst ...
BAUER: Nix.
BÄUERIN: Wir können nicht hinunterlaufen, in der Nacht.
BAUER: Der ganze Hang hinunter ist voll von ihnen.
          Wir könnten nicht einmal ein Zeichen geben. 5
BÄUERIN: Daß sie uns hier oben auch umbringen?
BAUER: Ja, wir können nix machen.

In dieser vermeintlichen Hilflosigkeit knien sie mit Kattrin nieder
und bitten Gott, die Stadt zu retten:

> Vater unser, hör uns, denn nur du kannst helfen, wir 10
> möchten zugrund gehn, warum, wir sind schwach und
> haben keine Spieß und nix und können uns nix traun und
> sind in deiner Hand mit unserm Vieh und dem ganzen
> Hof, und so auch die Stadt, sie ist auch in deiner Hand,
> und der Feind ist vor den Mauern mit großer Macht. 15

Doch es ist nicht Gott, der wunderwirkend eingreift, sondern
Kattrin! Bei dem Gedanken an das unverschuldete Leiden
kleiner Kinder erhebt sie sich verstört und entfernt sich leise
von den Betenden. Sie holt eine Trommel aus dem Wagen,
klettert auf das Dach des Stalles und beginnt wild und ver- 20
zweifelt zu trommeln, wodurch sie sowohl sich als die Bauern
gefährdet. Der Angstschrei der Bäuerin ist bezeichnend für die
tragischen Widersprüche der Lage: „Hast denn kein Mitleid?
Hast gar kein Herz? Hin sind wir, wenn sie auf uns kommen!
Abstechen tuns uns." Trotz Warnung, Drohung und der Ver- 25
sicherung, daß man sie ja doch nicht hören kann, trommelt
Kattrin weiter. Die Spannung wird immer intensiver, als der
junge Bauer, der zuerst von den Soldaten gezwungen wurde,
mit einer Planke den Wagen der Courage zu zerstören, diese

plötzlich fortwirft und schreit: „Schlag weiter! Sonst sind alle
hin! Schlag weiter, schlag weiter . . .". So entzündet eine wirkliche Tat die nächste. Weinend trommelt Kattrin; die Soldaten
erschießen sie. Noch einige Schläge und sie sinkt zusammen.
5 Von weitem hört man Sturmglockenläuten und Kanonendonner.
Kattrins Erfolg wird wiederum durch die nüchternsten Worte
bestätigt: „Sie hats geschafft."

So ist *Mutter Courage und ihre Kinder* nicht nur eine Aussage
des Pessimismus und der Verzweiflung, sondern zugleich eine
10 Bejahung der Tat, die trotz allem die Welt verändern kann.
Das Publikum weiß: der Krieg ist „noch lange nicht" zu Ende.
Ganz allein spannt sich Mutter Courage zuletzt vor ihren
Wagen. Noch hofft sie, Eilif wiederzufinden, aber auch ihn hat
der Krieg aufgefressen. Wieder zieht sie mit einem Regiment
15 fort: „Hoffentlich zieh ich den Wagen allein. Es wird schon
gehn, es ist nicht viel drinnen. Ich muß wieder in'n Handel
kommen." Soldatenstimmen singen vom Krieg, der hundert
Jahre dauern wird, und von einem Wunder, das noch geschehen
kann. Doch das Publikum weiß jetzt auch, welcher Art solch
20 ein „Wunder" sein muß: der Stein redet nur, wenn der Mensch
seinen ganzen Willen, seine Ausdauer, seine Kraft, seinen Mut
zur weltverändernden Tat anspannt.

Seine Zuschauer zu dieser Tat anzuspornen, bleibt nach wie
vor Brechts Ziel. Die wünschenswerte, produktive Haltung ist
25 ihm diejenige, die „gegenüber einem Fluß in der Regulierung
des Flusses, gegenüber einem Obstbaum in der Okulierung des
Obstbaums, gegenüber der Gesellschaft in der Umwälzung der
Gesellschaft" besteht. Das zweiundzwanzigste Stück der Schrift
„Kleines Organon für das Theater" enthält noch einmal eine
30 Zusammenfassung der Einstellung, die wir jetzt als typisch für
Brechts Werk und Wesen erkennen:

Unsere Abbildungen des menschlichen Zusammenlebens
machen wir für die Flußbauer, Obstzüchter . . . und Ge-
sellschaftsumwälzer, die wir in unsere Theater laden und
die wir bitten, ihre fröhlichen Interessen bei uns nicht zu
vergessen, auf das wir die Welt ihren Gehirnen und Her- 5
zen ausliefern, sie zu verändern nach ihrem Gutdünken.

Ursula Jarvis

Eßlin, Martin. *Brecht: The Man and his Work.* Garden City, 1960.
Grimm, Reinhold. *Bertolt Brecht. Die Struktur seines Werkes.*
Nürnberg, 1959.
Jens, Walter. „Protokoll über Brecht", *Merkur* X, 1956.
Klotz, Volker. *Bertolt Brecht. Versuch über das Werk.* Darmstadt,
1957.
Viertel, Bertolt. „Bertolt Brecht, Dramatist", *The Kenyon Re-
view* VII, 1945.